TRUDEAU
Fils du Québec, père du Canada

Révision : Nicole Raymond
Correction : Sylvie Tremblay, Linda Nantel, Anne-Marie Théorêt
Infographie : Luisa da Silva, Johanne Lemay

Catalogage avant publication de Bibliothèque et Archives Canada

Nemni, Max

    Trudeau, fils du Québec, père du Canada

    Sommaire : tome I :
    Les années de jeunesse - 1919-1944.

Trudeau, Pierre Elliott, 1919-2000. 2. Canada - Politique et gouvernement - 1968-1979. 3. Canada - Politique et gouvernement - 1980-1984. 4. Premiers ministres - Canada - Biographies. I. Nemni, Monique. II. Titre. III. Titre : Les années de jeunesse - 1919-1944.

FC626.T7N44 2006   971.064'4092   C2006-940470-4

Pour en savoir davantage sur nos publications, visitez notre site : **www.edhomme.com**
Autres sites à visiter : www.edjour.com www.edtypo.com • www.edvlb.com www.edhexagone.com • www.edutilis.com

DISTRIBUTEURS EXCLUSIFS :

• Pour le Canada et les États-Unis :
MESSAGERIES ADP*
955, rue Amherst
Montréal, Québec H2L 3K4
Tél. : (514) 523-1182
Télécopieur : (450) 674-6237
* Filiale de Sogides ltée

• Pour la France et les autres pays :
INTERFORUM
Immeuble Paryseine, 3, Allée de la Seine
94854 Ivry Cedex
Tél. : 01 49 59 11 89/91
Télécopieur : 01 49 59 11 33
Commandes : Tél. : 02 38 32 71 00
                Télécopieur : 02 38 32 71 28

• Pour la Suisse :
INTERFORUM SUISSE
Case postale 69 - 1701 Fribourg - Suisse
Tél. : (41-26) 460-80-60
Télécopieur : (41-26) 460-80-68
Internet : www.havas.ch
Email : office@havas.ch
DISTRIBUTION : OLF SA
Z.I. 3, Corminbœuf
Case postale 1061
CH-1701 FRIBOURG
Commandes : Tél. : (41-26) 467-53-33
                Télécopieur : (41-26) 467-54-66
                Email : commande@ofl.ch

• Pour la Belgique et le Luxembourg :
INTERFORUM BENELUX
Boulevard de l'Europe 117
B-1301 Wavre
Tél. : (010) 42-03-20
Télécopieur : (010) 41-20-24
http://www.vups.be
Email : info@vups.be

03-06

Dépôt légal : 2006
Bibliothèque et Archives nationales du Québec

ISBN 10 : 2-7619-2134-8
ISBN 13 : 978-2-7619-2134-3

Gouvernement du Québec – Programme de crédit d'impôt pour l'édition de livres – Gestion SODEC – www.sodec.gouv.qc.ca

L'Éditeur bénéficie du soutien de la Société de développement des entreprises culturelles du Québec pour son programme d'édition.

 Le Conseil des Arts du Canada
The Canada Council for the Arts

Nous remercions le Conseil des Arts du Canada de l'aide accordée à notre programme de publication.

Nous reconnaissons l'aide financière du gouvernement du Canada par l'entremise du Programme d'aide au développement de l'industrie de l'édition (PADIÉ) pour nos activités d'édition.

TRUDEAU
Fils du Québec, père du Canada
Tome I : Les années de jeunesse – 1919-1944

LES ÉDITIONS DE
L'HOMME

À la mémoire de
Pierre Elliott Trudeau,
un homme bon et vrai
et
À nos rayons de soleil,
nos filles, Colette et Jacqueline,
et nos petits-enfants,
Julien, Rachel, Nicolas, Zoé et Mark

INTRODUCTION

Un après-midi de février 1995. Nous roulons sur l'auto-route 20 en direction de Montréal. Nous sommes partis de Québec en nous donnant une heure de battement, parce que nous ne voulons surtout pas être en retard au rendez-vous avec Pierre Trudeau. Mais à cause des routes ennei-gées, nous arrivons au restaurant indien, rue Crescent, quelques minutes à peine avant lui. Comme à son habi-tude, il est à l'heure. Nous sommes très nerveux. Avec raison. Nous sommes venus discuter avec lui de notre intention d'écrire sa biographie intellectuelle. Nous le connaissions déjà depuis cinq ans, l'avons informé de nos plans et, intéressé, il désire en discuter. D'où notre rendez-vous.

Au cours de ce dîner très amical, nous lui exposons notre projet de notre mieux. Trudeau écoute avec attention, pose quelques questions. Nous lui expliquons que nous ne nous intéressons pas trop à sa vie privée, que nous voulons analyser l'évolution de sa pensée et de ses idées politiques depuis ses jeunes années, et voir dans quelle mesure il a été conforme à ses idéaux dans l'exercice du pouvoir. Il écoute avec intérêt. Puis, d'une voix un peu inquiète, il demande : « Et qu'est-ce que vous attendez de moi ? » « À dire vrai, rien de spécial, répondons-nous. On pourrait, à l'occasion, vous poser quelques questions, voir quelques documents inédits qui seraient encore chez vous, vous demander de nous aider à rencontrer quelques personnes qui étaient près de vous…» Hochements de la tête approbateurs. «Aucun problème», dit-il. Et après un petit silence, il ajoute : «Je suppose que vous voulez votre autonomie intellectuelle… Je comprends et j'approuve. Alors voilà ce que je vous propose : vous me donnez vos chapitres au fur et à mesure que vous les écrivez, je vous fais des commentaires, et vous en faites ce que vous voulez.» Nous n'en croyons pas nos oreilles. Nous avons beaucoup de mal à ne pas sauter de joie. «Ça nous convient parfaitement», disons-nous, d'un air aussi naturel que possible.

L'addition arrive. Il veut nous inviter. Nous refusons et insistons pour payer la note. «Bon, dit Trudeau. Alors faisons comme je fais avec mes copains. On partage.» «D'accord, disons-nous, mais c'est deux tiers pour nous.» «Non, dit Trudeau à Max. On partage en deux. Je prends la moitié de Monique.» C'est ce qu'on a fait. Et jusqu'à sa mort, il a pris la moitié de Monique.

De retour chez nous, nous jubilons. Nous discutons entre nous de notre programme de travail… jusqu'au mois d'avril.

Entre-temps, Anne-Marie Bourdouxhe, la fille de Gérard Pelletier, le vieil ami et collaborateur de Trudeau, donne sa démission en tant que directrice de la revue *Cité libre*. Bien que faisant partie de l'équipe de rédaction, nous ne manifestons aucun intérêt à prendre la succession. Et pour cause. Nous ne savons strictement rien du monde de l'édition d'une revue, et nous avons, par surcroît, un projet qui nous tient bien plus à cœur. Des mois passent. Pour toutes sortes de raisons, les membres du conseil d'administration n'arrivent pas à s'entendre sur les candidats intéressés et, au mois de mars, ils se mettent à notre poursuite. Les pressions augmentent. Avec un référendum sur la sécession du Québec à l'horizon, on nous demande si nous pourrons vivre avec nous-mêmes, sachant que nous avons laissé mourir la seule revue francophone qui s'oppose avec vigueur à la sécession. Nous ne savons plus que faire ni que penser.

Après plusieurs nuits sans sommeil, un soir d'avril, nous rencontrons Trudeau dans un restaurant chinois pour lui exposer notre dilemme : si nous acceptons de prendre la direction de *Cité libre*, nous devons abandonner notre projet de biographie. Il comprend, partage notre inquiétude au sujet de la situation politique québécoise, et nous suggère d'accepter de publier la revue pour un an, le temps de voir le référendum passer. C'est ce que nous décidons de faire, en annonçant clairement au conseil d'administration de *Cité libre* les conditions de notre accord.

Personne n'avait prévu que le référendum de 1995 aurait généré autant de traumatisme, aussi bien avant qu'après, aussi bien dans le camp du Oui que celui du Non. En l'absence d'une relève, il nous est impossible de démissionner. Au contraire, nous sommes de plus en plus convaincus qu'il faut répandre la revue *coast to coast*, et dans les deux langues officielles. C'est ce que nous faisons en 1998.

Devenus amis avec Trudeau, nous nous tutoyons, parlons souvent au téléphone, nous nous rencontrons régulièrement, jusqu'à son décès, en l'an 2000. Pendant nos cinq années comme directeurs de la revue qu'il a fondée, avec Gérard Pelletier et d'autres, nous sommes forcément pris dans des controverses. Son appui moral indéfectible est pour nous d'une valeur inestimable. Il nous arrive souvent de lui manifester notre grande déception de ne pas pouvoir démissionner pour travailler à sa biographie intellectuelle. « C'est très important ce que vous faites à *Cité libre* », s'empresse-t-il toujours de nous dire, pour nous rassurer. « Personne d'autre ne peut le faire. Pour l'autre projet, ça ne presse pas. » « Mais oui, ça presse ! » répliquons-nous. Notre air navré le fait rire.

L'histoire a montré que ça pressait. Nous ne regrettons pas notre choix. Mais depuis qu'il nous a quittés, combien de fois ne nous sommes-nous pas demandé ce qu'aurait été ce livre si nous l'avions fait de son vivant. Aurions-nous eu accès à tous les documents que nous avons consultés? Si oui, comment aurions-nous réagi à ce que nous avons découvert? Aurions-nous eu le courage d'en discuter avec lui? En quoi auraient consisté ses commentaires? Questions qui resteront sans réponses.

Par moments, le choc de nos découvertes et l'ampleur de la tâche ont a été si grands que nous avons été tentés d'abandonner le projet. Mais nous y revenions, attirés comme par un aimant, par ce sujet qui prenait l'allure d'un roman policier, plein d'intrigues et de rebondissements. Nous y revenions aussi par notre volonté de respecter la promesse faite à Trudeau d'écrire sa biographie intellectuelle. Se doutait-il de ce qui en sortirait? Aujourd'hui, nous sommes convaincus que oui, puisque nos découvertes sont toutes contenues dans les innombrables papiers qu'il a conservés depuis sa plus tendre enfance, et qu'il a légués aux archives nationales du Canada. Sinon, pourquoi ne les aurait-il pas détruits, sachant pertinemment que nous attendions l'occasion de nous enfouir dans leur lecture?

Nous nous sommes donc engagés à suivre un homme plus grand que nature, avec un appétit de savoir insatiable. Il veut tout apprendre, tout comprendre, à travers ses lectures. S'impliquant corps et âme dans l'action, il plonge dans la vie avec une intensité peu commune.

Pour comprendre Trudeau, nous avons dû nous familiariser avec une variété redoutable de facteurs qui ont affecté son développement: la Deuxième Guerre mondiale, le régime de Vichy, les encycliques des papes Léon XIII et Pie XI, la position du Vatican par rapport aux dictateurs européens des années 1930 et 1940, celle de l'Église du Québec vis-à-vis de la guerre et de la crise économique des années 1930, l'histoire, la mission des jésuites et leur philosophie de l'éducation, la crise de la conscription, et tant d'autres facteurs qui faisaient partie de son vécu. Or, les analyses des experts diffèrent, et la controverse fait rage à propos de chacun de ces sujets. De plus, pour suivre ce jeune homme passionné de lecture, nous avons dû nous imprégner de son monde intellectuel, fait de romanciers, de poètes, de dramaturges, d'historiens, de philosophes, d'économistes, de penseurs politiques et de théoriciens de la révolution.

Comprendre Trudeau, c'est comprendre son contexte historique et social, c'est-à-dire une période de crise et un monde occidental déchiré par de violents conflits de civilisation. C'est pourquoi l'étude de l'évolution de sa pensée donne un éclairage tout à fait nouveau à un pan de l'histoire du Québec et du Canada resté longtemps dans l'ombre. Comprendre Trudeau, c'est comprendre la société qui l'a profondément marqué dans sa jeunesse et sur laquelle, dans ses années de maturité, il a laissé sa marque indélébile.

Entreprenons donc notre voyage d'exploration. Nous découvrirons un jeune Trudeau totalement inconnu à ce jour.

CHAPITRE 1

L'énigme Trudeau

> *He haunts us still.*
> Stephen Clarkson et Christina McCall,
> *Trudeau and Our Times*, 1990

En 1993, neuf ans après que Pierre Trudeau eut quitté le pouvoir, le journal britannique *The Independent* divisait les premiers ministres du Canada en deux grandes catégories : « La première comprend ceux qui ont complètement disparu de notre mémoire, si tant est qu'ils y aient jamais figuré ; la deuxième comprend Pierre Trudeau[1]. » Cette opinion reflète pour l'essentiel ce que la majorité des gens à l'étranger pensent de Pierre Trudeau. Bien qu'on dise que nul n'est prophète en son pays, on pourrait supposer tout de même que les élites québécoises partagent cette appréciation pour l'un des leurs – un homme qui est né à Montréal et y a passé la majeure partie de sa vie. Voyons ce qu'il en est, à la lumière de quelques jugements de l'intelligentsia québécoise francophone.

En 1972, soit quatre ans après l'accession de Trudeau au pouvoir et juste avant les élections prévues pour cette même année, paraît *L'anti-Trudeau*. Dans ce collectif qui regroupe 49 textes, les 29 collaborateurs partagent le même objectif : attaquer Trudeau. Le fondateur et chef du Parti québécois, René Lévesque, qui deviendra premier ministre du Québec en 1976, écrit quatre diatribes. Avec sept articles, Claude Ryan, directeur du *Devoir*, s'avère l'auteur le plus prolifique. Plusieurs des autres sont, ou deviendront, des personnalités importantes sur la scène québécoise. Citons, entre autres, Jacques Parizeau, futur chef du Parti québécois et futur premier ministre du Québec, le poète Gaston Miron, les sociologues bien connus Fernand Dumont et Marcel Rioux, et le philosophe de réputation mondiale Charles Taylor. Les rédacteurs résument bien, dans leur préface, la teneur du livre : « Les textes qui suivent nous disent que Trudeau est formaliste, idéaliste, arrogant et dangereux[2]. »

Dangereux ? Dangereux pour qui ? Dans son texte, Claude Ryan reproche notamment à Trudeau « l'incompréhensible dédain avec lequel il traite aujourd'hui, du haut de son promontoire, des esprits qui comptent parmi les plus solides qu'ait produits le Québec et qui n'ont rien, quoi qu'il en dise, de cet isolationnisme étroit dont il aime, par pure démagogie, les affubler[3] ».

Aux yeux de ses détracteurs, Trudeau n'est pas seulement arrogant ; de surcroît il ne comprend rien au Québec. En effet, explique Claude Ryan, « M. Trudeau adopte de plus en plus, en face de questions difficiles, des attitudes qui le font paraître étranger au climat dans lequel se poursuit le débat politique au Québec[4] ». Le thème du Trudeau étranger, qui ne connaît pas son milieu, revient dans un nombre considérable d'écrits de Québécois francophones, longtemps même après qu'il a quitté le pouvoir. À ce sujet, le livre du journaliste Michel Vastel, publié en 1989, constitue un exemple éloquent de la thèse du rejet de l'appartenance de Trudeau au Québec. L'ironie du titre, *Trudeau, le Québécois*[5], n'a échappé à personne. « En 1944, Trudeau est essentiellement un "parlant français" à la recherche d'une identité», écrit Vastel[6]. Le livre s'intitule d'ailleurs, en anglais, *The Outsider: The life of Pierre Elliott Trudeau*[7]. Le traducteur a bien fait son travail.

Laissant entendre qu'il aurait reçu l'appui des Canadiens anglais en leur faisant croire qu'il connaissait bien le milieu québécois, Claude Ryan prédit en 1971 que ceux-ci ne seront pas dupes longtemps: «[Trudeau] prépare le jour où [...] l'opinion anglo-canadienne, se rendant compte qu'il a perdu tout contact vivant avec les éléments dynamiques de son propre milieu, l'invitera brutalement à rentrer chez lui[8].» Trudeau l'aura bien mérité, aurait pu ajouter Ryan. Or on sait que la prédiction du directeur du *Devoir* ne se réalisera pas: Trudeau quittera la scène politique treize ans plus tard, alors qu'il est encore au pouvoir, en ayant toujours reçu l'appui indéfectible et massif des Québécois.

Fernand Dumont, considéré comme un des grands sociologues du Québec, va plus loin que Ryan: «Dans un avenir qui n'est pas très lointain, les historiens montreront que M. Trudeau a détruit la confédération canadienne faute d'en avoir perçu à temps les failles et d'avoir proposé quelques réformes sérieuses[9].» Cela va de mal en pis. Non seulement Trudeau est arrogant et étranger à sa propre province, mais l'histoire montrera qu'il a détruit le Canada.

Vingt ans plus tard, en 1992, dans *Trudeau et la fin d'un rêve canadien*, le politologue Guy Laforest accuse Pierre Trudeau d'avoir tué le rêve canadien de la dualité linguistique et culturelle. Il voit, dans la logique du système fédéral promu par Trudeau, le désir «de broyer la dimension collective de l'identité des Québécois[10]». En 1993, le politologue Léon Dion, généralement considéré comme un des sages du Québec, à tendance fédéraliste, reprend le point de vue de Ryan. Il souligne, chez Trudeau, «son mépris fréquemment affiché des Canadiens français[11]».

Jusqu'ici, nous ne voyons qu'un personnage parfaitement antipathique, qui aurait affiché son arrogance, son mépris et sa volonté de broyer l'identité québécoise pendant toute sa carrière politique. On pourrait citer des pages entières de commentaires de la même eau. Ils ne feraient que rendre plus aiguë la question : *Pourquoi la majorité des électeurs québécois, sains d'esprit, ont-ils voté avec une fidélité remarquable pour un homme qui, disait-on, les méprisait et ne les comprenait pas ?* Voilà une première dimension de l'énigme Trudeau.

Les francophones ne sont pas seuls à reprocher à Trudeau son incompréhension des aspirations du Québec. Kenneth McRoberts, politologue renommé, spécialiste des questions québécoises, écrit que le projet même d'indépendance est né de la frustration engendrée par sa politique : « Chez plusieurs Québécois de la nouvelle classe moyenne, le projet souverainiste est né tout simplement de la frustration provoquée par la manière dont le gouvernement fédéral, surtout pendant les années Trudeau, a freiné l'expansion de l'État québécois[12]. » En somme, c'est la politique de Trudeau qui a fait naître le séparatisme.

À la lumière de ce qui précède, un observateur étranger pourrait conclure que Trudeau n'a pas puisé ses appuis dans cette province. S'il est resté au pouvoir pendant 16 ans – avec une très brève interruption – c'est qu'il a bénéficié de la faveur de l'électorat de ce qu'on appelle « le Canada anglais ». Faute d'avoir compris les siens, Trudeau aurait-il davantage compris et apprécié les Anglo-Canadiens ? Qu'en pensent ces derniers ? En 2003, trois ans après sa mort, le journaliste Graham Fraser écrit : « Pierre Trudeau connaissait très mal le reste du Canada, pour lequel il n'avait d'ailleurs aucun intérêt et aucune affection[13]. » En somme, pour Fraser, le scénario du Québec se répète dans le reste du Canada : même manque de connaissances, d'intérêt et de considération. Comme preuve, Fraser ajoute la parenthèse suivante : « (Dans ses mémoires, son ami et collègue au fédéral, Gérard Pelletier – aujourd'hui défunt – écrivait : « Je n'ai aucun attachement pour l'entité politique canadienne ; supposer le contraire serait une erreur. » En d'autres termes, selon le vieil adage « Qui se ressemble s'assemble », Trudeau serait coupable par association. Puisque son ami Gérard Pelletier a explicitement exprimé son manque d'attachement au Canada, il en va de même pour Trudeau.)»

Des chercheurs de l'Institut de recherche en politiques publiques poussent la critique plus loin. Pour eux, la politique fédérale et libérale de Trudeau repose sur des prémisses erronées, va à l'encontre des principes du vrai fédéralisme et s'oppose aux aspirations des Québécois comme à celles des gens de l'Ouest canadien et des autochtones. Les auteurs résument ainsi leur thèse : « Notre étude vise à démontrer en quoi la philosophie politique du libéralisme – et notamment le "pan-canadianisme" qu'en avait conçu le premier ministre Pierre Trudeau – s'oppose aux aspirations plus fédéralistes des nationalistes québécois modérés, des régionalistes de l'Ouest et des peuples autochtones[14]. »

La crédibilité de cette critique viendrait, en partie, du calibre de ses auteurs. Gordon Robertson, haut mandarin de la fonction publique, a été le patron de Trudeau de 1949 à 1950, lorsque ce dernier a occupé son premier poste dans la fonction publique. Secrétaire du Conseil privé de 1963 à 1975, Robertson a été également, pendant quelques années, sous-ministre dans le gouvernement Trudeau. Roger Tassé, lui, a déjà été sous-ministre de la Justice et procureur général. Leur critique laisse entendre que la conception du fédéralisme de Trudeau ne satisferait à peu près aucun Canadien.

Mais alors pourquoi tant de gens s'entendent-ils pour dire que nous vivons aujourd'hui le Canada de Trudeau ? Et qu'au lieu de détruire le Canada, il lui aurait donné des bases solides ? Le célèbre politologue Alan Cairns parle des « Charter Canadians[15] », c'est-à-dire d'une nouvelle identité canadienne basée sur la Charte. Comment le même homme aurait-il pu avoir détruit le Canada et, simultanément, avoir donné aux Canadiens une nouvelle identité dont ils sont fiers ?

Dans la plupart des documents, livres et articles, écrits par des intellectuels québécois francophones, et même par des anglophones, il est difficile de trouver des opinions favorables à l'égard de Trudeau. De fait, les attaques pleuvent. Pourtant, les Canadiens ne semblent pas pouvoir l'oublier. «Il nous hante encore», écrivent ses biographes Stephen Clarkson et Christina McCall en 1990[16]. «Nous avons toujours une fixation à Trudeau», dit-on de lui le 14 octobre 1999, en réponse à un sondage fait à l'occasion de son 80e anniversaire.

D'où vient la fascination qu'il exerçait de son vivant et qu'il continue à exercer aujourd'hui? L'*Independent* l'explique comme suit: «– son irrévérence, sa flamboyance, les frasques de sa jeune femme – Trudeau reste présent dans la mémoire des gens. Un homme moderne à la tête d'un pays rustique. L'étincelle qui a jailli d'un simple morceau de silex[17].» Les traits de caractère de Trudeau – sa flamboyance, ses pirouettes irrespectueuses, ses rendez-vous nocturnes avec des stars comme Barbra Streisand, et autres particularités de sa vie privée – expliquent peut-être qu'on se souvienne de lui à l'étranger, mais ne suffisent certainement pas pour justifier l'appui indéfectible des électeurs québécois depuis sa première élection. Cet appui va même en croissant: en 1968, quand il accède au pouvoir, il récolte 54% du vote populaire québécois. À sa dernière élection, en 1980, 68% des Québécois votent pour lui et son parti récolte 74 sièges sur 75[18]. Avec un appui moins spectaculaire à l'échelle canadienne, il s'est maintenu au pouvoir pendant seize ans. Pourquoi serait-il si populaire?

Richard Gwyn propose une explication. Il dit que lorsque la popularité de Trudeau, en 1976, était tombée plus bas que celle de tous les premiers ministres canadiens précédents, l'idée qu'on puisse le réélire lui avait semblé impossible. Pourtant, écrit-il alors: «Il y a quelque chose dans cet homme qui nous fascine», sans savoir au juste quoi. En 1980, il s'exclame : « Maintenant je comprends : c'est un grand magicien. » D'où le titre de son livre : *The Northern Magus*[19]. Peter McCormick, professeur de science politique à l'Université de Lethbridge, en Alberta, trouve en 1999 une nouvelle explication : « Parce que c'était un géant… et que depuis, nous n'avons eu que des Pygmées[20]. »

Magicien, géant, auteur, farceur, Don Juan, grand sportif, intellectuel hors pair, déclaré par sondage comme l'homme canadien le plus sexy, alors qu'il a 70 ans… Comment la même personne peut-elle susciter chez les uns une admiration qui frise la vénération et chez d'autres un mépris et une haine presque sans bornes ?

Mais, pourrait-on dire, pourquoi se préoccuper des traits de caractère de Trudeau dans une biographie intellectuelle ? Tout simplement parce qu'on ne peut faire abstraction de sa personnalité. Toute pensée s'incarne dans un être en chair et en os, issu d'un contexte familial et social, doté d'un physique et de traits de caractère particuliers. Il a été fascinant pour nous, en tant que biographes, de suivre l'évolution de l'enfant vers l'homme adulte, de noter le contraste entre les valeurs qu'il a acquises, adolescent, dans le Québec des années 1930 et 1940 et sa remise en cause de certaines de ses certitudes lorsqu'il a exploré un monde déchiré par la guerre.

Joseph Philippe Pierre Yves Elliott Trudeau, futur Pierre Elliott Trudeau, est né à Outremont (aujourd'hui un quartier de Montréal) le 18 octobre 1919. La Première Guerre mondiale était finie, mais la question de la circonscription avait contribué à exacerber le nationalisme québécois. Le Québec francophone, qui y était farouchement opposé, se l'était fait imposer par le reste du Canada, au prix d'émeutes sanglantes et de désertions. Cette question, au départ, a divisé le Parti libéral du Canada, mais a fini par anéantir le Parti conservateur au Québec pendant au moins une génération, le Québec francophone ayant décidé de s'accrocher au Parti libéral du Canada par un réflexe d'autodéfense.

Deuxième de trois enfants, Pierre a une sœur aînée, Suzette, née un an avant lui, et un frère cadet, Charles, que tout le monde appellera Tip, né en 1922. Dès sa naissance, plusieurs conditions distinguent le jeune Pierre de la majorité des Canadiens français. Ses parents vivent dans l'aisance et deviennent très riches pendant qu'il est encore jeune. C'est ainsi qu'en 1933, en pleine période de Dépression, alors que tant de Canadiens connaissent la plus grande misère, la famille Trudeau, accompagnée du grand-père Elliott, fait un long voyage en Europe.

La fortune familiale a joué un rôle indéniable dans la vie de Trudeau, y compris dans l'évolution de ses idées politiques, en lui permettant de faire des choix que d'autres n'ont jamais eu la possibilité de faire, comme des études à l'université Harvard, à l'Institut d'études politiques de Paris (communément appelé Sciences Po) et à la London School of Economics. N'ayant pas à se préoccuper de son avenir financier, il peut se consacrer à tout ce qui lui plaît ; il fera le tour du monde – même s'il choisit de le faire dans des conditions tout à fait modestes, sinon sordides ; il peut s'évader à l'autre bout de la planète toutes les fois qu'il en éprouve le besoin ; il n'a jamais à accepter un poste qui ne lui convient pas.

Certains auteurs affirment que la richesse des Trudeau les isolait de leur entourage. Michel Vastel, par exemple, écrit que « sa situation de fils de millionnaire, au moment de la Grande Dépression, fait de lui un privilégié ». Et il donne l'exemple suivant : « C'est dans la limousine paternelle, conduite par un chauffeur, que les deux frères Trudeau remontent l'avenue Côte-Sainte-Catherine vers le collège Jean-de-Brébeuf. Certains de leurs amis, comme Michel Chartrand, marchent quelques kilomètres pour économiser les quatre cents que coûte le billet d'autobus[21]. » La réalité est quelque peu différente. En fait, les Trudeau avaient effectivement à leur service Elzéar Grenier, chauffeur et homme à tout faire. Tous les lundis matin, celui-ci accompagnait Suzette au couvent du Sacré-Cœur où elle était pensionnaire pour la semaine. Pierre et Tip en profitaient pour se faire accompagner au collège Brébeuf. Comme la voiture était à strapontins, plusieurs petits voisins en profitaient aussi[22]. Les autres jours, les deux frères prenaient les transports en commun ou se rendaient au collège à pied, comme les autres élèves.

Trudeau a toujours été conscient du fait que la fortune de ses parents lui avait permis de vivre dans des conditions privilégiées. Mais personne, à notre connaissance, ne l'a jamais entendu s'en vanter ou afficher un luxe scandaleux. Au contraire, sa parcimonie est légendaire. Mais curieusement, même ceux qui l'accusent d'avarice mentionnent également sa grande générosité, non seulement de son argent mais de sa personne. Jacques Hébert, éditeur, écrivain, polémiste et vieil ami de Trudeau, raconte sa propre expérience : « Au moment de mes démêlés avec la justice à propos de mon livre *J'accuse les assassins de Coffin*[23], Trudeau était professeur à l'Université de Montréal. Il a pris un mois de congé sans solde pour me défendre gratuitement. […] Tout le procès était à Québec[24]. » Le cas de Jacques Hébert n'est pas unique. Dans les années 1950, l'étude du jeune avocat Trudeau, rue Saint-Denis, à Montréal, avait la réputation de dispenser des services gratuits à toute personne qui avait « un cas intéressant[25] ». Non seulement Trudeau défendait de nombreuses personnes sans se faire payer, mais, selon plusieurs témoignages, il en aidait d'autres financièrement, et toujours avec la plus grande discrétion.

La fortune relative des gens n'a strictement aucune importance pour lui. En fait, il manifeste, dès son jeune âge, un grand détachement vis-à-vis de l'argent. Il peut aussi bien rouler en Mercedes décapotable que dormir dans une gare de chemin de fer, manger du caviar ou des spaghettis… Dans son système de valeurs, l'argent a très peu d'importance. « Je n'aime pas qu'on me juge sur l'épaisseur de mon portefeuille[26] », dit-il. Et on ne l'a jamais entendu juger les autres sur l'épaisseur du leur. Pour lui, comme pour toute sa famille, l'argent sert à se procurer ce qu'on aime vraiment, y compris des objets de luxe, mais on n'en est pas dépendant. Par exemple, très jeunes, les enfants Trudeau ont un piano Steinway. Ils ont un gramophone haut de gamme, ce qui leur permet d'organiser des soirées musicales chez eux le dimanche. Plus tard, Trudeau n'hésitera pas à se payer une Harley-Davidson ou une Mercedes décapotable. On a l'impression, chez lui comme chez plusieurs membres de cette famille, que le luxe n'est pas indispensable, qu'ils pourraient s'en passer. Pour Trudeau, c'est même un principe de vie. « Je ne dirais pas que je ne m'y attache pas [aux objets]. Je dois lutter, je ne veux pas être esclave des objets[27]. » Interrogé sur les valeurs qu'il voudrait communiquer à ses enfants, il répond : « J'aimerais qu'ils soient le moins possible esclaves des biens matériels. Pouvoir apprécier un bon repas, un beau livre, des vacances, c'est merveilleux. Mais souffrir, si on est privé, je trouve cela une sorte d'esclavage. Et j'espère que mes enfants […] apprendront, comme mes parents me l'ont appris, à être un peu détachés de tout cela[28]. » On verra que ses parents sont loin d'être les seuls à le lui avoir appris. On trouve de nombreux exemples de ce détachement, de cette frugalité – de cet ascétisme, pourrait-on dire – tout au long de sa vie.

D'autres conditions distinguent également le jeune Trudeau des gens qui l'entourent. En effet, en dehors des Irlandais catholiques qu'ils fréquentent, les Canadiens français de l'époque – et même, *grosso modo*, jusqu'à ce qu'on appelle communément la Révolution tranquille des années 1960 – ont peu de contacts avec « les autres » : anglophones protestants, juifs ou immigrants d'autres pays. Ce n'est pas le cas des jeunes Trudeau ni sur le plan religieux ni sur le plan linguistique. La mère de Pierre, Grace Trudeau, née Grace Elliott, a pour père un anglophone protestant, et pour mère une francophone (née Sauvé) catholique. Ses parents décident d'élever leurs fils dans la foi protestante et leur fille dans la foi catholique. D'autre part, quand ils habitent rue Durocher, les Trudeau ont des juifs comme voisins immédiats. « On avait des maisons mitoyennes, puis on passait d'un balcon à l'autre, au deuxième étage[29] », se rappelle sa sœur Suzette en riant.

Si les enfants Trudeau côtoient, dès leur jeune âge, d'autres religions, ils vivent depuis leur naissance la cohabitation linguistique, puisque leur père est francophone et leur mère plutôt anglophone. Quelle langue parlait-on donc au sein de la famille ? Comme pour tout ce qui touche Trudeau, les biographes sont partagés. Certains écrivent que Grace Trudeau était parfaitement bilingue ; d'autres, qu'elle parlait français avec un fort accent anglais. Dans sa biographie de Trudeau, George Radwanski écrit que les enfants parlaient anglais chez eux : « À la maison, le plus souvent, les enfants parlaient anglais à leurs parents – à leur mère parce que c'était sa langue maternelle et à leur père parce qu'il voulait améliorer son anglais[30]. »

Qu'en disent les principaux intéressés ? Suzette déclare sans ambages : « Nous étions tous bilingues. Maman était une Elliott. Moi, je parlais plus facilement anglais. Mon père savait que la langue française était plus difficile que l'anglais, alors il voulait qu'on parle français. Mon père parlait souvent anglais avec Maman, mais il nous a toujours dit que c'était pour perfectionner son anglais. Mais ils parlaient les deux langues entre eux. On parlait tous les deux langues. Pierre parlait anglais avec moi et français avec Tip. C'est après que les gens ont commencé à parler de ces choses[31].»

Trudeau partage le point de vue de sa sœur. À la question de savoir comment se réglait le problème de la langue à la maison, il écrit dans ses *Mémoires* : «Ma réponse : le plus naturellement du monde. D'abord, je n'ai jamais senti qu'il s'agît là d'un problème. Mon père nous parlait toujours en français, ma mère dans l'une ou l'autre langue, selon les sujets et selon sa fantaisie. Ma grand-mère, mes oncles, mes tantes et mes cousins Trudeau parlaient toujours français ; mon grand-père Elliott s'adressait en anglais à ma mère mais passait au français pour discuter avec mon père[32].» Les enfants utilisent donc les deux langues, passant avec aisance de l'une à l'autre selon les circonstances et la personne à qui ils s'adressent. Cette gymnastique crée-t-elle des confusions chez le jeune Trudeau ? «Très peu et très mineures, répond-il. […] J'éprouvais, avant la lettre, les bienfaits de l'immersion totale[33].»

Si le bilinguisme des enfants Trudeau ne semble pas poser de problème sur le plan linguistique, en suscite-t-il sur le plan intellectuel ou identitaire ? Lionel Groulx a répondu à l'essence de cette question dans son roman *L'Appel de la race,* en faisant dire à son héros : «Mais il serait donc vrai le désordre cérébral, le dédoublement psychologique des races mêlées[34] !» Et il ajoute un peu plus loin : «Les croisements […] constituent toujours un élément de dégénérescence quand ces races, même supérieures, sont trop différentes[35].» Le «croisement» dont traite ce roman se fait entre le héros, Lantagnac, un Canadien français, catholique, brillant avocat fortement anglicisé, et sa femme, protestante anglophone, convertie au catholicisme. Lorsque Lantagnac retourne enfin, avec joie, à ses racines françaises, sa femme le quitte, deux enfants suivent la mère, un fils revient aux sources, avec lui, et une fille entre au couvent. Cette famille croisée était fatalement vouée à l'échec...

On aurait pu s'attendre que, même dans les années 1920, cette thèse soulève l'indignation des personnes cultivées, sinon des foules. Or il n'en est rien. À cette époque où les Canadiens français vivent sans grand contact avec le monde extérieur, le roman connaît un succès inégalé. En 1956, dans la cinquième édition du livre, Bruno Lafleur écrit en introduction: «Ce livre a mérité à l'abbé Groulx l'adhésion à peu près unanime, et parfois un peu trop enthousiaste, de la jeunesse étudiante des années vingt[36].» Les archives de Trudeau ne contiennent aucune réfutation de cette pensée du chanoine Groulx. Diverses biographies donnent l'impression que les deux hommes vivaient dans des mondes parallèles. La vérité est tout autre, comme on l'établira plus loin. Toutefois, sur ce point particulier, on peut supposer que les enfants Trudeau devaient trouver farfelue la théorie du dédoublement psychologique ou celle de la dégénérescence des «races mêlées». Leur propre expérience de vie leur donnait la preuve quotidienne du contraire.

Si l'on peut comprendre que, dans les années 1930, la thèse de Groulx ait pu trouver un terrain fertile dans les esprits, on s'étonne de lire, quelques décennies plus tard, sous la plume de la plupart des biographes de Trudeau, l'affirmation que la situation familiale de ce dernier l'avait profondément perturbé et qu'il allait souffrir d'une crise d'identité pendant toute sa vie. Certains sont allés jusqu'à interpréter toute sa politique comme l'imposition à tout le Canada d'une solution à sa propre crise d'identité, conséquence évidente de sa situation familiale. Ainsi, dans leur célèbre biographie, couronnée du prix du Gouverneur général, Stephen Clarkson et Christina McCall, après avoir écrit qu'au collège Brébeuf on communiquait aux élèves le sentiment de la supériorité morale des Canadiens français, concluent : « Le jeune Trudeau a manifestement trouvé dans la fierté que cet enseignement encourageait le moyen de dissimuler le malaise et l'ambivalence qu'il ressentait à être Canadien français[37]. » Les auteurs posent comme un fait établi, non seulement que le jeune Trudeau souffrait d'un malaise général et qu'il éprouvait une ambivalence croissante par rapport à ses origines canadiennes-françaises, mais qu'il voulait les camoufler. Son adhésion évidente à la ligne de conduite des jésuites de Brébeuf, qui encourageaient le sentiment de fierté d'être Canadien français, n'aurait été qu'une hypocrisie pour camoufler son malaise. Sur quels documents ou quels témoignages ces auteurs fondent-ils leur assertion ? On l'ignore. Si Trudeau appréciait le sentiment de fierté promu par les jésuites, pourquoi n'était-ce pas, tout simplement, parce qu'il se définissait comme Canadien français ?

En 1997, Kenneth McRoberts cite, en l'approuvant, le point de vue de Clarkson et McCall et va même plus loin : toute la politique de Trudeau résulterait de cette ambivalence identitaire. Pour ce politologue, cette situation familiale permet, certes, à Trudeau d'acquérir un niveau de bilinguisme assez rare dans le monde, mais elle a des conséquences graves sur son identité : « L'effet a été profond : il était incapable de choisir entre une identité canadienne-anglaise ou canadienne-française. C'est pourquoi il s'est accroché à la notion de suprématie de l'individu. Il l'a fait pour satisfaire un besoin personnel que la plupart des Canadiens ne ressentaient pas avec autant d'acuité[38]. » En somme, la primauté de la personne, dont Trudeau s'est fait le champion, ne découlerait pas de principes philosophiques ou éthiques, mais de son incapacité à s'identifier à l'un ou l'autre groupe culturel. Ainsi, la Charte qu'il a léguée au Canada répond à ses propres besoins et non à ceux des Canadiens. Mais si tel est le cas, pourquoi avons-nous aujourd'hui des « Charter Canadians », des Canadiens qui se sentent unis par la Charte ? Pourquoi la Charte des droits et libertés est-elle si populaire, surtout au Québec ?

C'est également par ses problèmes identitaires que McRoberts explique l'antinationalisme de Trudeau : « Il va sans dire que son rejet violent du nationalisme et de tout ce qui définit une collectivité d'un point de vue ethnique ou culturel était une réaction naturelle chez quelqu'un qui n'avait pas d'attaches dans une collectivité particulière[39]. » Même le rejet catégorique, de la part de Trudeau, de toute forme de nationalisme ethnique et culturel ne découlerait pas d'un principe philosophique, mais de son problème identitaire. Le bilinguisme de Trudeau trouve ainsi son talon d'Achille, et en conséquence, tout le pays est détourné des vraies solutions au problème d'unité nationale. D'où la thèse du livre de McRoberts, *Misconceiving Canada*.

Il est un point sur lequel tous les biographes s'entendent : Trudeau était un athlète accompli. En effet, il fascine les Canadiens par ses exploits sportifs. Il fait des plongeons spectaculaires, skie comme un champion, court si vite qu'il sème les foules, pratique le judo, le ski nautique, la plongée sous-marine et fait mille miles en canot avec des amis. On pourrait allonger la liste. Mais on sera peut-être étonné d'apprendre que ce sportif hors pair souffrait, dans sa jeunesse, de sa taille moyenne et de sa petite carrure : « À tort ou à raison, on m'avait considéré comme un enfant plutôt faiblard qui ne jouissait ni d'une santé ni d'une musculature formidables », écrit-il dans ses *Mémoires politiques*[40]. Pour lui, toutes ces prouesses sont une manière de surmonter son handicap. De plus, il décide de se prouver que rien ni personne ne lui fera jamais peur. Il travaille donc à dompter ses craintes, à se prouver qu'il est capable de se débrouiller dans n'importe quelle situation. Dans ses voyages, il cherche l'aventure: «C'était un peu […] pour savoir comment j'étais dans différents pays, avec des gens avec lesquels je ne pouvais absolument pas communiquer, dans aucune langue connue. Je cherchais, il faut le dire, l'aventure. Je cherchais toujours les gueules un peu patibulaires, sans provocation, mais me mettant dans des situations qui auraient pu être difficiles, afin de voir si j'aurais les ressources de m'en sortir. Et j'ai déjà risqué quelques bons coups comme ça. À force de vouloir prouver qu'on est en vie, des fois on finit par y laisser sa peau. Mais cela a toujours marché[41].»

À la fin de ses études à la London School of Economics, Trudeau, âgé de 29 ans, fait son premier tour du monde. «J'avais l'intention […], écrit-il, de me frotter aux populations, d'expérimenter leur mode de vie, de connaître leurs habitudes, leurs misères, leurs réactions. Pour ce faire, j'empruntais les moyens de transport de monsieur et madame Tout-le-monde: la marche à pied sac au dos, la troisième classe des chemins de fer […] Ce voyage était un défi que je me lançais à moi-même[42].» Manifestement, le luxe, le confort ne sont donc pas au programme. Il voyage dans des contrées dont il ne connaît pas la langue; il traverse des pays en guerre pour voir s'il est capable de ne pas céder à la panique[43]. À deux reprises, il frôle la mort: une fois, on le prend pour un espion israélien, un membre de la Haganah. Attaqué par trois voleurs, il risque la mort une deuxième fois à Ur, ville où serait né Abraham, située entre Bagdad et Bassorah.

On pourrait citer de nombreux autres exemples d'aventures de ce timide qui fait montre d'un courage et d'une endurance exceptionnels. À ce propos, le défilé de la Saint-Jean-Baptiste du 24 juin 1968, à Montréal, mérite l'attention. Trudeau était déjà premier ministre, succédant à Lester Pearson, et le pays se préparait aux élections fédérales du lendemain, le 25 juin. Pendant le défilé, quelques séparatistes, à l'instigation de Pierre Bourgault, chef du Rassemblement pour l'indépendance nationale (RIN), se mettent à lancer toutes sortes de projectiles vers la tribune officielle où se trouvent, à côté de Trudeau, le premier ministre du Québec, Daniel Johnson, le maire de Montréal, Jean Drapeau, ainsi que d'autres personnalités. Tout le monde, pris de panique, fuit la tribune. Tous, sauf Trudeau, qui reste jusqu'à la fin. Cette scène, reproduite sur tous les écrans de télévision du pays, a certainement contribué, le lendemain, à la victoire éclatante du Parti libéral. Trudeau a-t-il bravé les projectiles à des fins politiques? Toute personne connaissant le parcours de sa vie aurait su d'avance qu'il ne se serait jamais laissé intimider. En aucun cas, il n'aurait pris la fuite: c'était pour lui une question de principe.

Dès sa jeunesse, Trudeau prend un énorme plaisir à surprendre, à choquer les gens. Il fait l'effet d'un effronté, un peu sensationnaliste. Tout à coup, au milieu d'une soirée, il peut, par exemple, se tenir à la verticale sur la tête. Plusieurs personnes proches de lui avouent qu'au début cet aspect les avait dérangés, désorientés, irrités même. Marc Lalonde nous dit combien ce comportement extravagant lui «tombait sur les nerfs» et donne comme exemple une réception mondaine chez Pierre Péladeau, propriétaire de nombreux quotidiens et périodiques, et fondateur de la multinationale Quebecor. Alors que tous les invités sont en habit de soirée, Trudeau arrive en maillot de bain et fait quelques plongeons acrobatiques dans la piscine. «Après, on n'en fait plus cas. On l'accepte parce que c'est comme ça, parce que c'est Trudeau. On ne cherche plus à comprendre[44]», ajoute Lalonde. Mais comment concilier ses gestes excentriques avec sa timidité?

Pendant ses dernières années au collège Brébeuf, Trudeau devient ami avec Roger Rolland, élève dans un autre collège classique. Ils feront ensemble de nombreux voyages en motocyclette et partageront une chambre à Paris lorsqu'ils seront tous les deux étudiants en 1946-1947. Rolland deviendra directeur des programmes de la télévision et de la radio de Radio-Canada et, comme conseiller spécial du premier ministre, il sera un des rédacteurs de ses discours. Ils resteront amis jusqu'à la mort de Trudeau. Alors qu'ils sont encore élèves, les deux fondent le club des «agonisants». Il s'agit, en pleine soirée mondaine, de se laisser tomber à terre d'un bloc, comme si on était pris d'évanouissement, ou qu'on était mort, en mettant ses mains au sol au dernier moment pour ne pas se faire mal. Très vite, un des professeurs jésuites du collège, Rodolphe Dubé, mieux connu sous le pseudonyme de François Hertel, se joint à eux. On imagine la stupéfaction des spectateurs…

Un autre tour joué par Trudeau et Rolland a été souvent cité, essentiellement comme exemple du caractère irresponsable du jeune Trudeau pendant la guerre. Il s'agit du fameux «incident de la moto». On en trouve de multiples variantes, chacun y ajoutant sa propre touche et ses propres inventions, mais toujours pour condamner le comportement de Trudeau. Résumons les faits, tels que rapportés par Roger Rolland[45]. Un jour, les deux compères décident d'aller en moto surprendre des amis comédiens, membres des Compagnons de St-Laurent, qui passent leur été à Morin-Heights, dans les Laurentides. Pour s'amuser, ils décident de se déguiser et farfouillent dans le grenier où les parents de Roger accumulent toutes sortes de souvenirs rapportés de leurs voyages en Europe. Rolland met un vieux casque prussien à pointe, et Trudeau, un vieux casque français. Ils ajoutent quelques médailles sur leurs imperméables, enfilent des bottes de l'armée et des lunettes de ski, puis se munissent chacun d'un sabre. Ce déguisement était si farfelu qu'ils étaient sûrs que personne ne les prendrait au sérieux.

Ils se mettent en route. Rolland précède Trudeau sur sa moto. Tout à coup, Trudeau le rattrape et lui dit: «Mon vieux, il y a une femme qui m'a arrêté et qui m'a dit: "L'Allemand est par là!"» Ils se rendent compte alors avec surprise que les gens les prennent au sérieux. Amusés et encouragés, ils poursuivent leur chemin. «On s'est arrêté pour luncher dans un petit restaurant pas loin de Sainte-Agathe, poursuit Rolland. Au moment de payer, je sors des napoléons que mon père avait, et les donne à la serveuse. Elle va dans la cuisine, et là, on entend son père dire à haute voix: "Appelle la police!" "Écoute papa, ils ont l'air gentils; ils vont payer." "Appelle la police!" redit le père. Ils n'ont pas appelé la police. On a payé.»

Arrivés au chalet de leurs amis, ils décident de les surprendre en entrant par la fenêtre d'en haut. Ils trouvent une échelle et avancent à pas feutrés dans le sous-bois. En fait, tous les Compagnons sont ailleurs, sauf un, qui est absolument terrorisé en voyant les casques et les sabres. Les deux plaisantins cessent leur petit jeu quand ils se rendent compte que la frayeur a réellement rendu leur copain incapable de bouger. Roger Rolland se dit scandalisé qu'on ait rapporté cette farce entre amis comme une moquerie contre l'effort de guerre. Pour lui, leurs déguisements auraient pu être n'importe quoi, ils ne recelaient aucun message politique.

Comment interpréter cet incident? Nous ne doutons pas de la sincérité de Roger Rolland. Que des amis s'amusent à faire les fous, rien de plus naturel. Mais comment des jeunes gens intelligents et cultivés peuvent-ils faire de telles farces en pleine période de guerre? Rappelons cependant qu'en 1942, c'est-à-dire à la même époque, et alors que le Canada et les Alliés luttent désespérément contre les nazis et les pays de l'Axe, Jean-Louis Roux, étudiant en médecine à l'Université de Montréal, se promène, pour s'amuser, avec une croix gammée dessinée sur la manche de sa blouse de laboratoire. Quand cet incident a été rendu public en 1996, le scandale l'a forcé à démissionner de son poste de lieutenant-gouverneur du Québec. Or Roux écrit qu'à l'époque, «aucun de mes professeurs, aucun de mes camarades ne m'en tinrent rigueur. On s'en amusait ou, au pire, on s'en étonnait, sans plus. Pourtant, un délateur zélé aurait pu provoquer l'intervention de la Gendarmerie royale [...] qui n'entendait pas à rire sur ce sujet. Jamais les autorités de l'Université ne m'enjoignirent d'effacer ce symbole d'un régime totalitaire[46] ». Ainsi, si des jeunes comme Jean-Louis Roux, Pierre Trudeau et Roger Rolland s'amusaient alors à faire des farces qui nous semblent, avec le recul du temps, inacceptables, c'est que le climat ambiant le permettait.

Trudeau gardera un côté farceur et espiègle toute sa vie. Même premier ministre, il trouve le temps et l'occasion de surprendre ou de taquiner ses amis et de jouer des tours à ses enfants. Les médias et la plupart des Canadiens se délectent de ses pitreries. On se souvient de ses glissades sur les rampes d'escalier, de ses plongeons acrobatiques, de sa célébrissime pirouette derrière le dos de la reine Elizabeth... La liste est longue. Le plus souvent, les critiques ont interprété ces actions d'éclat comme une façon délibérée de faire les manchettes. Ce n'est pas impossible, mais la réalité est sans doute plus complexe. Il est évident que Trudeau planifie certaines de ses farces, comme sa célèbre entrée en cape et grand chapeau, en 1970, à un match de football de la coupe Grey. D'autres, peut-être les plus nombreuses, sont faites sous l'inspiration du moment, comme l'espièglerie suivante : alors qu'il est en pleine visite officielle en URSS, Trudeau se rapproche d'un policier debout près de sa moto, lui parle un peu, le distrait, puis saute sur l'engin pour faire le tour de la cour intérieure du Kremlin. On imagine la tête ahurie des notables russes qui n'avaient pas l'habitude de beaucoup plaisanter[47] ! On comprend que les médias se soient délectés d'une telle audace.

Pourtant, les gens qui le connaissent bien soulignent la timidité de cet homme qui ose tant d'actions d'éclat. Lui-même écrit que, jeune, il était timide et très sensible. Il pleurait pour un oui ou pour un non. « J'étais de ces enfants délicats, peut-être même chétifs et hypersensibles[48].» Il a donc entrepris de «corriger ces faiblesses[49].» Et il ajoute: «Comme il arrive invariablement alors, on se fait une carapace, des armures et je m'en suis fait de bonnes[50].»

On a souvent accusé Trudeau d'arrogance. Il semble prendre un plaisir particulier à anéantir ses adversaires par la force du verbe. Il n'hésite pas à utiliser l'insulte ou l'ironie. Il peut accuser les Québécois de devenir un «peuple de maîtres chanteurs» ou demander d'un air faussement ingénu, en pleine Université de Montréal: «Y a-t-il un intellectuel dans la salle?» Il a une maîtrise redoutable de l'art de la répartie et sait trouver sur-le-champ la formule lapidaire qui clôt le bec à ses adversaires. Certaines de ses répliques sont devenues légendaires.

En 1968, lors d'une conférence fédérale-provinciale, Daniel Johnson, alors premier ministre du Québec, l'appelle «Lord Elliott», voulant insinuer qu'il n'est pas un «vrai» Québécois. À quoi Trudeau réplique: «M'appeler Lord Elliott quand on s'appelle Johnson, c'est s'aventurer sur un terrain glissant[51].» Quand on lui annonce que, dans des enregistrements rendus publics, Nixon l'a traité de «trou de cul», Trudeau, imperturbable, aurait répliqué: «J'ai enduré de plus mauvaises insultes, dites par de meilleures personnes.» Quand, en tournée, un manifestant lui crie: «Qu'est-il advenu de votre "société juste"?», Trudeau rétorque: «Demandez à Jésus-Christ! C'est lui qui l'a promise en premier[52].»

Cette réputation d'arrogance a poursuivi Trudeau toute sa vie. Cependant, en y regardant de plus près, force est de constater qu'il est rarement le premier à attaquer, et que ses réparties les plus cinglantes viennent en général en réponse à une provocation. Ses amis intimes l'ont rarement entendu dire du mal de qui que ce soit, même de ses pires adversaires. Il croit profondément en la dignité de chaque personne. Ainsi Roger Rolland raconte qu'un jour, à Ottawa, pendant qu'il travaillait sur un discours pour Trudeau, il a fait des remarques désobligeantes au sujet de John G. Diefenbaker (ancien premier ministre conservateur, devenu député de l'opposition), le tournant en ridicule. Trudeau l'a interrompu en lui disant: «C'est un adversaire redoutable, mais c'est un bon gars[53]!»

Justin Trudeau relate l'incident suivant, révélateur du caractère de son père et des valeurs qu'il voulait inculquer à ses enfants. Un jour qu'il déjeunait avec lui au restaurant parlementaire, Justin, âgé de huit ans, reconnaît le chef de l'opposition et, croyant faire plaisir à son père, lui relate une blague un peu méchante à son sujet. D'un air sévère, Trudeau lui dit: «Justin, on n'attaque jamais l'individu. On peut être en désaccord complet avec quelqu'un sans pour autant le dénigrer[54].» Et ce disant, il se lève, prend son fils par la main et le présente à Joe Clark qui déjeunait avec sa fille, Catherine, un peu plus jeune que Justin.

Si ses proches s'entendent pour affirmer que Trudeau a toujours eu un respect profond pour chaque individu, personne ne nie le fait qu'il n'avait certainement pas autant de respect pour chaque idée. Il ne mettait pas de gants pour démolir un point de vue qui lui semblait faux ou mal argumenté, et cela quel qu'en soit l'auteur. En 1991, à l'occasion de l'inauguration de la nouvelle bibliothèque Bora-Laskin, la faculté de droit de l'Université de Toronto décerne un doctorat honorifique à Trudeau. Dans son discours, celui-ci critique sévèrement la décision de la Cour suprême de 1981 au sujet du rapatriement de la Constitution. Il se montre particulièrement dur envers celui qui en était alors le juge en chef, Brian Dickson, présent à cette cérémonie. Plus tard, à un dîner entre amis, quelqu'un demande à Trudeau si ses critiques signifient qu'il n'a pas beaucoup d'estime pour Dickson. « Pas du tout ! répond Trudeau le plus naturellement du monde. J'admire Dickson. C'est moi qui l'ai nommé à la Cour suprême. Mais je ne suis pas d'accord avec sa décision[55]. »

La plupart des gens qui ont rencontré Trudeau affirment avoir été étonnés par sa simplicité et sa sincérité. Après avoir passé trois jours avec son équipe dans la résidence du premier ministre, au 24, promenade Sussex, Alain Stanké écrit : « En fait, et les 24 techniciens de Télé-Métropole (de toutes les allégeances politiques) présents à la rencontre pourraient le confirmer, Pierre Elliott Trudeau est un homme rayonnant, chaleureux, et il possède un certain pouvoir de séduction. Courtois, charmant, diplomate, il sait fasciner. […] Pour la première fois dans l'histoire de notre télévision, toutes les portes nous étaient ouvertes et sans restriction aucune. De bonne grâce, et avec une simplicité totale, Pierre Elliott Trudeau et sa famille nous ont laissés entrer dans leur intimité[56]. »

Certes, Trudeau reste un homme réservé. Ceux qui l'ont bien connu témoignent de son désir de se rapprocher de ses amis, mais de sa difficulté à le faire. Alors qu'il est à Harvard, il se plaint à Roger Rolland de la superficialité de leurs rapports : « Je veux seulement dire que nous ne sommes sûrement pas encore de vrais amis. Je doute que nous ayons jamais parlé ensemble autrement que d'une manière plus ou moins superficielle. […] L'on croirait, à regarder notre commerce passé, que nous étions convaincus, l'un et l'autre, de ne pouvoir rien tirer de fondamental, l'un de l'autre. Alors nous faisions ce qu'il y avait de plus sage à faire dans les circonstances : nous plaisantions ensemble, nous parlions de littérature et de théâtre, de nationalisme et de mondanités. […] Comment dire que nous n'avons rien à échanger entre nous[57] ? »

Dans une lettre suivante, il tente encore de remédier à «l'étrange insuffisance de [leurs] rapports amicaux». Deux mois plus tard, il livre à son ami ces pensées: «Je n'hésite pas à dire que ce qui m'aura profité le plus de mon séjour à Harvard, ce sera les lettres de mes amis. Je vous connais tellement mieux maintenant, et je vous estime tellement plus. Et moi-même j'ai été forcé de devenir un peu plus humain, un peu moins machine, un peu plus sensible aux vertus du cœur[58].» Et il ajoute, quelque temps après: «Je préférerais toujours écrire à des amis que faire quoi que ce soit d'autre[59].» Quel contraste entre le Trudeau que l'on découvre dans ces lettres intimes et le mythe stéréotypé de l'homme froid et distant, incapable d'exprimer des sentiments!

Trudeau passe aussi pour un play-boy qui ne pense qu'à s'amuser. Un de ses adversaires politiques dit de lui, en 1969: «C'est un amateur, un dilettante, un célibataire insouciant qui préfère parcourir le monde; il se fatiguera vite de ses nouvelles fonctions[60].» En réalité, Trudeau est un bourreau de travail, servi par une volonté opiniâtre et une mémoire phénoménale. Il brille dans les joutes oratoires, avec une éloquence qui semble innée. De fait, il n'a pas la parole facile. «Pierre n'a jamais eu de bagout», confirme son ami Gérard Pelletier. Il semble également avoir la plume facile, mais la qualité de son style écrit résulte d'un long labeur. Il faut avoir vu ses manuscrits, petits articles de jeunesse ou œuvres de maturité, pour se rendre compte qu'il travaille et retravaille cent fois la formulation de ses idées. Le résultat est impressionnant, mais il peine pour y arriver. Trudeau le sait. «Merde de merde!» écrit-il dans la marge d'une lettre à son ami Roger Rolland, «Que j'écris laborieusement[61]!». Les rédacteurs de *Cité libre* des années 1950 et 1960 se souviennent des multiples corrections qu'il apportait à ses textes, jusqu'à la dernière minute.

La qualité de son français oral est, elle aussi, le fruit d'un effort ardu. Dans sa prime jeunesse, Trudeau parle le même français populaire que la plupart des Québécois. Mais, à Brébeuf, comme ses camarades, il étudie et lit un français plus soutenu, plus «international». Une fois par semaine, un professeur de diction leur enseigne l'articulation précise des mots. C'est ainsi qu'encore adolescent, il prend conscience du problème des registres de langue: «Je devais avoir quatorze ou quinze ans... je commençais à lire Racine, Corneille, Molière, et Dieu sait que les mots que je disais n'étaient pas vraiment ceux qui étaient écrits. Je me suis alors dit: "Ou bien je change d'auteurs, ou bien je me mets à parler un peu plus comme il faut[62]".» Il opte pour une langue et une prononciation plus soutenues. On imagine la détermination dont il a dû faire preuve pour parler autrement que son entourage et pour ne pas se laisser décourager par les railleries inévitables de ses camarades qui l'accusaient de «se donner des airs».

Le jeune Trudeau est toujours le premier – ou l'un des premiers – de sa classe. «C'était un premier de classe chronique», dit son ancien condisciple Pierre Vadeboncoeur. Tous ceux qui l'ont connu témoignent par ailleurs que Trudeau était un travailleur acharné, dévorant des livres avec une rigueur peu commune. À Brébeuf déjà, il prend systématiquement des notes de lecture, résume l'ouvrage, consigne son opinion et recopie souvent des passages qu'il trouve dignes d'intérêt. Il acquiert ainsi un bagage et un jugement littéraires exceptionnels. Jacques Hébert se souvient de la fois où, à la sortie du spectacle, son ami lui a récité des passages entiers de *Pelléas et Mélisande*[63].

On a beaucoup glosé sur le play-boy Trudeau, l'homme qui aime les femmes mais ne se marie pas avant l'âge de 50 ans. On y a vu l'expression d'une kyrielle de troubles psychologiques. Pour certains, comme Stephen Clarkson et Christina McCall[64] ou Michel Vastel[65], ses sarcasmes envers les femmes auraient contribué à prolonger son célibat. Après avoir dansé avec lui au Bal des gouverneurs, la dramaturge Linda Griffith le décrit, au contraire, comme l'amant parfait[66]. Pourquoi ne s'est-il marié que sur le tard ? À cette question, il évitait de répondre en faisant des plaisanteries. Cependant, une lettre de novembre 1945, écrite à son ami Roger Rolland, jette un éclairage intéressant sur ce sujet. Trudeau y fait des confidences à propos d'une jeune fille avec laquelle il a rompu : « Quoique envisageant la possibilité de devenir amoureux d'elle, j'entrepris néanmoins de l'empêcher de devenir amoureuse de moi, par simple excès de prudence et par sollicitude pour elle. [...] Tu te rappelleras toi-même les conversations [...] où nous traitâmes solennellement de nos vies sentimentales : je t'avais dit pour ma part que je n'étais pas en position d'aimer, et que même cela me serait impossible pour plusieurs années, jusqu'à ce que je sois pleinement formé. [...] Je comprends très bien ma conduite, mais il reste quand même de l'inexplicable au fond. Ainsi [...] pourquoi avais-je, de propos délibéré, tué l'amour dans l'œuf ? [...] Bien sûr, j'avais des raisons. Mais avais-je raison ? Je refusais de reconnaître un caractère inséparable de toute œuvre humaine : l'imperfection. Je refusais d'aimer s'il y avait un risque. [...] Or je n'étais pas sûr de moi, je n'étais pas – comme je disais – mûr, je n'étais pas (je ne suis pas) encore moi-même.

« Tout cela est sans doute dû à mon tempérament que tu connais bien : calculateur, précis, méthodique jusqu'à la mesquinerie. Je cours beaucoup de risques, mais toujours des risques calculés, jamais des risques risqués. Si c'était à recommencer, je ne dis pas que je ferais la même chose. Le risque de l'amour valait probablement la peine d'être couru : au mieux, nous aurions connu un bonheur infini, et au pire, nous aurions vécu des jours heureux et limités, quitte à rompre si le risque échouait. La rupture ! C'est ça que je ne voulais pas risquer. » Rarement ailleurs Trudeau dévoile-t-il autant ses sentiments. Il ne se sent pas prêt. Perfectionniste, il attend la liaison idéale. Plus que tout, il craint la rupture. Malheureusement pour lui, lorsqu'il se décidera finalement à « courir le risque de l'amour », il vivra la rupture qu'il craignait tant. La tragédie survenue, il la vivra avec une dignité qui lui vaudra la profonde sympathie des Canadiens.

Trudeau a toujours été un catholique fervent et pratiquant. « Je crois à la vie éternelle, alors je crois en Dieu », dit-il à Stanké[67] en 1977. Il va à la messe tous les dimanches ; il semble connaître la Bible par cœur et en étonne plus d'un en corrigeant de mémoire une citation erronée ; le soir, il la lit avec ses enfants. Toute sa vie, il fera régulièrement ses prières. Or, ce n'est qu'après sa mort que les Canadiens ont pris conscience de la profondeur de sa foi. *The Hidden Pierre Elliott Trudeau. The Faith Behind the Politics*[68], publié en 2004, constitue le premier ouvrage consacré à la dimension religieuse de sa vie. Pourtant, en tant que ministre de la Justice, avec son célèbre « L'État n'a pas de place dans les chambres à coucher de la nation », il ira à l'encontre des positions séculaires de l'Église catholique en assouplissant les lois relatives à l'avortement, au divorce et aux homosexuels adultes.

Voilà donc un jeune homme exceptionnellement brillant qui apparaît sur la scène publique québécoise en 1950, à l'âge de 31 ans, en défendant – notamment dans la revue *Cité libre* – des idées contraires à celles de la majorité des intellectuels québécois francophones de l'époque. Quinze ans plus tard, soit en 1965, ce fils du Québec débarque sur la colline parlementaire à Ottawa, alors que, dit-on, il s'était toujours défendu de vouloir entrer en politique active.

En 1968, il devient premier ministre. Ses admirateurs comme ses adversaires s'entendent pour dire que, pour le meilleur ou pour le pire, il nous a légué le Canada d'aujourd'hui, c'est-à-dire le Canada de la Charte des droits et libertés, le Canada des deux langues officielles, respectant toutes les cultures. Son travail accompli, il fera sa fameuse longue marche solitaire dans la neige et, tel le héros d'un film de cow-boys, disparaîtra dans le soleil couchant.

D'où vient cet homme? Issu d'un Québec profondément catholique, nationaliste, conservateur et replié sur lui-même, où a-t-il puisé ses connaissances et les fondements théoriques des positions politiques qu'il a défendues avec tant d'ardeur et de brio? *Comment sa famille, son éducation, son église et son milieu l'ont-ils façonné dans le Québec des années 1930 et 1940?*

Intrigués, nous interviewons Thérèse Gouin, amie de Trudeau depuis les années 1940. Bien qu'ils n'aient jamais été fiancés officiellement, ils avaient l'intention de se marier. Sans rompre leur amitié, Thérèse Gouin, alors étudiante en psychologie, a mis fin à cette liaison lorsque Trudeau était étudiant à Paris, et a épousé Vianney Décarie, futur professeur à l'Université de Montréal. Elle nous dit préférer ne pas parler des raisons de sa volte-face. Quand nous lui demandons quels sont les penseurs qui auraient influencé le jeune Trudeau, elle répond en riant que c'est lui qui influençait les autres, pas le contraire. Et elle ajoute : «On a l'impression qu'il est sorti tout formé, comme Athéna du front de Zeus[69].»

Comme nous ne croyons pas à la génération spontanée, nous avons essayé de comprendre comment Trudeau est devenu Trudeau – comment ce fils du Québec est devenu le père du Canada. Plus émergeait son portrait de jeunesse, plus nous avons eu du mal à en croire nos yeux.

CHAPITRE 2

L'obéissance : principe premier des jésuites

C'est par la pureté de l'obéissance et l'abnégation
du jugement qu'on reconnaît ceux qui suivent Dieu.
Ignace de Loyola

La plupart des biographes s'entendent pour présenter le jeune Trudeau comme un rebelle défiant l'autorité. Lui-même a contribué à cette interprétation : « Je n'ai jamais beaucoup accepté l'autorité ou l'argument d'autorité[1] », livre Trudeau à Alain Stanké. Par ailleurs, il dit à George Radwanski : « Je dérogeais régulièrement aux règles disciplinaires. J'étais de ces élèves qu'on renvoyait souvent de la classe et parfois même de l'école, ce qui est très grave pour un adolescent[2]. » Voilà déjà un trait de caractère qui ne devait pas bien cadrer dans le système scolaire du Québec d'alors, où la discipline était considérée comme un élément fondamental dans l'éducation des élèves.

Il est également courant de décrire le jeune Trudeau comme un antinationaliste né. Lui-même rappelle que « prendre le contrepied des affirmations courantes, avec les camarades ainsi qu'avec les professeurs, et mettre en doute les opinions dominantes [était] pour moi une habitude que je devais conserver toute ma vie[3] ». Ainsi, il aurait toujours ramé *À contre-courant*[4], même à l'école. « Puisqu'ils étaient tous nationalistes, je disais que je ne l'étais pas », déclare-t-il au *Toronto Star*[5]. Autre exemple d'antinationalisme : « Pendant les cours d'histoire, chaque fois qu'ils [les élèves] applaudissaient aux victoires de l'armée française, je prenais le contrepied en applaudissant aux victoires de l'armée anglaise. J'optais toujours pour le camp adverse, et cela dérangeait les gens, y compris mes professeurs. » Dernier exemple : très jeune, Trudeau utilise Pierre comme seul prénom. Après une période d'hésitation, il opte carrément pour Pierre *Elliott* (Elliott est non seulement un autre de ses prénoms, mais également le nom de jeune fille de sa mère, d'origine partiellement écossaise). Trudeau aurait fait ce choix, au moins en partie, pour ennuyer les nationalistes[6].

De toute évidence, cet élève n'entrait pas dans le moule, puisqu'il ne partageait pas le nationalisme ambiant et qu'il était indiscipliné. Or, comme ses biographes n'ont pas manqué de le souligner, Trudeau était, pour utiliser l'expression de son ancien camarade et ami Pierre Vadeboncoeur, « un premier de classe chronique[7] », qui raflait la plupart des prix d'excellence. Comment cela est-il possible ? Pourquoi ce système, si rigide et autoritaire par ailleurs, aurait-il accepté d'honorer un tel élève ?

À notre connaissance, cette apparente contradiction n'a pas été relevée jusqu'ici, probablement parce que cette image du jeune Trudeau correspond à celle, bien connue, de l'homme d'État. Au début de notre étude, nous non plus ne l'avions pas remarquée. Nous pensions trouver, dans ses conditions familiales et sociales, les causes de son non-conformisme, que nous tenions pour acquis. Mais, plus nos recherches progressaient, plus nous nous demandions si l'image classique du jeune Trudeau n'avait pas été colorée par ce qu'il est devenu par la suite. Graduellement, nous avons découvert un Trudeau dont nous ne soupçonnions pas l'existence. Pour mieux comprendre l'évolution de sa pensée à travers ses études, il faut dire quelques mots sur son milieu social.

L'Église catholique jouait un rôle très important dans la société québécoise d'alors et, notamment, dans le milieu de l'éducation. Elle avait pratiquement un monopole sur l'enseignement en langue française. Elle contrôlait également les hôpitaux, les orphelinats, une grande partie de la presse écrite et les syndicats ouvriers. Elle exerçait une censure sur ce qu'on pouvait lire ou voir au cinéma. Le père René Latourelle, professeur au collège Brébeuf dans les années 1940, revient au Québec après une trentaine d'années passées en Europe. Dans son livre intitulé *Quel avenir pour le christianisme?*, il rappelle ce qu'était l'Église québécoise de cette période : « Je connais bien cette Église, car j'ai vécu et grandi en son sein. L'image que j'en conserve, dans les années 1930-1950, est celle d'une religion faite surtout de pratiques, de préceptes, d'interdits, plutôt que de doctrine puisée à l'unique source de l'Évangile du Christ. [...] La pratique pénitentielle jouxtait le délire. Il fallait établir la liste de ses péchés (nombre, gravité, circonstances) avec la précision d'une liste d'achats pour le supermarché. Malheur aux pauvres mères aux prises avec des problèmes de limitation des naissances ! L'enfer était une menace permanente. On se plaignait d'une centralisation à outrance du pouvoir ecclésiastique et des abus dans l'exercice de ce pouvoir. L'église opérait sur les consciences comme une véritable dictature[8]. »

C'est dans ce climat que le jeune Pierre entre dans ce qu'il appelle la « classe des bébés » (la maternelle) de l'école Bonsecours, tenue par des religieuses. De cette année, il ne garde que d'heureux souvenirs[9]. Il fréquente ensuite l'école Querbes, dans la paroisse Saint-Viateur d'Outremont. Cette école est gérée par l'Institut des Clercs de Saint-Viateur, fondé par un prêtre éducateur, Louis-Marie-Joseph Querbes. Elle comprend deux sections distinctes : l'une française et l'autre anglaise. Les parents du jeune Pierre l'inscrivent dans la section anglaise, pour les trois premières années. En quatrième année, il passe dans la section française, et à partir de ce moment, et jusqu'à son entrée à l'Université Harvard, il fera toutes ses études en français.

De ces années à Querbes, un seul incident mérite mention, parce qu'il révèle le premier effort de Trudeau pour combattre sa timidité naturelle. Les classes anglaises de Querbes ressemblaient un peu aux anciennes écoles de campagne : les trois premières années se donnaient dans la même salle avec le même professeur. Le premier jour de classe, le petit Pierre remarque que son voisin et ami, Gérald O'Connor, du même âge que lui, a été placé dans le groupe de deuxième année, alors que lui a été mis en première. Vexé, il s'en plaint à son père. Celui-ci lui dit de se débrouiller tout seul et lui suggère d'aller voir le directeur. Ce qu'il fait. À son grand étonnement, et à sa grande joie, l'opération réussit et il est placé à côté de son ami, en deuxième année. « Si je me souviens de cet incident, dit-il, c'est sans doute à cause du résultat obtenu mais aussi parce que j'avais triomphé de ma timidité. […] J'hésitais toujours à me mettre de l'avant. Il fallait qu'on m'y pousse ; mais alors, on ne pouvait plus m'arrêter[10]. »

Dans la section anglaise, le jeune Pierre est très bon élève, quoique pas toujours premier. Il montre, par contre, une excellente conduite. Dans son bulletin de 1928, par exemple, il a la mention Excellent en « conduite, application, politesse et propreté ». À partir de 1929, il devient premier ou deuxième en tout. Arrivé en quatrième année, dans la section française, il rencontre Pierre Vadeboncoeur, qui restera son ami jusqu'à ce que leurs divergences idéologiques en fassent de rudes adversaires, dans les années 1960. De sa scolarité à Querbes, il n'y a rien d'autre à signaler sinon qu'il réussit remarquablement dans ses études. Jusque-là, comme on le voit, aucune trace d'indiscipline, de malaise ou de rébellion.

En automne 1932, soit un mois avant ses 13 ans, Pierre Trudeau, accompagné de l'autre Pierre (Vadeboncoeur), entre au collège jésuite Jean-de-Brébeuf, à Montréal. Il y passera huit ans. Il y avait alors cinq collèges classiques jésuites au Québec, dont trois à Montréal, incluant le collège Loyola de langue anglaise. Les collèges classiques n'existent plus, mais du temps de leur gloire, ils ont joué un rôle considérable, et inégalé, dans la formation de base des élites, un rôle bien plus grand que les universités et autres institutions d'enseignement supérieur[11]. Ils offraient tous à peu près le même type de formation scolaire et le même contenu de programme. Rappelons qu'au Québec, l'école secondaire complètement gratuite, accessible à tous, n'a vu le jour que dans les années 1960. En 1939, par exemple, 9 000 élèves étaient inscrits dans les collèges classiques, soit 1/300e de la population globale[12].

Fondé en 1928, le collège Brébeuf, qui n'acceptait que des garçons, était considéré, dès le début, comme le plus prestigieux du Québec. Il a été pendant des décennies une véritable pépinière des classes dirigeantes québécoises. Situé près d'Outremont, plutôt qu'au centre-ville, comme le collège Sainte-Marie, il pouvait attirer une clientèle plus bourgeoise. Plusieurs élèves, venus de loin, y étaient pensionnaires. Brébeuf était effectivement le collège de l'élite, mais du temps de Trudeau, tous les élèves des collèges classiques étaient, en quelque sorte, des privilégiés. En tant que collège jésuite, Jean-de-Brébeuf appliquait les enseignements du fondateur charismatique de la Compagnie de Jésus, Ignace de Loyola.

Né en 1491, Ignace de Loyola fait d'abord une brillante carrière militaire, jusqu'au jour où un boulet de canon lui fracasse la jambe. Durant sa convalescence, il lit la vie du Christ et *La Légende dorée* qui raconte les grandes actions des saints. Enthousiasmé par ces lectures, il décide de mettre désormais son courage et ses aptitudes guerrières au service de l'Église et de la gloire de Dieu[13]. En 1534, il fonde, avec sept compagnons, «la Compagnie de Jésus». En 1523, il écrit les *Exercices spirituels,* qui constituent une sorte de manuel pratique, calqué sur le modèle militaire, voué à une discipline du comportement et de l'intellect. Il adopte la devise «*militare Deo*», le combat pour Dieu. On suggère à ceux qui suivent les *Exercices* d'imaginer deux grandes armées, l'une dirigée par Jésus et l'autre par le diable, et on les invite à se joindre à l'armée de Jésus. Conformément à la hiérarchie militaire, le supérieur porte officiellement le titre de «supérieur général», mais on l'appelle toujours le «père général». Pour les jésuites, «toutes les forces doivent s'appliquer à cette vertu qu'est l'obéissance, due d'abord au Pape ensuite au Supérieur de l'Ordre... Chacun doit être convaincu que quiconque vit dans l'obéissance doit se laisser guider et diriger par la divine Providence, avec l'intermédiaire de ses supérieurs[14]». Pour Loyola, c'est «par la pureté et la perfection de l'obéissance... et l'abnégation du jugement» qu'on reconnaît «ceux qui, dans cette Compagnie suivent Dieu...[15]» Ainsi, pour lui, l'obéissance l'emporte sur le jugement.

En conséquence, les collèges dirigés par les jésuites accordaient une importance fondamentale à la discipline et à l'obéissance. «Le disciplinaire ignacien l'emportait sur toutes les valeurs intellectuelles, sociales, morales», se souvient, avec amertume, Pierre Dansereau[16], ancien élève du collège jésuite Sainte-Marie, qui deviendra un spécialiste des écosystèmes de renommée mondiale. L'importance capitale de la discipline et de l'obéissance s'expliquent ainsi: «La règle [de conduite] formera dans l'élève le chrétien, parce qu'en s'y conformant, il se conforme à la volonté de Dieu. Il la regardera comme l'expression de la volonté divine, afin de l'observer avec l'esprit de la foi qui sanctifie toutes les actions. [...] La discipline, c'est l'ordre ; l'ordre, c'est le principe de la perfection : il est donc nécessaire que l'ordre règne dans une maison d'études et de formation, et l'ordre commande avant tout le respect de l'autorité, dans la personne des supérieurs, professeurs, surveillants[17]. »

Du temps de Trudeau, à Brébeuf comme dans tous les collèges classiques, la discipline était jugée si importante qu'elle figurait sur les bulletins de chaque mois. Il ne s'agissait pas seulement d'une note générale de conduite. Loin de là. Les élèves recevaient une évaluation hebdomadaire sur chacun des points suivants.

- Conduite à l'étude
- Application à l'étude
- Conduite générale
- Conduite en classe
- Application en classe

L'évaluation se faisait selon le barème suivant : *a* (parfait) ; *ae* (très bien) ; *e* (bien) ; *ei* (médiocre) ; *i* (mal) ; *io* (très mal). De ces notes dépendaient, entre autres, l'inscription au Tableau d'honneur. On commence à percevoir les causes de notre questionnement...

Le bulletin, contenant les notes de conduite et les autres résultats scolaires, était communiqué aux parents par le biais d'une lettre que les élèves devaient leur écrire une fois par mois. Écoutons le jeune Pierre expliquer à ses parents dans sa toute première lettre, datée du 3 octobre 1932, le principe de la lettre mensuelle qui accompagne le bulletin, ainsi que le système de notation : « À la lecture des notes, le Père Recteur donne un Témoignage "optime", c'est-à-dire Très bien, à ceux qui n'ont eu que des *a* ou des *ae*.» Il ajoute: «Pour vous faire plaisir et vous remercier de tout ce que vous faites pour moi, je tacherai (sic!) toujours de vous apporter un témoignage.» On a peine à croire que cette lettre, d'un ennui mortel, et dénuée de toute affectivité, ait été rédigée par le jeune Trudeau. Tout s'explique lorsque, reprenant son naturel, il écrit en P.-S., cette fois en anglais: «Ça peut sembler bizarre que je vous écrive cette lettre alors que je vous vois tous les soirs, mais il faut le faire une fois par mois pour vous envoyer nos bulletins. J'ai copié cette lettre du tableau.» Signé: J.P.E.T. (Remarquons au passage la présence de «E.», pour «Elliott», dès 1932.)

Pour bien comprendre cette formation jésuite, il est indispensable de souligner combien l'aspect religieux imprégnait toute la vie du collège. Idéalement, le diplômé cherche et trouve Dieu partout. Toutes ses actions glorifient Dieu. D'où la devise des jésuites, *Ad Majorem Dei Gloriam* (Pour la plus grande gloire de Dieu). Ce message aura une résonance particulière chez le jeune Trudeau. Le collège Brébeuf y ajoute sa propre devise: *Viam veritatis elegi* (J'ai choisi la voie de la vérité). À cette dernière devise, Trudeau est toujours resté fidèle, même si sa recherche de la vérité l'a mené, dans sa jeunesse, sur des voies dont il se détournera totalement par la suite. Le Christ occupe une place prépondérante dans cette formation: en effet, «le but des *Exercices spirituels* est d'amener chaque individu à développer un lien amical, voire une intimité, avec la personne de Jésus-Christ qui représente à la fois un modèle de vie et une inspiration dans le dévouement à autrui. L'objectif est également d'intégrer dans cette relation avec Jésus-Christ toutes les autres relations et préoccupations, y compris les enseignements et traditions de l'Église catholique romaine[18]». Trudeau sera très sensible à cette relation.

Pour illustrer l'importance de la religion, décrivons l'emploi du temps type des demi-pensionnaires, comme Trudeau. (Les pensionnaires, comme le futur journaliste et écrivain William Johnson[19], étaient encore plus affectés par la dimension religieuse du collège.) Chaque repas commence et se termine par une prière. Chaque session d'étude commence par une prière récitée par le surveillant d'étude. Chaque classe commence et se termine par une prière. En plus de l'assistance obligatoire à la grand-messe au collège tous les dimanches, l'éducation religieuse inclut une confession hebdomadaire, plusieurs retraites de trois jours et au moins une de huit jours dans les années supérieures. Elle inclut aussi, selon les moments importants de l'année liturgique, des chemins de croix, des chapelets, des bénédictions du Saint Sacrement, la visite en groupe de sept églises le Jeudi saint, le récit chanté de la passion de Jésus dans la chapelle le Vendredi saint. Finalement, chaque élève a un «père spirituel» avec qui il s'entretient au moins une fois par mois de questions de spiritualité. Des groupes de discussion sur la religion abordent des thèmes relatifs au Nouveau Testament ainsi que des questions d'éthique et de morale. Ils étudient des livres religieux et des documents de l'Église. On peut être sûr qu'à Brébeuf, en classe de religion, les élèves ont été soigneusement initiés aux enseignements de l'encyclique *Quadragesimo anno* de Pie XI, parue en 1931, sur la justice sociale.

Le programme scolaire des collèges classiques a pour but de développer toutes les capacités de l'individu : intellectuelles, physiques et spirituelles, mais il accorde une place prépondérante aux cours de religion, à la philosophie thomiste, ainsi qu'à la langue et la littérature grecques et latines, éclipsant les sciences et les mathématiques, considérées comme moins essentielles au développement intellectuel et spirituel des élèves. Les sports et autres activités physiques, les sports compétitifs d'équipe et individuels jouent un rôle important. D'autres activités parascolaires y sont également organisées, tels les clubs de toutes sortes et les débats. Du temps de Trudeau, les collèges classiques avaient la réputation de former de très bons orateurs.

La plupart des collèges classiques répartissaient leur programme sur huit années de scolarité. Au lieu des appellations habituelles (par exemple : classe de 3ᵉ, de 4ᵉ, etc.), chaque année portait un nom. Ainsi, à partir de son entrée au collège, Trudeau a suivi les classes suivantes :

1932-1933 : Éléments latins
1933-1934 : Syntaxe
1934-1935 : Méthode
1935-1936 : Versification
1936-1937 : Belles-Lettres
1937-1938 : Rhétorique
1938-1939 : Philosophie I
1939-1940 : Philosophie II

Dès son entrée, en 1932, en classe d'Éléments latins, il se distingue par la supériorité de ses résultats : il se place 3ᵉ sur 30 élèves, obtenant un premier prix, six accessits et deux seconds prix. L'été 1933, entre sa classe d'Éléments latins et celle de Syntaxe, alors que la Dépression bat son plein, le jeune Pierre et sa famille, avec son grand-père maternel, font un voyage de deux mois en Europe. Ils visitent l'Allemagne, l'Italie et la France. En France, ils rendent visite à son oncle Gordon Elliott (celui qui lui permettra de rencontrer les peintres Braque et Miró). Celui-ci vit avec sa femme britannique, Nancy, à Varangeville. L'Allemagne est alors nazie, et l'Italie fasciste. Trudeau, qui a pourtant presque 14 ans, dit n'avoir pas saisi le sens politique des manifestations auxquelles il assiste : « J'avoue que les motos rutilantes des militaires hitlériens, sur les grandes routes, m'impressionnèrent davantage que le réarmement dont elles étaient le signe[20]. » Comment un garçon intelligent, curieux, peut-il n'avoir rien remarqué? Ne pose-t-il aucune question aux adultes?

De retour à l'école après ce voyage, le jeune Trudeau améliore sa performance scolaire. Il est cette fois 3ᵉ sur 46 élèves, et rafle trois premiers prix, six accessits et trois seconds prix. Il passe en Méthode en 1934 et, pendant cette année scolaire, il est confronté à un événement qui a fait couler beaucoup d'encre: il s'agit de la mort de son père, survenue en mars 1935. Pierre Trudeau écrit à ce sujet dans ses *Mémoires*: «Comment décrire ce que j'ai alors éprouvé? En une seconde, j'ai senti que le monde se vidait. […] Mon père, je l'ai déjà noté, était pour moi une présence affectueuse, une force rassurante mais aussi un appel en avant, un défi continuel. Il définissait pour moi le sens de la vie et sa mort creusait un vide immense. D'un coup, je devenais chef de famille ou presque; lui disparu, j'avais l'impression de monter en première ligne[21].»

Suzette Rouleau, sœur de Pierre, nous décrit, plus de soixante ans plus tard, les péripéties de son voyage avec sa mère pour recouvrer le corps de son père, mort en Floride. Sur la réaction de son frère Pierre, elle ne se rappelle rien de spécial sinon qu'il se sentait avoir plus de responsabilités vis-à-vis de sa mère et d'elle-même. Ils étaient tous, évidemment, très tristes, mais «la routine n'a pas tellement changé». N'ayant pas de problèmes financiers, «on a quand même fait des voyages», donne-t-elle comme exemple.

Que le jeune Trudeau ait été profondément attristé par la mort de son père, et que celle-ci ait laissé un vide dans sa vie, il n'y a là rien d'étonnant. Mais la plupart des biographes affirment que cette mort a eu un effet dévastateur sur le jeune Pierre. Stephen Clarkson et Christina McCall écrivent que cette mort a laissé Trudeau dans «un état de déséquilibre psychique», qu'elle a tellement bouleversé sa formation émotive qu'il a grandi «en dehors du modèle normal de croissance [...] victime de faiblesses paralysantes[22]». S'appuyant sur l'analyse de Clarkson et McCall, André Burelle, conseiller politique et rédacteur de discours de Trudeau de 1977 à 1984, affirme, lui aussi, en 2005, que «sans doute la mort prématurée de son père et son refus de choisir entre ses racines maternelles canadiennes-anglaises et ses racines paternelles canadiennes-françaises expliquent-ils en partie son allergie au nationalisme ethnique[23]».

Clarkson et McCall vont plus loin. Tenant pour acquis son comportement outrancier et le fait qu'il provoquait même des étrangers pour qu'ils se battent avec lui, ils en donnent l'explication suivante: «C'est comme s'il cherchait à rivaliser avec le machisme exacerbé de Charlie Trudeau, tout en en voulant secrètement à son père de l'avoir abandonné en mourant si tôt; un tel sentiment de colère est fréquent au début d'une période de deuil, mais Trudeau n'a jamais réussi à le surmonter[24].» Mais quelles preuves avancent-ils pour établir un diagnostic aussi catégorique?

Ils font reposer l'essentiel de leur justification sur ce qu'aurait dit, en 1969, André Lussier – ancien camarade devenu psychiatre – à la journaliste Edith Iglauer. Dans son article du *New Yorker*[25], Iglauer ne cite même pas directement Lussier. Toute la thèse est donc basée sur ce que dit Iglauer de ce qu'aurait dit Lussier... Par ailleurs, leur «analyse» psychiatrique fait l'équation entre les problèmes du jeune Trudeau et ceux qu'aurait eus le célèbre sociologue Max Weber, à la suite de la mort de son propre père. En 2004, Clarkson pousse plus loin l'accusation de machisme du père: Trudeau «luttait depuis longtemps pour s'affirmer, face à un père puissant et dominateur, qui était peut-être violent envers sa mère[26]». *Peut-être* violent? Affirmer cela sans aucune preuve?

Étant donné l'importance qu'on accorde toujours aux effets durables et négatifs qu'aurait eus la mort de son père sur le comportement du Trudeau jeune et adulte, nous avons essayé d'approfondir cette question. Notre point de vue se base essentiellement sur les documents personnels de Pierre Trudeau, sur ses souvenirs et sur le témoignage de sa sœur, Suzette.

On a très souvent dépeint Charles Trudeau comme un homme aimant boire et faire la fête, utilisant « un français populaire[27] », et n'ayant pas de penchant pour la vie de l'esprit. Charles Trudeau était presque certainement un homme extraverti. En cela, il était bien différent de sa femme, Grace, plus réservée. Cependant, nous n'avons trouvé aucune trace de tensions ou de conflits résultant de leur différence de tempérament. Le déchirement de Trudeau entre les deux systèmes de valeurs, signalé par la plupart des biographes, ne repose sur aucune preuve tangible. Charles Trudeau semble avoir été un homme de famille : quand sa femme et ses enfants passent l'été au chalet à Mont-Tremblant, il y va chaque week-end, souvent avec plusieurs amis, et Pierre Trudeau se souvient que c'était un peu la fête. À une époque où les rôles des hommes et des femmes sont bien distincts, le père, qui travaille beaucoup, rentre manger à la maison tous les soirs avant de retourner à son garage. Son intérêt pour l'éducation de ses enfants – limité, comme c'est le cas pour la plupart des hommes de son temps – se manifeste par le fait que tous les soirs, il jette un coup d'œil sur leurs devoirs et les pousse à l'excellence. Il enseigne la boxe à son fils Pierre ; il l'encourage à se débrouiller dans la vie… Bref, c'est un papa « normal » pour l'époque, avec ses défauts et ses qualités, qui semble maintenir des rapports affectueux avec sa famille. De plus, on sait que Charlie était un homme instruit – il a fait des études de droit – et qu'il a très bien réussi dans les affaires, ce qui était peu fréquent chez les Canadiens français de l'époque. Il s'intéressait également à la politique. En 1929, il a aidé Maurice Duplessis, fraîchement élu chef du Parti conservateur, dans sa campagne de financement. Il était également ami avec le maire de Montréal, Camillien Houde, qui a d'ailleurs assisté à ses funérailles.

Ce que l'on connaît moins, c'est une habitude que l'on retrouvera chez son fils, plusieurs années plus tard : Charles Trudeau prend soigneusement et minutieusement des notes de lecture. Il transcrit méthodiquement des extraits, sous des rubriques organisées alphabétiquement. Chacune prend le plus souvent une page, parfois plus. Les notes sont propres, sans rayures, l'écriture régulière et appliquée. Celles-ci révèlent chez lui un intérêt pour des idées, des pensées, qui n'étaient pas des plus communes dans le milieu canadien-français de l'époque. Nous ne savons pas si les notes que nous avons trouvées constituent les seules qu'il ait jamais écrites. Que Trudeau les ait gardées jusqu'à sa propre mort nous semble, en soi, un fait notable. Ces fiches lui ont-elles servi d'inspiration ou de modèle ? Citons-en quelques-unes, à titre d'exemple. Sous « Allemands », on trouve : « Le sceptre de la dictature européenne me semble tombé des mains des races latines aux mains des races allemandes et slaves – Cortes – Désormais l'Europe recevra tout, le bien comme le mal, des races qui se remuent et s'agitent de l'autre côté du Rhin : elle recevra la monarchie des Slaves ou la république des Allemands – Cortes – La démagogie, dit-il ailleurs, a pénétré jusqu'à la moelle des os du peuple allemand[28]. »

Qui est Cortes ? Nous avons pu retracer l'homme et l'œuvre. Il s'agit des *Œuvres de Donoso Cortes*[29], publiées en France en 1858. Que ce livre circule au Québec au début des années 1930 nous renseigne à la fois sur les intérêts de Charles Trudeau et sur ceux de son milieu. Les citations sont tirées du premier des trois volumes de cet ouvrage qui contient des articles, des discours et des lettres de Juan Donoso Cortes. Ce politicien espagnol, membre de la noblesse, a vécu de 1809 à 1853. S'opposant avec vigueur au libéralisme, il soutient ardemment le pape et la suprématie de la foi sur la raison. Selon certains, c'est sous son influence que Pie IX a proclamé l'infaillibilité du pape. Du point de vue politique, cet ultramontain affirme : « La dictature, en des circonstances données, est un gouvernement bon, excellent, acceptable[30]. »

Sous « Clergé », Charles Trudeau écrit : « "Le clergé ne doit pas se mêler de politique", a dit Grégoire. » Bien des années plus tard, son fils défendra ce même point de vue. Charles Trudeau semble avoir une opinion très favorable de la Grande-Bretagne : « La mission providentielle de l'Angleterre est de maintenir le juste équilibre du monde en servant de contrepoids perpétuel à la France. La France est comme le flux, l'Angleterre est le reflux de la mer. […] J'admire et je respecte cette nation, la plus libre et la plus puissante peut-être qui soit sur la terre et la plus digne d'être la plus puissante et libre. Le nœud de l'avenir est dans l'Angleterre. (Cortes : *Œuvres I : Dictature*) »

Comme Cortes, Charles Trudeau s'oppose aux révolutions. Après avoir cité plusieurs auteurs soutenant des points de vue différents sur la légitimité de la révolution, il conclut avec cette citation de Cortes : « Les révolutions sont la maladie des peuples riches, des peuples libres. Non, le germe des révolutions – des révolutions profondes – n'est pas dans l'esclavage, n'est pas dans la misère ; le germe des révolutions est dans les désirs de la multitude surexcitée par les tribuns qui l'exploitent à leur profit. »

Nous n'avons trouvé aucune preuve de « machisme exagéré » *du père ni de son manque d'intérêt pour la vie de l'esprit.*

Qu'en est-il des effets – considérés importants et durables – de la mort de Charles Trudeau sur son fils Pierre ? Selon plusieurs biographes, le jeune Trudeau avait alors une double personnalité : à la maison, c'était le fils attentionné ; à l'école, l'élève agressif, au comportement erratique, vivant une crise d'identité. Nous avons tenté d'examiner cette question en partant de l'hypothèse que si tel est le cas, on devrait trouver des changements notables dans ses bulletins mensuels, particulièrement dans ses notes de conduite et d'application à l'école, après le décès du père. Que disent les archives personnelles de Trudeau ?

En ce qui concerne la discipline, pendant toute sa scolarité à Brébeuf, le jeune Trudeau n'est peut-être pas l'élève « sage comme une image », qui récolte exclusivement des *a* (parfait) ou des *ae* (très bien), mais ce n'est pas non plus l'élève indiscipliné qui n'obtient que des *i* (mal) ou des *io* (très mal). En fait, à quelques rares exceptions, ses notes varient entre *parfait* et *très bien,* les notes en Conduite et en Application à l'étude étant, dans l'ensemble, inférieures à celles en Conduite et en Application en classe – ce qui n'a rien de surprenant pour tout adolescent « normal ». Alors qu'en classe, ses notes de conduite se situent presque toutes entre *parfait* et *très bien,* il obtient à l'étude quelques *e* (bien), de rares *ei* (médiocre) et même un *i* (mal), mais jamais de *io* (très mal).

Contrairement donc à ce qu'on trouve dans la plupart des biographies, les bulletins de Brébeuf ne reflètent pas l'image d'un élève indiscipliné, insoumis, défiant l'autorité. Loin de là. Si, comme on l'a soutenu, Trudeau s'est fait mettre à la porte de la classe et, à l'occasion, de l'école, ces écarts de conduite n'ont été consignés dans aucun de ses bulletins. En l'absence de preuves contraires, nous en concluons que son indiscipline a été à tout le moins exagérée, tant par lui que par ses biographes. S'il faisait le pitre, les professeurs de Brébeuf ne lui en ont jamais tenu rigueur. Au contraire. Ses écarts de conduite, ses espiègleries, ne faisaient que confirmer pour eux l'essor d'un esprit libre… dans les limites du système, limites que le jeune Trudeau savait respecter. D'ailleurs, il le confirme indirectement dans ses *Mémoires*[31], lorsqu'il rappelle qu'il avait appris à prévoir quand ses remarques insolites mettraient le professeur en colère et quand il pouvait faire rire la classe sans danger de punition.

Sur cette toile de fond, peut-on dégager des changements marqués, tant en conduite qu'en rendement scolaire, dans les quelques mois qui suivent le décès de son père ? Le seul indice digne de mention est le bulletin de mars 1935, mois de ce décès. Nous l'avons trouvé déchiré en petits morceaux. Étonnamment, tous les morceaux ont été conservés[32]. Nous avons ainsi pu constater que les notes sont bonnes, tant en conduite qu'en compositions mensuelles. En avril, son bulletin ne contient aucune note de conduite. En rendement, il se place 1er sur 46 élèves. En mai, ses notes de conduite varient entre *a* (parfait) et *ae* (très bien), avec un seul *e* (bien). Il se classe 3e de la classe.

Pendant les deux années suivant ce décès, nous n'avons rien trouvé de spécial. Trudeau continue à être très bon élève. De retour des vacances d'été, il entre en classe de Versification. La plupart de ses notes de conduite varient entre *parfait* et *très bien*. Il est presque toujours 1er sur 26 élèves. Est-il besoin de continuer ? Nous pensons que si le jeune Trudeau a ressenti la mort de son père comme un immense vide, cela ne s'est pas traduit par un comportement scolaire très différent. On ne constate aucune variation notable tant sur le plan de la conduite que du rendement scolaire.

Pendant ses huit années à Brébeuf, Trudeau récolte un seul *i* (mal), en Conduite à l'étude, dans le bulletin de février 1937, deux ans après la mort de son père. Cette mauvaise note s'explique par les conditions de vie particulières du jeune Trudeau. En effet, en hiver 1937, alors qu'il est élève en Belles-Lettres, son frère Tip souffre d'une maladie contagieuse. Pierre devient alors pensionnaire, pour la première fois de sa vie, mais pour une courte durée. Sa conduite, surtout à l'étude, s'en ressent. Son rendement scolaire en souffre également. La chute dans le rendement ne dure, cependant, qu'un moment. Déjà en mars, sa conduite s'améliore ; son rendement progresse aussi, bien que ses résultats soient inégaux : alors qu'il se classe 1er en auteurs grecs, en algèbre et en analyse littéraire, il n'est que 10e en version française, avec la note – certainement très médiocre pour lui – de 37 sur 60. Trudeau finit son année en se plaçant 3e de sa classe, recevant, entre autres, une mention honorable «réservée à l'élève qui a manifesté le plus d'esprit d'ordre et d'économie». Son palmarès continuera de la sorte jusqu'en Philosophie. Il récoltera, pendant toute sa scolarité, un nombre impressionnant de premiers prix, de deuxièmes prix, d'accessits, de mentions honorables...

En plus d'être brillant élève, Pierre Trudeau prend une part très active à la vie du collège : il accumule un bon nombre de prix sportifs, écrit des pièces de théâtre qu'on joue devant les parents, fait partie d'un groupe de jeunes que le père Rodolphe Dubé – mieux connu sous le nom de François Hertel – initie à toutes sortes d'activités culturelles ; il invite de nombreux amis à la maison pour écouter de la musique ; il publie des articles dans *Brébeuf,* en devient rédacteur en chef en 1939... Tout converge pour dégager le portrait de quelqu'un de parfaitement à l'aise dans son milieu qui, en retour, semble beaucoup l'apprécier. *Laissons donc reposer en paix le mythe de l'effet dévastateur de la mort du père, et retrouvons le jeune Trudeau dans sa vie au collège.*

Le 23 mars 1937, l'expérience du pensionnat incite Trudeau à écrire à sa mère une lettre particulièrement longue. Comme on le sait, cette lettre accompagne le bulletin mensuel qui, en l'occurrence, contient la mauvaise note mentionnée plus haut. Avec humour, il exagère les effets négatifs de son pensionnat et de la mauvaise note dans son bulletin :

Chère maman,

Je suis heureux d'apprendre que vous êtes en bonne santé et que Tip va mieux.

Pour rendre mes lettres plus vivantes, souvent j'ai joué au pensionnaire ; aujourd'hui, j'ai le bonheur (si bonheur il y a !) de pouvoir écrire avec beaucoup plus de naturel : inutile d'insister sur la raison.

Eh bien ! Oui, moi qui ai toujours été un garçon assez impassible, craignant Dieu et respectant mon prochain, à me voir maintenant nerveux, inquiet, songeur, plus pâle et plus maigre que jamais, c'est à se demander si je sortirai intact de l'épreuve où le sort m'a jeté. Quelques amis fidèles, voyant ma face tendue, mon front ridé, mes cheveux épars, essayent de me relever le moral en me montrant les petits avantages du pensionnat : « Tu n'es pas obligé de voyager au collège matin et soir », « Tu pourras te payer beaucoup de menus plaisirs avec l'argent économisé en billets de tramway », « Il te sera possible de jouer au pool toute la journée du dimanche », « Pense à la formation que tu recevras », etc. Malheureusement, je vois à leur air qu'ils ne sont pas convaincus.

Déjà, ce mois, une mauvaise note ; je n'essaye pas de l'expliquer ; elle est inexplicable. Je poursuivais tout bonnement ma vie d'honnête homme, puis, vlan ! Une note. De plus, ceci va vous surprendre, je suis rendu tellement insoucieux que je n'ai presque pas pleuré en l'apprenant.

Quand on pense que dernièrement une jeune fille, apprenant qu'elle avait une mauvaise note, se donna la mort en buvant une pinte d'encre, et au prix où est l'encre ! Il ne s'agit donc pas de faire des farces : c'est peut-être un avertissement de la Providence. Ça commence par une mauvaise note et ça finit par la corde.

Ce n'est pas que je me plains du pensionnat ; je comprends bien que c'était la seule solution, mais c'est dommage quand même : il y en a tant qui ont mal tourné à la suite de telles calamités, tels les Peter Blood, les John Dilinger, les Captain Kidd, et tant d'autres victimes des circonstances.

C'est un peu roide, hein, Maman? Vous êtes peut-être à protester que jamais il n'a été question de rester pensionnaire plus longtemps que les circonstances ne l'exigent.

C'est vrai; peut-être aussi mon plaidoyer a été inutile. Cependant je prenais mes précautions de peur que, considérant mes trois «premier en composition» ce mois-ci, vous n'eussiez formé le dessein de me laisser pensionnaire jusqu'à la fin de l'année, puisque ça travaille si bien. Après tout, ce sont peut-être des malchances (!).

Voilà! «Causa dicta est» [J'ai plaidé ma cause]; en attendant le verdict (et je sais qu'il me sera favorable, je l'ai toujours su d'ailleurs, mais il fallait bien écrire quelque chose!), je signale quelques nouvelles du mois:

La Fête sportive a été un succès; Brébeuf a encore vaincu Loyola.

En dehors des cours de religion du père Lamarche, nous avons eu une conférence par le père Pouliot sur «Un patriote de 1837», et deux sur l'orientation professionnelle; toutes furent intéressantes, surtout la première.

Aujourd'hui nous avons visité la collection de peintures de Monsieur Lallemand; ce fut très instructif.

J'aurais à vous conter quelques incidents de ma vie de nouveau pensionnaire, mais pour plusieurs raisons (entre autres, la censure, le manque de temps et de papier) je suis forcé d'attendre au revoir à Pâques.

Alors donc, Au Revoir! À Pâques!

Votre fils qui vous embrasse,

Pierre

On trouve ici une bonne illustration des principales caractéristiques de ses lettres des dernières années à Brébeuf, tels le mélange entre le sérieux et le badin ou le clin d'œil au lecteur – dans ce cas, la lectrice. En 1938, Paul Gérin-Lajoie, rédacteur en chef du journal des élèves, *Brébeuf*, présentera ainsi le vice-président du conventum en Rhétorique, Pierre Trudeau : « La parfaite harmonie entre le sérieux et le badin… Rien ne le désarme ; il a toujours le mot, terrible parfois, mais sans malice, et sous une naïveté ingénieuse qui le fait accepter. Il sait sourire – et très finement – des autres et de lui-même… D'autre part, premier de classe, vrai sportif, copain chic et dévoué[33]. »

Cependant, si Trudeau combine le sérieux et le badin, il est deux sujets qu'il ne prend jamais à la légère : le système de valeurs des jésuites et ses études. Les jésuites pensent que Dieu jugera les hommes sur base de leurs œuvres. Pour eux, donc, la mission sociale fait partie des devoirs de tout bon catholique. Au Québec, l'importance de l'action prend en partie la forme d'une lutte pour la « survivance » du peuple canadien-français. Dieu a donné à ce peuple une mission, qu'on étudie en classe. La « connaissance de la mission providentielle de notre race – la mission d'un peuple se [déduisant] des facultés et des aptitudes qu'il a reçues du Créateur » fait partie des objectifs d'un cours d'histoire suivi par Trudeau.

Or, pour que le peuple accomplisse sa mission divine, il lui faut une élite ; et il incombe aux diplômés des collèges classiques de se préparer à assumer cette lourde responsabilité. Les élèves en sont convaincus. C'est ainsi que, commentant le discours présidentiel du frère Marie-Victorin à un congrès de l'ACFAS, Paul Gérin-Lajoie[34] écrit : « La puissance intérieure comme extérieure d'un peuple dépend de l'élite… L'absence de compétence est la déchéance d'un peuple. L'état lamentable – et lamenté – de la race canadienne-française actuellement nous accule à la constatation de ce fait. […] C'est dès maintenant qu'il faut travailler à la formation de cette élite, et c'est de nos rangs qu'elle doit sortir, en grande partie, jeunes de Brébeuf[35]!» La plupart des élèves de Brébeuf sont convaincus que Dieu leur a donné la mission de sauver le peuple. Trudeau ne fait pas exception. Un bon élève, un bon catholique, se doit d'être nationaliste.

Le nationalisme et la religion, qui forment ainsi un tout, constituent les valeurs fondamentales qui imprègnent toute la vie des collèges. En fait, Brébeuf a la réputation d'être un bastion du séparatisme. On y nourrit un sentiment anti-anglais, et on y développe l'esprit révolutionnaire, dit-on. Le rédacteur en chef de *Brébeuf* se sent le devoir de défendre son collège contre ce qu'il considère de fausses accusations. Dans son article «Canadiens français d'abord![36]», au titre déjà révélateur, Paul Gérin-Lajoie répond à ces détracteurs. Ce faisant, il nous donne un bon aperçu de la perception qu'ont les élèves de leur formation: «Je proteste énergique-ment, en ma qualité de rédacteur en chef de l'organe officiel des élèves du collège Jean-de-Brébeuf, contre cette rumeur infondée et ces préjugés d'inspiration trouble qui veulent que les autorités et le personnel enseignant du collège impliquent aux élèves des idées de révolte contre la démo-cratie canadienne et la souveraineté de la couronne britan-nique.» Que tel élève soit «séparatiste» ou «révolutionnaire», cela ne reflète aucunement la mentalité des autorités et de l'ensemble des élèves, affirme-t-il. Quant à l'accusation d'être anti-anglais, il rappelle que Brébeuf est un collège canadien-français, qui n'a pas à faire une part égale au fran-çais et à l'anglais. «À Brébeuf on est canadien-français d'abord et canadien-français seulement!» Mais on a l'esprit ouvert; on favorise la liberté d'esprit et le sens critique. On nous donne, ajoute-t-il, une formation «orientée de façon à nous permettre d'acquérir des notions exactes [du fonction-nement des divers systèmes politiques] et à nous créer une opinion». Mais, quelques paragraphes plus loin, on se rend compte que cette liberté d'esprit et ce sens critique doivent servir une seule et même cause : « La formation que nous recevons veut justement produire des esprits qui cherchent les causes et les raisons d'être, qui seront par là capables de diriger une opinion, de servir les grandes causes : *Religion et Patrie*[37]. »

En somme, à Brébeuf, on développe un esprit libre qui va nécessairement promouvoir les deux valeurs fondamentales des jésuites : catholicisme et nationalisme canadien-français.

Pourtant, les élèves de Brébeuf des années 1930 sont persuadés qu'on leur fait acquérir les outils nécessaires au développement d'une pensée libre. Ils s'imaginent libres, parce qu'ils ont si bien intériorisé les valeurs de l'éducation jésuite qu'il ne leur vient même pas à l'esprit qu'on puisse ne pas vouloir défendre « son » peuple, sa religion et sa langue. Ces élèves sont tellement convaincus de développer une personnalité indépendante et libre qu'ils n'hésitent pas à monter aux barricades pour défendre la réputation de leur collège, comme en témoigne la lettre de Jean-Paul Bérubé[38]. Cet élève en philosophie répond à un certain René Lévesque, élève au collège Garnier, qui écrit dans le journal de son collège : « Il y en a, chez nous, qui vous imaginent comme tirés à quatre épingles, tels des cartes de mode [...] ou encore pour des "farauds" qui croient tout avoir, "the best of the world", et qui, bec dédaigneux, font fi de tout ce qui n'est pas extrait de leur île [...] Illusions, erreurs grossières, je sais bien, mais tu préciseras tout de même ces notions, n'est-ce pas ? »

Bérubé répond à celui qui deviendra un jour premier ministre du Québec : « Tu veux savoir ce que l'on pense de vous, ici, à Brébeuf ? Pour te parler franchement, vieux, pas grand-chose. La raison ? C'est qu'on ne pense quasiment jamais à vous autres. Ce serait joliment blessant pour vous, j'imagine, si vous vous croyiez le nombril du monde ! Mais ce n'est pas votre cas... » Reflétant les valeurs des jésuites, il explique à Lévesque qu'il faut mettre fin aux guerres de clocher « dans l'intérêt de l'Église, de la Patrie ». Ce qui caractérise les élèves de Brébeuf, et qui porte les gens de l'extérieur à croire qu'ils sont snobs, lui dit-il, c'est qu'ils sont «foncièrement indépendants, pris en groupe ou individuellement. Lorsque certains pédagogues [...] accusent les maisons d'éducation de ne pas assez développer la personnalité de leurs élèves, ils ne s'adressent sûrement pas au collège Jean-de-Brébeuf. Non, ici, on ne nous sert pas la nourriture toute mâchée : nos maîtres nous indiquent la route, mais ne nous jettent pas dedans malgré nous. Chacun se débrouille comme il peut, mais à sa manière.»

Pourtant, la presque totalité des élèves, y compris Trudeau, finissent par partager des valeurs identiques en matière de catholicisme et de nationalisme canadien-français, tout en s'imaginant les avoir acquises librement.

Comment les jésuites de Brébeuf réussissent-ils à transmettre leur système de valeurs ? L'analyse des contenus de cours et des règlements des collèges classiques montre, sans ambiguïté, que l'acquisition de ces notions se fait dans un cadre très restreint. Par exemple : les bibliothèques sont peu fournies et très censurées ; la lecture libre est tout simplement interdite. Il faut l'*approbatur* pour pouvoir lire un livre qui n'est pas au programme. «Le mauvais livre, voilà l'ennemi», se souvient George-Émile Lapalme[39], qui deviendra en 1961 le premier ministre de la Culture du Québec : «Ceux qui changeaient de volume chaque semaine étaient mal vus[40]», écrit Albert Tessier, futur abbé et pionnier du cinéma québécois. Au collège Sainte-Marie, «la lecture ou l'introduction au collège de mauvais livres ou de journaux immoraux» fait partie des cas d'expulsion[41]. Pourquoi cette méfiance envers le livre ?

Gabriel Compayré, spécialiste à la fin du XIXᵉ siècle de l'histoire de la pédagogie, affirme que les jésuites attribuent peu de valeur intrinsèque à la culture intellectuelle. En fait, ils s'en défient, y voyant une arme dangereuse qu'on ne peut pas mettre dans toutes les mains. D'où leur volonté de créer une élite intellectuelle, formée par eux dans la foi, responsable du peuple, qui peut, lui, rester dans l'ignorance. Compayré écrit : « Pour Loyola, tout se subordonne à la foi, et la foi du peuple n'a pas de meilleure sauvegarde que son ignorance[42]. » Que la lecture libre soit considérée comme une activité dangereuse explique sans doute que, alors qu'en Ontario, en 1939, on trouve 460 bibliothèques publiques, il n'y en a que 26 au Québec, dont 17 anglophones[43]. De plus, l'Église surveille de près les lectures non seulement des collégiens, mais de tous les Canadiens français. Au Québec, jusque dans les années 1960, de nombreux livres, considérés aujourd'hui comme nécessaires à une connaissance solide du monde, sont mis à l'Index.

Ce contrôle s'exerce aussi dans les programmes. En littérature, par exemple, on met un accent démesuré sur l'école classique. En conséquence, on fait lire aux élèves des « ouvrages ennuyeux, trop sérieux pour leur âge, trop sermonneurs. […] Pourquoi bouder la littérature romanesque lorsqu'elle est saine[44] ? » demande le jeune professeur François Hertel.

Cet homme « aura marqué de son influence toute une génération d'étudiants, aussi bien à l'extérieur qu'à l'intérieur de Brébeuf », affirme Trudeau qui, pourtant, n'a jamais été son élève. En effet, Hertel était professeur à Brébeuf, en classe de Belles-Lettres, de 1931 à 1934. Il enseignait au collège Sainte-Marie en 1936, lorsque Trudeau est entré dans cette classe. Hertel aimait les jeunes – qui le lui rendaient bien – et maintenait avec eux des rapports étroits, que ces jeunes soient de Brébeuf ou d'ailleurs. Plusieurs, comme Roger Rolland, le qualifient encore aujourd'hui d'« éveilleur de conscience ». Dans ses *Mémoires politiques*, Trudeau se souvient qu'il aimait beaucoup « son originalité, sa façon désinvolte de mépriser les conventions sociales et de dire tout haut ce que les autres pensaient tout bas[45]». L'humour de Hertel, ajoute-t-il, les attirait, lui et ses camarades, comme un aimant: «Nous pouvions sans peine l'entraîner dans les blagues et les provocations les plus fantaisistes qui nous venaient à l'esprit», comme le club des «agonisants» de Trudeau et Rolland. Trudeau témoigne sa reconnaissance à ce jésuite non conformiste: «Hertel a été pour nous un initiateur exceptionnel dans plusieurs domaines. En littérature, […] je me souviens des heures que j'ai passées, grâce à lui, à lire Ibsen et Dostoïevski, Thomas Hardy et Léon Bloy.» Trudeau lui attribue également son initiation à des compositeurs peu connus au Québec, ainsi qu'à des peintres contemporains canadiens-français, tels Pellan et Borduas. «Il allait spontanément vers tout ce qui était nouveau ou à contre-courant des goûts du jour[46]», ajoute-t-il.

La critique émise par Hertel des lectures imposées aux élèves semble donc, à première vue, conforme au personnage. Cette ouverture d'esprit était, cependant, toute relative. En effet, comme le note Pomeyrols, la bibliographie constituée par lui à l'intention de ses élèves inclut un bon nombre d'auteurs classiques du nationalisme français, des auteurs proches de *L'Action française* ainsi que des écrivains catholiques. Hertel précise, dans *L'enseignement des Belles-Lettres,* que ses élèves «étudieron[t] surtout des écrivains catholiques, sans oublier, à l'occasion, de mettre les élèves en garde contre les mauvais maîtres[47]». Il ne préconise donc nullement la lecture libre, et prend bien soin de souligner que ces lectures doivent rester «saines». Pour éviter que l'esprit curieux des élèves ne les mène à de «mauvaises» lectures, sa méthode consiste à lire en classe des extraits de journaux, de revues ou de livres «dangereux». Ainsi, explique-t-il, «l'attrait de l'inconnu s'étant évanoui, […] la plupart ne songeront plus à lire l'ouvrage[48]». En cela, Hertel suivait une vieille approche, typique de l'éducation jésuite. «Les jésuites ne mettaient le plus souvent entre les mains de la jeunesse que des *excerpta*, des morceaux choisis. Sans doute le motif principal allégué pour justifier ces mutilations est louable. On voulait, par respect pour la pureté de l'enfance, supprimer dans les auteurs anciens tout ce qui pourrait effaroucher la pudeur, salir l'imagination, provoquer des réflexions prématurées[49] », écrit Compayré.

Pourtant, les élèves de Brébeuf sont convaincus de lire des auteurs qui leur donnent une vue très ouverte du monde. Trudeau semble effectivement avoir étudié des auteurs italiens, dont Machiavel ; des auteurs espagnols, dont Cervantès et Lope de Véga ; des auteurs allemands, dont Schiller, Goethe, Wagner et Nietzsche ; des auteurs russes, dont Dostoïevski et Tolstoï ; et un auteur norvégien : Ibsen. À première vue, ce contenu de cours semble d'autant plus impressionnant qu'on sait, par exemple, que Machiavel était à l'Index. Cependant, avant de s'émerveiller devant la richesse de la culture générale dont on équipait les élèves, il faut tenir compte de ce détail : les notes sur tous ces auteurs réunis n'occupent, chez Trudeau, que la moitié d'un cahier[50]. Le « système Hertel » devait être assez généralisé... Pour mieux apprécier ce que représentent ces notes, signalons que celles sur les auteurs grecs – y compris l'étude de leur langue – couvrent, elles, trois cahiers entiers.

Malgré ces énormes contraintes, les élèves ont l'impression qu'on ne met aucune borne à leur savoir... Trudeau ne fait pas exception. Dans ses *Mémoires,* il rappelle que les jésuites lui avaient transmis « le démon de la connaissance » et que, pour satisfaire sa soif de savoir, il allait souvent au-delà des exigences de ses professeurs : « J'adore la connaissance des hommes et des choses. Par exemple, on avait un gros livre de physique ; le professeur disait : Bon, vous pouvez quand même sauter le chapitre 3, parce que ça ne sera pas matière d'examen. Mais il fallait, il fallait que je lise le chapitre 3, parce que je ne voulais pas qu'une parcelle de la science m'échappe[51] ! »

À l'évidence, une grosse parcelle du savoir est cependant interdite au collège. Comment Trudeau réagit-il à la surveillance de ses lectures ? Eh bien, très docilement et sans problème ! Même dans ses notes de lecture personnelles, qui vont bien au-delà des lectures exigées en classe, nous n'avons trouvé aucune trace de livres interdits, de lecture plus poussée des livres « dangereux » auxquels on l'aurait sommairement exposé. En revanche, nous avons trouvé une longue liste de lectures proposées par lui, dûment approuvée par le père Bernier, son professeur de Belles-Lettres, comme c'est l'usage à Brébeuf. Le contenu en est navrant. En dehors de quelques ouvrages d'Alphonse Daudet, on ne reconnaît aucun autre grand auteur.

Les lectures véritables étant tellement limitées au collège, on pourrait supposer que Trudeau se rattrape dans ses lectures libres. Lit-il des œuvres sous le manteau ? Pas du tout. Jusqu'à la fin de la vingtaine, Trudeau ne lit rien d'interdit sans avoir, au préalable, obtenu l'autorisation de l'Église, parce qu'il prend très au sérieux les mises à l'Index, non seulement à Brébeuf, mais à l'Université de Montréal, à Harvard et même à Paris ! En effet, le 7 avril 1941, alors qu'il étudie déjà le droit à l'Université de Montréal, il écrit à Monseigneur le Chanoine Albert Valois, Archevêché de Montréal[52] :

Monseigneur,

Je désire être relevé de la loi de l'Index portant sur les livres suivants :
• Matière et mémoire – Henri Bergson
• L'évolution créatrice – Henri Bergson
• Le Prince – Machiavel
• Le Contrat social (discours, lettres, etc.) – J.-J. Rousseau
• L'esprit des lois – Montesquieu
• Essais – Montaigne

- Le Discours de la Méthode (Méditations, etc.) – Descartes
- Le Capital – Karl Marx

J'ai pris la précaution de faire appuyer ma requête par le Révérend père Léon Langlois, mon ancien professeur à Jean-de-Brébeuf.

S'il vous plaît, Monseigneur, daignez présenter à Monseigneur l'Archevêque mon humble supplique ainsi que l'expression de ma respectueuse soumission, et soyez assuré de la profonde reconnaissance

De votre serviteur,

Pierre Elliott Trudeau

Le 9 avril, cette permission lui est refusée. «Son Excellence craint trop pour vous les effets pernicieux de ces lectures», lui donne-t-on comme explication[53]. Mais le jeune Trudeau semble avoir été tenace. Envoie-t-il une nouvelle demande ? Modifie-t-il la liste initiale ? Probablement. En effet, le 17 avril, il obtient cette autorisation et la liste approuvée, avec cette mise en garde : «Son Excellence vous recommande de ne vous servir de ces livres qu'avec la plus grande prudence et en vous tenant sur vos gardes.» Ont disparu cependant de la liste originelle : Bergson et Machiavel. Toutefois, lorsqu'il fait sa demande, il a déjà lu, en mars 1941, *Les deux sources de la morale et de la religion*, de Bergson, livre qui n'est pas à l'Index.

On pourrait penser que le contexte à Montréal exigeant qu'il obtienne cette permission, Trudeau ne fait que s'exécuter. En fait, il y croit. En effet, le 17 novembre 1944, Trudeau, âgé de 25 ans, étudiant à Harvard, donc bien loin du contexte québécois, écrit pour demander l'autorisation de lire des ouvrages à l'Index. Le 20 novembre, il reçoit une réponse de l'Archbishop's House, Lake Street, Brighton, Mass., l'autorisant à «lire tous les livres et documents requis pour vos études en sciences politiques et en économie à l'université Harvard[54]». Et Trudeau ajoute à la main, au crayon, après «lire»: «et garder [...] même en vacances.» De toute évidence, Trudeau prend cette autorisation très au sérieux.

Près de trois ans plus tard, à Paris où tout semble permis, Trudeau, âgé de 27 ans, demande une nouvelle dispense. Le 29 janvier 1947, il reçoit un document officiel de l'archevêché de Paris stipulant: «Nous permettons à Monsieur Pierre Trudeau, pour une période de *trois années* à dater de ce jour, de lire les ouvrages *à l'Index* et de les garder, mais en les enfermant de manière que personne ne puisse les prendre. Sont exceptés de cette permission les livres qui traitent de sujets immoraux ou qui *ex professo* attaquent la religion. Monsieur Pierre Trudeau devra toujours, avant de lire un livre à l'Index, prendre l'avis d'un confesseur prudent[55].»

Étonnant. Comment expliquer que Trudeau se soit soumis à des exigences et à des contraintes qui nous semblent, aujourd'hui, tout à fait démesurées, alors qu'il affirme n'avoir «jamais accepté l'autorité ou l'argument d'autorité»? Cette contradiction disparaît lorsqu'on se rend compte qu'il avait tout à fait intériorisé les valeurs de l'Église et des jésuites. Pendant toute sa scolarité à Brébeuf, et même souvent à l'Université de Montréal, il écrivait en tête de ses cahiers et de la plupart de ses devoirs, A.M.D.G. (*Ad Majorem Dei Gloriam*, pour la plus grande gloire de Dieu, devise des jésuites).

CHAPITRE 3

Brébeuf et la formation d'un chef

Nous étions fanatisés, et heureux de l'être.
Jean-Charles Harvey,
Le Jour, 25 juillet 1942

Trudeau apprécie tous ses cours, surtout ceux de religion. On se souvient que dans la lettre du 23 mars 1937 à sa mère, il ne mentionnait, de tous ses cours, que ceux de religion du père Maurice Lamarche (son professeur de philosophie). Le 29 mars 1939, alors qu'il aura bientôt 20 ans, il écrit des notes très détaillées, intitulées : « Notes prises en marge des causeries du père Lamarche. » On y trouve des idées qui ont grandement contribué à former son système de valeurs et lui ont servi d'idéal de conduite pendant toute sa vie : « Voir la vérité où elle se trouve. Si on n'a pas la force de se conduire conformément, tant pis. Mais au moins avoir la loyauté d'admettre qu'une chose vraie est vraie. [...] Il faut réellement être détaché des biens de la terre. [...] Un chrétien doit faire tout ce qu'il fait pour l'amour de Dieu : étudier, manger, vivre, souffrir, jouir, tout doit être fait avec l'intention *réelle* de plaire à Dieu. [...] Le pape dit clairement que tous les chrétiens devraient être des saints. [...] Ce sont des principes.

Évidemment, dans la pratique, un homme ne peut pas toujours les suivre immédiatement, mais il devrait y tendre le plus possible. [...] Ne pas craindre d'être intransigeant, peu importent les sourires moqueurs si nous avons raison. [...] Ne pas reculer devant les difficultés. Proclamez vos titres devant Dieu et les hommes. [...] Quand on a des idées bonnes, [...] soi-même, décider *et exécuter vite*. [...] Se former la volonté en s'imposant une amende à chaque manquement à une décision.» Dans ses notes, Trudeau écrit que le père Bernier ajoute à la causerie : «être plus jovial, plus aimable pour tous. Cela n'exclut pas l'intransigeance dans les idées et les principes. Il suffit de laisser dire les politicailleurs et sourire ; réserver les idées importantes pour les discours et les écrits[1].»

Chercher toujours la Vérité et la reconnaître, même si on n'est pas capable d'agir en conséquence. Agir selon sa conscience sans se préoccuper des sourires moqueurs. Intransigeance dans les idées et les principes. Importance d'exprimer ses idées de manière structurée, dans les discours et les écrits. Ne trouvons-nous pas, ici, des traits qui caractériseront Trudeau toute sa vie ?

Le père Bernier fait plus qu'ajouter des remarques judicieuses aux causeries du père Lamarche. C'est, selon Trudeau, la personne qui l'a le plus influencé. Il «ne se contentait pas de nous faire étudier les œuvres importantes, écrit-il, il nous incitait à lire[2]». C'est ce que confirme ce dernier, lorsqu'il dit à la journaliste Iglauer, en 1969 : «Nous échangions des livres : littérature, philosophie, musique, peinture ; un peu de tout[3].» Il ajoute, à ce propos : «Je leur donnais aussi un cours d'histoire. J'insistais non seulement sur les faits et les dates mais aussi sur les idées : l'importance de l'esprit démocratique et du concept de fédéralisme pour permettre à la fois l'unité politique et le maintien de différences culturelles dans un même pays – autrement dit, une société pluraliste. [...] Nous parlions tout aussi facilement de Locke que de Tocqueville, Acton ou Jefferson. Nos petites discussions apprenaient aux enfants à respecter le rationnel et à rejeter instinctivement le fascisme et le nazisme naissants[4]. »

Avec le recul des années, il arrive que certaines personnes, comme le père Bernier, prennent leurs souhaits pour des souvenirs. Qu'il ait présenté à ses élèves des penseurs tels que Locke ou Tocqueville n'est pas impossible. Mais la lecture de leurs œuvres devait probablement se faire en suivant les préceptes de Hertel ou des jésuites : il présentait quelques extraits ou en faisait lire, de quoi satisfaire la curiosité des élèves et leur enlever l'envie d'aller plus loin. Les notes de lecture de Trudeau n'en laissent aucune trace.

Le père Bernier a également oublié qu'il était loin de communiquer aux élèves une appréciation de la démocratie et du libéralisme ou un sentiment de « répulsion instinctive à l'égard du fascisme et du nazisme », surtout en ce qui concerne le fascisme. Regardons plutôt ce que Trudeau nous en dit, en entrevue : « Vous qui lisez les livres d'histoire, que dit-on aujourd'hui de cette période ? Moi, je sais fort bien ce qu'on disait alors. On disait que Pétain était un héros et que de Gaulle était un traître. On disait que Mussolini, Salazar et Franco étaient des chefs corporatistes admirables. On nous disait que les dirigeants démocratiques étaient des vendus. C'est l'atmosphère dans laquelle j'ai été élevé. Jean-Louis Roux et Pelletier aussi[5]. » Lequel des deux faut-il croire ? Malheureusement pour le père Bernier, Trudeau présente ici une image très fidèle de cette période.

La mémoire du père Bernier lui joue également un tour à propos de sa promotion du fédéralisme, de la démocratie et d'une société pluraliste. Nous n'en avons trouvé aucune trace. En revanche, Trudeau se souvient, dans ses *Mémoires*, qu'en classe de Belles-Lettres, le père Bernier avait demandé à ses élèves d'écrire un essai sur leur avenir personnel : « Il doit bien traîner une copie de ma dissertation dans mes archives. Je me souviens que j'y exprimais des ambitions extravagantes. Au départ, je voulais être capitaine au long cours, puis découvreur, puis astronaute, personnage de Jules Verne. Bref, je voulais tout connaître, faire toutes les expériences, dans tous les domaines. Peut-être même l'essai envisageait-il que je devienne, à la fin de ma vie, un personnage sérieux, tel un gouverneur général ou un premier ministre. Mais auparavant, j'aurai exploré le monde[6]. »

Nous avons retrouvé cette copie qui « traînait dans les archives ». Effectivement, le jeune Trudeau y raconte les détails de son petit périple autour du monde. Mais sa mémoire, à lui aussi, semble lui faire défaut, puisqu'il ne se rappelle pas une partie importante de son texte. On y trouve également un passage où l'on voit que si le père Bernier a prêché les vertus du fédéralisme, le bon élève Trudeau ne semble nullement l'avoir entendu : « Si je suis assez chanceux pour mettre la main sur une guerre, je me joins au service aérien du côté perdant. Après de nombreux exploits périlleux, je fais sauter les usines de munitions des ennemis et je fais gagner la guerre à mon côté. Je reviens à Montréal vers 1976 : le temps est mûr de déclarer l'indépendance du Québec. Les provinces maritimes se joignent à nous ainsi que le Manitoba et, à la tête des troupes, je mène l'armée à la victoire. Je vis maintenant dans un pays catholique et canadien[7]. »

Incroyable, mais vrai : en 1936, Trudeau imagine qu'il sera à la tête des troupes qui, en 1976, feront du Québec un pays indépendant et catholique. Il se trompe, bien sûr ; mais en 1976, le Parti québécois, prônant l'indépendance du Québec, prend le pouvoir. En tout cas, son coup d'État fictif ne témoigne pas de son attachement aux valeurs du fédéralisme...

La mémoire du père Bernier lui fait également défaut au sujet des vertus du pluralisme qu'il enseignait à ses élèves. S'il le faisait, il devait être bien seul à Brébeuf, et le jeune Trudeau ne s'en est pas aperçu. En effet, on sait qu'à l'époque, l'abbé Groulx faisait campagne pour « l'achat chez nous ». Imprégné de ce message bien accepté par son milieu, l'élève Trudeau en fait une pièce de théâtre jouée en première le 16 mai 1938, lors des célébrations du 10ᵉ anniversaire de la fondation du collège. Elle figure dans le programme, avec la mention «comédie satirique en un acte». Le jeune Trudeau écrit, en notes manuscrites de la première page de son texte de 12 pages dactylographiées: «jouée devant parents et élèves avec grand succès». Dans le brouillon, cette pièce a comme titre, à l'origine, *On est Canadiens français ou on ne l'est pas*. Trudeau le remplace, une première fois, par *Roulés* et finit par adopter *Dupés*. La pièce, qui compte sept personnages, veut montrer la différence entre les juifs malhonnêtes et profiteurs et les Canadiens français honnêtes et naïfs. Pour se faire embaucher par M. Couture, un tailleur canadien-français, le juif Ditreau doit lui montrer qu'il est bon vendeur.

Ditreau est joué par Trudeau. M. Couture est joué par Jean de Grandpré. (Celui-ci deviendra administrateur fondateur et président émérite de BCE Inc. – Bell Canada Entreprises – et sera chancelier de l'Université McGill de 1984 à 1991.) Ditreau se vante de savoir vendre très cher un costume de très mauvaise qualité, en se moquant du client et en faisant des compliments à sa femme:

> **Ditreau:** Grâce à mes connaissances en psychologie, je sais prendre chaque client selon son caractère. Voyez plutôt: votre magasin est dans un milieu canadien-français. Eh bien, les Canadiens français préfèrent acheter chez le Juif, d'abord pour ne pas enrichir un des leurs, puis parce qu'ils croient acheter à meilleur marché. [...]

> **Couture:** (éclatant enfin) À mon tour de faire la morale: le peuple canadien, c'est le lion qui dort. Il s'éveillera bientôt. Mais moi j'ai le sommeil léger et pendant qu'il est encore temps je te conseille de déguerpir avec tout ton bagage.

Aucune subtilité dans le message. Les Canadiens français doivent se réveiller et, comme le fait M. Couture, mettre à la porte les Ditreau de ce monde… Que cette pièce ait été choisie par le collège de l'élite, pour fêter le 10e anniversaire de sa fondation, et qu'elle ait été présentée « avec grand succès » devant les parents des élèves en dit long sur le climat du Québec d'alors et sur les vertus du pluralisme qu'on enseignait à Brébeuf…

Ainsi, le nationalisme enseigné à Brébeuf avait plusieurs dimensions. La pièce *Dupés* illustre son côté antisémite et xénophobe. L'exemple qui suit en dévoile d'autres aspects importants. En 1937-1938, en classe de Rhétorique, Trudeau suit, avec le père Brossard, un cours intitulé « Histoire du Canada ». Nous avons trouvé les notes dactylographiées du plan de ce cours. Chaque section renvoie à des lectures spécifiques, que nous ne citons pas *in extenso* (voir page 81).

La lecture des textes de l'abbé Groulx occupe une place très importante dans ce cours. Les phrases du dernier paragraphe sont tirées directement de son discours, « Nos positions », livré le 9 février 1935 au Château Frontenac, à Québec. Le texte paraîtra la même année dans *Orientations*. Comme ce titre figure parmi les lectures obligatoires, on peut affirmer avec certitude que Trudeau l'a lu entièrement. Il est donc utile de rappeler quelques éléments de la thèse de Groulx présentés dans ce discours.

Dès le début, le ton suggère un état de crise. « Le petit peuple que nous sommes » pourrait disparaître. La Conquête « mettait en présence deux peuples, deux croyances, deux cultures, aux divergences assez profondes, deux *physiques*, si j'ose dire, de fort inégale puissance. Laquelle l'emporterait? *Être ou ne pas être*, telle fut, dès lors, en sa brièveté tragique, la formule de notre vie[8] ». Manifestant son adhésion à la théorie des « deux peuples fondateurs », il affirme : « Nous croyons à l'égalité juridique des deux nationalités devant la constitution fédérative[9]. » Il énonce alors son souhait, qui deviendra le cri de guerre de bon nombre de nationalistes : « Redevenir maîtres dans notre province[10]. » Groulx donne

INTRODUCTION : POURQUOI ÉTUDIER L'HISTOIRE DU CANADA ?

NÉCESSITÉ GÉNÉRALE :

Formation d'un patriotisme sain et éclairé :
Cédés, nous avons obtenu et par les traités et par nos luttes constitutionnelles, tout ce qui permet d'exister « chez nous », comme un peuple, une nationalité distincte. (cf. Groulx, *Naissance d'une race,* Préface : p. 1-13)

Connaissance de la mission providentielle de notre race :
* La mission d'un peuple se déduit des facultés et des aptitudes qu'il a reçues du Créateur. [...]
* Pour nous, comme nous sommes un peuple complètement nouveau, notre mission est celle du peuple dont nous sommes sortis : propager les idées catholiques et françaises en Amérique. [...]

NÉCESSITÉ PRÉSENTE :

Connaître le régime français [...]
car notre peuple subit :
* le contre-coup du matérialisme mondial :
  (cf. Daniel-Rops, *Le monde sans âme,* p. 128 sq)
* une baisse dans sa foi...
  (cf. Doncoeur, *Carême 1934 – Sermon : Le Dieu crucifié,* p. 14) [...]

Connaître le régime anglais :
(source de nos droits légaux) :
* pour l'exploiter en notre faveur...
* pour ranimer notre patriotisme...
* pour que l'harmonie règne au Canada [...]
* pour préparer notre avenir national (cf. *Orientations,* Groulx, conférence intitulée : « Nos positions », p. 240-274) [...]

Dans cette œuvre immense, quelle sera votre tâche à vous, jeunes gens ? [...] Nous vous laissons, je le sais, un bien lourd héritage... Vous avez plus que le droit, vous avez le devoir de prendre des choses une vue nette, réaliste... Jeunes gens, je vous en prie, relevez-nous, sauvez-nous. Pris dans le dilemme de mourir ignoblement ou de vivre audacieusement, choisissez l'audace de vivre quand ce ne serait que pour démontrer, à ce pays qui en a tant besoin, la sève indomptable de notre foi, l'admirable dignité du catholicisme.

des exemples de la domination des Canadiens français : « Et nos villes ? J'ose à peine parler de Montréal, Montréal à la remorque de la finance anglo-canadienne, du commerce anglo-canadien, des compagnies d'utilité publique anglo-canadiennes, du cinéma américain, des restaurants, des salles de jeu, de la chanson, de la radio interlopes et cosmopolites. Et Québec, jadis tête et cœur de la Nouvelle-France[11] ! » Qui sont ces « interlopes et cosmopolites » ? Les juifs, très probablement. Pour redevenir « maîtres dans notre province », Groulx lance la campagne de « l'achat chez nous[12] ». Pour ceux qui ne le sauraient pas, le « nous » n'était pas le Canada. Ce n'était même pas le Québec : on exhortait les Canadiens français à faire leurs achats chez « les leurs » et non chez les juifs. C'est probablement cette campagne qui a inspiré la pièce *Dupés*.

Pour bien exprimer sa pensée, Groulx fait une synthèse de la religion et du nationalisme, et la nomme « mystique ». Celle-ci est française et organique : « Que nous faut-il donc pour nous ressaisir, pour réformer la ligne de notre destin ? Messieurs, il est un mot que je n'aime pas détourner de son usage religieux, mais que j'emploierai, faute de mieux et parce qu'il est à la mode : ce qu'il nous faut, c'est une mystique. Point d'État français, point de peuple français sans une mystique française. [...] Et il nous faut une mystique organique. [...] nette, impérative, enivrante, capable d'exalter jusqu'à la tension suprême le génie d'une race, mystique, mot d'ordre qui ira retentir jusque dans les derniers coins de la province : *Un peuple français dans un pays français*[13] ! »

Ainsi, contrairement à un autre mythe bien établi, Trudeau connaît bien Groulx, qui est incontestablement un maître à penser pour les jésuites de Brébeuf. Dans ses cahiers de classe, on trouve de nombreux sujets de composition et de débat basés sur une pensée de Groulx. Pour ne donner qu'un exemple : le 24 septembre 1937, un des deux sujets de composition que les élèves peuvent choisir commence ainsi : « Vous donnez une causerie sur les raisons de votre patriotisme et vous commenterez cette parole de Groulx [...] » Plus loin dans ce même cahier, dans ce qui semble être des notes pour un débat, le jeune Trudeau propose une loi qui encouragerait le facteur religieux (catholique), l'usage du français, la natalité, le retour à la terre à l'abri de l'américanisation... idées toutes véhiculées dans les divers cours, et toutes conformes à la pensée de Groulx. Même lorsque le professeur Brossard rappelle à ses élèves qu'il « faut être respectueux pour la France. C'est elle qui nous a formés dès le début, et aujourd'hui même, c'est d'elle que nous recevons toute la culture intellectuelle », il s'inspire de Groulx. En effet, il s'empresse de spécifier qu'il s'agit de la France de l'Ancien Régime : « Nous ne devons rien au drapeau bleu, blanc, rouge ; c'est du premier, le fleurdelisé, que nous nous souvenons[14]. »

Inspiré par ce cours d'histoire, l'élève Trudeau présente, le 20 novembre 1937, à un concours oratoire de rhétorique, un texte intitulé : « La survivance de la nation canadienne-française[15] », le sujet proposé étant : « Croyez-vous à la réalité historique de la nation canadienne-française ? Croyez-vous à sa survivance ? » Procédant avec l'esprit logique qui le caractérisera toute sa vie, il pose qu'il faut d'abord établir l'existence de cette nation avant de parler des conditions qui assureront sa survivance. Cependant, il s'empresse d'affirmer : « Je passerai rapidement sur le premier point : vous admettez tous l'existence de cette race de trois millions d'hommes, dont vous faites partie, et qu'on appelle les Canadiens français : Canadiens à cause du pays qu'ils habitent et Français parce que biologiquement et intellectuellement ils ne peuvent prétendre être autre chose. Et personne ne nie qu'ils ont un vouloir vivre collectif et un territoire et une organisation politique propre. Devrais-je dire propre ? Mais passons. »

Notons, au passage, le double sens du mot *propre,* utilisé ironiquement à des fins critiques. Ce style deviendra la marque de Trudeau. Celui-ci balaie donc du revers de la main la nécessité d'établir l'existence de la nation canadienne-française. De toute manière, on ne demandait pas aux élèves : « Pouvez-vous démontrer l'existence de la nation canadienne-française ? », mais bien « Croyez-vous à l'existence… ? » Il s'agit d'un acte de foi. Ayant donc établi que cette existence se passe de toute démonstration, Trudeau se concentre sur sa survivance. « C'est aussi un fait qu'elle [cette nation] survivra malgré cette fatale tendance à l'assimilation continentale. » Pourquoi et comment survivra-t-elle ? Là commence son argumentation.

Il traite en premier de la survivance numérique et note le « fameux miracle canadien : le taux de survie dans la province française du Québec est le double de celui de l'Ontario et le triple de la Colombie-Britannique. La supériorité numérique de l'élément anglo-saxon baisse rapidement à mesure que l'immigration diminue ». Trudeau écrit ce texte dans les dernières années de la Dépression des années 1930. Il est convaincu que les Canadiens anglais perdront leur supériorité numérique, étant donné que le Canada a imposé des restrictions sévères à l'immigration. Au Québec, par contre, grâce à la politique de la « revanche des berceaux », promue vigoureusement par le clergé, les familles de 12 enfants et plus sont courantes. Les Canadiens français redeviendront ainsi majoritaires. Comme le reste de l'élite canadienne-française, Trudeau voit à la fois l'immigration et l'émigration comme des menaces : l'immigration, parce qu'elle renfloue les rangs des Canadiens anglais, et l'émigration des Canadiens français – qui se faisait surtout alors vers la Nouvelle-Angleterre – parce qu'elle favorise leur assimilation au monde anglophone : « Donc, plus on empêchera l'émigration des nôtres en encourageant le retour à la terre, plus notre ascension sera rapide. »

Il aborde ensuite la survie intellectuelle : « Pour garder notre mentalité française, il ne s'agira que de conserver notre langue et de fuir la civilisation américaine. » En d'autres termes, repli sur soi. Il passe alors au facteur religieux, qui est, selon lui, « on ne peut plus important ». Il s'agit de la mission providentielle des Canadiens français : « Si la Providence a permis la conquête, pour notre bien, je n'en doute pas [...] c'est qu'elle avait un rôle précis à nous faire jouer : le rôle de la propagation des idées catholiques et françaises dans le nouveau monde. » D'où le devoir pour nous, dit-il, non seulement de survivre, mais de grandir. « Et nous ne grandirons que dans la mesure où nous lutterons pour notre foi catholique, pour nos droits canadiens et pour notre langue française. »

Nous ne savons pas comment Trudeau s'est classé à ce concours oratoire. Nous savons, cependant qu'en excellent élève, il a parfaitement su régurgiter l'enseignement qu'on lui dispensait. On n'y trouve aucune idée originale. En revanche, tous les grands thèmes de son cours d'histoire y figurent : la revanche des berceaux, le retour à la terre, la mission apostolique de la « race » canadienne-française, et même la race biologique... Ici, l'élève Trudeau ne rame certainement pas à contre-courant. Au contraire ; il a parfaitement assimilé les leçons de ses maîtres.

Cet endoctrinement politico-religieux ne se limite pas au collège Brébeuf. À l'autre bout de la province, au Séminaire de Gaspé, un jeune élève qui deviendra un redoutable adversaire politique de Pierre Trudeau écrit lui aussi un texte sur la survivance. Il s'appelle René Lévesque. En 1936, il publie un article dans *L'Envol,* le journal des élèves de ce séminaire, administré également par des jésuites. Il donne cinq raisons justifiant la lutte pour la survivance. Nous n'en citerons que deux :

« 1. Notre religion et notre langue. "La langue est la gardienne de la foi." Voilà pourquoi je lie ces deux divisions.

«Entourés par les protestants, presque invisibles dans cet immense fourmillement des 137 000 000 d'Anglo-Saxons qui nous enserrent, nous sommes menacés, non de coups de foudre, mais de lente et sournoise pénétration. Devant ce péril, nous n'avons d'autre défense que la lutte, et la lutte pour la vie, i.e. pour la survivance.

« 2. La mission de notre race. "La nation française, a dit Lacordaire, a une mission à accomplir dans le monde." En Amérique, c'est à nous, fils de cette même France, que revient cette mission : ce devoir n'est autre que de projeter sur l'Amérique matérialiste la lumière de la culture française, de la culture spirituelle, que seuls, nous possédons. Or, pour ce faire, tout le monde le comprend, nous devons demeurer "intégralement français[16]".»

À Montréal comme en Gaspésie, comme ailleurs dans la province, on utilise exactement le même moule pour façonner la pensée des élèves. Et à Montréal, comme en Gaspésie, comme ailleurs dans la province, ces élèves sont convaincus de développer une pensée personnelle, libre…

Cet endoctrinement se retrouve partout, même dans le programme de littérature, qui est imprégné de religion. En 1936-1937, dans le cours Préceptes et Histoire littéraire, donné en classe de Belles-Lettres par le père Bernier, les élèves parcourent toutes les époques et tous les genres. Dans les notes de cours de Trudeau, on trouve des commentaires, probablement dictés ou recopiés du tableau, sur les divers auteurs étudiés. Leur rapport au catholicisme est souligné sans faille. Ainsi, sous Rabelais, on lit : « Il croit en Dieu ; il rend hommage à Jésus-Christ comme à un grand prince, pas plus. » Conclusion : « Valeur morale pas très grande. Inexcusable d'avoir semé des ordures dans ses écrits [...] On ne prend pas un plaisir beau à le lire. Remarquez : vulgarité de sentiments, gaieté française, style. » Tous les auteurs sont évalués par rapport à leur ferveur catholique. La moralité de leur vie privée est également prise en compte : « Leur influence dépend de leur vie privée non pas seulement des écrits. » Sous Maurice Barrès, écrivain nationaliste, antisémite, antidreyfusard convaincu et militant d'un patriotisme revanchard, on lit : « Il se fait défenseur de la religion catholique. Cependant il a tort de confondre toutes les religions. [...] Mais lui-même n'a pas eu le courage d'être catholique et son œuvre n'est pas assez doctrinale. » En somme, pour les jésuites de Brébeuf, Barrès pèche par sa modération !

Le catholicisme occupe une telle place dans la formation dispensée à Brébeuf et dans les notes de lecture de Trudeau qu'on n'est nullement surpris quand on lit, sous *La République* de Platon : « Il est admirable qu'avant Jésus-Christ on ait pu voir chez un païen beaucoup d'idées chrétiennes[17]. » Comme ses maîtres, Trudeau juge Platon à l'aulne de la chrétienté...

Trudeau remplit un cahier sur les auteurs français, surtout ceux du XIXe siècle, dans lequel il note également une série d'œuvres à l'index. Sous Charles Baudelaire, auteur du célèbre recueil de poésie *Les Fleurs du mal,* étonnamment, on ne trouve pas trop de critiques de la part du professeur, mais il dit tout de même que c'est un « esprit déréglé ». Il spécifie cependant : « Reçoit sacrements ». Trudeau remplit plusieurs pages sur Victor Hugo. On sent l'ambivalence du professeur à son sujet : il n'aime pas son orgueil, mais il apprécie qu'il « chante la nature, patrie, famille ». Sous *Les Contemplations,* on lit : « Beaucoup de déchets, trivialité, manque de goût. Très orgueilleux. Il ne se corrige pas. Il faut cependant apprécier son imagination géniale. C'est l'homme avec le plus d'imagination. » Mais il a « peu de goût ».

Au XXe siècle, les auteurs sont groupés, non selon un classement littéraire, mais selon les deux catégories suivantes: 1) Le renouveau catholique et 2) Quelques noms en dehors du catholicisme. La première catégorie inclut: Joris-Karl Huysmans, Maurice Barrès, Paul Bourget, René Bazin, Léon Bloy, Charles Péguy, François Mauriac et Daniel-Rops. La seconde inclut, pour la poésie: Paul Valéry, Émile Verhaeren, Paul Fort et, pour la prose: Charles Maurras, André Gide, Marcel Proust, André Maurois et Georges Duhamel.

Dans son cahier sur les œuvres lues en classe, Trudeau n'hésite pas à faire des commentaires personnels, qui s'écartent parfois de l'opinion généralement admise sur l'auteur. Ainsi, au sujet du *Bourgeois gentilhomme,* de Molière, il écrit qu'il en apprécie la satire vivante et spirituelle: «Il y a une foule de bons mots, mais hors cela je n'y trouve pas une grande valeur. L'intrigue est lâche et plate, si intrigue il y a[18].» Il se permet même de critiquer Jean Racine, un auteur très apprécié dans les collèges classiques. Il lit deux fois *Athalie,* à neuf mois d'intervalle. Alors que la première fois, il trouve la pièce «extrêmement plate», la seconde, il trouve «cela extrêmement intéressant et beau». Rendu à *Phèdre*[19], il note: «Décidément, plus je lis Racine, plus j'y prends goût. La pièce est extrêmement intéressante. [...] Nous avons en elle [Phèdre] une très belle étude de la passion coupable.» Le 19 avril 1938, il trouve qu'*Andromaque*: «est le premier chef-d'œuvre de Racine». Le lendemain, il lit *Les Plaideurs.* «Vraiment, je ne reconnais pas Racine. [...] Il y a plusieurs scènes pétillantes de railleries et de bons mots.»

Trudeau aime les citations frappantes; il en copie des pages entières dans ses cahiers. Sans aucun doute, c'est un lecteur avide, surtout des grands classiques, et il n'a pas peur de s'investir dans ses lectures. Ses notes transpirent la sincérité: il n'hésite pas à se féliciter d'avoir compris un livre qu'il croyait difficile ou à exprimer sa joie d'avoir enfin lu un grand classique. Par exemple, sous *L'Annonce faite à Marie* de Paul Claudel, il écrit : « On m'avait dit que c'était difficile à comprendre, mais je me flatte d'avoir bien compris. » En mai 1938, à propos de *Prose choisie*, il manifeste son admiration pour le style de Charles Péguy : « Je n'en ai pas lu beaucoup, faute de temps. Mais ça me plaît énormément. Le style est tout à fait extraordinaire ; c'est un des styles que j'aimerais le plus avoir. Phrases courtes, répétitions. » Et il s'exclame, après la lecture d'*Œdipe roi* de Sophocle[20] : « Enfin, je l'ai lu, le chef-d'œuvre de la tragédie antique. »

La lecture de *Cyrano de Bergerac*, d'Edmond Rostand, le comble de joie : « C'est probablement la pièce que j'ai aimée le plus. […] On ne peut s'empêcher d'être attendri par la fin du 5e acte. […] Ce qui fait l'intérêt de toute la pièce, c'est le personnage de Cyrano, peint par Rostand, de sorte qu'on ne peut s'empêcher de l'admirer[21]. » La plupart des biographes ont souligné l'admiration de Trudeau pour Cyrano et mentionnent le vers : « Ne pas monter bien haut, peut-être, mais tout seul », que Trudeau aurait cité en entrevue. Clarkson et McCall en tirent des conclusions sur la personnalité de Trudeau : « En s'identifiant à Cyrano, Trudeau prenait pour modèle un personnage mythique, esquissant les rêves dont tout jeune adulte cherche à draper ses ambitions. […] Sa vie devint véritablement spectaculaire : il accomplissait des exploits extraordinaires et était couvert d'honneurs. Il rêvait – comme il l'a dit tout simplement – de monter au sommet, mais tout seul[22]. »

On exagère en donnant tant d'importance à l'admiration de Trudeau pour Cyrano. Pour beaucoup de francophones, Cyrano se classe parmi les grands héros de leur enfance. Trudeau ne se distingue nullement sur ce plan. Qu'il cite donc un vers de Cyrano pour exprimer une de ses idées n'a vraiment rien de surprenant, surtout quand on sait combien il aimait le faire. Ce qu'il dit ailleurs au biographe George Radwanski donne un éclairage intéressant à ce sujet : « J'ai

trouvé là l'expression de ce que j'étais et de ce que je voulais
être : peu importe si je ne réussis pas ; l'essentiel pour moi est
d'y parvenir tout seul, sans l'aide de personne, sans avoir à
mendier des faveurs[23]. » Ainsi, ce ne sont pas les prouesses
de Cyrano qui l'inspirent, mais le fait qu'il veut réussir tout
seul, sans avoir à quémander des privilèges, quitte à échouer.

Si'l faut chercher l'émule de Trudeau, ce ne serait certainement pas Cyrano. Celui qui l'inspire, qu'il veut imiter, c'est le
Christ. C'est ainsi qu'il écrit, dans un discours pour défendre
l'éloquence : « L'éloquence, la véritable, loin d'être fondée sur
des artifices de parole, est basée sur la sincérité et a son but
dans la vérité. Elle ne vise qu'à rendre les hommes meilleurs
et plus heureux. [...] L'exemple d'un seul homme, le plus éloquent de tous, Jésus-Christ, nous le prouve. » Il conclut qu'il
faut promouvoir la vraie éloquence, et « balayer de la face de
la terre tous les faux rhéteurs[24] ». Il écrira des articles dans
Brébeuf, poussant ses camarades à imiter le Christ.

Si Cyrano n'est pas son plus grand héros, il est pourtant
vrai que Trudeau l'admire, mais pour des raisons autres
que celles qu'on mentionne d'ordinaire. « C'est un homme
bon, sensible, intelligent, spirituel et sans peur », écrit-il.
Remarquons l'ordre des qualités mentionnées : la bonté et
la sensibilité de Cyrano viennent en premier ; suivent l'intelligence et la vivacité d'esprit ; le courage vient en
dernier. Signalons, pour terminer, qu'ici, comme dans la
plupart de ses notes de lecture, Trudeau manifeste son
grand intérêt pour les passages que l'on peut réciter, les
scènes ou même les actes qu'on pourrait jouer. Dans
Cyrano, il écrit que la tirade de l'acte II, scène VIII « est très
belle à déclamer ». Et il ajoute entre parenthèses, probablement avec fierté : « J'ai eu le 1er prix. »

Parmi ses nombreuses autres lectures, notons *The
Second Spring* de John Henry Newman. Grand dignitaire
anglican à Oxford, Newman participe très activement au
« mouvement d'Oxford » qui remet en question certaines

doctrines de l'Église anglicane. En 1845, il se convertit au catholicisme et devient cardinal. Sa contribution au renouveau de l'Église catholique en Angleterre est universellement reconnue. Au Québec, on admirait beaucoup Newman. Claude Ryan, qui a été directeur du *Devoir* et chef du Parti libéral du Québec, dit que la pensée de Newman a guidé sa vie[25]. Trudeau prend également des notes sur *Trois discours sur la liberté de l'Église,* de Charles Forbes, un Anglais qui émigre en France et devient comte de Montalembert. Celui-ci défend ardemment l'Église catholique, notamment sa liberté de fonder des écoles confessionnelles. De ce livre, Trudeau retient, entre autres, la phrase célèbre : « Nous sommes les fils des croisés et nous ne reculerons pas devant les fils de Voltaire. » Ce point de vue lui a déjà été maintes fois répété par ses professeurs.

Les notes de Trudeau nous permettent également de savoir comment il réagit aux œuvres canadiennes-françaises. Il trouve que la lecture de son « premier livre sérieux », *Pour nous grandir,* de Victor Barbeau, a été un peu laborieuse, mais profitable[26]. Il en retient, comme idées principales : « Le libéralisme conduit aux excès : chômage, anarchisme. L'idéal est le corporatisme qui ne sépare pas en partis mais unit les intérêts. » Le corporatisme, l'antilibéralisme : voilà les notions « profitables » pour le jeune Trudeau, comme d'ailleurs pour tout son milieu. Comment pourrait-il en être autrement ? Après tout, c'est ce que pensent ses professeurs et tout son milieu. Le pape Pie XI lui-même a dénoncé le libéralisme et recommandé le corporatisme, en 1931, dans son encyclique *Quadragesimo anno…*

Menaud, maître draveur, de Félix-Antoine Savard, a fait couler beaucoup d'encre depuis sa parution, en 1937. Certains continuent à voir en Mgr Savard, l'auteur de ce livre considéré comme un chef-d'œuvre dans les années 1930, « le chantre inégalé de notre dépossession[27] ». D'autres en critiquent de nombreux aspects, dont le manque de

cohésion, la faiblesse psychologique des personnages
« rendus évanescents, irréels par les effusions sentimentales, les préoccupations patriotiques ou apologétiques de
l'auteur[28] ». D'autres, enfin, dénoncent sa haine des
Anglais[29]. La plupart des contemporains et des amis de
Trudeau accueillent ce roman avec le plus grand enthousiasme. C'est ainsi que Jean-Louis Roux, qui deviendra un
éminent homme de théâtre, écrit une lettre dithyrambique
à Félix-Antoine Savard, dans le journal des étudiants de
l'Université de Montréal, *Le Quartier Latin* : « *Menaud, maître draveur* était pour moi le plus beau des romans et vous
étiez le plus grand des poètes. [...] Je fus comme saisi
d'émotion devant ce vibrant poème écrit à la gloire du paysan[30]. » Trudeau, lui, l'apprécie, tout en émettant quelques
réserves : « Il y a une multitude de trouvailles admirables.
On a été jusqu'à dire que c'est le chef-d'œuvre canadien.
Dès le début, le livre donne une leçon de patriotisme, d'hé-
roïsme. [...] La conclusion semble être d'aimer son pays,
de le défendre contre les étrangers, mais de prendre soin
de ne pas faire un coureur de bois : il faut s'attacher à une
terre. [...] Pour ma part, ça ne me plaît pas complètement
comme leçon : c'est simplement une histoire triste, bien
contée. Les descriptions sont très belles, mais certains passages semblent faibles en psychologie. »

Notons que Trudeau critique la faiblesse psychologique
de certains passages. En revanche, il apprécie la promotion
de l'attachement à la terre ainsi que l'appel à la défense de
son pays – le Québec – contre les étrangers. Rappelons que
dans ce livre, « les étrangers » sont les Canadiens anglais,
pour qui Menaud éprouve la haine la plus profonde,
comme il hait tous les traîtres (les Canadiens français qui
acceptent de travailler pour eux). Comment expliquer que
le jeune Trudeau, dont une partie de la famille fait partie
de ces « horribles Anglais », n'ait même pas relevé cet
aspect du livre parmi ses faiblesses ? Contrairement au

mythe du conflit des identités, il se considérait, à l'époque, Canadien français, et Canadien français seulement (comme le disait Gérin-Lajoie dans *Brébeuf*). Dans ce milieu, le ressentiment contre les Anglais était si courant que certains accusaient les écoles de l'alimenter. André Laurendeau, directeur de la revue nationaliste *L'Action nationale,* s'est senti le devoir de se porter à la défense des écoles, dans un article au titre révélateur : « Nos écoles enseignent-elles la haine de l'Anglais[31] ? ».

Trudeau lit de nombreux ouvrages de Lionel Groulx. *Chez nos ancêtres* lui « donne certainement l'amour du pays[32] ». Suivent trois pages et demie de passages recopiés. *Faites-nous des hommes* est qualifié de « pamphlet intéressant ». Groulx y « propose une formule totalitaire : il faut une préparation totale ». Le 27 février 1938, l'élève Trudeau avoue que, dans les *Rapaillages,* « les pensées délicates et les images délicieuses m'ont donné la nostalgie de la vie de la terre ». Le fait que Trudeau soit né à Outremont, qu'il ait passé sa vie à Montréal et que son père ait fait fortune dans les affaires – comme les « Anglais » – ne l'empêche aucunement d'épouser le message nostalgique du retour mythique à la terre.

En avril 1939, Trudeau lit *Le Beau Risque,* de François Hertel[33]. L'intérêt de ce roman médiocre, sans intrigue apparente, réside dans l'aperçu que donne ainsi Hertel de ses relations avec les jeunes, en particulier avec le héros, Pierre Martel. L'ensemble du roman s'écarte si peu de la réalité que certains, comme l'historien jésuite Jacques Monet[34] ou la politologue Esther Delisle[35], en ont conclu que Pierre Martel, c'est Pierre Trudeau. Quelques comparaisons entre les deux Pierre établissent la plausibilité de cette hypothèse. Par exemple, le grand-père de Martel habite à la campagne. Celui de Trudeau aussi. Martel aime la nature, la poésie et la lecture.

Trudeau aussi. Martel passe une partie de ses vacances à Old Orchard Beach, dans le Maine; la famille Trudeau y possède une maison d'été. Martel est timide, solitaire. Trudeau aussi. Et ainsi de suite. Le livre serait basé sur le journal intime que Martel aurait donné au père Berthier – peut-on ne pas penser au père Bernier que Trudeau appréciait tant? À mesure que progresse le roman, la foi de Martel devient plus profonde et son nationalisme plus ardent. Il devient partisan de «l'achat chez nous»; il veut redonner un visage français à Montréal; il déteste «Old Orchard! Une plage américaine, juive et tapageuse. Pas de plaisir. [...] Pour moi, je ne puis plus y passer trois jours. Ça me donne des nausées. Et puis, j'ai mes idées là-dessus. Pourquoi aller se balader à l'étranger quand on est si bien chez soi[36]?»

Deux ans plus tard, soit le 5 septembre 1941, Trudeau écrit une lettre à Hertel. Le style révèle les rapports très amicaux qui les lient. Lui rapportant, entre autres, son récent voyage à Old Orchard, Trudeau écrit: «Vous connaissez sans doute le jugement de je ne sais quel penseur célèbre», et il cite à la blague, mot pour mot, référence de page incluse, le passage que nous avons cité sur Old Orchard. Il conclut avec: «Mon histoire finit avec cette belle citation.» Il est clair que pour Hertel, Pierre Martel a l'étoffe du «chef» que les Canadiens français attendent avec impatience. Aurait-il utilisé Trudeau comme modèle? Aurait-il vu en lui ce même potentiel?

Lorsque Trudeau lit *Le Beau Risque,* il ne fait aucun rapprochement entre lui et Pierre Martel. En revanche, il note: «La psychologie me semble très juste, et l'auteur rend bien l'état d'âme par lequel passent beaucoup de jeunes. La fin est touchante, où le conseiller spirituel, après avoir montré théoriquement la vraie vie: amour intense de la patrie canadienne-française, mépris des frivolités qui éloignent de Dieu, mépris du matérialisme, donne lui-même l'exemple de la vie active pratique en sacrifiant tout pour devenir missionnaire en

Chine.» Voilà une fois de plus les valeurs fondamentales de l'éducation jésuite. Voilà la vraie vie pour le jeune Trudeau.

Si, comme on l'a vu, Trudeau rend hommage à Hertel dans ses *Mémoires*, nulle part il ne mentionne avoir pris connaissance de ses idées politiques. À l'exception d'Esther Delisle[37], tous les auteurs s'accordent pour situer l'influence de celui-ci exclusivement dans le domaine socioculturel. Or, Hertel a écrit des ouvrages politiques. Il nous semble impossible que le jeune Trudeau, si avide de lecture, qui a lu les œuvres de Groulx, de Barbeau et de tant d'autres auteurs nationalistes, n'ait pas lu au moins quelques-uns des traités politiques de cet homme qu'il trouvait exceptionnel. Il est donc intéressant d'examiner succinctement certaines des idées politiques de Hertel.

En 1936, pendant qu'il est enseignant à Brébeuf, Hertel publie *Leur inquiétude*[38], une réédition d'essais publiés cette même année dans *L'Action nationale*, une des revues nationalistes les plus importantes de l'époque. Ce livre traite de l'inquiétude de la jeunesse canadienne-française face aux graves problèmes contemporains. Hertel note que l'inquiétude des jeunes, qu'on constate en Union soviétique communiste, en Italie fasciste et en Allemagne nazie, ne se limite pas aux pays soumis à ces régimes. En fait, dans les pays anglo-saxons où règne la dictature de l'argent et la corruption électorale, les jeunes perdent leurs idéaux et le sens des valeurs. La jeunesse canadienne-française est d'autant plus affectée par ce fléau qu'elle appartient à un peuple minoritaire, dépourvu des instruments politiques nécessaires à l'épanouissement de ses propres valeurs. Se faisant l'écho de Groulx, il affirme que le problème provient d'un «gouvernement fédéral à tendances protestantes; la domination suprême d'un empire protestant; la radio, véhicule de protestantisme; le cinéma, véhicule d'immoralité; notre presse française elle-même (en majeure partie) catholique de nom seulement[39]».

Mais une lueur d'espoir brille à l'horizon. Comme Groulx, Hertel voit dans l'enthousiasme des jeunes pour les mouvements nationalistes à tendance séparatiste la solution à l'état déplorable du peuple canadien-français. Ce sont ces jeunes qui, dirigés par un chef incarnant les vraies valeurs canadiennes-françaises, construiront la Laurentie indépendante de demain (nom donné à ce futur Québec indépendant) et remplaceront le système de partis, le libéralisme et le matérialisme anglo-saxons par un système dictatorial fondé sur le catholicisme et le nationalisme. Reflétant les idées bien répandues dans le Québec de l'époque, il précise que les jeunes de France, de la Suisse française et de la future Laurentie « ne s'opposent qu'aux dictatures abusives. Ils rêvent par contre d'une dictature libératrice, qui viendrait balayer les parlementarismes impuissants et tapageurs[40] ».

Il est évident que le jeune professeur, qui s'entend si bien avec les jeunes, doit leur communiquer son espoir de les voir fonder la nouvelle Laurentie. Les exhortations de Groulx sont également transmises par les professeurs de Brébeuf. Or, officiellement, le nationalisme enseigné au collège n'est pas séparatiste. Le rédacteur en chef de *Brébeuf*, Paul Gérin-Lajoie, est catégorique : « Il est une question seulement qu'il ne nous est aucunement permis de discuter et qu'on nous expose comme telle – cela en vertu d'un principe de philosophie-morale – : *Nous devons respect et soumission à l'autorité établie : le roi du Canada*[41]. » De toute évidence, les élèves de Brébeuf sont soumis simultanément à deux sons de cloche discordants. D'une part, on leur enseigne que la morale jésuite exige la soumission à l'autorité : soumission au pape sur le plan religieux, soumission au roi du Canada sur le plan politique. Et de l'autre, ils étudient les appels de Groulx, de Hertel et d'autres enseignants. Le message de *Leur inquiétude* ne pourrait être plus clair : il faut remplacer la démocratie parlementaire par une dictature dirigée par un chef canadien-français, dans une Laurentie indépendante à l'abri des valeurs protestantes anglo-saxonnes. Les élèves vivent ainsi l'ambiguïté profonde de deux messages conflictuels.

Trudeau connaissait d'autant mieux les idées politiques de Hertel qu'elles reflétaient celles de son milieu. Si on n'en trouve aucune réfutation dans ses notes de jeunesse, c'est qu'il les partageait. En fait, en très bon élève, il avait intériorisé les valeurs nationalistes qu'on lui inculquait au collège : oui, le peuple en déclin a besoin d'être sauvé ; oui, il a besoin d'une élite ; oui, lui-même a le devoir d'en faire partie. Il sait qu'il en a la trempe ; ses professeurs et Hertel le savent aussi.

Un mythe bien établi veut que lorsque Trudeau s'est présenté comme candidat pour le Parti libéral fédéral, en 1965, il ne l'a fait que poussé par les circonstances. Lui-même n'aurait jamais envisagé une carrière politique. Mais remarquons ce qu'il écrit, en mars 1938, en lisant Platon : « J'en ai lu des passages au hasard et d'autres qui m'intéressaient. [...] Il faudra certainement revenir sur ces œuvres quand j'aurai plus de temps. Il y a beaucoup de choses qui servent à la formation politique ou individuelle. » *La lecture de Platon sert à la formation politique ?* Comment interpréter ce commentaire ? Le mystère s'éclaircit lorsqu'on apprend ce qu'il avait déjà écrit un mois plus tôt.

Dans un discours intitulé « Propos d'éloquence politique », daté du 10 février 1938, le jeune Trudeau remerciait le père Verest d'avoir insisté dans son cours sur ces mots : « Ceux qui le peuvent, doivent faire de la politique. » Il ajoutait : « Je crois que nos autres professeurs ont eu tort de ne pas nous initier à la politique [...] C'est ma plus vive conviction que les jeunes qui ont les aptitudes pour la politique commettent un acte de lâcheté impardonnable en ne faisant pas de politique active à partir du jour où ils auront les moyens matériels et intellectuels de le faire, c'est-à-dire lorsqu'il leur reste, après avoir fait une part pour leur famille, assez de richesse pour assurer une pleine indépendance vis-à-vis de tous.» Ne pas faire de politique active constitue *un acte de lâcheté impardonnable*? Affirmer cela en 1938? Pourtant la vérité est là, et nous en trouverons des confirmations, les unes après les autres.

Pendant qu'il se prépare à la politique active, en 1939, sa dernière année à Brébeuf, il lit un livre au sujet duquel il écrit: «On ne le lirait pas avec fruit avant la Philo II, car c'est un résumé de toutes les sciences et les philosophies. Pour cela aussi c'est ardu, mais d'un intérêt passionnant. [...] La table des matières est parfaite. [...] le style direct, raccourci, précis. [...] C'est un livre qu'il faut assimiler tout entier.» Ce livre «parfait» jusqu'à sa table des matières, c'est *L'Homme, cet inconnu*, d'Alexis Carrel[42]. Publié en 1935, il est écrit et publié directement en anglais, alors que Carrel est aux États-Unis, et paraît en français, en France, la même année. Il connaît instantanément un succès retentissant. Traduit en une vingtaine de langues, il se vend à plusieurs millions d'exemplaires. Au Québec, il est très apprécié par les jésuites, qui le recommandent fortement à leurs élèves.

Alexis Carrel fait ses études de médecine à l'université de Lyon, mais sa carrière se déroule essentiellement aux États-Unis, où il fait ses recherches depuis 1904. Récipiendaire en 1912 du prix Nobel de médecine et de physiologie, il est considéré comme un des plus grands savants français. En 1941, il rentre en France et devient une des étoiles du régime de Vichy. Il meurt en 1944. Dans toute la France, on nomme en son honneur des dizaines de rues, de places publiques et de nombreux édifices. Dans *L'Homme, cet inconnu*, écrit en pleine crise économique mondiale, Carrel examine les causes de cette crise et propose des solutions. Quelles sont les idées qui ont valu à ce livre un tel succès pendant de très nombreuses années?

Nous savons beaucoup de choses, dit Carrel, sur la santé physique de l'homme (la circulation du sang ou le fonctionnement des reins), mais nous savons très peu sur sa santé mentale. En particulier, nous ne sommes pas capables d'évaluer l'effet des progrès technologiques sur notre équilibre psychologique. Or, la principale cause de la crise, écrit-il, vient de «la civilisation industrielle» qui, avec ses progrès techniques, a sur l'homme des effets pervers: «L'énorme diffusion des journaux, de la radiophonie et du cinéma a nivelé les classes intellectuelles de la société au point le plus bas[43].» Les gens s'habituent aux plaisirs faciles: «Ce sont les formes les plus basses de la littérature et les contrefaçons de la science et de l'art qui, en général, attirent le public[44].» Pour son malheur, écrit Carrel, «l'homme moderne a rejeté toute discipline de ses appétits[45]». (Les jésuites de Brébeuf sont eux aussi convaincus de l'immoralité de la société et le répètent à leurs élèves.)

La civilisation moderne a ainsi produit un affaiblissement physique et moral de l'homme et la désintégration du tissu social. Les femmes en sont particulièrement responsables: «Celles-ci abandonnent leurs enfants au kindergarten pour s'occuper de leur carrière, de leurs ambitions mondaines, de leurs plaisirs sexuels, de leurs fantaisies littéraires ou artistiques, ou simplement pour jouer au bridge[46].» Il s'ensuit une forme d'éducation qui nivelle les hommes par le bas, néfaste à la santé physique et mentale: «La plupart des individus sont construits sur le même type. Un mélange de nervosisme et d'apathie, de vanité et de manque de confiance en soi-même, de force musculaire et de non-résistance à la fatigue[47]. »

Ce nivellement, dit Carrel, est contre nature, parce que les individus ne sont pas égaux. Les races non plus, la race blanche étant génétiquement supérieure à la noire. Même parmi les Blancs, les habitants des pays du Nord sont supérieurs à ceux du Sud. Ainsi, la femme, biologiquement inférieure à l'homme, doit être « rétablie dans sa fonction naturelle, qui est non seulement de faire des enfants, mais de les élever[48] ». Il faut également reconnaître l'inégalité des êtres humains et des classes sociales : « La répartition de la population d'un pays en différentes classes n'est pas l'effet du hasard. [...] Elle a une base biologique profonde. [...] Ceux qui sont aujourd'hui des prolétaires doivent leur situation à des défauts héréditaires de leur corps et de leur esprit[49]. » Le principe démocratique est, selon Carrel, faux et nuisible : « L'égalité [des] droits est une illusion. Le faible d'esprit et l'homme de génie ne doivent pas être égaux devant la loi. L'être stupide, inintelligent, incapable d'attention, dispersé, n'a pas droit à une éducation supérieure. Il est absurde de lui donner le même pouvoir électoral qu'à l'individu complètement développé. Les sexes ne sont pas égaux. Il est très dangereux de méconnaître toutes ces inégalités. Le principe démocratique a contribué à l'affaissement de la civilisation en empêchant le développement de l'élite[50]. » Or, cette élite est indispensable, affirme Carrel : « L'humanité n'a jamais rien gagné par l'effort de la foule. Elle est poussée en avant par la passion de quelques individus, par la flamme de leur intelligence, par leur idéal de science de charité, ou de beauté[51]. » Et il donne les exemples suivants : « César, Napoléon, Mussolini, tous les grands conducteurs de peuples, grandissent au-delà de la stature humaine, et enveloppent de leur volonté et de leurs idées des foules innombrables[52]. » Le principe démocratique a contribué à la « diminution du calibre intellectuel et moral[53] » des politiciens, qui ne sont plus à la hauteur de leur tâche.

Mais heureusement, dit Carrel, « le mal n'est pas irréparable. Il y a lieu d'espérer que le spectacle de notre civilisation, à ce début de son déclin, nous obligera à nous demander si la cause du mal ne se trouve pas en nous-mêmes aussi bien que dans nos institutions[54]. » On comprend que les jésuites apprécient le discours de Carrel, car il énonce, avec toute la force que lui donne son prestige scientifique, des idées défendues dans les encycliques, et promues à l'époque par l'Église. Carrel critique les valeurs protestantes. Pour lui, seule l'Église catholique, « dans sa profonde connaissance de la psychologie humaine, a placé les activités morales bien au-dessus des intellectuelles[55] ». « La prière, écrit-il plus loin, déclenche parfois un phénomène étrange, le miracle[56]. » C'est pourquoi, pour sortir de la crise, il faut favoriser l'essor d'une élite capable de s'engager dans l'activité mystique. « Celle-ci se cache dans les choses du monde visible. Elle se manifeste à peu d'hommes. » Bien qu'elle se soit manifestée à toutes les époques et au sein de toutes les races, « la mystique chrétienne exprime la forme la plus élevée de l'activité religieuse[57] ». Bien qu'elle soit accessible à peu d'êtres, « il n'y aurait pas besoin d'un groupe dissident très nombreux pour changer profondément la société moderne. [...] Une minorité ascétique et mystique acquerrait rapidement un pouvoir irrésistible sur la majorité jouisseuse et aveugle. Elle serait capable, par la persuasion ou peut-être par la force, de lui imposer d'autres formes de vie[58] ». Trudeau lira un point de vue presque identique dans Bergson, avec l'utilisation de la force en moins.

Il faut, dit Carrel, changer l'homme, ce qui exige des moyens radicaux : « La rénovation des individus [...] est impossible sans une révolution[59] », puisqu'il faut renverser les valeurs de la civilisation actuelle, « refaire notre cadre matériel et mental[60] », et tout mettre en œuvre pour produire une véritable élite. Pour y parvenir, il faut aussi refaire l'homme. Celui-ci atteint son plus haut niveau par la discipline, l'effort physique et mental, l'apprentissage du sens moral, la pratique de l'ascétisme et l'engagement dans la voie mystique. Ces membres de l'élite doivent également être versés dans toutes les sciences. Mais, demande Carrel, « existe-t-il des hommes capables de bien connaître l'anatomie, la physiologie, la chimie, la psychologie, la pathologie, la médecine, et de posséder, en même temps, des notions approfondies de génétique, de chimie alimentaire, de pédagogie, d'esthétique, de morale, de religion, d'économie politique et sociale ? » À quoi, il répond : « L'acquisition de toutes ces sciences n'est pas impossible à un esprit vigoureux. Elle demanderait environ 25 années d'études ininterrompues. » Mais ces personnes devront « renoncer aux habitudes ordinaires de l'existence, peut-être au mariage, à la famille ». Ceux qui auront le courage de se soumettre à cette discipline pourront « diriger la construction des êtres humains et d'une civilisation faite pour eux[61] ».

Pour construire ce nouvel homme, la nouvelle société sera antidémocratique : « Au lieu de niveler, comme nous le faisons aujourd'hui, les inégalités organiques et mentales, nous les exagérerons et nous construirons de plus grands hommes[62]. » Carrel est convaincu que l'épanouissement et la perpétuation d'une « aristocratie biologique héréditaire serait une étape importante vers la solution des grands problèmes de l'heure présente[63] ». Pour qu'émerge cette aristocratie, il faut améliorer la qualité génétique de toute la société, en interdisant, entre autres, tout mariage avec un individu porteur de tares héréditaires. Carrel recommande également l'eugénisme volontaire, qui « conduirait non seulement à la production d'individus plus forts, mais aussi de familles où la résistance, l'intelligence, et le courage seraient héréditaires. Ces familles constitue-raient une aristocratie, d'où sortiraient probablement des hommes d'élite[64] ». À ceux qui trouveraient que « l'eugé-nisme demande le sacrifice de beaucoup d'individus », Carrel riposte : « Les systèmes philosophiques et les préju-gés sentimentaux doivent disparaître devant cette néces-sité. Après tout, c'est le développement de la personnalité humaine qui est le but suprême de la civilisation[65]. »

Ce « but suprême » exige même qu'on aille plus loin. La société doit se débarrasser de « la foule immense des défi-cients et des criminels[66] ». La prison est une solution trop coûteuse. C'est pourquoi, pour les criminels peu dangereux, Carrel préconise plutôt le fouet, suivi d'un court séjour à l'hôpital – peut-être pour les faire stériliser. Pour les autres, « ceux qui ont tué, qui ont volé à main armée, qui ont enlevé des enfants, qui ont dépouillé les pauvres, qui ont gravement trompé la confiance du public, un établissement euthana-sique, pourvu de gaz appropriés, permettrait d'en disposer de façon humaine et économique[67] ».

Voilà les idées de Carrel qui ont enthousiasmé les foules. Voilà le livre qui s'est vendu dans une vingtaine de langues à des millions d'exemplaires… Témoignage alarmant d'une époque troublée…

Il a fallu attendre le début des années 1990 pour que des chercheurs fassent resurgir cette face oubliée de *L'Homme, cet inconnu*. Depuis, l'admiration pour Carrel a fait place à la stupéfaction et à la révolte. En France, certains, comme Jean-Marie Le Pen, chef du Front National, parti d'extrême droite, continuent à le défendre. En revanche, de très nom-breux groupes ont engagé avec succès une campagne intense pour rebaptiser les rues et autres lieux publics qui portaient son nom.

Lorsque Trudeau lit *L'Homme, cet inconnu*, Carrel est au sommet de sa gloire. De plus, son message réitère les valeurs morales enseignées au collège. D'où son enthousiasme : « C'est un livre qu'il faut assimiler tout entier. C'est une étude la plus compréhensive de l'homme. Il montre les insuffisances et indique les remèdes. Les chapitres sur le temps intérieur, sur les limites de l'âme sont épatants. » Il prend tout de même six pages de notes. Que retient-il de ce livre ?

Essentiellement, Carrel le convainc de la nécessité de développer au maximum ses capacités pour accéder au rang de l'élite. Il renforce également sa conviction, acquise dès le collège, que notre mal social est dû, en grande partie, au système démocratique. De plus, toute la dimension mystique de l'ascétisme le fascine. Il écrit : « La beauté que cherche le mystique est plus riche encore et plus indéfinissable que celle de l'artiste… Elle demande d'abord la pratique de l'ascétisme. […] Les excès corporels amènent la déchéance. » En juin 1944, Trudeau écrira un article intitulé « L'ascétisme en canot ». Par la suite, son ascétisme – qu'on a souvent pris pour de l'avarice – est devenu légendaire. Il cite longuement un passage de Carrel sur les effets bénéfiques de l'ascétisme et des épreuves difficiles : « L'homme atteint son plus haut développement quand il est exposé aux intempéries, quand il est privé de sommeil et qu'il dort longuement, quand sa nourriture est tantôt abondante, tantôt rare, quand il conquiert par un effort son abri et ses aliments. Il faut aussi qu'il exerce ses muscles, qu'il se fatigue, et qu'il se repose, qu'il combatte et qu'il souffre, que parfois il soit heureux, qu'il aime et qu'il haïsse, que sa volonté alternativement se tende et se relâche, qu'il lutte contre ses semblables ou contre lui-même. C'est dans les conditions où les processus adaptatifs s'exercent de façon intense qu'il devient le plus viril[68]. » Trudeau semble avoir retenu cette leçon pour le reste de sa vie. À travers ses exploits en canot, son voyage autour du monde ou en d'autres circonstances, il recherchera volontairement les privations et les épreuves difficiles, il prendra plaisir à pousser son corps et son esprit à leurs extrêmes limites.

Trudeau note également la grande valeur de la discipline : « On voit combien sont solides, physiquement et moralement, ceux qui, dès l'enfance, ont été soumis à une discipline intelligente, qui ont enduré quelques privations et se sont accommodés à des conditions adverses [...] Ceux qui sont soumis au jeûne s'accoutument à absorber en un ou deux jours une quantité de nourriture assez grande pour le reste de la semaine. Il en est de même pour le sommeil. » On voit ici le jeune Trudeau apprenant à développer sa propre discipline et sa volonté en affrontant des situations difficiles.

Comme le lui ont répété ses professeurs jésuites, et en accord avec Carrel, il écrit : « Nous nous accommodons à la plupart des conditions de la vie moderne. Mais cette accommodation provoque des changements organiques et mentaux qui constituent une véritable détérioration de l'individu. » Il note les effets bénéfiques du calme intérieur : « Ceux qui savent garder le calme intérieur, au milieu du tumulte de la Cité moderne, restent à l'abri des désordres nerveux et viscéraux. [...] Seule la vie intérieure permet à l'individu de garder sa personnalité au milieu de la foule. »

On lit, sans surprise, que « le principe démocratique a contribué à l'affaissement de la civilisation en empêchant le développement de l'élite ». Cette « vérité » ne fait qu'énoncer ce qu'on lui répète depuis son plus jeune âge. Il apprécie également « l'importance de la société familiale, rurale, pour que l'individu garde sa personnalité ». Les valeurs de Carrel correspondent tout à fait à celles promues alors par le clergé et par ses professeurs. Comme on lui a enseigné depuis des années, Trudeau pense, comme l'affirme Carrel, que la civilisation est en danger et qu'il faut la sauver.

Il est donc ravi de trouver dans ce livre un projet qui l'enthousiasme, parce qu'il lui donne de l'espoir : « Il n'y a pas d'aventure plus belle et plus dangereuse que la rénovation de l'homme moderne. [...] Pour la première fois dans l'histoire du monde, une civilisation, arrivée au début de son déclin, peut discerner les causes de son mal. Peut-être saura-t-elle se servir de cette connaissance, et éviter, grâce à la merveilleuse force de la science, la destinée commune à tous les grands peuples du passé... Sur la voie nouvelle, il faut dès à présent nous avancer. » Les concepts d'« homme nouveau », d'« ordre nouveau » font alors rêver l'Église et l'élite canadienne-française. Le jeune Trudeau a l'impression de trouver enfin des suggestions concrètes pour réaliser ces idéaux. Il est fasciné par la possibilité de faire partie de cette petite élite qui mènera les humains vers un monde meilleur. Il sait qu'il a « l'esprit vigoureux » que Carrel juge indispensable pour en faire partie. Mais cela ne l'empêche pas de formuler des réserves sur la liste phénoménale des sciences qu'on lui demande de posséder : « Je crois qu'il s'est emballé lorsqu'il a proposé qu'un homme devrait devenir universel pour sauver l'humanité. Avec le plan d'études qu'il propose il faudrait un miracle pour rester en vie. » Malgré tout, il a hâte de tenter cette aventure.

Avec les notes de lecture sur *L'Homme, cet inconnu*, nous concluons ce chapitre sur la formation de Trudeau au collège Jean-de-Brébeuf. On conviendra que, contrairement au mythe bien établi, par lui et par les autres, nous n'avons pas trouvé de jeune homme ramant à contre-courant. L'élève que nous avons découvert se rapproche bien plus de ce que Trudeau dit de lui-même, en 1996, dans un avant-propos qui semble avoir passé jusqu'ici totalement inaperçu : « Je ne saurais dire quand exactement j'ai acquis l'esprit de contradiction ni pourquoi je l'ai acquis. Je me souviens cependant qu'en bas âge, loin d'aller "à contre-courant", j'étais davantage enclin à dire et à faire ce qui était convenu et à dévorer avec gratitude la moindre miette de savoir que je rencontrais, qu'elle vînt de mes parents, de mes amis, de mes maîtres ou de l'Église. Comme j'avais eu une enfance heureuse, je ne sentais pas le besoin de pratiquer le doute méthodique[69]. »

Ainsi, quatre ans avant sa mort, dans l'avant-propos d'un livre intitulé *À contre-courant*, Trudeau présente un aspect de lui contraire à l'image classique, entretenue par tous. Est-ce parce que, las du mythe, il a voulu remettre un peu les pendules à l'heure? La réponse repose dans sa tombe.

CHAPITRE 4

Le chef aiguise sa plume

Il vaut encore mieux avoir une plume ébréchée
qu'une plume desséchée.
Pierre Trudeau,
Brébeuf, 5 novembre 1938

L'écrit sous toutes ses formes a fasciné Trudeau depuis son plus jeune âge. Lecteur particulièrement avide, il est également passionné de théâtre et de poésie, en français et en anglais, et apprécie aussi bien les rôles d'auteur que d'interprète. On trouve le texte de cinq pièces dans les archives de 1937-1939[1], mais il est difficile de savoir pourquoi elles ont été écrites et devant quel public elles ont été jouées. Comme elles sont pour la plupart dactylographiées, on ne peut pas déterminer le rôle de Trudeau dans leur conception, sauf pour la pièce *Dupés* dont nous avons traité dans le chapitre précédent. Le théâtre gardera toujours une place importante dans sa vie. Dans sa jeunesse, il l'utilisait aussi pour exprimer ses idées politiques.

Ses premiers articles sont publiés dans *Brébeuf,* le journal des élèves du collège, entre février 1938 et juin 1940. En 1938-1939, il écrit cinq textes, et l'année suivante, alors qu'il est rédacteur en chef du journal, il en écrit sept[2]. Dans son premier essai, intitulé « Le ronfleur et... le nouveau pensionnaire », en date du samedi 12 février 1938, il traite d'un incident survenu l'année précédente. Le premier soir de son bref internat, couché dans son lit de dortoir, il a le sommeil constamment perturbé par les ronflements d'un voisin. Excédé, il décide de suivre le conseil d'un de ses camarades de classe et, pour faire taire le ronfleur, il lui pince le nez... Avec horreur, il s'imagine s'être couvert les doigts de morve. En fait, c'est lui qui s'est fait prendre : le ronfleur, habitué à se faire jouer ce tour, avait pris la précaution d'enduire son nez de vaseline. Avec « Le ronfleur », Trudeau fait ses débuts dans le monde de la publication. Il n'a pas encore 19 ans.

Son article suivant paraît neuf mois plus tard, soit le 5 novembre 1938. Entre-temps, il a changé de classe et a acquis un peu plus d'aplomb. Dans « Brève louange à tous », il s'adresse directement à ses camarades. Il leur annonce avec humour, en guise d'introduction : « Rassurez-vous, vous n'en aurez pas long à ne pas lire ; car je serai bref. » En fait, les louanges sont effectivement brèves. Et qui louange-t-il ? Ceux qui ont le courage d'écrire, même s'ils écrivent mal, d'une part, parce qu'ils montrent leur volonté de mettre leurs idées sur la place publique et, d'autre part, parce qu'ils se moquent des railleries, qu'ils se « fichent de ceux qui trouvent leur plume ébréchée ». Il déclare, avec assurance : « Il vaut encore mieux avoir une plume ébréchée qu'une plume desséchée. »

De longues critiques font suite aux brèves louanges. Trudeau s'en prend, d'une part, à ceux qui reprochent au journal de publier « trop d'articles profonds » et, d'autre part, à ceux qui, se croyant profonds, sont tout simplement obscurs. Il affirme qu'une idée profonde n'a nullement besoin d'être exprimée dans un style lourd. Il nomme les gens qui confondent l'opacité de leur style avec la profondeur de leurs idées les Penseurs (avec un grand P) : « Les Penseurs, voyez-vous, sont des gens qui prennent tout au sérieux, et ce qui est pire, qui se prennent eux-mêmes au sérieux [...] Par malheur, s'entendant dire "lourds et profonds", ils ont refusé de comprendre "épais et creux".» Leur donnant des noms fictifs – à consonance très explicite! – (Sasonne Lecreux ou A. Lhume Lalumière), il critique les fats qui prétendent savoir de quoi ils parlent: «Tant que nos Penseurs admettront (même intérieurement) que c'est à ne rien dire qu'ils sont le plus forts, ils seront l'objet de mon admiration et, ai-je besoin de le dire? de mon imitation...»

Trois mois plus tard, le 24 février 1939, paraît dans *Brébeuf* «Pour réhabiliter Pascal». Pour la très grande majorité des gens qui ont lu les *Pensées* de Pascal à l'école, ce titre semble à première vue bizarre. Pourquoi Trudeau voudrait-il «réhabiliter» Pascal, penseur très honoré dans la tradition française? Un bref rappel historique permettra d'apprécier la provocation de ce titre. Pascal était janséniste. Or, les solitaires (nom donné aux jansénistes) de Port-Royal des Champs menaient une lutte acharnée contre la corruption du monde qu'ils voyaient partout, y compris chez les jésuites. La très grande animosité entre les jansénistes et les jésuites provenait, en partie, de leurs divergences fondamentales sur plusieurs points de doctrine, en particulier sur la grâce divine. Alors que les jésuites étaient convaincus que la grâce était accessible à tous ceux qui agissent bien, les jansénistes croyaient en la prédestination, qui vouait au salut certains élus spécifiquement «destinés», alors que les autres étaient nés pour la damnation, quels que soient leurs mérites. De plus, les jansénistes reprochaient aux jésuites, entre autres, leur laxisme religieux et leur morale suspecte.

En 1656, Pascal, se faisant le champion de la cause des solitaires de Port-Royal, écrit *Les Provinciales*, une série de lettres au vitriol contre les jésuites. Selon le biographe Jean Lacouture: «De tous les coups portés en plus de quatre siècles à la Société de Jésus, [...] celui-là fut le plus terrible qui mit en cause son honneur aussi bien que son discernement, pour la joie de ses ennemis. [...] Ce petit groupe d'aventuriers nobles se trouvait cloué au pilori pour perversion doctrinale et corruption, par l'un des plus grands écrivains qu'ait enfantés le christianisme[3]. [...] La Compagnie de Jésus [en] sortit profondément meurtrie dans sa réputation, son prestige[4]. »

Trudeau voudrait-il réhabiliter Pascal dans un bastion jésuite ? Quelle témérité ! Ce petit jeune homme se sent-il assez fort pour s'engager dans un débat de doctrine ? Le premier mot, la première ligne nous montrent qu'il n'en est rien : Trudeau veut tout simplement faire la leçon à ses camarades. Il commence par citer une pensée de Pascal en affirmant que « de récents articles dans *Brébeuf* et dans d'autres revues importantes ont si magnifiquement démenti cette assertion de Pascal, et si complètement confondu le Port-Royalais, qu'apparemment, il n'y a plus rien à inventer en sa défense ». Voilà donc le jeune Trudeau qui se fait le champion des causes perdues. Et quelle est cette assertion qui vaut à Pascal la critique unanime ? « À mesure qu'on a plus d'esprit, on trouve qu'il y a plus d'hommes originaux. Les gens du commun ne trouvent pas de différence entre les hommes[5]. » On se demande quelles « revues importantes » se donneraient la peine de démentir cette pensée... De toute évidence, il ne s'agit que d'un procédé maladroit, typique des jeunes écrivains sans expérience, pour introduire leur sujet. Trudeau affirme qu'on a attaqué Pascal. Il ira à sa défense, déclarant qu'il veut réhabiliter « ce pauvre homme qui, à force d'élucubrer des *Pensées* et d'écrire contre les jésuites, a pu allumer une étoile dans la nuit du savoir, mais qui l'a soudainement vue pâlir aux lumières du siècle présent ».

« Les gens bizarres, écrit-il, sont légion à travers l'histoire. » Exemple : « Benjamin Franklin surprend les dames en venant au salon, chaussé de bottines de ski. » Il enchaîne avec d'autres exemples de bizarreries tirés cette fois du contexte canadien-français de Brébeuf : « Gribouille de Laliberté se distingue de ses camarades en parlant dans les rangs et en arrivant en retard un peu partout. Îlet de Moins-Purlêne ébahit les académiciens avec un "Maudit que c'est tough", ou un "Torrieu, qu'y fait frette". » (Notons, au passage, le penchant de Trudeau, jeune, à jouer avec les sonorités pour créer des effets comiques : Îlet de Moins-Purlêne = *Il est de moins pure laine*. Il utilisera d'ailleurs ce procédé pour signer certains de ses propres articles : par exemple, True de la Roche Ondine.). Pour lui, donc, il est facile de faire preuve d'originalité banale ; il suffit d'adopter un comportement bizarre. Trudeau pousse alors ses exemples de recherche d'originalité banale jusqu'à ce qui, en 1939, devait sembler totalement absurde. Ni lui ni ses camarades ne pouvaient se douter des modes bizarres qui ne nous paraissent plus comme telles depuis les années 1960 : « Empressons-nous d'imaginer du nouveau : soit de porter un lacet de bottine à la place de la cravate, soit de revêtir des culottes courtes ; peut-être de se faire raser la tête, ou encore de se laisser pousser la barbe. »

Avec cette phrase, nous sommes presque à la fin de l'article, et nous sommes encore en pleine bizarrerie. Trudeau aurait-il tout bonnement oublié de nous dire en quoi consiste l'Originalité Vraie ? Pas du tout. C'est vers elle que mène tout l'article : « Si nous voulons faire quelque chose de vraiment remarquable, soyons polis pour tous, parlons français correctement, pensons ce que nous disons, et soyons catholiques au nez des gens. » Et voilà le but de l'article. Utilisant un peu maladroitement une pensée de Pascal, Trudeau reproche à ses camarades de vouloir se faire distinguer par des actes futiles et bizarres au lieu chercher l'Originalité Vraie, telle qu'il l'a définie. À l'évidence, malgré le ton badin et frondeur, il écrit déjà en tant que membre de l'élite, se permettant de guider ses camarades vers ce qu'il croit être la « bonne » conduite. Le « chef » est en gestation… Ainsi, après le choc – vite passé – du titre provocateur, les pères jésuites de Brébeuf ne pouvaient que jubiler à la lecture de cet article. « Dieu en soit loué ! » devaient-ils se dire *in petto*, en refermant *Brébeuf*.

Trudeau est ici dans le courant non seulement par les valeurs qu'il défend, mais également par son insouciance vis-à-vis de la guerre. En effet, il est peut-être utile de rappeler que lorsque paraît «Pour réhabiliter Pascal», le 24 février 1939, la guerre civile fait rage en Espagne; Mussolini est bien assis au pouvoir; il a conquis l'Abyssinie (l'Éthiopie d'aujourd'hui) et, quelques semaines plus tard, le 6 avril, il envahira l'Albanie. Hitler, quant à lui, a déjà annexé l'Autriche et menace d'envahir la Tchécoslovaquie. Quelques mois plus tard, en août 1939, Staline et Hitler signeront un pacte de non-agression. Le 1er septembre 1939, les armées hitlériennes, dans un coup d'éclair, envahiront la Pologne. Le 3 septembre, la France et l'Angleterre déclareront la guerre à l'Allemagne, suivies, peu après, par le Canada. Mais les préoccupations de Trudeau, qui a presque vingt ans, sont ailleurs. Comme la plupart des autres élèves de Brébeuf ainsi que la très grande majorité des Canadiens français, il ne se sent pas concerné par cette guerre; il s'agit d'un simple conflit entre des puissances impériales européennes. L'important, c'est d'être un bon catholique et de parler un bon français. D'où l'insouciance avec laquelle on traite de la guerre dans certains articles de *Brébeuf*.

Par exemple, le 16 avril 1938, alors que la guerre semble imminente, paraît un jeu signé André Gérin-Lajoie et intitulé: «Les humanistes devanceront-ils Hitler?» On voit une carte de l'Europe avec quelques croix gammées. On explique que l'artiste, «Gérard Gauthier, et quelques confrères, ont cru amusant de symboliser par les diverses visées plus ou moins patentes de l'impérialisme teuton les montants proposés à la générosité des belletriens (élèves de la classe de Belles-Lettres)». Cette phrase mal construite ne nous permet pas de bien comprendre comment on symbolise par les diverses visées de l'impérialisme teuton le montant qu'on veut prélever. Voici néanmoins les règles de ce jeu, qui a pour but, dit-on, d'aider la campagne de financement de la Fédération des œuvres catholiques canadiennes-françaises: «À chaque "cinq dollars" recueillis, un pays nouveau passe sous notre domination!... » Le jeu comprend les six éléments suivants:

1. Pour arborer la croix gammée sur l'Autriche, il faut atteindre $5.00.
   Suggestion: Les chars d'assaut attendent à la frontière; 25 ¢ pour en faire traverser un en Autriche.
2. Prendrons-nous la Tchécoslovaquie avant Hitler?
   Il faut monter à $10.00.
   Un char d'assaut en Tchécoslovaquie: 50 ¢
3. Le Swastika sur l'Espagne! Pour donner l'aide décisive à Franco: $15.00
   Équipez un cuirassé pour l'Espagne blanche: 50 ¢.
   Équipez un aéroplane pour l'Espagne blanche: 25 ¢.
4. Le Swastika sur l'Afrique!
   Pour récupérer les colonies africaines: $20.00.
5. Le Swastika sur l'Asie!
   Pour le monopole du commerce Oriental: $25.00.
   Payez un wagon du 1er train sur le Berlin-Bombay!!!
6. Le Swastika sur la Russie! $30.00
   Une option sur le 1er puits d'huile exploité par les Nazis en Russie: $2.00.
   Grand total: $30.00.

Ce jeu, aux règles peu claires, illustre par contre avec limpidité l'attitude des élèves de Brébeuf vis-à-vis de la guerre. Quatre éléments commencent par « Le Swastika sur... » Ainsi, l'idée que le swastika puisse envahir la planète inspire un jeu « amusant ». On traite avec une désinvolture totale la possibilité d'acheter un wagon du 1er train Berlin-Bombay ou une option sur un puits de pétrole exploité par les nazis en Russie. Le jeu ne consiste même pas à « contrer » les visées impérialistes de Hitler mais à les « symboliser »... André Gérin-Lajoie se félicite de l'ingéniosité de sa création. Il écrit: « Que pense le Professeur de cette façon de traiter l'Histoire contemporaine?

En tout cas l'expérience a prouvé l'efficacité du moyen pour stimuler l'entrain dans la campagne qui a marché rondement.» Voilà. La guerre en Europe, des swastikas imaginaires un peu partout dans le monde, c'est amusant; ça stimule la jovialité. Grâce à ce jeu ou à d'autres moyens, les élèves de Belles-Lettres ont récolté 30 $, sur 243 $ pour l'ensemble du collège.

Par ailleurs, ce jeu révèle en filigrane que, contrairement à ce qu'on a souvent soutenu, les élèves de Brébeuf n'ignoraient pas les enjeux de cette guerre: «Au moment où la campagne de la Fédération s'est ouverte au collège, tous les esprits étaient occupés par la récente mainmise d'Hitler sur l'Autriche et son attitude provocante à l'égard de la Tchécoslovaquie», écrit André Gérin-Lajoie en introduction. Les lecteurs de *Brébeuf* étaient bien au courant des «visées plus ou moins patentes de l'impérialisme teuton». Chez ces jeunes, âgés de 17 à 18 ans, dans leur cinquième année au collège, il s'agit de désinvolture et non d'ignorance.

Plus d'un an après «Pour réhabiliter Pascal», paraît «Utopie relative[6]», le seul article retenu par Gérard Pelletier dans le recueil des écrits de Trudeau, *À contre-courant[7]*. D'autres articles auraient peut-être mieux reflété sa pensée de l'époque. En effet, en dépit du titre qui semble renvoyer à un contenu politique ou philosophique, il s'agit d'une ode au ski. On sait que toute sa vie, Trudeau sera un passionné de ce sport. Déjà à Brébeuf, sa brillante performance contribue grandement au succès de l'équipe du collège qui se classe première dans un concours interscolaire de ski. Trudeau continuera à pratiquer ce sport jusqu'à l'âge de 79 ans, soit un an avant sa mort, dans un style que son collègue et ami, l'avocat Roy Heenan, qualifie de «casse-cou». Voilà, justement, le thème de cet article: ce jeune casse-cou s'est cassé une jambe.

Quelques mois plus tard, le père préfet Boutin écrit dans une lettre de recommandation : « Un trait vécu peint ce jeune homme au point de vue "vigueur morale". L'an passé, dans une expédition en ski [...] Pierre Elliott Trudeau s'est fracturé une jambe. Au lieu de s'enfermer tranquillement à la maison, il entre pensionnaire au collège, prépare ses classes dans une chambre d'infirmerie et se rend à chaque cours en chaise roulante : cette décision était totalement de lui ; sa mère et sa sœur n'étaient pas revenues de leur voyage en Europe[8]. »

Ce jeune auteur sait rire et faire rire de sa mésaventure : « Le skieur est un Dieu qui fait des montagnes ses jouets, qui met un mors à la gravitation pour en faire ce qu'il veut, qui se moque de l'abîme et prend une joie féroce à le provoquer », écrit-il, avec ravissement. Mais les joies quasi spirituelles du skieur ne durent qu'un moment : « C'est incroyable ; et c'est vrai ; le skieur doit craindre l'extase [...] Sport magnifique, métier incomparable : une bosse a suffi pour me projeter dans les cieux [...] Hélas ! C'est le sort des mortels de ne pouvoir écarter la réalité que pour un instant. » Sa chute le ramène sur terre, et les diverses espèces d'arbres qu'il admire en skiant ont maintenant une tout autre fonction : « Une jambe encercle amoureusement un érable, puis reste quarante jours dans un pin. Skis de frêne, béquilles de chêne. Et ça, ce n'est pas de l'utopie... »

En 1939-1940, pendant sa dernière année au collège, Trudeau devient rédacteur en chef de *Brébeuf*, succédant à Paul Gérin-Lajoie. Contrairement à son prédécesseur, plus politiquement engagé, Trudeau minimisera son propre rôle et rendra les élèves davantage responsables de la qualité du journal. Son premier article, « Entre autres, sur le don de parole[9] », écrit sur un ton pince-sans-rire, montre par contre qu'il prend très au sérieux sa nouvelle fonction.

Comme il l'a déjà fait dans « Brève louange à tous », il incite ses camarades à écrire et à prendre une part active au journal – leur journal, insiste-t-il. Pour chercher la vérité, il faut écrire à tout prix, dit-il, même si on a peur de manquer d'idées. L'écriture étant un art difficile, il faut beaucoup d'exercice. Croyant au vieux dicton « C'est en forgeant qu'on devient forgeron », il recommande, avec humour : « Vous n'avez pas d'idées ? Forgez-en. Vous ne pouvez pas vous en forger ? Empruntez-en ; la vérité vous appartient. Vous ne voulez pas en emprunter ? Sabre de bois ! Écrivez sans idée. On vous prendra pour un poète ou un rédacteur en chef ou un politicien. »

Il souligne également l'importance de la confrontation des idées pour atteindre la vérité : « Si vous avez raison d'avoir vos idées, vous avez tort de les garder pour vous. Si vous avez tort d'avoir vos idées, vous auriez raison de les soumettre à la correction. » Encore faut-il que celles-ci puissent être librement exprimées. Il garantit donc aux auteurs potentiels qu'il respectera leur liberté d'expression : « Moi je vous promets que votre article ne sera pas flanqué d'annonces de chemises brunes, noires ou rouges. » L'allusion à la guerre et à la confrontation des idéologies fasciste, nazie et communiste apparaît ici en arrière-plan.

Pour Trudeau, si on croit avoir raison, on ne doit pas craindre les railleries. « Vos idées feraient sourire ? C'est le prix de toute bonne action, et qu'il faut apprendre à payer. » Appliquant ce principe à sa propre vie, il ose adopter un français « international », se moquant des railleries inévitables de ses camarades. Il souligne, une fois de plus, la nécessité de l'action ; on ne doit pas se contenter de critiquer : « Vous ne voulez pas que votre fille soit muette ? Enseignez-lui donc le langage. Vous n'aimeriez pas qu'elle bégaye ? Apprenez-lui à bien parler. »

Trudeau manie sa plume avec plus d'assurance, son style ironique gagne en concision. Il rappelle à ses camarades que la qualité du journal *Brébeuf* ne dépend que d'eux : « En théorie, *Brébeuf* est catholique, patriotique et artistique. En pratique, il est tel que vous le ferez. Si le journal manque de littérature, s'il manque de religion ; s'il est plat, rond ; blanc, noir ; court, long ; léger, sérieux ; n'allez pas, Messieurs, en vouloir à nous : *Brébeuf* sera toujours votre journal. »

Remarquons l'ordre dans lequel le jeune Trudeau présente les valeurs fondamentales du journal : d'abord et toujours vient la religion, ensuite le nationalisme et, enfin, la dimension artistique. Notons également sa volonté de promouvoir la liberté d'expression, mais sa référence ironique à « une presse plus ou moins libre » témoigne de sa conscience des limites de son pouvoir. Se réfère-t-il à la censure qu'exerçait le père « aviseur » de *Brébeuf*, nommé par le collège, en l'occurrence le père J. Brosseau, s.j. ? On sait que la vraie liberté d'expression n'était ni promue ni acceptée par les jésuites ; celle-ci devait obligatoirement se situer dans le cadre de la « vérité » établie par le catholicisme et le nationalisme. Malgré ces limites, Trudeau manifeste un désir de développer plus de spontanéité, plus de sincérité, dans les textes soumis par ses camarades.

Une dernière remarque au sujet de ce premier article, écrit en tant que rédacteur en chef de *Brébeuf* : il paraît un peu plus d'un mois après l'entrée en guerre de la Grande-Bretagne, de la France et du Canada. Trudeau n'en souffle pas mot.

Le 11 novembre 1939, jour de l'Armistice, et un peu plus de deux mois après que le Canada est entré en guerre contre l'Allemagne nazie, paraît son deuxième numéro en tant que rédacteur en chef de *Brébeuf*. On se serait attendu à une méditation sur la Première Guerre mondiale ou sur la présente guerre, fraîchement déclarée. Mais rien. On ne trouve qu'une seule allusion à la guerre, en général, à propos d'un autre sujet qui lui tient à cœur. Dans cet article, qui occupe la majeure partie de la première page, Trudeau fait la leçon à ceux qui suivent aveuglément l'opinion publique. Dans «De cette autorité[10]», au titre intrigant, comme d'habitude, il critique avec vigueur ceux qui n'osent pas exprimer une idée personnelle de peur d'être mal vus. C'est pourquoi «il n'y a que les saints et les génies [...] qui osent se planter aux carrefours et crier à tue-tête que le Christ est leur roi». C'est pourquoi également «assez peu de gouvernements s'inspirent du programme politique de ce Jésus dont vous avez peut-être entendu parler. Affaire de ne pas blesser les susceptibilités et faire rire de soi».

Notons sa référence constante à Jésus-Christ : on la retrouve sous diverses formes dans plusieurs de ses articles. Pour lui, il ne fait pas de doute que les personnes et les gouvernements devraient s'inspirer de Jésus. S'ils ne le font pas, il n'y a qu'une seule explication : la mentalité de troupeau. «L'on voit l'humanité entière courber le dos sous des modes ridicules de vivre et de penser, sous prétexte qu'il est plus facile d'agir mal en foule, que de réagir seul ; qu'importe en effet que le chemin soit crotté, s'il est aplani par l'usage.» L'idée qu'on puisse ne pas en être convaincu ne semble même pas effleurer son esprit.

Moralisant, il pense que tous devraient chercher la «Vérité», telle que définie dans ses cours de religion. Et pour ce faire, il faut avoir le courage de se détacher de «la dépendance de certain tyran exécrable, connu sous le nom d'opinion publique». C'est ainsi qu'il explique le phénomène de la guerre : «Les guerres s'expliquent non autrement que les modes ridicules. [...] Car assez peu de gens préfèrent la guerre à la paix. Passe encore pour les petites guerres entre amis où l'on se réunit pendant quelques jours pour hisser des drapeaux et jouer du tambour... Mais les vraies guerres où les soldats se fâchent et où les bombes tuent jusqu'à la mort, personne n'aime ça. Pourtant, les soldats n'osent pas dire qu'ils préfèrent arrêter... Et les généraux n'osent pas demander la paix...»

Lorsqu'il écrit ces lignes, Staline et Hitler se sont déjà alliés; Hitler a déjà envahi une partie de l'Europe et rien ne semble l'arrêter. Trudeau n'aurait-il pas dû, tant sur le plan de la logique que sur celui des principes chrétiens, se poser des questions sur cette guerre particulière, se demander si elle est morale et juste, si les soldats ne se battent pas par conviction plutôt que par soumission à la «tyrannie de l'opinion publique»? Ce problème ne semble pas le préoccuper. Il explique cette guerre comme il explique les autres comportements bizarres qu'il décrivait dans son article sur Pascal. D'ailleurs, il donne ici d'autres exemples de soumission à la tyrannie de l'opinion publique: les Québécois votent pour les mêmes deux vieux partis par habitude; ils n'essaient pas d'en créer un nouveau par peur d'être mal vus; les gouvernements ne suivent pas l'exemple du Christ; les étudiants ne critiquent pas le mauvais comportement de leurs camarades; ils n'expriment pas d'idées originales dans leurs articles. Pourquoi? Par crainte de l'opinion publique.

Comme ses camarades à Brébeuf, et comme la plupart des Canadiens français, Trudeau passe à côté de l'un des événements les plus importants de sa vie. Notons que pendant qu'il raisonne abstraitement sur la tyrannie, il y a, quelque part dans le monde, un vrai tyran, en chair et en os, endoctrinant son peuple et semant la terreur parmi les populations d'Europe et de toute la planète. Mais Trudeau ne mentionne même pas Hitler dans *Brébeuf*. Tout à ses préoccupations abstraites d'ordre moral et religieux, il semble totalement aveugle aux réalités de la vie.

Trudeau était-il conscient de la menace à notre civilisation que représentait le nazisme? Dans ses archives, un document non daté, intitulé «La philosophie du nazisme – d'après un cours du père Louis Chagnon, s.j.[11]», jette un éclairage intéressant sur cette question. Ce père jésuite, associé à l'École sociale populaire, enseignait occasionnellement au collège Brébeuf. Les sept pages de notes dactylographiées sont signées Léonidas Hudon, Philosophie IIe année. L'auteur étant un camarade de classe de Trudeau, on peut en conclure qu'il écrit ce texte en 1939-1940. Quatre pages de notes manuscrites de Trudeau, intitulées: «Causerie du père Chagnon[12]», indiquent que celui-ci a également assisté à ce cours. D'ailleurs, le texte de Hudon reprend, en les approfondissant, les idées contenues dans les notes de Trudeau.

Ce texte, étonnamment lucide, montre qu'il existait alors au Québec, et même au sein du collège, des perspectives très critiques du nazisme, pleinement conscientes de sa signification et de ses effets. Pour Hudon, cette doctrine constitue le plus grand danger pour notre civilisation: «Un simple regard sur l'Europe actuelle nous met face à face avec la plus horrible dévastation jamais connue. Ce drame, où s'affrontent, dans une lutte sans merci, les forces matérielles férocement déchaînées contre les valeurs spirituelles, a ses causes dans la doctrine du *national-socialisme*[13].» L'auteur critique cette pensée sur le plan philosophique, met en relief le racisme et l'antisémitisme qui l'alimentent, et explique ses effets politiques, économiques et sociaux. Après avoir souligné que, dans *Mein Kampf*, Hitler dénonçait déjà «avec violence l'ennemi avoué du peuple allemand: le judéo-marxisme», il poursuit: «Après Hegel et Nietzsche, la troisième source de l'idéologie nazie est le racisme païen qui n'est rien d'autre que l'idolâtrie du sang et ne fait qu'exploiter un instinct assez naturel: l'orgueil de race. Le grand fait nouveau réside dans la systématisation doctrinale de la supériorité raciale... Cette idée nouvelle a été reprise, de nos jours [...] par Hitler, dans les deux volumes de *Mein Kampf*. [...] D'après cette théorie, il y aurait une certaine diversité profonde entre les races, une inégalité que rien ne peut combler. [...] Dès lors, pour restaurer la glorieuse civilisation allemande, il faut rendre au sang nordique toute sa pureté originelle et développer la mystique de la race allemande-aryenne. Conséquemment, il faut promouvoir l'expansion et la force de la race, par la stérilisation eugénique,... Ainsi s'expliqueraient l'impitoyable persécution juive des dernières années et la lutte entreprise contre l'Église catholique romaine.»

Léonidas Hudon met clairement en relief l'immoralité profonde de cette doctrine raciste. Il souligne également le danger qu'elle représente pour l'humanité, et conclut à la nécessité de la combattre : « Les exigences du sang constituent, en effet, quelque chose de divin pour le peuple allemand. Conséquemment, il faut ramener à l'arbre allemand tous les rameaux qui en ont été détachés au cours de l'Histoire et plus spécialement à Versailles... L'hitlérisme est donc, sur le plan international, un dynamisme sans fin, auquel il fallait opposer tôt ou tard, une barrière, fixer une limite d'action, de peur que tout ne soit englouti.»

Ce texte étonne par sa rigueur, sa clarté et la justesse de son analyse. Un beau témoignage de la position de certains Canadiens français, qui mérite notre admiration jusqu'aujourd'hui. Seule la conclusion de Hudon, qui devait être celle du père Chagnon – puisqu'elle se retrouve résumée dans les notes de Trudeau – déconcerte par sa naïveté : «Dès lors, la conclusion s'impose, le monde est menacé actuellement par deux bolchevismes, tous deux ennemis déclarés des vraies valeurs humaines, déchristianisateurs forcenés de la jeunesse et péril inquiétant pour la civilisation. Vis-à-vis de ces monstres, il ne reste plus qu'une arme, plus forte que les canons, faucheurs de vies, plus apte à fléchir le Maître des destinées de l'univers que les idéaux prétextant la défense de la civilisation contre la barbarie ; il reste la prière expiatrice et confiante.» Et voilà. La prière pour arrêter les *blitzkriegs* et les chasseurs-bombardiers nazis! La prière pour sauver la civilisation! Trudeau partageait-il cette perspective? Rien dans ses notes ne porte à croire le contraire.

Le fait que les sept pages dactylographiées de Hudon se trouvent dans les archives de Trudeau semble indiquer qu'elles lui ont été soumises pour publication dans *Brébeuf*. Il s'agirait même de deux articles, puisqu'on lit, en bas de la page 4: «La critique de cette philosophie paraîtra dans le prochain numéro.» Pourquoi ces articles n'ont-ils pas paru dans le journal? On ne le sait pas au juste. Les articles auraient-ils été jugés trop longs, trop sérieux pour *Brébeuf*? Une autre hypothèse semble également possible. Le journal *Brébeuf* paraissait normalement neuf fois par an. Dans les faits, il ne réussissait pas toujours à atteindre ce nombre. Trudeau a réussi à publier trois numéros avant Noël. Des six autres qui lui restaient à produire jusqu'en juin, il n'en a publié que quatre, dont un, d'une seule page double, consacré essentiellement à de la publicité. Hudon serait-il victime d'un concours de circonstances?

Autre énigme. Pourquoi les notes sur la causerie du père Chagnon se trouvent-elles parmi d'autres documents relatifs aux études à Paris? Trudeau les auraient-il emportées avec lui? Dans quelle intention? Quelle que soit la réponse, ses notes sur cette causerie, ainsi que l'article de Hudon montrent, sans ambiguïté, qu'il connaissait le nazisme. Pourquoi alors n'a-t-il jamais examiné dans *Brébeuf* les enjeux et les effets de la menace nazie? Pourquoi ne s'est-il jamais demandé si le Canada s'était engagé dans une guerre juste, selon les principes de sa propre morale catholique? Questions troublantes, auxquelles nous n'avons pas de réponse.

Le 23 décembre 1939, paraît en première page, en guise d'éditorial, un article intitulé «Bonne et Heureuse année à tous nos lecteurs ». Bien que ce texte soit signé « La direction », on y reconnaît le style de Trudeau et ses messages habituels. Celui-ci explique, une fois de plus, comment il entend interpréter son rôle de rédacteur. Après avoir adressé aux élèves ses bons vœux à l'occasion de Noël et du jour de l'An, il leur rappelle leur responsabilité envers le journal *Brébeuf* : « Nous vous souhaitons de vous rappeler que les articles ne sont pas trouvés sous les feuilles de choux, mais que les élèves doivent les faire. » Il réitère également l'importance de la clarté du style : « Nous croyons de plus en plus que la valeur d'un article croît en raison de son intelligibilité. » Et, comme dernier souhait de Nouvel An, il écrit, sur le ton ironique qui commence à le caractériser : « Merci également à plusieurs Grands. Que les autres cependant ne se découragent pas. S'ils continuent à s'appliquer, qui sait s'ils ne rivaliseront pas avec les Petits ? Et ainsi se réaliserait notre dernier souhait : Que les grands du cours universitaire nous donnent enfin autre chose que de la bonne vieille critique destructive ! »

Dans ce même numéro de Noël 1939, Trudeau écrit, cette fois comme simple auteur, « Mer ! Noël ! », article au titre à première vue bizarre. La juxtaposition de Mer et de Noël semble particulièrement insolite. « Terre ! Noël ! » aurait au moins rappelé le cri des explorateurs, en mer depuis longtemps, ou des voyageurs qui fuient les pirates et qui, voyant leur salut se dessiner au loin, crient : « Terre ! Terre ! » On aurait pu imaginer alors les élèves, voyant approcher les vacances de Noël, crier « Terre ! » parce qu'ils y verraient la fin de leurs tourments. Justement, Trudeau veut probablement qu'on pense à « Terre ! », et il n'écrit « Mer ! » que pour mettre en relief le fait que cette année, Noël ne représente pas, pour lui et sa classe, le salut habituel. Une fois de plus, Trudeau structure son texte comme une pièce de théâtre particulièrement fantaisiste et se débrouille pour mettre en vedette 24 personnages qui forment un assemblage parfaitement hétéroclite.

Le groupe comprend, entre autres, Rimbaud, G. K. Chesterton, un Conscrit, une Voix, un Poisson, le Lecteur, une Jeune Fille, un Misogyne, l'Essayant, Quatre-vingts calories, le Finissant, un Soldat,... Pourquoi écrit-il un texte aussi farfelu ? Serait-ce pour ne pas prendre trop au sérieux un sujet qui le préoccupe réellement : l'angoisse des finissants en Philosophie II, qui, comme lui, quitteront Brébeuf à la fin de l'année, et qui devront affronter les problèmes de la vie ? Comment choisiront-ils leur carrière ? Les voilà donc s'embarquant pour le grand voyage de la vie, naviguant vers l'inconnu.

Pour traiter de ce problème, Trudeau choisit justement le thème de la mer. Ses personnages se retrouvent « à bord d'un canot de sauvetage, dans la nuit du vingt-cinq décembre », alors que leur paquebot coule, à leur côté. Dans cet article, écrit comme une pièce tragi-comique, Trudeau exprime, à travers plusieurs personnages, ses propres préoccupations ainsi que celles de ses camarades, à un moment charnière de leur vie. La Deuxième Guerre mondiale a éclaté il y a trois mois et les élèves sont désemparés : « Nous nous sommes préparés au combat de la vie ; et c'est le combat du Front Ouest qui nous guette. » De plus, comment choisir une profession, lorsque tout est mal vu dans l'opinion publique ? « Si vous êtes médecin, l'on vous croit assassin. Si vous êtes moine, l'on vous dit paresseux. Si vous faites de la politique, vous êtes un bandit. Restez enthousiastes, et vous serez écervelés ; assagissez-vous et vous serez une "jeunesse vieillotte" ; soyez artiste ou penseur, et vous passerez pour inabordables. Je ne sais plus où donner de la tête, moi ; et avec ça, on trouve le moyen de me chanter un Joyeux Noël aux oreilles. Ah, Zut ! »

Sous ce couvert fantaisiste, Trudeau exprime peut-être ses préoccupations, peut-être reprend-il également les idées bonnes, mauvaises, ou farfelues, qui circulent dans son milieu. Par exemple, Trudeau partage certainement l'éloge des études classiques du Professeur. Par contre, il n'approuve certainement pas le Soldat qui considère la guerre comme «une aventure méritoire». Un Ancien exprime plusieurs principes éthiques et philosophiques qui guideront Trudeau toute sa vie: «Les jeunes comme toi, Finissant, pour conserver l'ardeur de leurs convictions, se font révolutionnaires; et ils ont raison. Mais sache que les vrais révolutionnaires sont les optimistes, et non les autres car les pessimistes, sur un ton différent, grognent tous la même ritournelle. Mais celui qui a confiance en l'humanité, et qui la croit capable de comprendre la vérité, et qui le dit à ses semblables, voilà le vrai révolutionnaire; voilà celui qui se retrempera sans cesse en de nouvelles luttes. La preuve, c'est que rien ne révolte à ce point un homme comme de lui rappeler sa suprême dignité de Fils de Dieu.»

Fini le ton frivole. Lorsqu'il invoque Dieu ou le Christ, Trudeau ne badine plus. Pour bien vivre il faut agir pour rendre le monde meilleur, et pour ce faire, il faut devenir un «vrai révolutionnaire». Comme la suite le montrera, Trudeau prend cette idée très au sérieux: il voudra devenir un «vrai révolutionnaire».

On attribue communément la source de l'inébranlable foi de Trudeau en la dignité humaine à son adhésion au mouvement personnaliste. Selon certains, il aurait découvert ce mouvement par la lecture de la revue *Esprit* que son ami Gérard Pelletier et sa femme, Alec, lui auraient fait connaître à la fin des années 1940. D'autres situent ce moment à Paris, en 1948, lors de sa rencontre avec Emmanuel Mounier, le fondateur de cette revue, ou à la suite des lectures des écrits personnalistes pendant ce même séjour d'études. Clarkson affirme que les idées politiques d'inspiration catholique de Trudeau ne proviennent pas de son milieu québécois, mais naissent de ses rencontres avec Emmanuel Mounier à Paris[14]. Notons le pluriel *ses*: Clarkson est le seul biographe à affirmer que Trudeau aurait eu *des* rencontres avec

Mounier. Trudeau lui-même dit n'avoir rencontré Mounier qu'une seule fois, par hasard, dans un café – ce que confirme son ami, Roger Rolland, qui était présent à la rencontre. Selon Clarkson, la critique de l'Église faite par les personnalistes, dans une perspective de gauche, aurait attiré Trudeau. Or, comme nous venons de le voir, dès décembre 1939, dans *Brébeuf*, on trouve une ébauche de quelques principes philosophiques auxquels Trudeau croira toute sa vie. Pour lui, la « suprême dignité » de l'homme découle du fait qu'il est Fils de Dieu. S'il est vrai que Trudeau a lu des penseurs personnalistes à Paris et que ces lectures lui ont permis d'approfondir sa réflexion, il n'en demeure pas moins que l'idée centrale de la « suprême dignité » de la personne, qui a toujours été au cœur de son système de pensée et de son action, émerge déjà dans ce petit article « Mer ! Noël ! », et dérive de sa formation chrétienne au collège Brébeuf. Pour le Trudeau homme d'État, ce principe se traduira par la primauté de la personne sur les institutions et les gouvernements. Comme on le sait, en 1982, Trudeau concrétisera cette idée en insérant la Charte des droits et libertés dans la Constitution du Canada.

Trudeau revient à son thème favori de la critique de la mentalité de troupeau dans « Sur les pompiers[15] », paru dans *Brébeuf* le 22 février 1940. Le titre, comme tant d'autres, paraît assez déroutant à première vue : Que viennent faire les pompiers, dans *Brébeuf* ? On le comprendra très vite. « Les timorés, écrit-il, font de mauvais pompiers », parce que, poussés par leur peur, ils se dépêchent de sortir « les dévidoirs et les grandes échelles pour éteindre un feu d'allumette ». Il attaque l'assurance suffisante des gens en position d'autorité qui, s'enrobant du manteau du savoir, mettent un frein à toute innovation : « Qu'ils se grisent de l'air impur de leur petite coquille [...] mais qu'ils n'aillent pas, par exemple, nous anathématiser parce que nous dégageons notre vie de ses ornières. » « Nous sommes nos propres oppresseurs, affirme-t-il. Incapables de penser par nous-mêmes, et pour dissimuler la platitude de nos concepts, nous avons peinturluré notre agir d'une façon d'originalité. »

Trudeau maîtrise à peine son indignation. Mais à qui s'en prend-il ? Aux élèves ? On a vu qu'il les a déjà critiqués à quelques reprises. Cependant, quelques phrases intrigantes semblent indiquer qu'il s'en prend également à d'autres, probablement à certains membres du corps professoral, peut-être au père aviseur, ou encore à tout le système d'éducation de Brébeuf. Quelle idée novatrice a-t-on refusé d'approuver ? Quel feu d'allumettes a-t-on essayé d'éteindre avec de grands dévidoirs ? Le texte semble volontairement imprécis. Trudeau affirme cependant ne pas être un rebelle inconditionné : « Que l'on me comprenne bien. Je suis fort aise que l'autorité compétente – je dis bien compétente – apprécie les idées et porte conseil. Mais je refuse ce droit à celui pour qui toute innovation est erreur. » Il ne souffre pas « qu'un timoré s'attribue le privilège de juger ses frères ».

Malgré le cadre étroit dans lequel il évolue, il défend avec vigueur la liberté de pensée : « Maintenant qu'à l'occasion d'un beau sport, d'une guerre ou d'un coup de matraque, nous avons compris que l'originalité de pensée aussi existe, et qu'elle est essentielle à la personnalité […] maintenant que nous savons que les chefs ne doivent pas avoir peur d'entendre leur son propre, et qu'ils doivent avoir confiance en leur importance, nous aimerions prendre le gouvernail un peu. »

Cette longue phrase est pleine de sous-entendus. Qui est ce « nous » qui a compris que l'originalité de pensée existe à l'occasion d'un coup de matraque ou d'une guerre ? Parle-t-il de lui ou fait-il une remarque générale ? Certains, comme David Somerville[16], Esther Delisle[17] ou François Lessard[18], ont affirmé que le jeune Trudeau a pris part à des émeutes. Mais leur voix est restée sans écho.

Pour promouvoir cette liberté de pensée, Trudeau annonce, en conclusion, la création d'une nouvelle rubrique dans *Brébeuf*, intitulée «Tribune libre», dans laquelle tous les élèves pourront exprimer leurs opinions personnelles. «Ils s'y tromperont certainement; et c'est même ce qui fera leur force, car ils pourront d'autant mieux constater leurs erreurs.» Ainsi, Trudeau choisit de faire passer son message à travers le thème de l'incendie. Les timorés, dit-il, ceux qui sont encrassés dans leur routine, feraient de mauvais pompiers parce que, terrorisés par les incendies, ils prennent les grands moyens pour éteindre même un feu d'allumettes. Or, explique-t-il dans l'épigraphe de cet article, «Dieu ne nous laisserait pas jouer avec des allumettes, si son univers n'était pas à l'épreuve du feu». Trudeau, taquin, a inventé cet argument théologique pour les besoins de la cause. À quoi il ajoute: «Dieu savait ce qu'il faisait, et pourtant, il a donné la liberté en même temps que l'intelligence. Il n'est pas nécessaire de corriger l'œuvre de Dieu.» Exercer notre liberté est donc conforme à la volonté de Dieu. Sur un ton mi-ironique, mi-sérieux, il termine son article en montrant qu'il a le courage de ses convictions: «C'est du moins ce que je pense. Et je pense que j'ai raison: c'est pour ça que je me suis publié.»

Trudeau manie sa plume avec de plus en plus d'aisance, mais son style reste toujours ironique, non conventionnel, et indirect. Ainsi, «À propos de style[19]» se présente comme une pièce de théâtre assez fantaisiste, illustrant une fois de plus le goût de Trudeau pour cette forme d'expression. Ici, il fait discuter toutes sortes de personnages fictifs, parmi lesquels: l'Essayiste, le Gros Bon Sens, l'Ombra, l'Ombre, l'Ombru, un Lecteur, et bien d'autres. Il exprime son propre point de vue à travers le Gros Bon Sens, et soutient que «l'obscurité est un défaut où qu'elle se trouve. Certes de grands maîtres sont obscurs. Mais ils ne sont pas maîtres à cause de leur obscurité; ils le sont en dépit. Cette déficience

leur est pardonnée, eu égard au grand nombre de leurs per-
fections».

Nous voici rendus au chant du cygne de notre rédacteur
en chef de *Brébeuf*. Son dernier article s'intitule – bizarrement, à première vue : «Ceci est l'éditorial». Le 12 juin 1940,
il répond au «responsable» du journal des Jeunesses étudiantes catholiques (JEC), un certain Gérard Pelletier – un
parfait inconnu qui deviendra son ami intime jusqu'au décès
de ce dernier en 1997. Mais, en 1940, Pelletier, âgé de 20 ans,
se permet d'envoyer la missive suivante à tous les «responsables» des journaux des collèges québécois : «Je demande
donc que, sous le patronage de "JEC" qui les relie tous, chaque journal étudiant définisse son attitude, par la plume de
son responsable étudiant, dans l'éditorial de son prochain
numéro.» Or, Trudeau n'a jamais écrit d'éditorial à propre-
ment parler ; il a explicitement affirmé qu'il n'imposerait
aucune ligne directrice au journal. Celui-ci ne devait être,
selon lui, que l'expression de ce qu'en feraient les élèves. En
somme, il se situe à l'antipode de la position de Pelletier. Il va
remettre à sa place ce jeune homme qui se prend tellement au
sérieux, et montrer qu'il n'apprécie nullement le ton péremp-
toire de la lettre. Construisant son texte autour du thème du
jardinier, il va donner une leçon à cet arrogant.

Il intitule ironiquement son texte : «Ceci est l'éditorial»,
et explique qu'il n'aurait pas répondu à cette demande si
chaque «responsable» des autres journaux de collège n'avait
apporté «une gravité effarante à faire son examen de conscience». Or, la réponse est censée venir du «responsable»,
alors que lui croyait exercer «un métier de jardinier, qui voit
à ce que son jardin ait de l'air, de l'eau et du soleil ; mais qui
ne se désâme pas afin que son jardin mène une vie jardi-
nière». La recherche du responsable, ironise Trudeau, jeta

donc «un certain désarroi dans nos rangs journalistiques. La Rédaction tint donc une assemblée d'urgence, à minuit et quart, au fond d'un caveau. Et en raison de mon talent à dire peu en beaucoup de mots, nous m'octroyâmes le titre de "responsable"». Comme «responsable», il se doit donc d'expliquer la ligne de conduite de *Brébeuf*. Pour la trouver, explique-t-il, pince-sans-rire, «j'eus l'idée de m'inspirer de la devise de notre journal; car vous n'êtes pas sans savoir que tout journal considérable doit avoir un mot d'ordre inscrit en quelque part. Sous les lettres quasi sinistres qui épellent un laborieux et sobre *Brébeuf*, je vis notre devise: "Publié par les élèves du collège"». Le journal devient par conséquent «ce que deviennent tous les élèves». Reprenant l'image du jardinier, notre rédacteur en chef dit s'être donc contenté de planter la graine, d'arroser la plante, et de la protéger contre les grands vents: «Vous allez me dire que dans le parterre du journal, fort peu de roses ont fleuri; et que nous avons recueilli surtout de la rhubarbe. Parfaitement, monsieur. Nous avons recueilli surtout de la rhubarbe parce que nous avions surtout de la graine de rhubarbe à notre disposition.»

Trudeau écrit le reste de l'article sur le même ton ironique. Il conclut en assurant Pelletier que «nous connaissons trop bien ton excellent caractère pour craindre que tu t'en offusques [de ma réponse]». Il se donne tout de même la peine de lui expliquer la cause de ses critiques sur un ton un peu moins sarcastique, tout en lui assénant un dernier coup: «Si par hasard, nous avons parlé sans détour (façon de dire...), c'est peut-être parce que nous n'avons pas goûté ton "sous le *patronage* de Jec". Souviens-toi cependant que *Brébeuf* n'aime rien mieux que de recevoir les directives des gens d'expérience. Et il est le premier à reconnaître que "Jec" a de l'expérience.»

Visiblement, l'amitié légendaire entre Trudeau et Pelletier ne s'est pas liée instantanément. Quelle a été la réaction de ce dernier en lisant cette réponse? On ne le sait pas. On sait, par contre, que le temps et l'amitié ont cicatrisé les blessures. Des décennies plus tard, Pelletier écrira sans rancœur qu'avant de rencontrer Trudeau, en 1941, « il a eu l'occasion de me railler et ne l'a pas ratée. Dans un article publié par le journal de son collège, quelques mois plus tôt, il s'est payé ma tête, gentiment, sans méchanceté, mais avec assez d'esprit pour me faire mesurer l'outrance de mon militantisme de l'époque[20] ».

Dans cet échange épistolaire, on voit que Trudeau, fidèle à lui-même, défend avec vigueur la liberté individuelle, trouve la requête de Pelletier irrecevable, et refuse de se soumettre à une autorité autoproclamée. Par contre, la démarche de Pelletier s'inspire plutôt d'un esprit communautariste. En supposant la nécessité d'élaborer une ligne directrice commune à tous les journaux étudiants et en s'érigeant, par le truchement de la JEC, en coordonnateur de ce travail, Pelletier pensait sincèrement agir pour le bien de tous. Ce faisant, il oubliait que cette démarche mettait un frein à la liberté d'expression de chaque élève et de chaque journal.

Pour nous, il ne s'agit pas ici d'une divergence ponctuelle ou mineure. Dans le deuxième volume de cette étude, consacré à la lutte contre le cléricalisme et le séparatisme québécois, nous verrons que des différences de perspective importantes séparent les deux hommes, sans parler des différences de tempérament. C'est pourquoi il serait incorrect de supposer, comme l'a fait le journaliste Graham Fraser[21], et comme on l'a souvent répété, qu'une citation ou un écrit de Pelletier représente automatiquement la pensée de Trudeau.

Quel est le bilan de Trudeau, comme rédacteur en chef, au terme de son mandat ? On peut dire qu'il a développé un style personnel, tout en mettant en relief la profondeur de son engagement religieux et son adhésion totale aux valeurs enseignées par les jésuites. S'il tente de développer la recherche de la vérité et la liberté de pensée de ses camarades comme la sienne, il accepte de très bon gré les limites imposées à cette liberté. C'est pourquoi, comme il l'explique dans son dernier «éditorial», «nous nous sommes contentés, cette année, de demander des articles au hasard, de corriger le style des plus "vaseux" (quand cela tombait dans nos goûts et nos capacités), de faire la mise en page, *de censurer ce qui était "contre la foi ou les mœurs"*» (nos italiques).

Lorsqu'il écrit donc que, comme rédacteur en chef, «nous avons même inauguré une Tribune Libre pour permettre aux talents les plus divers de s'exercer, sans ratification officielle. (C'était du moins, notre intention personnelle...)», Trudeau ne réclame et ne promet nullement une liberté totale. Rappelons également que sa recherche de la vérité se situe totalement en marge des événements historiques importants de son époque, notamment, de la Deuxième Guerre mondiale, au moment des grandes victoires des nazis et de leurs alliés. Notons, enfin, que contrairement à Paul Gérin-Lajoie, son prédécesseur au poste de rédacteur en chef de *Brébeuf*, Trudeau n'a jamais claironné son nationalisme.

Peu de temps après la publication de «Ceci est l'éditorial», Trudeau dira adieu à sa vie de collégien et commencera une nouvelle étape dans sa formation. Quatre mois plus tard, il aura 21 ans.

CHAPITRE 5

Le droit, un pis-aller

Les jeunes qui [en] ont les aptitudes
commettent un acte de lâcheté impardonnable
en ne faisant pas de politique active.
Pierre Trudeau,
10 février 1938

Dans *Brébeuf* du 27 mai 1939, dans un article intitulé « Vers la Haute mer », Pierre Trudeau, alors élève en Philosophie I, disait au revoir aux finissants, en Philosophie II. Il les pensait heureux d'avoir, comme il dit, « fini de commencer », parce que, explique-t-il, l'athlète qui se sait en forme « a hâte que le jeu commence ». Il sait que son tour viendra, l'année suivante, et on le sent piaffer d'impatience.

Reprenant une idée déjà chère, il affirme que le plus grand atout des finissants consiste en ce qu'« on leur a enseigné la Vérité, et surtout la recherche de la vérité ». Pour lui, leur réussite semble donc assurée : « Ils dévisagent ces bourgeois matérialistes, ces catholiques satisfaits, et ils se sentent de taille. » Une génération plus tard, les élèves de Brébeuf ne mépriseront plus ces bourgeois matérialistes. Mais, en 1939, Trudeau traduit bien les grands idéaux enseignés au collège :

«Et plus leur dégoût du faux est profond, plus ils ont le sourire (intérieur) large: parce que c'est facile de triompher si l'adversaire ne peut nous atteindre; et que c'est délicieux d'être méprisé si nous savons que dans le fond, c'est nous qui avons raison. [...] Enfin! Ils vont combattre le vrai combat.» En toute probabilité, Trudeau attribue aux finissants ses propres sentiments. Par personne interposée, il savoure d'avance l'occasion de combattre le vrai combat. Se sentant déjà supérieur aux mauvais catholiques, aux bourgeois matérialistes, il est convaincu que leur mépris ne pourra pas lui faire mal. Au contraire. On voit déjà poindre le futur polémiste et politicien qui montrera à maintes reprises qu'il peut, lorsqu'il pense avoir raison, non seulement se montrer insensible aux attaques vicieuses de ses adversaires, mais les trouver «délicieuses». On revoit son sourire moqueur.

L'année suivante, quand vient son tour de quitter Brébeuf, Trudeau est muni de deux baccalauréats, l'un en lettres et l'autre en sciences, avec des moyennes de 91,9% pour le premier et de 96,4% pour le second. Il emporte également un nombre impressionnant de prix pour toutes ses années de scolarité. «Peu d'élèves ont réussi à obtenir une moyenne aussi élevée dans toutes les matières du cours classique», lit-on dans une lettre de référence que lui remet le collège[1]. On trouve aussi dans ses archives un texte dactylographié où sont décrits les finissants. Voici ce qu'on peut lire à son sujet: «Philosophe, homme de science, tragédien, comédien... sauvage, sociable... grand sportif... Tels sont les paradoxes de notre vice-président. Simple, là où les autres sont fats, et fantastique là où les autres sont simples. Cet ambitieux ardent accueille sans morgue de nombreux succès. [...] Chez lui, le «je-m'en-foutisme» découle d'une philosophie de la vie dans laquelle les propositions de l'opinion publique sont ramenées à leur juste valeur. [...] Une personnalité si riche, nous en sommes convaincus, fera de lui un homme, et il sera le défenseur de tous nos droits[2].»

Ses camarades notent déjà les «paradoxes» de son caractère. Comme tout le monde le constatera par la suite, Trudeau semble capable d'incarner à la fois tout et son contraire. Ses camarades sentent également qu'ils ont parmi eux le futur défenseur de tous leurs droits, c'est-à-dire *le chef* que les enseignants jésuites appellent de tous leurs vœux. (Jacques Hébert, par exemple, se souvient qu'au collège Sainte-Marie de Montréal, le père Mignault ne cessait de leur demander, en les secouant par les épaules: «Petit, la patrie a besoin de toi. Petit, il faut que tu deviennes un chef. […] Dis, petit, tu veux bien devenir un chef[3]?») Comme Trudeau est exceptionnellement bien armé pour faire face à la vie, il est évident que toutes les carrières lui sont accessibles. De plus, sa fortune personnelle le mettant à l'abri de toute préoccupation pécuniaire, il peut fréquenter l'institution qu'il veut. Laquelle choisira-t-il? Pour comprendre sa décision, il nous faut revenir un peu en arrière.

Dans la marge de ce texte de description des finissants, Trudeau écrit à la main la profession choisie par chacun. Par exemple, devant Pierre Vaillancourt, il écrit: «Médecine», devant Blaise Turcotte: «Jésuite», et devant Pierre Vadeboncoeur: «Droit»... Et qu'écrit-il devant Pierre E. Trudeau? «Économiste». Or, à l'époque, dans les universités francophones québécoises, il n'existait pas de département de «sciences économiques», ni même d'«économie politique», comme il en existait ailleurs, où l'on groupait généralement les sciences économiques et politiques. Dans les derniers mois à Brébeuf, Trudeau se voyait donc faire des études en économie politique, forcément à l'extérieur d'une université québécoise francophone. Or, en septembre, il est inscrit en droit, à l'Université de Montréal. Comment expliquer ce changement?

Trudeau écrit dans ses *Mémoires* qu'il avait longtemps hésité entre «le droit, la psychologie, la sociologie et les sciences politiques[4]». Il rapporte ailleurs qu'il envisageait aussi bien des études en droit qu'en des matières davantage liées aux activités de l'esprit telles la psychologie ou la philosophie[5]. Ces deux derniers choix lui auraient-ils été inspirés par sa lecture enthousiaste d'Alexis Carrel ? Comme il n'a pas encore étudié la psychologie, fidèle à son caractère méthodique, il prend 16 pages de notes sur un *Traité de psychologie*, écrit en 1928 par Georges Dwelshauvers. S'il était porté vers cette discipline, cette lecture semble l'en avoir détourné : « Au début, il y avait des idées, des théories que j'ai pris la peine de noter. Mais à la longue c'est devenu abrutissant[6]. »

Trudeau écrit que pour l'aider dans son choix de carrière, il était allé, en compagnie de son ami Pierre Vadeboncoeur, consulter Henri Bourassa, fondateur en 1910 du journal *Le Devoir*, et maître à penser de l'élite canadienne-française. Candidat libéral au gouvernement fédéral, Bourassa avait été élu en 1896, mais, opposé à la participation du Canada à la guerre des Boers, il avait rompu avec le parti de Wilfrid Laurier et aidé le conservateur Borden à défaire celui-ci en 1911. Lorsque Trudeau le consulte, Bourassa a plus de 70 ans ; il s'est retiré de la vie politique active aux niveaux fédéral et provincial, mais il est toujours considéré comme « le lion » du nationalisme canadien-français. Il jouit d'un très grand prestige auprès de l'élite, particulièrement auprès des jésuites, pour sa défense du catholicisme, du français, de l'autonomie du Canada au sein de l'Empire britannique et de l'autonomie du Québec au sein du Canada. En rétrospective, Trudeau s'étonne qu'un homme de son calibre leur ait accordé une entrevue, mais il ne dit rien des conseils qu'ils auraient reçus. Il écrit également qu'avant d'aller à Harvard, il avait consulté un homme qu'il admirait beaucoup, André Laurendeau. Cet intellectuel était alors très actif dans les mouvements nationalistes. Trudeau écrit qu'il avait « trouvé remarquables certains de ses articles à *L'Action nationale*, revue qu'il dirigeait depuis quelques années ». À propos du choix de carrière, Laurendeau lui aurait dit que le milieu canadien-français «manquait terriblement de compétences en matière économique. […] Il était urgent que des jeunes y entrent». «Va donc pour l'économie politique[7]», écrit Trudeau. D'où, explique-t-il, sa décision d'étudier à Harvard.

L'entretien avec Laurendeau daterait donc de l'hiver 1944. Or, comme nous venons de le voir, il écrit «Économie» devant son nom lorsqu'il est encore élève à Brébeuf, soit quatre ans plus tôt. Trudeau aurait-il rencontré Laurendeau vers la fin de ses études à Brébeuf plutôt qu'après l'Université de Montréal? Et serait-ce sous l'effet de ses conseils qu'il se voyait devenir «Économiste», c'est-à-dire spécialiste en économie politique? Lorsqu'il publie ses *Mémoires* en 1993, soit plus d'un demi-siècle après l'événement, sa mémoire lui fait peut-être défaut. D'ailleurs, un document important montre clairement que pendant sa dernière année à Brébeuf, il visait déjà des études en économie politique en vue d'une carrière politique.

Le 5 janvier 1940, apprenant que l'attribution de la bourse Rhodes n'est pas suspendue à cause de la guerre, Trudeau obtient les formulaires pertinents; il présente sa candidature le 7 janvier, espérant pouvoir fréquenter l'université Oxford[8]. Il écrit sa lettre en français, mais ajoute, en note de bas de page, en anglais: «*Being a French-Canadian student of a French-Canadian college, I imagine it to be the will of the committee that I write this paper in French. However, should such be their wish, I would gladly rewrite it in English.*» (Étant Canadien français, je suppose que le comité souhaite que j'écrive cette composition en français. Cependant, si tel était leur désir, je l'écrirais volontiers en anglais.)

Le brouillon de cette lettre dévoile des aspects inconnus à ce jour des ambitions de carrière de Trudeau. Après avoir souligné la difficulté, pour lui, de faire ses propres éloges, il exprime ses ambitions et décrit ses intérêts avec une sincérité remarquable. Il affirme, tout d'abord, la place prépondérante qu'occupent chez lui la religion et les études : « Après la religion, qui transcende évidemment toutes mes occupations, puisqu'elle est d'application universelle, je puis dire que les études constituent mon activité essentielle. Cela, tout simplement, parce que j'ai une confiance très grande en la formation donnée par le cours classique. » De fait, il conservera toujours un souvenir tendre de son cours classique, même lorsque, bien des années plus tard, il dénoncera avec fureur les insuffisances du système d'éducation au Québec. Trudeau avoue au comité de sélection qu'il s'est parfois demandé s'il ne valait pas mieux négliger quelques-unes des matières au programme pour se consacrer davantage « à la lecture, à la philosophie, et même à certaines activités extra-collégiales ». Mais il ne regrette pas son choix puisque cette culture générale lui a donné, dit-il, « la facilité de choisir la profession pour laquelle j'ai le plus de goût et d'aptitude naturelle ».

Comme on demande à chaque candidat de décrire « ses intérêts généraux et ses activités (incluant les sports) », il écrit : Tout homme doit avoir un passe-temps. Mon « hobby est de les avoir tous. *"Jack of all trades, and…"* ("Bon à tout, bon à rien.") Je suis membre fondateur de l'Académie Sciences-Arts. Je fais en amateur de la littérature française et anglaise ; je suis un fervent des concerts symphoniques ; j'ai suivi les cours de M. Gagnon sur l'Histoire de l'art. J'aime le piano ; j'ai fait plusieurs essais au pastel et à la peinture à l'huile. J'ai un prix général en biologie humaine. J'ai un diplôme du St. John Ambulance Association. Dans les sports, il me plaît également de toucher à tout. Je suis grand amateur de ski ; j'ai nagé pour l'équipe des Central District Sea Scouts ; j'ai toujours été membre de l'équipe de ma classe pour la balle molle, la crosse, le hockey, et pour les jeux de piste et de pelouse. Pendant les vacances, je fais aussi de la boxe, de la voile, de l'équitation, et du tir à l'arc. Assurément, je serais bien fat de prétendre à quelque maîtrise en toutes ces activités : j'affirme simplement que toutes me sont agréables. »

À lire la liste de ses « hobbies », on en a le vertige ! Il exagérait à peine lorsqu'il disait les avoir tous ! On a longtemps affirmé que son individualisme lui faisait mal supporter les sports d'équipe, auxquels il préférait les sports individuels. Voilà qui met fin à ce mythe. Trudeau explique que s'il a tant d'activités, c'est que tel est son tempérament : « Dans mes occupations, il me faut l'imprévu, la variété, l'action ; j'aime à comprendre les hommes et à juger de leurs idées. »

Cette dernière phrase lui sert de transition pour passer de ses activités générales au cœur de sa lettre : ses projets de carrière. Il fait alors une révélation tout à fait surprenante : « J'ai donc cherché une profession où ces tendances et ces goûts seraient satisfaits, et j'ai choisi la carrière politique. » *Ainsi, contrairement à tout ce qu'on a toujours cru, Trudeau a déjà choisi, en janvier 1940, une carrière dans le domaine de la politique !* Il ajoute que les circonstances de la vie décideront quelle figure précise prendront ses aspirations, et qu'il pourrait opter « pour le gouvernement, la diplomatie, ou le journalisme ». Lorsqu'il écrivait, en 1938, que les jeunes devaient faire de la politique dès qu'ils le pouvaient, et que c'était un acte de lâcheté de ne pas en faire, il le pensait vraiment. Et lui-même, dès qu'il l'a pu, a voulu joindre l'acte à la parole.

La suite de la lettre contient d'autres révélations surprenantes : « Depuis quelques années, sans toutefois négliger la formation générale, j'ai une prédilection pour ces activités qui préparent plus immédiatement à la vie publique. C'est ainsi que j'ai suivi des cours de diction ; j'ai joué dans plusieurs séances, autrefois chez les Scouts, puis au camp Ahmek et au collège ; enfin je prends actuellement des cours de chant chez M. Roger Larivière. J'ai de plus publié de nombreux articles dans le journal *Brébeuf,* dont je m'occupe de la rédaction. »

Notons la perception que semble avoir Trudeau des talents requis pour entrer en politique : une solide formation générale, une bonne diction, un bon contrôle de la voix (que donne le chant), des talents d'acteur, une bonne plume. À 21 ans, Trudeau sait déjà que pour un homme politique, les bonnes idées et les bons programmes ne suffisent pas : il faut savoir les communiquer. Il découvre ainsi, avant l'heure, les diverses compétences que requiert l'art de la communication. Trudeau, homme d'État, considérera toujours que la carrière politique comprend forcément une part de théâtre. Est-ce ainsi qu'on pourrait expliquer ses glissades sur les rampes, ses pirouettes ou ses entrées théâtrales ?

Trudeau explique ici également les motifs du changement de son parler. On a avancé toutes sortes de justifications au fait qu'il a décidé, pendant son adolescence, d'adopter le français « international » plutôt que le parler populaire de la plupart de ses camarades : on a dit qu'il voulait absolument faire l'original ; qu'il le faisait par snobisme ; qu'il était mal à l'aise dans sa peau de Canadien français ; qu'il voulait se distinguer de son père dont il n'appréciait pas le parler populaire... La raison est pourtant simple : le bon parler fait partie, pour lui, des compétences nécessaires à la carrière de tout homme politique d'envergure. La théorie et la pratique étant, chez lui, inséparables, il s'efforce donc, depuis qu'il est à l'école, d'apprendre à bien parler...

Ayant dirigé les membres du comité vers des capacités qu'il considère importantes, certes, mais qui pourraient leur faire croire qu'il est passé à côté de l'essentiel, Trudeau s'empresse d'ajouter qu'il sait fort bien que ces capacités, à elles seules, suffisent seulement aux démagogues ou aux politiciens de très bas niveau. Il arrive ainsi à la formation qu'il juge essentielle : « Mais cela est bien superficiel et servirait tout au plus de base au démagogue ou au politicailleur. Tandis qu'aujourd'hui – combien de fois ne l'a-t-on pas répété – il faut des chefs qui aient une compréhension parfaite des hommes, une connaissance adéquate de leurs droits et de leurs devoirs.» Il faut de vrais chefs, aux connaissances solides. Les jésuites de Brébeuf ont bien fait leur travail. Pour se préparer donc à une véritable et honorable carrière politique, Trudeau explique qu'il avait l'intention, au sortir du collège, «d'étudier le droit, l'histoire et les sciences sociales», disciplines classiques menant à cette carrière. Par contre, écrit-il, «si m'échouait l'immense privilège d'étudier à Oxford, je suivrais probablement les cours "Philosophy-Politics-Economics" et, si ce n'est pas trop embrasser, "Modern History"».

La candidature de Trudeau est accompagnée d'une lettre de recommandation de monsieur J. A. Thouin, responsable de la cour du recorder de la Cité de Montréal – l'équivalent des cours municipales actuelles. Pourquoi Trudeau a-t-il choisi M. Thouin? On ne le sait pas. Le 10 janvier 1940, celui-ci écrit une lettre d'appui dithyrambique. Il prend toute une page pour faire la liste des résultats exceptionnels et des nombreuses activités parascolaires du candidat. Il décrit ensuite ses qualités personnelles: «Sans vouloir tomber dans l'exagération, je m'en voudrais cependant de vous taire les qualités personnelles de ce collégien, chez qui on sent déjà l'homme sérieux et surtout désireux de faire son chemin. Esprit éminemment chercheur, il songe depuis longtemps à son avenir et à en assurer la réalisation. […] Je sais que son désir intime est de parfaire ses études en Europe, et qu'il ne craint ni le travail ni les sacrifices. Ses défauts? Il doit en avoir; mais je dois vous déclarer en toute franchise que je ne les connais pas et si je ne les connais pas, c'est qu'ils ne doivent pas être nombreux ou graves, car je le vois souvent et suis à même de l'observer et partant de le bien connaître. […] En terminant, il me fait plaisir de vous déclarer avec toute l'honnêteté possible que Pierre Elliott Trudeau est un de nos trop rares jeunes qui a l'idée bien ancrée dans sa tête et dans son cœur de devenir quelqu'un et aussi de travailler sans relâche à la réalisation de son idéal[9].»

Trudeau veut devenir quelqu'un. Un chef, pourrions-nous ajouter. Cette idée est ancrée « dans sa tête et dans son cœur ». Le mythe veut pourtant que Trudeau soit un homme sec et distant. « C'était le moins sentimental des hommes », écrit Stephen Clarkson[10]. Au contraire, c'est un homme de cœur. Sa sensibilité, bien connue de son entourage, se manifeste dans ses notes de lecture, dans ses lettres à ses amis. On découvrira, à travers ses engagements politiques, que c'est même un jeune homme passionné et fougueux. Il restera d'ailleurs sensible pendant toute sa vie.

En plus de sa lettre, chaque candidat à la bourse Rhodes doit rédiger une composition. Le 20 janvier, Trudeau écrit un texte de deux pages de format légal, où il choisit « Des possibilités d'une paix universelle » parmi huit sujets proposés[11]. En haut de la première page de son brouillon, après son traditionnel A.M.D.G., il écrit quelques idées qu'il se propose de développer : « Intelligence : penser par soi-même ; admettre la vérité. Paix, c'est vivre en harmonie, admettre droits et devoirs des autres. Pour ça, il faut penser soi-même, libéré du joug de l'opinion publique. » Manifestement, ces idées, déjà exposées à plusieurs reprises dans *Brébeuf*, lui tiennent à cœur. Traitant des possibilités de paix, Trudeau ne dit pas un mot de la guerre qui fait rage en Europe. La paix universelle, écrit-il, n'est possible que si l'on arrive à « délivrer l'humanité des égoïstes, des ambitieux effrénés et des impies ».

Le Trudeau des années 1940 sait tout de même qu'une société parfaitement morale est irréalisable et « digne au plus de figurer dans l'*Utopia* de Thomas Morus ». C'est pourquoi il faut se contenter « d'apprendre aux hommes à se méfier de ceux qui sont coupables de les méconduire ». Comment y arriver ? En leur apprenant, écrit-il, « à se servir de leur intelligence ». Trudeau a toujours accordé une place importante à l'intelligence. En 1950, dans son premier texte de *Cité libre,* il clamera avec passion : « Soyons intelligents ! » Mais l'intelligence seule ne suffit pas, écrit-il dans sa composition, puisqu'il «arrive que les plus intelligents soient précisément ceux qui jettent le plus volontiers les peuples dans les désordres». C'est pourquoi il est «absolument nécessaire de développer, de pair avec l'intelligence, le sens moral dans la civilisation nouvelle. [...] Le gouvernement d'un pays doit donner l'exemple et voir à ce qu'aucune influence néfaste ne puisse fausser la tendance naturelle au vrai». Selon sa conception moraliste de l'époque, un bon gouvernement se donne le bien comme idéal.

Bien des années plus tard, défendant une perspective libérale, il affirmera que la fonction de l'État ne consiste pas à défendre une conception quelconque du bien mais à faire prévaloir la justice. Mais en 1940, Trudeau épouse sans réserve l'idéal de société chrétienne préconisé par l'Église et par ses enseignants à Brébeuf. Il affirme qu'il faut se méfier de ceux qui «jettent les peuples dans les désordres». Or, pendant qu'il écrit ces lignes, il y a dans le monde quelqu'un qui fait justement cela, écrasant les pays qui tombent sous sa botte. Mais notre candidat à la bourse Rhodes n'effleure même pas les facteurs qui causent les guerres, constituant une entrave à la possibilité d'une paix universelle. Les problèmes économiques et politiques qui ébranlent la planète semblent le laisser indifférent. Sa réflexion évolue à l'intérieur du cocon de son petit monde religieux, moralisant, trouvant le salut dans l'idée abstraite du perfectionnement de l'homme. Avec le regard d'aujourd'hui, le nombrilisme de cette pensée paraît ahurissant. Ce jeune homme qui déclare vouloir se consacrer à une carrière politique, qui choisit comme sujet de composition les possibilités d'une paix universelle, semble inconscient des conflits mondiaux qui l'entourent et ignorant de leurs causes.

Le 25 janvier, Trudeau est convoqué en entrevue... et le 3 février, il demande qu'on lui retourne ses papiers officiels: son acte de naissance, ses bulletins scolaires... Dans ce qui semble être son premier échec, il apprend que sa candidature

n'a pas été retenue. Pourquoi? En l'absence de documentation, on ne saura évidemment jamais les vraies raisons. Avec
des résultats scolaires exceptionnels et d'excellentes lettres
de recommandation, serait-il possible que la naïveté décon-
certante de sa composition, fruit de son éducation à Brébeuf,
l'ait défavorisé par rapport à des candidats formés ailleurs, à
l'université anglophone McGill, par exemple?

N'obtenant pas la bourse Rhodes, Trudeau décide de
faire des études au Canada, donc au Québec, parce qu'à
l'époque, pour lui, comme pour la plupart des Canadiens
français, on a la nette impression que le reste du Canada
n'existe pas. Mais tout en restant au Québec, et même à
Montréal, il aurait pu s'inscrire en économie politique à
McGill, l'université la plus prestigieuse de la province, où
l'on dispense ce type d'enseignement. Pourquoi fait-il du
droit? Et pourquoi à l'Université de Montréal?

Il écrit, dans ses *Mémoires,* que son père lui avait toujours
conseillé de faire son droit, comme formation de base, pour
se lancer ensuite dans la carrière de son choix. Il aurait donc
suivi ses conseils. C'est possible. Le droit faisant partie de la
formation d'un homme politique, ce choix devient logique, à
défaut d'études en économie politique à Oxford. Mais la
question demeure: étant donné son excellente maîtrise de
l'anglais, pourquoi Trudeau n'a-t-il pas choisi McGill? Sans
tenter de comprendre des états d'âme insondables, il nous
semble que la réponse se trouve dans son adhésion totale
aux valeurs promues par les jésuites de Brébeuf. Bien que
parfaitement à l'aise en anglais, le Trudeau de l'époque ne
pouvait pas choisir McGill, université anglophone et essentiellement protestante. Le matérialisme – que son milieu
attribuait au protestantisme – lui répugnait. Puisqu'il se destinait à une carrière politique québécoise qui le mènerait

peut-être à devenir un chef, il aurait choisi la discipline et l'institution qui cadraient le mieux avec ses ambitions et son propre sentiment d'identité. Le droit n'est pas son premier choix, et il n'a jamais eu l'intention d'en faire sa carrière.

Trudeau entre à l'Université de Montréal un an après la déclaration de la Deuxième Guerre mondiale. Le contenu du programme présente, dans l'ensemble, peu d'intérêt pour suivre l'évolution de sa pensée. Notons cependant ce qu'on lui enseigne, au sujet de la démocratie. Dans ses notes du cours de droit constitutionnel donné par le professeur Bernard Bissonnette, datées de novembre 1941, Trudeau écrit comme défauts de ce système politique: «Ignorance, crédulité, intolérance, haine de la supériorité, culte de l'incompétence, excès de l'égalité, versatilité, passions de la foule, convoitise des individus[12].» Pauvre démocratie! Elle a bien mauvaise réputation dans le Québec des années 1940...

Trudeau suit, comme auditeur libre, deux cours hors programme sur l'histoire du Canada, donnés par le professeur Lionel Groulx[13]. Il ne prend, ou ne conserve, que quatre pages inintéressantes au sujet du deuxième. Par contre, il prend des notes abondantes sur le premier, qu'il suit dès son entrée à l'Université de Montréal. La section relative aux rébellions de 1837-1838 jette un éclairage utile sur la manière dont ce professeur aborde l'histoire. Au préalable, rappelons quelques faits sur ces rébellions, qui représentent un moment dramatique dans l'histoire du Canada. Tant dans le Bas-Canada (le Québec d'aujourd'hui, un peu réduit) que dans le Haut-Canada (l'ancêtre de l'Ontario), la population, frustrée depuis plusieurs années par de nombreuses injustices, dont l'abus de pouvoir et la corruption du gouverneur et de sa clique, réclame, sans succès, un gouvernement responsable. William Lyon Mackenzie mène les insurgés dans le Haut-Canada. Dans le Bas-Canada, Louis-Joseph Papineau, à la tête du Parti patriote, organise une insurrection. Le haut clergé condamne l'insoumission des patriotes et prévient que ceux qui enseignent la révolte et la désobéissance aux lois risquent de se voir refuser les sacrements. Faisant fi des consignes du clergé, les patriotes déclenchent l'insurrection. Des affrontements violents les opposent aux forces du gouvernement. Les insurgés sont matés, plusieurs de leurs chefs pendus ou exilés, et Papineau, considéré jusqu'aujourd'hui comme un des plus grands héros canadiens-français, doit s'exiler pendant quelque temps aux États-Unis. En 1937, le centenaire de cette insurrection est célébré avec beaucoup d'enthousiasme dans les cercles nationalistes ainsi que dans les institutions d'enseignement.

Traitant de cette insurrection, le professeur Groulx fait face à un dilemme : d'une part, en tant qu'homme d'Église, il préconise la soumission à l'autorité. (On se souvient de Gérin-Lajoie, rédacteur en chef de *Brébeuf*, qui défendait avec indignation son collège, affirmant qu'on n'y favorisait pas l'esprit séparatiste. Au contraire, écrivait-il, à Brébeuf, on enseigne la soumission au roi d'Angleterre et du Canada[14].) D'autre part, en ardent nationaliste, Groulx apprécie cette insurrection, qu'il considère comme un moment important dans la libération du peuple canadien-français. Comment concilier soumission et révolution ? Question préoccupante pour un abbé.

Dans la section intitulée « Règles morales sur toute insurrection », Groulx commence par établir un certain nombre de principes et de critères qui, pris tous ensemble, justifient moralement une insurrection. Comme on pouvait s'y attendre, son système très contraignant n'accepte la violence en politique que dans des cas très particuliers. Celle-ci n'est légitime que si elle répond aux quatre conditions suivantes, telles que notées par l'étudiant Trudeau : « a) un gouvernement véritablement tyrannique ; b) que tous les moyens pacifiques aient été épuisés ; c) certitude morale de réussir et de ne pas empirer la situation ; d) consentement d'opinion saine à ce remède extrémiste ». À la lumière de ce qu'il a lui-même établi, Groulx examine l'insurrection de 1837-1838. Il reconnaît que celle-ci ne répond qu'à deux critères sur quatre. En toute logique, il aurait dû conclure à son manque de justification sur le plan moral. Mais non, il se contente de dire: «Jugement difficile à cause de la complexité.»

Examinons maintenant l'analyse, notée par Trudeau, qui mène le professeur à cette conclusion. Les deux critères non satisfaits sont c) et d). Pour c), Groulx reconnaît que la réussite n'était pas assurée. «Au contraire», précise-t-il. Et pour d) il admet que le consentement n'existait pas. Restent les critères a) et b) qui sont satisfaits, selon lui. En ce qui concerne le premier, qui doit établir l'existence d'un gouvernement tyrannique, Trudeau écrit: «Il y avait gouvernement tyrannique: on s'opposait à la politique du bien commun puisque les sept huitièmes de la population subissait contrainte.» (Il se réfère probablement à la proportion des Canadiens français de la province.) Mais est-ce bien cela que l'on nomme communément «gouvernement tyrannique»? Sans entrer dans des discussions savantes sur ce qu'est la tyrannie, contentons-nous d'en donner la définition du *Petit Robert*: «Gouvernement absolu et oppressif du tyran considéré surtout dans ce qu'il a d'injuste, d'arbitraire, de cruel.» Mais Groulx ne donne aucune preuve d'injustice, d'arbitraire ou de cruauté de la part du gouvernement légitime. Il ne mentionne que la «contrainte» subie par les sept huitièmes de la population. Mais, dirons-nous, y a-t-il société sans une certaine contrainte? Peut-être est-il évident, pour le professeur Groulx, qu'il y a forcément contrainte tyrannique lorsqu'une population catholique et française est gouvernée par des Anglais protestants... On se serait attendu à des preuves plus substantielles pour affirmer l'existence d'un gouvernement tyrannique. Mais de toute évidence, la classe est satisfaite.

Au sujet du deuxième critère, celui de la preuve que tous les moyens pacifiques ont été épuisés, Trudeau écrit: «On avait raison de croire que tous les moyens constitutionnels étaient épuisés. Cf: Rapport Gosford, Grey.... Surtout, en

Angleterre à cette époque [on] évolue vers la démocratie.» On relit la dernière phrase, et on reste interloqué. *Est-il possible d'utiliser l'évolution de l'Angleterre vers la démocratie comme argument pour justifier la moralité d'une insurrection ?* Incroyable, mais vrai, puisque ce point de vue semble partagé par le professeur de droit constitutionnel... et bien d'autres. Comme on le verra abondamment, dans le Québec d'alors, la démocratie s'inscrivait souvent parmi les fléaux de l'humanité. Quant à la preuve qu'on avait épuisé les moyens constitutionnels, le professeur Groulx se contente d'affirmer qu'on «avait raison de croire» que tel était bien le cas.

On s'étonne qu'une argumentation aussi faible puisse satisfaire des étudiants quelque peu sceptiques. Mais Groulx n'a pas de tels étudiants. Les siens sont conquis d'avance. Nationalistes comme lui, ils ne demandent pas mieux que de se laisser convaincre que cette insurrection ne va pas tout à fait à l'encontre des enseignements de l'Église. En fait, pris dans sa logique moralisatrice, l'abbé Groulx justifie mal l'insurrection de 1837-1838. Son argumentation illustre bien l'ambiguïté de la position de cet homme d'Église, grand champion de la cause nationaliste. Il sait que l'État français et catholique qu'il appelle de tous ses vœux ne va pas tomber du ciel. Il lui faut donc faire quelques pirouettes religieuses et intellectuelles pour condamner, avec l'Église, l'insurrection, tout en trouvant un semblant de justification morale à une insurrection qui va dans le sens de ses souhaits politiques. Si le jeune Trudeau ne semble pas dérangé par une argumentation aussi boiteuse, c'est qu'il veut, lui aussi, se convaincre de la moralité de certaines insurrections. Comme tout son milieu, il rêve d'un changement social radical.

Passons sur les autres cours, sans grand intérêt, pour nous pencher sur les résultats de Trudeau. Comme on pouvait s'y attendre, à quelques exceptions près, il réussit brillamment à tous ses cours. Alors qu'il obtient un score parfait en droit constitutionnel (20/20) et en droit civil (40/40), et de nombreuses notes excellentes, ses résultats sont plus modestes en histoire du droit (11/20), en droit municipal (11/20) et en droit administratif (11,5/20). Remarquons qu'il réussit plus brillamment dans les matières davantage liées à ses intérêts en politique. Notons également, avec un certain amusement, que les deux derniers cours mentionnés ont été dispensés par le même professeur, M. Baudouin. Ces notes seraient-elles considérées très bonnes par ce professeur particulièrement difficile ou Trudeau aurait-il été moins motivé par lui ou par son sujet?

Au bout de ses trois années d'études, Trudeau obtient sa licence «avec grande distinction» et tous les honneurs possibles. Le 25 juin 1943, le journal *La Presse,* qui donne les résultats en droit de tous les candidats, publie une photo de ce lauréat exceptionnel qui monopolise les deux seules médailles disponibles: celle du gouverneur général comme prix d'excellence, et celle du lieutenant-gouverneur, octroyée «à l'élève classé premier à l'examen de licence». Sur sept prix accordés, Trudeau en reçoit trois, soit: le prix de la Chambre des notaires, donné «à l'élève qui a obtenu le plus grand succès à l'examen de procédure notariale»; le prix Jetté-Campbell, «à l'élève qui, durant tout son stage, a obtenu aux examens le plus grand nombre de points en droit civil»; et le prix Larue, «à l'élève qui, ayant donné satisfaction par son assistance aux cours et son application, a obtenu le plus grand nombre de points dans tous ses examens». Les lettres de félicitations fusent de partout. Trudeau répond à chacune et, toujours très économe, il écrit ses brouillons sur le dos d'enveloppes, au verso des lettres... Il ne se vante pas de ses succès. C'est ainsi que sa sœur, Suzette, qui se trouve à Old Orchard, n'apprend la nouvelle qu'indirectement, et plusieurs jours plus tard. Elle lui écrit, en anglais, le 1er juillet:

«Dans une de ses lettres, Pierre R.[15] m'a envoyé une coupure du journal *La Presse*. C'est la première fois que j'entends parler de tes derniers succès. Ça fait plaisir de savoir que tes efforts ont été si bien récompensés.» Pourtant, en dépit de ses brillants succès, Trudeau n'a jamais apprécié ses études à l'Université de Montréal. Autant il a été heureux comme un poisson dans l'eau au collège Brébeuf, appréciant la qualité de son éducation, autant il est clair qu'il n'a pas du tout aimé ses études de droit à l'Université de Montréal. Dans toutes les entrevues qu'il a accordées par la suite, ainsi que dans ses *Mémoires*, il ne parle de ces études qu'en rapport avec celles de Harvard, pour mettre en relief les insuffisances de l'enseignement du droit qu'il a reçu à l'Université de Montréal.

Faut-il en conclure qu'entre 1940 et 1943 il n'y aurait rien à signaler sur l'évolution de la pensée de Trudeau? À voir le peu de place qu'occupent ces années dans ses *Mémoires* ainsi que les divers écrits sur la question, on a la nette impression que tel est bien le cas. On mentionne ici et là qu'il s'ennuie dans ses cours de droit. Pour se distraire, il fait de la moto, joue des tours à ses camarades (on pense, par exemple, au fameux incident du casque prussien, avec son ami Roger Rolland, qui a fait couler tant d'encre), fait des expéditions en canot et écrit «L'ascétisme en canot». Il publie quelques articles légers dans *Le Quartier Latin* sans grand rapport avec la politique… Bref; tout porte à croire que notre étudiant mène une vie insouciante, en marge des grands problèmes de l'heure.

De rares auteurs, tels François Lessard[16], Esther Delisle[17], David Somerville[18] ou François Hertel[19], mentionnent quelques faits troublants: Trudeau aurait participé à des manifestations d'étudiants, aurait fait partie d'une société secrète, aurait entreposé des armes dans son sous-sol… Mais ces voix discordantes se sont perdues dans un désert médiatique. Leurs thèses, considérées farfelues, ne cadraient nullement avec l'image devenue classique du Trudeau parfaitement apolitique, qui ne semble même pas remarquer que, quelque part dans le monde, des peuples entiers tombent sous le joug d'un tyran. L'histoire n'a retenu jusqu'ici qu'une seule intervention politique, rapportée partout et par tous, y compris par lui-même, soit son discours en faveur du candidat anticonscriptionniste, Jean Drapeau, rapporté dans *Le Devoir* du 26 novembre 1942.

Avant d'aborder ce discours, rappelons qu'au Québec, pendant la Deuxième Guerre mondiale, tous les étudiants qui n'allaient pas au front devaient s'inscrire au CEOC (Corps école des officiers canadiens). Trudeau ne fait pas exception, comme en témoigne un grand nombre de documents relatifs à ses visites médicales, à ses convocations à la base militaire, et ainsi de suite. On trouve dans ses archives personnelles la photo de sept personnes en tenue décontractée, sinon négligée. On peut lire à l'endos: «Farnham. Du 21 juin au 4 juillet 1942. Les "genres commandos" de la tente "sans zèle".» Et Trudeau inscrit les noms: «Charles Lussier, Gabriel Filion, Robert Pager, Jean-Baptiste Boulanger, Pierre Trudeau, Jean Gascon. Et le citoyen voisin: Jacques Lavigne[20].» Charles Lussier collaborera avec Trudeau à plusieurs projets, en particulier à la revue *Cité libre,* dont il deviendra membre de l'équipe de direction en 1950. Il écrira le septième chapitre de *La grève de l'amiante,* dont Trudeau est le rédacteur. En 1976, il sera nommé par le premier ministre Trudeau à la tête du Conseil des arts du Canada, poste qu'il occupera pendant cinq ans. Jean-Baptiste Boulanger deviendra un psychiatre de grand renom. Quand cette photo est prise, il prépare déjà, avec Trudeau, un grand projet secret dont nous traiterons longuement dans le chapitre 9. Jean Gascon deviendra un géant de la scène québécoise; il sera le cofondateur du Théâtre du Nouveau Monde et, de 1968 à 1974, il occupera le poste de directeur artistique du célèbre Festival Shakespeare, à Stratford, en Ontario.

Une autre photo, prise pendant la même période, montre quelques individus torse nu, en short, portant des masques à gaz. La photo donne la très nette impression que ces amis prennent leur entraînement militaire bien à la légère. Trudeau le confirme, dans ses *Mémoires*: «Cette inscription nous obligeait à nous rendre, deux fois par semaine, faire l'exercice et apprendre le maniement des armes dans un manège militaire de la ville. De plus, chaque été, le CEOC nous convoquait au camp de Farnham pour quelques semaines supplémentaires d'entraînement. Presque tous les ex-étudiants de mon âge gardent un souvenir, agréable ou désagréable, du CEOC. Pour ma part, je me souviens d'une altercation avec un officier qui nous commandait en anglais. Je voulus savoir pourquoi, s'adressant à des recrues de langue française, il ne nous commandait pas dans notre langue. Mais comme on pense bien, ma requête n'eut aucun effet. Ni l'époque ni l'armée ne favorisaient le bilinguisme dans les institutions fédérales[21].» On voit déjà poindre le Trudeau champion du français. Il le restera toute sa vie.

Mais curieusement, dans les années 1940, cet entraînement militaire ne semble pas le porter à réfléchir à la nécessité de cette guerre contre le nazisme: «La guerre, c'était une réalité importante certes mais très lointaine. De plus, elle faisait partie d'une actualité dont je n'avais pas souci. […] Sans doute ai-je vaguement perçu, au début du conflit, que celui-ci constituait peut-être la plus grande aventure qui s'offrirait jamais aux hommes de ma génération. Mais si l'on appartenait, dans les années 1940, au milieu canadien-français de Montréal, on ne croyait pas spontanément qu'il s'agît d'une guerre juste. Nous ne savions rien encore de l'Holocauste et nous avions tendance à considérer cette guerre comme un règlement de comptes entre grandes puissances[22].»

Tout porte donc à croire que jusqu'à son admission à Harvard, en 1944, à 25 ans, Trudeau se désintéressait d'une guerre qui risquait de détruire la civilisation occidentale. Ce jeune homme, qui a pourtant hâte de s'engager dans le *vrai* combat, se serait contenté de suivre l'opinion générale et n'aurait vu dans cette guerre qu'un règlement de comptes entre grandes puissances impériales. Par contre, dans son milieu, on dénonçait à grands cris le fait que Mackenzie King avait trahi sa promesse faite en 1939 de ne pas imposer la conscription pour service outre-mer. Cette cause-là mérite le combat! Trudeau explique: « Je me souviens qu'au début de la guerre, un monsieur (ami de ma famille) m'avait amené au Forum écouter Ernest Lapointe, bras droit et lieutenant québécois du premier ministre fédéral Mackenzie King. J'avais donc entendu cet homme politique promettre solennellement à un vaste auditoire que "jamais" le gouvernement dont il faisait partie n'imposerait aux Canadiens le service militaire obligatoire. La crise de la conscription de 1917, avec ses émeutes et ses morts, était encore présente à la mémoire des Canadiens français; cette promesse prenait donc un relief très particulier avec pour corollaire la certitude que si le Québec reportait au pouvoir le Parti libéral, jamais celui-ci ne voterait la conscription[23]. »

Or, c'est justement ce que le gouvernement a fait, à la suite du plébiscite d'avril 1942. La population canadienne-française se sent trahie. Des six années d'une des guerres les plus atroces de l'histoire de l'humanité, une majorité de Canadiens français semblent ne se souvenir que de ce qu'on a appelé « la crise de la conscription[24] ». Trudeau partage entièrement ce sentiment de trahison. C'est ce qui explique, selon lui, sa seule participation à une activité politique: « Quand les libéraux décidèrent [...] de faire élire à Outremont, dans une élection partielle, le général La Flèche, le tout jeune avocat Jean Drapeau se présenta contre lui comme "candidat des conscrits" et mena une vigoureuse campagne à laquelle je participai, en prenant la parole à l'une de ses assemblées. Ce fut là, je crois, ma seule intervention dans la politique de l'époque[25].»

Le slogan «Finie la flèche du conquérant, vive le drapeau de la liberté!» de son intervention a fait la manchette du *Devoir* du 26 novembre 1942. Entré dans l'histoire, ce discours est très souvent cité dans les livres sur Trudeau. Maintenant que nous connaissons ses ambitions de carrière, nous pourrions nous étonner qu'il n'ait participé à aucune autre activité politique. Avec raison. Pour le moment, examinons de plus près l'article du *Devoir*, pour voir ce qu'il révèle de son engagement politique.

Le 25 novembre 1942 se tient à l'école Lajoie une assemblée électorale de la conscription fédérale d'Outremont. On y présente le programme d'un jeune avocat en tout début de carrière, Jean Drapeau – qui deviendra un jour le maire le plus populaire de Montréal –, le candidat anticonscriptionniste. Il s'oppose à un héros militaire, le major-général Léo Richer La Flèche, revenu de Paris, où il était attaché militaire, pour devenir d'abord adjoint du ministre des Services de guerre, puis ministre de ces Services. Il avait pour mission de défendre la politique de conscription pour service outre-mer du gouvernement libéral. Selon le reportage du *Devoir*, cet événement a attiré une foule si nombreuse qu'il a fallu mettre des haut-parleurs à l'extérieur pour permettre à tous ceux qui n'avaient pas pu entrer de suivre les discours des conférenciers et de «participer à l'enthousiasme qui a régné toute la soirée».

Ce reportage, incluant un résumé des discours des six conférenciers pro-Drapeau, rend bien compte de l'atmosphère survoltée qui régnait dans la salle. Michel Chartrand, orateur hors pair – qui deviendra par la suite une figure colorée du syndicalisme québécois, bien connue pour ses discours incendiaires –, prend le premier la parole. Ce sera ensuite le tour de D'Iberville Fortier, puis de Pierre Trudeau, suivi de deux autres orateurs. Le dernier sera Jean Drapeau, « le candidat des conscrits ».

Avec son bagout devenu légendaire et sur le ton moqueur qui deviendra sa marque, Michel Chartrand accorde magnanimement au général La Flèche « le droit de penser que sa patrie est en Angleterre », alors que la nôtre, dit-il, est au Canada. Or, pour Chartrand, comme pour tous les autres conférenciers, et pour la grande majorité des Québécois[26] francophones, « il est faux de dire aujourd'hui que nous nous battons pour le Canada ». Car, si tel était le cas, s'empresse-t-il d'ajouter, il n'aurait pas hésité un instant à se battre pour défendre et protéger « le sol que nous habitons, le sol où demeurent nos parents, le sol que nous connaissons ». Seulement, cette guerre n'a rien à voir avec la protection du Canada : il s'agit d'un conflit entre l'Angleterre et ses alliés contre leurs ennemis de l'heure. Si donc les Canadiens anglais appuient la guerre, ce n'est pas parce que le Canada est menacé mais, tout simplement, parce qu'ils sont bien plus britanniques que canadiens. Obnubilés par leur patriotisme impérial, ils en oublient la promesse trahie de Mackenzie King. Libre à eux, concède Chartrand, de se définir comme britanniques. Mais cela ne leur donne pas le droit de soumettre les Canadiens français à des « pressions considérables » pour qu'ils endossent une politique impériale. « [Ils disent] que nous sommes des lâches et que nous ne représentons pas le Canada », dit Chartrand, parce que les Québécois francophones ont voté massivement « non » au plébiscite de King. En réalité, explique-t-il, ce plébiscite n'est qu'une fourberie politique visant à délier King de sa promesse solennelle. Emporté par son éloquence, ce futur syndicaliste de gauche accuse Ottawa de vouloir imposer au Québec « un socialisme centralisateur et niveleur ».

D'Iberville Fortier, qui occupera plus tard de nombreux postes de prestige, dont celui de commissaire aux langues officielles à Ottawa et d'ambassadeur dans de nombreux pays, s'adresse alors à la foule. Adoptant lui aussi un ton ironique, il rappelle qu'on a souvent répété aux Canadiens français que ce « sont des enfants gâtés du Canada » et demande à l'assistance : « Nous a-t-on assez choyés ? » On imagine la réponse enthousiaste de la foule qui commence à bien s'animer. Mais, cette fois, reconnaît-il, le gouvernement s'est surpassé : « À l'instigation de cette chère *Gazette*, du *Globe and Mail*, et des Deux Cents de Toronto, il nous délègue un voyageur de commerce chargé de vendre la conscription à la province de Québec… et si elle ne veut pas… *de la lui donner*[27]. » En d'autres termes, selon D'Iberville Fortier, si les Québécois n'achètent pas la conscription, le gouvernement l'imposera de toute façon.

D'Iberville Fortier reprend sensiblement les arguments de Chartrand justifiant l'opposition des Canadiens français à la conscription : « Si nos compatriotes anglais, qu'enchaînent à peine quelques générations au pays, veulent que nous allions combattre sur toutes les terres et sur toutes les mers du globe du moment que l'Angleterre et son empire sont en jeu, nous au contraire, nous n'acceptons la conscription que pour la défense de notre Canada. » En somme, pour lui, les Canadiens anglais sont des nouveaux venus au pays, contrairement aux Canadiens français. C'est ce qui explique leur volonté d'aller se battre outre-mer. Il ajoute : « Si nous comprenons que la civilisation, la démocratie et la chrétienté sont en danger, nous comprenons aussi que notre liberté nationale est en jeu. »

Arrêtons-nous un moment sur ce propos étrange. On a très souvent justifié l'opposition des Canadiens français à la guerre par le fait qu'ils en ignoraient les enjeux. Or ici l'orateur révèle indirectement, avec une candeur désarmante, qu'il sait que « la civilisation, la démocratie et la chrétienté » sont en danger. Mais quand il s'agit de liberté nationale, son choix est vite fait. Ces autres valeurs ne pèsent pas lourd dans la balance.

Comme Chartrand et D'Iberville Fortier, Jean-Louis Arbique, un professeur parlant juste après Trudeau, souligne le patriotisme exemplaire des Canadiens français, toujours prêts à défendre leur pays: «Les Canadiens français se sont conduits dans cette guerre, comme dans toutes les précédentes, d'une manière digne de tous les éloges. […] Ils savent que leur premier devoir, celui devant lequel ils ne se déroberont jamais, c'est de défendre le Canada.»

Même Drapeau, le «candidat des conscrits», reprend ce thème: «Nous ne sommes contre personne. Nous sommes pour le Canada, nous voulons vivre nos principes. S'il est vrai que nous sommes fiers d'être Canadiens, retournons à notre tradition de savoir nous battre pour les intérêts supérieurs de la nation.» Ainsi, pour Drapeau, comme pour les autres conférenciers, «les intérêts supérieurs de la nation» canadienne ne sont pas en cause dans cette guerre, puisque le pays n'est pas menacé. Les conférenciers affirment avec tant de ferveur qu'ils se battraient sans hésiter pour défendre le Canada qu'on est tentés de croire que cette guerre se déroule bien loin, de l'autre côté de l'Atlantique.

Or, au moment où ils parlent, des sous-marins allemands ont déjà torpillé, à plusieurs reprises, des navires marchands, et fait de nombreuses victimes dans le golfe du Saint-Laurent[28]. En effet, pour empêcher que les ravitaillements en provenance du Canada et des États-Unis parviennent à la Grande-Bretagne, le haut commandement nazi décide d'entraver le transport maritime sur le fleuve Saint-Laurent. Le gouvernement canadien construit des bases navales dans les ports de Sydney et de Halifax, en Nouvelle-Écosse, et de Gaspé, au Québec, pour se protéger. Quelques jours après l'inauguration de la base de Gaspé, le 1er mai 1942, un sous-marin allemand pénètre dans le golfe du Saint-Laurent et torpille deux navires marchands, l'un britannique et l'autre hollandais. Le 6 juillet 1942, sur un convoi de 12 navires, 3 sont torpillés, dont un navire grec. Les pertes s'accumulent de mois en mois. Le 14 octobre 1942, soit un mois avant l'assemblée à Outremont, le traversier *Caribou*, faisant la liaison entre Sydney et Port aux Basques, est attaqué et coule. Des 237 passagers, 101 seulement survivent.

La bataille du golfe du Saint-Laurent, notamment la perte tragique du *Caribou*, convainc le Canada, dit anglais, que la guerre ne se combat pas seulement en Europe : les sous-marins allemands ont fait couler 21 navires, plusieurs autres ont subi des dommages importants, près de 300 personnes ont perdu la vie. Des avions sont portés disparus, des cargaisons précieuses sont détruites.... Certaines batailles ont lieu à 300 kilomètres à peine de la ville de Québec. Mais le 25 novembre 1942, à l'école Lajoie, tous les conférenciers affirment avec la plus grande assurance que cette guerre, qui se déroule de l'autre côté de l'Atlantique, ne concerne pas le Canada. Autrement, ils n'hésiteraient pas à se battre pour défendre leur pays.

Curieusement, en 1993, Trudeau écrit dans ses *Mémoires* : « Est-il exact que le golfe du Saint-Laurent grouillait alors de sous-marins ennemis ? Je n'en sais rien mais beaucoup de gens y croyaient alors dur comme fer[29]. » Pourquoi, en 1993, n'en sait-il toujours rien ? Et qui sont ces gens qui y croyaient ? À l'évidence, nos orateurs n'en faisaient pas partie.

À l'école Lajoie, Trudeau prononce le discours le plus passionné de la soirée. Non seulement son slogan fait la manchette du *Devoir,* mais le journaliste écrit que « le professeur Jean-Louis Arbique est moins fougueux que son prédécesseur ». Fougueux est le moins qu'on puisse en dire... Trudeau commence par expliquer à la foule qu'il ne s'agit pas tant de voter pour Drapeau que contre le général La Flèche, qui a eu l'indécence de faire campagne en uniforme. « En démocratie, dit Trudeau, on m'a appris qu'on se présente comme citoyen et non comme le représentant d'une clique militaire. » Il dénonce ensuite « la malhonnêteté écœurante » du gouvernement King qui a eu recours à toutes sortes de ruses pour imposer la conscription pour service outre-mer. Or, dit-il, en démocratie, le peuple ne se trompe pas. «Et si nous ne sommes pas en démocratie, qu'on commence sans tarder la révolution. »

La révolution ? S'agit-il ici d'un procédé oratoire ou notre conférencier préconise-t-il réellement la révolution ? Question pour le moment sans réponse. Le jeune Trudeau s'en prend ensuite aux politiciens du gouvernement King qu'il divise en deux groupes : les «bonzes traîtres» et les «bonzes honnêtes». L'article ne dit pas ce qu'il pense des premiers ni même s'il en a parlé. Au sujet des seconds, il affirme que les bonzes honnêtes qui veulent la conscription font preuve de «stupidité». Reprenant à sa manière l'argument des orateurs précédents selon lequel le Canada n'est pas attaqué, il clame : «Le plus bel exemple de bêtise est l'argument de la maison qui brûle.» En effet, explique-t-il, la preuve que le gouvernement d'Ottawa poursuit une politique «imbécile, quand elle n'est pas écœurante», c'est qu'il a déclaré la guerre «au moment où l'Amérique n'était pas menacée d'une invasion, au moment où Hitler n'avait pas remporté ses foudroyantes victoires».

Hitler n'avait pas remporté ses foudroyantes victoires ? Ainsi Trudeau admet, avec candeur, qu'au moment où il s'adresse à la foule, il est au courant des vastes conquêtes de Hitler. La menace était donc réelle, et la déclaration de guerre du gouvernement King était non pas «imbécile» ou «écœurante» mais au contraire, raisonnable. Comme D'Iberville Fortier qui reconnaît le danger patent que courent la civilisation, la démocratie et la chrétienté, Trudeau admet être bien renseigné sur les victoires fulgurantes des forces hitlériennes. Les orateurs contre la conscription connaissent les enjeux. Pourtant, négligeant complètement la menace nazie, Trudeau ne considère que l'affront fait au peuple canadien-français. Il déclare avec fougue que la politique du gouvernement King justifie la révolution. S'agit-il d'une hyperbole ? Pas vraiment.

La conclusion du discours reprend l'appel à la révolution : «Citoyens du Québec, ne vous contentez pas de *chiâler*. Vive le drapeau de la liberté! Assez de cataplasmes, passons aux cataclysmes.» Notons la juxtaposition de *La Flèche du conquérant* (candidat du *gouvernement fédéral*) en lutte contre le *Drapeau de la liberté* (candidat des *Canadiens français*), qui rappelle étonnamment les thèses séparatistes.

Comment expliquer que ce jeune, qui dit ne pas s'intéresser à la guerre, fasse un discours aussi fougueux? Pourquoi parle-t-il de révolution et de cataclysmes, alors qu'il ne s'agit que de faire élire Jean Drapeau, «candidat des conscrits»? Et si cet orateur considère les réformes comme des cataplasmes, qu'entend-il par cataclysmes? Suggère-t-il un renversement total de l'ordre établi? Une vraie révolution? Et pour aller vers quel type de régime? De toute évidence, ce discours enflammé va bien au-delà de la crise de la conscription, et les cinq paragraphes du *Devoir* soulèvent de nombreuses questions qui restent sans réponses.

Les orateurs à cette assemblée sont convaincus de parler au nom de tous les Canadiens français. L'histoire montre qu'ils se trompent. Au comptage des voix, le général La Flèche emporte largement l'élection avec 12 378 voix contre 6 948 pour Jean Drapeau.

Cependant, pour bien comprendre les activités de Trudeau en marge de ses études, ainsi que son engagement politique au moment où il fait cette intervention enflammée, il est essentiel de le situer dans son contexte historique et idéologique. Vu la place prépondérante qu'occupe l'Église dans la société québécoise, en général, et dans la vie de Trudeau, en particulier, examinons en premier sa position par rapport, d'une part, à la crise sociale et économique et, d'autre part, à la Deuxième Guerre mondiale.

CHAPITRE 6

L'Église bénit le corporatisme

Nous avons ici et là quelques bribes de justice sociale [...]
C'est plus que cela qu'il nous faut,
c'est du corporatisme à plein.
Le cardinal Villeneuve, *L'Ordre nouveau,*
17 avril 1937

La crise économique dévastatrice des années 1930 a suscité, dans presque tous les pays occidentaux, une profonde remise en cause de l'ordre établi. Certains visent seulement la réforme des institutions existantes. C'est le cas du président américain Franklin Roosevelt, qui met en place son *New Deal* en 1933. D'autres, bien plus nombreux, cherchent une transformation radicale de la société. En France, par exemple, plusieurs intellectuels et politiciens cherchent un «ordre nouveau», aux contours vagues, perçu comme une voie mitoyenne entre la démocratie libérale, jugée inadéquate, et les diverses formes de totalitarisme, qu'ils disent rejeter également.

Au Québec, comme on pouvait s'y attendre, ce sont les hommes d'Église qui cherchent des solutions à la crise. Ils s'entendent pour situer la source du mal dans l'individualisme et le matérialisme protestants et anglo-saxons, résultant des «excès du capitalisme» et de l'esprit libéral et démocratique «issus de la Réforme». C'est pourquoi, disent-ils, pour résoudre les problèmes graves de la société, il faudrait avant tout «réanimer les âmes», se débarrasser des «doctrines païennes» et faire revivre «la philosophie chrétienne». C'est ainsi qu'émergera «un homme nouveau».

En 1891, le pape Léon XIII émet l'encyclique *Rerum novarum* (traduction officielle : La soif d'innovations), sous-titrée «Sur le Capital et le Travail». Le 15 mai 1931, soit 40 ans plus tard, jour pour jour, Pie XI émet *Quadragesimo anno* (traduction officielle : Quarante ans), au sous-titre «Pour la restauration de l'ordre social». Ces deux encycliques présentent la réponse du Saint-Siège à l'industrialisation et à l'urbanisation grandissantes de la société. La recherche d'une solution à la crise, particulièrement présente dans cette deuxième encyclique, donnera une forte impulsion à la quête d'un «ordre nouveau». Au Québec, le père Joseph-Papin Archambault, déjà reconnu comme pionnier du catholicisme social, en deviendra le chef de file. Sous l'impulsion de *Rerum novarum*, il participe, en 1911, à la fondation de l'École sociale populaire, dirigée par les jésuites. Il en devient l'âme directrice, en prend la direction en 1929, et restera en poste jusqu'en 1959. Cette école a pour objectif de rapprocher la doctrine et l'action catholiques de la population urbaine, en particulier en formant une élite. En 1913, c'est lui qui lance la Ligue des droits du français. Il en devient le premier président, sous le pseudonyme de Pierre Homier. La Ligue met au monde, en 1917, la revue mensuelle nationaliste de droite *L'Action française*, dont il est corédacteur de 1917 à 1921. Cette revue deviendra *L'Action nationale* et occupera, jusqu'à nos jours, une place de choix parmi les publications nationalistes[1]. En 1921, il fonde les Semaines sociales du Canada, qui rassemblent chaque année, pendant une semaine, des prélats de l'Église et des catholiques laïcs pour discuter de sujets pertinents, d'un point de vue à la fois religieux et social. À l'évidence, le catholicisme et le nationalisme combatifs du père Archambault en font une des figures les plus marquantes du Canada français de l'époque. Sous son influence, écrit le politologue Raymond Laliberté, s'élabore graduellement « une véritable théorie de réorganisation politique du Canada français[2] ».

Le 21 octobre 1931, la conférence qu'il donne à l'Université Laval, à Québec, sur l'encyclique *Rerum novarum* et la toute récente *Quadragesimo anno,* mérite l'attention. Il commence par décrier le mal qui afflige la société : « L'ordre social, à l'heure présente, est fortement ébranlé. Son armature économique fléchit sous les coups redoublés d'une dépression qu'aucune mesure législative ou financière ne semble pouvoir contrôler. [...] Regardez cette immense armée de chômeurs, foule désœuvrée et inquiète que tourmente la faim et qu'entame déjà la propagande révolutionnaire[3]. » Mais, dit-il, réconfortant : « Heureusement, dans ce ciel d'orages un signe d'espérance vient de luire. Il s'élève de Rome[4]. » Il se réfère, évidemment, aux encycliques *Rerum novarum* et *Quadragesimo anno.* Cependant, prévient le père Archambault, il ne suffit pas de lire et de méditer les directives des papes : « Il faut passer aux actes. Il faut s'efforcer de réaliser le programme pontifical, travailler à faire aboutir les réformes économiques et spirituelles qu'il préconise[5]. » Agir, soit. Mais comment ? Pour le savoir, il faut, une fois de plus, écouter le pape : « La restauration de l'ordre social est impossible, affirme Pie XI, sans une complète rénovation de l'esprit chrétien. Car plus encore qu'une question technique, le problème actuel est une question morale. À sa racine se révèle une défaillance des âmes[6]. »

Notons que pour le père Archambault, comme pour toute l'Église québécoise, esprit chrétien et esprit catholique sont synonymes – ce qui exclut la participation du reste du Canada, majoritairement protestant, à la solution de la crise. C'est ce qui ressort clairement de sa conclusion, lorsqu'il demande « à chaque catholique de se mettre résolument à l'œuvre ». Ainsi, sans le dire explicitement, il préconise, en fait, un changement radical qui ne peut se réaliser qu'au Québec, seule province catholique du Canada. Le père Archambault – comme le font systématiquement les hommes d'Église du Québec – transmet ainsi à la population un message ambigu. Sans jamais préconiser la séparation du Québec, il souligne avec ardeur la nécessité d'un nouvel ordre social qui ne peut se réaliser que dans un pays catholique, donc un Québec indépendant. Le jeune Trudeau comprendra cette nécessité, et voudra en pousser la logique jusqu'au bout.

Le père Archambault passe du plan spirituel au plan temporel. Il faut, selon lui, combattre le libéralisme et l'individualisme, causes de la crise, sans tomber dans les faux remèdes que constituent le communisme et le socialisme. Il propose une solution simple pour restaurer l'ordre social : créer des corps professionnels qui, « à la division des classes, cause de tant de maux, substitueraient une collaboration cordiale et achemineraient la société vers une heureuse transformation[7] ». Et pour résoudre la crise politique, il propose de s'inspirer, une fois de plus, des encycliques, qui spécifient clairement le rôle de l'État. Celui-ci doit se restreindre à « diriger, surveiller, stimuler, contenir selon que le comportent les circonstances ou l'exige la nécessité[8] ».

Le père Archambault explique alors que c'est en imprégnant la jeunesse de la doctrine sociale de l'Église qu'on fera « le premier pas vers la formation de ces apôtres laïques que Pie XI désigne comme les facteurs principaux de la rénovation sociale[9] ». Il cite, à l'appui, le cardinal Pacelli, futur pape Pie XII : « Il importe de fournir à la société des élites vraiment chrétiennes […], des âmes disciplinées et fortifiées par la grâce des sacrements[10].» Mais ces âmes, comment les former? Sa réponse: «Le Pape lui-même, une fois de plus, l'indique: c'est par la discipline des exercices spirituels, c'est dans ces centres de tonification que sont les retraites fermées[11].» Nous y reviendrons un peu plus bas.

Ces moyens d'action, pour le moins sommaires, proposés et activement promus par le père Archambault, seront graduellement diffusés partout au Québec. Le 16 novembre 1931, moins d'un mois après son discours, l'évêque de Chicoutimi, Charles Lamarche, expédie une lettre circulaire au clergé de son diocèse, lui transmettant le texte de l'encyclique *Quadragesimo anno*. Il attribue, lui aussi, la crise au courroux de Dieu: «Trop longtemps on a voulu organiser la société sans Dieu et contre Dieu [...] Mais, malgré l'ingratitude et l'aveuglement de ses enfants, ce Dieu, Père quand même, n'oublie pas ses miséricordes: s'il châtie le monde, c'est pour le sauver[12].» L'Église soulignera systématiquement le message de la punition méritée, et affirmera que pour sortir de la crise, les hommes doivent revenir vers Dieu.

Le 4 janvier 1932, dans une lettre au clergé de l'archidiocèse, Mgr Georges Gauthier, archevêque de Montréal, veut lui aussi trouver un remède à la crise, mais il se préoccupe davantage des choix politiques des fidèles. Il les met en garde contre le communisme, considéré par le pape comme «intrinsèquement pervers». Le choix est simple, dit-il, pour les Canadiens français: «Rome ou Moscou. Nous sommes arrivés à la croisée des chemins, et il nous faut choisir. Chez nous l'hésitation sera courte, si même elle existe. C'est à Rome que nous aurons recours parce que Rome c'est le catholicisme et que le catholicisme c'est le salut[13].» C'est exactement le message de Pie XI: «On peut dire en toute vérité que l'Église, à l'imitation du Christ, a passé à travers les siècles en faisant du bien à tous. Il n'y aurait ni socialisme ni communisme si les chefs des peuples n'avaient pas dédaigné ses enseignements et ses maternels avertissements[14].» Il faut donc, dit Mgr Gauthier, appliquer le système social proposé par Pie XI: «À mesure que nous réaliserons cette harmonie entre toutes les branches de l'activité économique, nous pourrons établir "une politique des salaires" qui offre au plus grand nombre possible de travailleurs le moyen de louer leurs services et de se procurer tous les éléments d'une honnête subsistance[15].» Notons les remèdes, un peu plus concrets: une «politique de salaire»; «l'harmonie» dans l'économie...

Le retour à la terre occupe peu de place dans les deux encycliques mentionnées. Dans *Rerum novarum*, le pape souligne, parmi les avantages du travail de la terre, le fait qu'il contribue à «l'arrêt dans le mouvement d'émigration. Personne, en effet, ne consentirait à échanger contre une région étrangère sa patrie et sa terre natale, s'il y trouvait les moyens de mener une vie plus tolérable.» Mais l'Église québécoise apprécie particulièrement cette solution. À leur réunion du 3 juin 1932, les évêques et archevêques proposent avec enthousiasme le retour à la terre. C'est, disent-ils, «la plus profonde solution humaine du problème actuel [...] C'est pourquoi Nous recommandons fortement l'exode vers les campagnes[16]». Au Québec, ce seul et unique remède sera préconisé à de nombreuses reprises. Mgr Gauthier, par exemple, déclare dans sa lettre du 4 février 1934: «L'industrie déracine l'homme de la campagne; elle tend à créer dans les villes ce que l'on appelle le prolétariat, quand ce n'est pas le paupérisme. [...] D'autre part, la terre demeure notre richesse essentielle et la condition de notre stabilité[17].»

L'Église exhorte les jeunes à l'action sociale. Répondant à cet appel, en y ajoutant une forte nuance nationaliste, une vingtaine d'étudiants universitaires, dont le futur grand spécialiste des écosystèmes Pierre Dansereau et les futurs directeurs du journal *Le Devoir* Gérard Filion et André Laurendeau, fondent le mouvement *Jeune Canada*. En décembre 1932, ils présentent, au collège Sainte-Marie, le *Manifeste de la jeune génération*. «Le français est langue officielle du Canada autant que l'anglais», clament-ils. Ils exigent donc l'égalité du français et de l'anglais, tant pour la langue que pour les personnes. Ils appuient très fortement la «campagne [qui] se poursuit actuellement pour la refrancisation de la province de Québec». Dépassant la sphère linguistique, leurs critiques s'adressent à l'économie: «Les Canadiens français sont en train de devenir chez eux un vaste peuple de prolétaires. [...] Nous n'entendons point [...] qu'il soit indéfiniment loisible à des capitalistes étrangers qui exploitent en définitive notre fonds national et la main-d'œuvre canadienne-française de pratiquer contre nos ingénieurs et nos techniciens un véritable ostracisme et de ne nous réserver dans la vie économique de notre pays que des rôles de manœuvres et de domestiques.» Ils concluent leur manifeste avec cet appel aux jeunes: «Souvenons-nous que nous ne serons maîtres chez nous que si nous devenons dignes de l'être.»

Comme on le sait, le slogan «Maîtres chez nous», lancé ici pour la première fois sur la scène publique, fera beaucoup de chemin. Le manifeste suscite un grand intérêt, et il est publié dans de très nombreux journaux et revues du Québec. Des organismes patriotiques, telle la Société Jean-Baptiste, font circuler une pétition d'appui au manifeste. Plus de 100 000 signatures auraient ainsi été recueillies. Ce mouvement laissera une «marque importante dans le paysage social et politique du Québec des années 1930[18]», écrit l'historienne Louise Bienvenue, dans sa thèse de doctorat. Porté par son succès, le mouvement devient de plus en plus radical. Pendant cinq ans, il tente de réveiller la conscience collective des Canadiens français. La défense d'un Québec catholique et français amène le mouvement, et Laurendeau, à préconiser son indépendance économique et politique. Le 3 décembre 1934, ce dernier déclare, dans une conférence intitulée « Qui sauvera le Québec ? » : « Catholiques et canadiens français, voilà ce que nous sommes. [...] Et la patrie, pour nous, mesdames et messieurs, c'est le Québec. »

Pendant ce temps, au Canada, le socialisme se structure, se répand et offre des solutions bien plus concrètes. En août 1932, un parti socialiste voit le jour à Calgary. Il se nomme « Cooperative Commonwealth Federation » (CCF). Déjà, le 3 juin 1932, pressentant le danger de cette concurrence, des prélats de Québec, de Montréal et d'Ottawa se réunissent à Québec et lancent une « lettre pastorale et mandement » au clergé, aux communautés religieuses et à tous les catholiques, pour les prévenir de cette menace[19]. Reprenant l'idée que les épreuves actuelles sont voulues par Dieu pour « les ramener dans les sentiers de la vertu[20] », ils recommandent à nouveau de s'adonner à la prière, d'assister « à toutes les cérémonies du culte » et de se livrer « à la pénitence, afin que [les] péchés soient effacés ».

Mais les prélats ne se contentent plus de recommander la prière. Ils mettent les fidèles en garde contre le socialisme, et exigent qu'on empêche la propagation des idées de ce faux remède : « Il appartient aux pouvoirs publics de faire échec au prosélytisme de ces agents de désolation spirituelle et temporelle[21]. » Au congrès de juillet 1933, le CCF élira comme chef le pasteur méthodiste J. S. Woodworth et adoptera le célèbre « Manifeste de Regina », avec un programme anticapitaliste, mais non communiste. Déjà, en prévision de ce congrès, la revue jésuite de l'École sociale populaire publie, dans son numéro d'avril-mai 1933, une critique sévère de ce parti[22]. L'auteur, le père dominicain Georges-Henri Lévesque, sera le fondateur de la faculté des sciences sociales de l'Université Laval et contribuera à l'avènement de la Révolution tranquille.

Le 5 octobre 1933[23], les archevêques et les évêques du Canada, majoritairement canadiens-français, se réunissent à Québec pour condamner le CCF. Ils rappellent l'admonition de Pie XI «que le socialisme éducateur a pour père le libéralisme, et pour héritier le bolchevisme». Ce dernier est considéré dans *Quadragesimo anno* comme «l'adversaire déclaré de la sainte Église et de Dieu lui-même[24]». Pie XI dira, dans les articles 2 et 3 de l'encyclique *Divini Redemptoris*, du 19 mars 1937: «Des peuples entiers sont exposés à retomber dans une barbarie plus affreuse que celle où se trouvait encore la plus grande partie du monde à la venue du Rédempteur. [...] Ce péril si menaçant, vous l'avez déjà compris, Vénérables Frères, c'est le communisme bolchevique et athée, qui prétend renverser l'ordre social et saper jusque dans ses fondements la civilisation chrétienne.» Voilà à quoi peut mener le socialisme, si on ne fait pas attention. Le 4 février 1934, Mgr Georges Gauthier, archevêque de Montréal, émet une lettre pastorale, et demande qu'elle soit «lue au prône des messes paroissiales, le dimanche qui suivra sa réception». Et quel est le long message à transmettre? Si le communisme, dit-il, n'est pas à craindre au Canada, «le socialisme – ce communisme à longue échéance – est au contraire à redouter; et il est en train de s'installer chez nous[25]». D'où sa condamnation du CCF. Mgr Gauthier recommande le classique retour à la terre, mais il propose, surtout, comme le font les archevêques et évêques canadiens, la restauration d'un nouvel ordre social, vaguement défini, qui favoriserait la coopération entre les classes sociales: «Il faut hâter de nos vœux le moment où, selon la pensée de Pie XI, ces questions pressantes seront réglées par des conventions collectives, patrons et ouvriers établissant d'un mutuel accord un régime qui tienne compte du bien commun et qui favorise la collaboration des divers corps professionnels[26].» Notons les nouveaux termes : l'Église québécoise se réfère maintenant à *la collaboration des corps professionnels.*

De son côté, le 1er février 1933, juste avant son élévation au cardinalat, l'archevêque de Québec, Rodrigue Villeneuve, prononce un très long discours – la transcription couvre 27 pages – à l'occasion du 25e anniversaire de l'Action sociale catholique, fondée par l'archevêque de Québec, Mgr Bégin, le 31 mars 1907. Il lance, lui aussi, un appel vibrant à la mobilisation des Canadiens français : «Ce ne sont point les vaines protestations ni les épouvantes qui changeront le cours de l'histoire de demain de chez nous. C'est l'action, l'action de tous, votre action à vous fidèles, tout autant que la nôtre, celle de vos chefs[27].» Fait digne d'attention, Mgr Villeneuve invite les laïcs à prendre part à deux domaines dans lesquels l'Action catholique était jusque-là absente : l'économie et la politique. Dorénavant, dit-il, l'Action catholique «pourra étudier et élaborer un programme *économico-social,* selon les principes catholiques, [... et] formera au point de vue religieux et social, les dirigeants et les propagandistes des organisations économico-sociales animées de son esprit[28]». De plus, annonce l'archevêque Villeneuve, «si les questions politiques ont un côté religieux et moral, [l'Action catholique] pourra et devra intervenir directement[29]». L'Église québécoise prend ainsi un tournant radical : au nom du Christ, et en écoutant les messages du Vatican, elle va s'engager dorénavant dans les domaines économique, social et politique : «Eh! bien, Messieurs, le Pape nous enseigne comment sauver le monde, arracher la société à la ruine, suivre l'Église et arborer l'étendard de Jésus-Christ. C'est par l'Action catholique[30].»

La réponse à cet appel ne se fait pas attendre. Le numéro d'avril-mai 1933 de l'École sociale populaire s'intitule : « Pour la Restauration sociale au Canada », titre identique à celui de la conférence d'octobre 1931 du père Archambault, qui lui-même s'inspirait du sous-titre de l'encyclique *Quadragesimo anno*. Ce numéro, conçu en fonction de l'action, contient trois articles. Les deux premiers présentent une critique qui aboutit à un rejet du capitalisme et du socialisme canadien (le CCF). Dans le troisième, intitulé « Directives sociales catholiques », le père Louis Chagnon, s.j., indique clairement sa source d'inspiration : « Ces quelques pages ne seront qu'un abrégé très sommaire des directives sociales catholiques, une esquisse des principes d'orientation qui se dégagent de l'encyclique *Quadragesimo anno*[31]. » Il présente, en un peu plus de deux pages, un programme d'action en 13 points qui passera dans l'histoire du Québec sous l'appellation : « Programme de restauration sociale de 1933 ». Nous en résumons les plus intéressants, dans leur ordre de présentation :

- L'État doit soumettre à une réglementation sévère les institutions financières et les compagnies à fonds social afin de supprimer les abus et la spéculation.
- À l'égoïsme dominateur et cupide il faut opposer le véritable esprit chrétien.
- Il appartient à l'État d'imprimer une direction d'ensemble à l'économie nationale et d'instituer un Conseil économique national, expression de *l'organisation corporative,* qui permettra aux pouvoirs publics d'agir en liaison étroite avec les représentants qualifiés de toutes les branches de la production.
- Il faut tendre à l'aménagement d'un *ordre corporatif* par l'organisation complète et légale des différentes professions.

- En vue de rétablir l'équilibre de la population, on doit favoriser l'agriculture familiale, restreindre la culture industrialisée et développer méthodiquement la colonisation.

Mais arrêtons-nous aux mots que nous avons mis en italiques. Ainsi, en mai 1933, on voit surgir pour la première fois les termes *organisation corporative* et *ordre corporatif*. On confie à l'État la tâche de mettre sur pied les institutions nécessaires au bon fonctionnement de ce nouvel ordre. En fait, le modèle proposé exige beaucoup de l'État, dont le rôle et le pouvoir se préciseront avec les années. Bien que le palier gouvernemental (fédéral ou provincial) ne soit pas identifié, on pose, dans le 13e point du programme, que «l'État doit respecter les droits des provinces et le principe d'égalité des deux races», ce qui laisse entendre que ce modèle peut se réaliser à l'échelle du Canada. Or, on a vu que l'instauration d'un «véritable esprit chrétien» – catholique – est impossible au sein de la fédération canadienne, majoritairement protestante.

Ce programme sera la source d'inspiration d'un nouveau parti politique. En 1934 naît l'Action libérale nationale (ALN). Son fondateur, Paul Gouin, est le fils de l'ex-premier ministre libéral du Québec Lomer Gouin et le petit-fils d'Honoré Mercier, aussi ex-premier ministre du Québec. Convaincu que le Parti libéral de Louis-Alexandre Taschereau pratique le libéralisme économique condamné par l'Église, Gouin le quitte avec fracas. Ce nouveau parti a tout pour plaire à l'Église, et surtout aux jésuites. Son manifeste, publié en 1934, reprend dans son premier paragraphe les critiques sévères du libéralisme et la nécessité d'un ordre nouveau contenues dans *Quadragesimo anno*: «La crise actuelle est due en grande partie à la mauvaise distribution dans le domaine économique, à l'avidité de la haute finance et aux abus de toutes sortes qui se sont glissés dans l'application du régime démocratique[32].»

En effet, son Manifeste énonce clairement: «Nous croyons fermement, comme beaucoup d'autres, que l'œuvre de restauration économique se ramène principalement à une œuvre de restauration rurale, basée sur l'agriculture familiale et la coopération. C'est pourquoi nous plaçons à la base même de notre plan d'action, les réformes agraires.» Mais l'ALN propose bien plus que des réformes agraires. Affichant son nationalisme et son anticapitalisme, elle se propose de «briser, par tous les moyens possibles, l'emprise qu'ont sur la province et les municipalités les grandes institutions financières, le trust de l'électricité et celui de l'industrie du papier».

À l'élection provinciale de novembre 1935, grâce à une alliance stratégique avec le Parti conservateur de Maurice Duplessis, ce parti réussit à faire élire 26 députés, dont Gouin. Mais l'ALN ne fait pas long feu. Duplessis réussit à fusionner les deux partis pour former l'Union nationale. Trahi, Gouin travaille pendant quelques années à la renaissance de l'ALN. Les élections de 1939 sont un désastre total, et l'ALN est balayée de la carte électorale. Malgré cet échec, il ne fait pas de doute que l'ALN, comme le mouvement Jeune Canada, a contribué à populariser des formes d'action inspirées de l'Église, notamment dans les collèges et les universités.

L'Église continue à chercher un remède à la crise. Le 30 novembre 1937, tous les évêques du Québec, avec le cardinal Villeneuve à leur tête, adressent une lettre pastorale sur «le problème rural», qui doit être lue à la messe dans toutes les paroisses du Québec. Il est indéniable, disent-ils,

« qu'il existe parmi nous une *question agricole* ». Les évêques recommandent que « nos populations rurales demeurent attachées au sol[33] ». Si les cultivateurs abandonnent leur terre, expliquent-ils, « ce sont des causes morales [...] un état d'âme qui, encore plus que la crise et des circonstances passagères, [qui] l'ont occasionné[34] ». La lettre se termine sur une note d'espoir : « Si vous voulez adoucir vos épreuves terrestres [...] soyez profondément de pieux et généreux chrétiens, et le problème social et la crise agricole seront substantiellement réglés[35]. »

L'Église continue ainsi à suggérer comme solution à la crise le retour à la vocation rurale des Canadiens français. Par contre, l'École sociale populaire est plus ouverte à des réformes plus progressistes. On a vu que, dès 1931, dans son discours à l'Université Laval, le père Archambault, suggérait, lui, la création d'associations qui « substitueraient à la division des classes une collaboration cordiale et achemineraient la société vers une heureuse transformation ». En 1933, dans son programme de restauration sociale, l'École sociale populaire réitère la nécessité de remplacer la lutte de classes par la coopération. Il faudra attendre l'année 1941 pour que soient fusionnés les messages de l'Église et de l'École sociale populaire.

Les tentatives d'action pour résoudre les problèmes sociaux sont importantes, certes, mais n'oublions pas que pour l'Église québécoise, comme pour Pie XI, les changements sociaux et politiques sont impossibles « sans une complète rénovation de l'esprit chrétien », puisque la crise est due, en grande partie, à la défaillance des âmes. Mais comment guérir l'âme ? En partie, par la pratique des exercices spirituels et par la multiplication des retraites fermées, organisées dans tous les collèges classiques. Dans ces retraites, les participants, « les retraitants », n'ont aucun contact avec le monde extérieur. Ils consacrent 24 heures sur 24, souvent dans le silence, à la méditation, à la prière et au renouveau spirituel. Voici, à titre d'exemple, l'Ordre du jour, écrit de la main de l'élève Trudeau, de la retraite à Boucherville à laquelle il participe, le 4 novembre 1935 :

6 h 00	Lever
6 h 25	Visite à la chapelle
6 h 30	Angélus – Prière
	Instruction à la chapelle
	Méditation à la chambre
7 h 30	Messe
8 h 00	Revue de la méditation (à la chambre)
8 h 15	Déjeuner – Chapelet dehors
9 h 30	Instruction à la chapelle
	Méditation à la chambre
10 h 45	Revue de la méditation à la chambre
11 h 00	Temps libre
11 h 45	Examen de conscience à la chapelle
12 h 00	Dîner – Récréation
1 h 30	Chemin de croix
2 h 00	Temps libre
2 h 45	Instruction à la chapelle
	Méditation à la chambre
4 h 00	Temps libre
4 h 30	Instruction à la chapelle
	Méditation à la chambre
5 h 45	Bénédiction du T.S. Sacrement
7 h 45	Souper – Récréation
	Prière à la chapelle
	Instruction – Coucher.

L'Église est convaincue que de ces retraites naîtra une véritable élite. Le père Archambault en est l'un des plus ardents adeptes : «Comme l'apôtre au sortir du cénacle, c'est un homme nouveau qui descend dans la mêlée, l'esprit illuminé des clartés de l'Évangile, la volonté tendue vers son plein rayonnement. Quels que soient les événements qui se présentent, celui-là les affrontera en chrétien. Que dix, que vingt, que cinquante chefs d'industrie ou de finance, dirigeants ouvriers ou hommes d'État, se soumettent à cette forte discipline, transformés, ils agiront ensuite sur la société, comme le ferment dans la pâte, ils la façonneront et la renouvelleront[36].»

Les jésuites prennent particulièrement à cœur la formation de cette élite, dont émergera un chef, à la fois le produit d'une éducation chrétienne et une espèce d'apôtre illuminé par le message chrétien. C'est ainsi qu'en 1935, le jeune André Laurendeau, futur maître à penser du Québec, prie le Ciel pour qu'il envoie un chef canadien-français «pure laine» : «Nous demandons à la Providence de nous envoyer cet homme qui nous tirera du désarroi social et national, qui nous arrachera d'entre les puissances d'argent, d'entre les trusts accapareurs; il nous faut un vrai Canadien français, cent pour cent, qui aime sa patrie et la sauve. Pour ce chef, nous consentirons tous les sacrifices et quand il apparaîtra, nous le reconnaîtrons, nous nous mettrons à ses ordres, car nous serons prêts à lutter et à vaincre[37].»

Mais même si le bon Dieu répondait à ces prières, comment ce chef prendrait-il le pouvoir? Aucune idée. Et s'il se transformait en dictateur? Aucun problème! C'est d'ailleurs ce que l'on souhaite, comme le montre l'article, au titre éloquent, «Pour la dictature», du jeune Robert Labelle, élève en rhétorique. S'appuyant sur l'autorité de saint Thomas d'Aquin, il soutient dans *Brébeuf* du 16 avril 1938 que «le meilleur de tous les gouvernements est celui qui ne dépend que d'un seul». N'ayant pas à lutter contre les exigences parlementaires, la dictature devient plus rapide, plus efficace, et permet de sortir le pays de la crise. C'est pourquoi conclut-il, au terme de son argumentation: «Un régime dictatorial [...] serait le meilleur système gouvernemental possible» pour le Canada. Un croquis de Mussolini illustre son texte.

S'agit-il de l'opinion d'un élève exalté? Pas du tout. Groulx décrit, lui aussi, en 1939, le modèle de chef qu'il souhaite voir émerger: «Et vous, jeunesse, qui tant de fois nous avez déçus, mais qui toujours avez ranimé nos espoirs, faites que, par tous vos labeurs et par toutes vos prières, nous arrive ce qui, pour un peuple trop affaissé, est une indispensable condition de ressaisie, faites que nous arrive ce qui est arrivé au Portugal, à l'Espagne, à l'Irlande, à la Pologne, à l'Italie, même à la Turquie: un chef, un entraîneur, un excitateur d'enthousiasmes et de volonté, qui soit aussi un calme ordonnateur d'énergies, un homme qui sache par quelle politique organique, persévérante, l'on sauve un pays...[38].»

Les chefs des pays cités incarnent-ils «l'apôtre au sortir du cénacle»? Prenons, à titre d'exemple, le cas de l'Italie. Depuis le début des années 1920, Mussolini instaure progressivement un régime totalitaire, fasciste, et élimine impitoyablement toute opposition: séquestration des journaux critiques du régime, assassinat, torture, humiliation publique ou exil des opposants. Tous les autres partis politiques sont bannis, l'État devient tout, comme l'indique la devise souvent citée: «Tout dans l'État, rien en dehors de l'État, rien contre l'État». (*Tutto nello Stato, niente al di fuori dello Stato, nulla contro lo Stato*). De nouvelles lois font de la loyauté au régime un critère d'embauche pour les fonctionnaires de l'État, privent les immigrants de la nationalité italienne, et permettent des représailles non seulement contre les actes politiques, mais contre les paroles, les idées et même les intentions jugées indésirables[39]. En pratique, les pouvoirs législatifs et exécutifs sont confondus, le Grand Conseil fasciste devient l'organe le plus puissant de l'État. Mussolini décrit bien, en une seule phrase, sa conception de l'État corporatiste: «Nous contrôlons les forces politiques, nous contrôlons les forces morales, nous contrôlons les forces économiques, nous sommes donc au sein d'un État corporatif fasciste[40].» Le régime corporatiste met «les travailleurs à la disposition de leur chef comme une "masse qui obéit[41]"».

Voilà le type de chef tant admiré par l'abbé Groulx, et tant d'autres; voilà celui qui viendra sauver le peuple canadien-français. On pourrait donner des détails aussi navrants sur les autres pays cités en exemple. Si leurs régimes les différencient quelque peu, ils sont tous dirigés par un homme fort, non soumis aux aléas du suffrage universel. C'est justement leur attrait, explique Groulx: «Dans le domaine politique, deux obstacles apparemment insurmontables barrent le chemin à toute réforme: le suffrage universel, la dictature financière. Le premier choisit mal les représentants du peuple, la seconde les avilit[42].» La majorité de l'élite canadienne-française partage cette opinion.

Aveugle au danger d'un chef trop puissant, et convaincue que la foi seule peut sauver le monde, l'Église québécoise prépare les jeunes esprits en les imprégnant «d'une religion profonde», et en les initiant aux enseignements de la doctrine sociale des encycliques. C'est ainsi que le jeune Trudeau suit probablement un grand nombre de séances de formation – d'endoctrinement, dirions-nous aujourd'hui – à cette pensée, telle la semaine sociale du 28 novembre au 4 décembre 1937. Nous avons trouvé 40 pages de notes assidûment écrites par lui pendant cette semaine. Plusieurs invités de marque y participent, dont le père Archambault, Victor Barbeau, Gérard Filion et André Laurendeau. Barbeau deviendra philosophe, écrivain, critique de renom, et grand défenseur de la langue française. Il sera à l'origine de la création de l'Académie canadienne-française, en 1944. Filion est déjà le rédacteur de *La Terre de chez nous*, revue des fermiers catholiques. Quand il sera rédacteur en chef du *Devoir*, il deviendra un adversaire farouche de

Maurice Duplessis. Laurendeau vient juste de revenir de ses deux années d'études à la Sorbonne et à l'Institut catholique de Paris, où il a étudié la philosophie et la littérature. Il a été fraîchement nommé directeur de la revue nationaliste, *L'Action nationale,* succédant à son père, Arthur Laurendeau. Il deviendra rédacteur en chef du *Devoir* et, de 1963 à 1968, il coprésidera la Commission royale d'enquête sur le bilinguisme et le biculturalisme (commission Laurendeau-Dunton).

Notons quelques titres des causeries : « L'erreur du libéralisme économique » ; « Les justes prétentions du capital et du travail » (où le conférencier, Alfred Charpentier, décrit les méfaits du libéralisme et du capitalisme) ; « L'illusion du communisme et du socialisme », de Léon-Mercier Gouin, frère de Paul Gouin, qui deviendra sénateur libéral de 1940 à 1976 ; « Les abus du capitalisme moderne ». « La nécessité du corporatisme » est donnée à deux reprises. Personne ne défend une vue contraire à celle de l'Église. À l'évidence, le développement de l'esprit critique ne fait pas partie des objectifs de cette formation...

Le 11 mars 1941 marque un tournant important dans le message de l'Église. À l'occasion de l'anniversaire des deux encycliques sur la restauration de l'ordre social, une nouvelle « Lettre pastorale collective » est émise par les évêques du Québec. On y loue comme toujours la profession agricole, quoique du bout des lèvres, mais en insistant surtout sur l'importance de la coopération : « Que ceux qui le peuvent préfèrent donc les occupations de la campagne à celles des villes ! Ils y gagneront plus facilement leur vie, pourvu qu'ils veuillent s'organiser et coopérer entre eux[43]. » On continue à y souligner également l'importance de la formation des esprits à l'école. C'est là « surtout qu'elle se développera, qu'elle recevra une base doctrinale. [...] On devra consacrer à cet enseignement tout le temps nécessaire[44] ». La lettre insiste sur l'importance d'imprégner les élèves « de la doctrine des encycliques ».

Se penchant cette fois sur le problème de la lutte des classes, la lettre, se référant au pape, préconise ce qu'elle appelle maintenant ouvertement *l'institution corporative*: « On ne saurait arriver à une guérison parfaite que si on substitue à ces classes opposées des organes bien constitués, des "ordres" ou des "professions", qui groupent les hommes non pas d'après la position qu'ils occupent sur le marché du travail, mais d'après les différentes branches de l'activité sociale auxquelles ils se rattachent.[...] C'est donc *l'institution corporative* que l'Église recommande expressément de nos jours, par la voix de son Chef[45] » (les italiques sont de nous). C'est également dans cette lettre pastorale qu'apparaît, pour la première fois, une référence directe, et enthousiaste, au *corporatisme*. On apprend que ce type de régime est déjà populaire au Québec: « Le syndicalisme cependant – l'encyclique *Quadragesimo anno* nous l'a dit clairement – n'est qu'un stade. Il doit nous acheminer vers *le corporatisme*. [...] Nous nous réjouissons vivement de voir quelques-uns de nos citoyens les plus distingués, mus uniquement par leur sens social et catholique, se faire les apôtres de cette réforme salutaire [...] Convaincus de sa valeur morale et juridique, ils cherchent maintenant à en semer le germe dans les milieux professionnels[46]. » Effectivement, comme on l'a vu, Trudeau est initié aux vertus du corporatisme à partir de 1937, sinon avant. Pour répandre cette réforme, ces personnes se joindront aux associations existantes et « les animeront du véritable esprit corporatif, ils en feront un corps unique et homogène ». Leurs efforts seront appuyés par l'État qui « conférera à la corporation ses pouvoirs, lui donnera son armature légale, en fera un véritable organisme professionnel, doué d'autorité pour régir ses membres[47] ».

Débordant d'optimisme, la lettre pastorale affirme que «ce n'est pas là, Nos très chers frères, un rêve». C'est pourquoi elle se termine sur une note pleine d'espérance: «Nous croyons que le jour viendra – bientôt, Nous l'espérons – où la province de Québec donnera au monde l'exemple d'une organisation corporative inspirée des encycliques, et qui, sans rien changer à notre constitution, s'adaptant à notre esprit et à nos traditions, jouera un rôle économique et social des plus bienfaisants. Ce serait vraiment *l'ordre nouveau*, basé sur la justice et la charité, qu'appellent tous les bons citoyens. Nous souhaitons son prochain avènement et nous bénissons de tout cœur les vaillants apôtres de cette restauration salutaire[48].» (nos italiques)

Notons l'association du *corporatisme* avec l'avènement d'un *ordre nouveau*. La recherche d'une troisième voie, d'un *ordre nouveau*, entre le capitalisme et le socialisme, était monnaie courante dans les années 1930. Deux intellectuels français, Robert Aron et Arnaud Dandieu, présentaient, dans *La Révolution nécessaire*, les grandes lignes des changements qui s'imposent, et fondaient la revue *L'ordre nouveau*. En 1936, le cardinal Villeneuve encourage au Québec la mise sur pied d'une revue du même nom. Par la suite, l'histoire a montré que seuls des régimes fascistes ont mis en place cet ordre nouveau. En 1939, probablement en raison de la connotation très négative déjà acquise par ce terme, la rédaction de la revue québécoise *L'ordre nouveau* – maintenant confiée aux jésuites – la rebaptise de son nom actuel: *Relations*. Incontestablement, en 1941, lorsque la lettre pastorale utilise le terme *ordre nouveau*, celui-ci est solidement associé au fascisme – ce qui ne pose pas problème au Québec. En fait, l'Église, comme la majorité de l'élite canadienne-française, apprécie les dictateurs de ces régimes. L'homme de théâtre bien connu Jean-Louis Roux rappelle ce qu'on disait alors, à propos de Salazar, par exemple: «C'est avec beaucoup d'enthousiasme qu'ils [les jeunes

Canadiens français] avaient vu Salazar pousser le zèle jusqu'à appliquer, au niveau de la nation, l'enseignement des encycliques en matière sociale, et faire du Portugal un État corporatiste[49]. » Rappelons que ce tant admiré Antonio de Oliveira Salazar a profité de sa nomination comme premier ministre, en 1932, pour s'emparer du pouvoir et instaurer un régime dictatorial, national et chrétien, qu'il nomme l'État nouveau *(O estado novo)*. Il impose alors un parti unique, l'Union nationale, et s'appuie sur une police omniprésente qui réprime toute opposition. (En 1935, un nouveau parti sera créé au Québec, issu de la fusion du Parti conservateur de Maurice Duplessis et de l'Action libérale nationale de Paul Gouin. Il se nommera l'Union nationale, comme le parti de Salazar.)

Jean-Louis Roux écrit qu'un autre régime fasciste suscitait également l'admiration de l'élite canadienne-française : « Certains de nos professeurs parlaient souvent, sans masquer leur enthousiasme, de l'œuvre de Mussolini dans l'Italie fasciste. Nous a-t-on assez seriné le refrain de l'assainissement des Marais Pontins et de la ponctualité des trains depuis l'avènement du *Duce* ! Avec Hitler, on était plus prudent, mais reste qu'on ne le condamnait pas en termes nets et précis, suivant en cela l'attitude ambiguë du Vatican et de Pie XII. [...][50]. »

C'est donc en connaissance de cause que la lettre épiscopale souhaite voir se réaliser au Québec un ordre nouveau, corporatiste. Henri Bourassa, fondateur du journal *Le Devoir*, et maître à penser de toute une génération, considère cette lettre comme l'« un des plus importants [documents] encore parus dans notre pays », et invite la population « à se pénétrer de sa doctrine, à la vivre partout[51] ». Le cardinal Villeneuve lui donne son appui total : « La Lettre pastorale a le grand mérite de présenter un résumé fidèle de la doctrine sociale de l'Église, puis d'appliquer cet enseignement à notre propre situation. Elle trace un programme de reconstruction de la société canadienne qui devrait rallier tous les hommes de bonne volonté, quelle que soit leur allégeance politique. Il leur restera à en fixer eux-mêmes les détails d'ordre technique et à préparer la réalisation de cet ordre nouveau[52].» Les principes sont bien établis. Il manque un plan d'action.

C'est exactement la tâche qu'entreprend l'École sociale populaire. Pour élaborer les modalités d'application au Québec de la doctrine sociale de l'Église, elle confie au père Richard Arès, s.j., la rédaction d'un document qui servira de guide de travail aux divers groupes d'étude. Entré chez les jésuites à Montréal en 1931, le père Arès est rattaché à l'École sociale populaire depuis 1937. En 1941, paraît *Plans d'étude sur la restauration sociale, d'après la Lettre pastorale collective de l'épiscopat de la province de Québec sur les encycliques «Rerum novarum» et «Quadragesimo anno»*.

Il ne fait aucun doute que Trudeau connaît bien la doctrine sociale de l'Église qui sous-tend ce document. Comme tout son entourage, il en a été imprégné pendant ses années au collège. De plus, le père Arès, qui œuvre depuis 1937 au sein de l'École sociale populaire, a été son professeur d'économie politique à Brébeuf, en 1939-1940. Ce document est digne d'attention: il nous permet de voir comment l'Église québécoise interprète les encycliques papales et comment, en 1941, elle se propose de les adapter au contexte canadien, alors que le Canada est en guerre contre les pays de l'Axe depuis presque deux ans.

Pour rédiger son texte, le père Arès suit de près, presque point par point, la lettre épiscopale du 11 mars 1941. Il commence par analyser les systèmes sociaux en place, dans une section au titre évocateur: «Désordre actuel et faux remèdes». Sans l'ombre d'un doute, pour lui, la société est malade, et tous les remèdes en place s'avèrent totalement inadéquats. Il commence par rejeter le libéralisme et le capitalisme. Ici, comme d'ailleurs dans tout le reste du document, le père Arès ne fait que refléter le point de vue du Vatican.

Qu'en est-il du socialisme? Après avoir reconnu que certaines de ses revendications, comme l'aspiration à une meilleure justice, correspondent à celles du catholicisme social, le père Arès s'empresse d'ajouter, citant *Quadragesimo anno*, que «personne ne peut être en même temps bon catholique et vrai socialiste[53]». Faisant référence au contexte canadien, il rappelle que Mgr Gauthier a mis les catholiques en garde contre le CCF[54]. Quant au communisme, on apprend sans surprise que, selon le père Arès, il faut «le combattre immédiatement en l'empêchant de se propager chez nous[55]».

Dans l'analyse des causes du désordre social, le fascisme et le nazisme brillent par leur absence. Ne feraient-ils pas partie des «faux remèdes»? N'oublions pas que ce texte date de 1941, alors que la guerre fait rage et que le monde occidental prend conscience de plus en plus de l'horreur de ces régimes. Silence spécifiquement québécois ou reflet de la position du Vatican?

Un débat houleux fait rage depuis des décennies, au sujet de la responsabilité du Vatican, et plus particulièrement des papes Pie XI et Pie XII, dans les événements catastrophiques de la Deuxième Guerre mondiale[56]. Sans vouloir nous engager dans la controverse, nous devons signaler, à l'échelle internationale, quelques faits utiles à la compréhension du climat qui règne au Québec au moment de la parution du document de l'École sociale populaire.

Par les accords du Latran, signés le 11 février 1929 par Benito Mussolini et le cardinal Pietro Gasparri, secrétaire d'État de Pie XI, la cité du Vatican est reconnue comme la pleine propriété du Saint-Siège sous son «autorité souveraine». En échange de la reconnaissance par le pape du régime fasciste et de l'État d'Italie avec Rome comme capitale, Mussolini reconnaît le catholicisme comme religion officielle de l'Italie. Pour manifester à Mussolini son appréciation, le pape lui confère, le 9 janvier 1932, «l'Ordre papal de l'Éperon d'or». En conséquence de cet accord, lorsque Mussolini attaque l'Éthiopie, le 3 octobre 1935, en dépit des discours de Eugenio Pacelli (cardinal favori de Pie XI et futur pape Pie XII) sur la paix et la justice, le Saint-Siège ne le condamne pas. Il ne freine même pas les élans guerriers des prélats de l'Église, comme en témoigne la déclaration suivante de l'évêque de Terracina : «Ô Duce! Aujourd'hui l'Italie est fasciste et le cœur de tous les Italiens bat avec le vôtre. La nation est prête à tous les sacrifices pour assurer le triomphe de la paix et des civilisations romaine et chrétienne... Que Dieu vous bénisse, ô Duce[57]!» Que le pape ait signé les accords du Latran avec l'Italie fasciste pour des raisons stratégiques ou pour toute autre raison, cette entente donne au monde, et certainement à l'Église québécoise, le sentiment que le fasciste Mussolini jouit de la bénédiction du pape. Le rusé Hitler le comprend tout de suite. Le 22 février 1929, soit quelques jours à peine après cette signature, il écrit un article vantant cet accord qui montre au monde, selon lui, que le Vatican préfère le fascisme à la démocratie libérale : «Le Vatican fait bien plus confiance aux réalités politiques actuelles qu'à la démocratie libérale avec laquelle il n'est jamais parvenu à s'entendre [...] Le fait que l'Église catholique ait conclu un concordat avec l'Italie fasciste démontre, sans aucun doute, que les idées fascistes sont bien plus proches du christianisme que celles du libéralisme juif ou même du marxisme athée[58].»

L'histoire semble lui donner raison. En effet, quatre ans plus tard, en 1933, à la suite de longues négociations, le pape signe un concordat avec Hitler dans lequel, en contrepartie de certaines concessions faites par le régime nazi, dont l'éducation des jeunes catholiques allemands, l'Église ne se prononcera sur aucun sujet jugé politique concernant l'Allemagne. Dans un article du *National Catholic Weekly*[59], Robert Krieg, professeur de théologie à l'Université Notre-Dame, et auteur, en 2004, de *Catholic Theologians in Nazi Germany*, explique les problèmes, les ambiguïtés et les effets de cet accord avec Hitler. Selon lui, cet accord donne à celui-ci, aux yeux du monde, la légitimité dont il rêvait, démoralisant les catholiques allemands qui, soutenus par leurs évêques, s'étaient farouchement opposés au national-socialisme depuis les années 1920 jusqu'à la signature du concordat, en 1933.

En raison des termes de cet accord – ou pour d'autres raisons, selon certains experts – le Vatican ne souffle mot lorsque, le 30 juin 1934, pendant la nuit sinistrement sur-nommée par Hitler «nuit des longs couteaux», le Führer, avec l'aide des SS, élimine ses rivaux potentiels à l'intérieur du Parti nazi. Il fait assassiner Ernst Röhm et les chefs de la SA (Sections d'assaut), qui étaient ses alliés, et sur qui il avait compté jusque-là pour semer la terreur. Des centaines d'anciens collaborateurs nazis sont ainsi tués dans cette purge sanglante. De nombreux savants et intellectuels, dont Albert Einstein et bien d'autres, fuient ce régime brutal et totalitaire. Le pape se tait également lorsque, la nuit du 9 au 10 novembre 1938, a lieu un violent pogrom, auquel les nazis ont cyniquement donné le nom poétique de *Kristall-nacht* (nuit de cristal), en référence à la quantité de vitrines et de vaisselle brisées. Des nazis, à travers toute l'Allemagne, brûlent une centaine de synagogues, saccagent et pillent des milliers de commerces et assassinent de très nombreux juifs. Silence du pape, une fois de plus. «Il semble que l'antisémi-tisme chrétien ait joué un rôle considérable dans l'holo-causte[60]», écrit John Shelby Spong, ancien évêque épiscopal de Newark. En fait, jamais, pendant toute la guerre, le pape n'a condamné publiquement et ouvertement le nazisme ni le fascisme (même si certains témoignages soulignent ses efforts secrets pour sauver des juifs). Au contraire, les relations du Vatican avec l'Italie fasciste et l'Allemagne nazie, ainsi que le silence du pape au sujet de leurs atrocités, donnent à ces régimes de la respectabilité, surtout pour les croyants et pratiquants.

On comprend mieux le silence du père Arès. Faisant entière confiance au pape – qui donne toutes les apparences de s'entendre avec ces régimes – l'École sociale populaire «oublie» d'inclure le fascisme et le nazisme parmi les faux remèdes. Nous serions tentés de dire que si ce document ne fait pas carrément l'éloge de certains régimes fascistes, c'est parce que le père Arès sait qu'il vit au Canada, pays en guerre contre les forces de l'Axe.

Les causes du désordre social étant identifiées, le père Arès passe aux agents de la restauration sociale. Comme on pouvait s'y attendre, il affirme que l'Église constitue le premier agent de cette restauration. Vient ensuite l'État, et en troisième position, les corps professionnels. En ce qui concerne l'Église, il rappelle que les papes Léon XIII et Pie XI ont proclamé dans leurs encycliques que celle-ci a le droit et le devoir d'intervenir dans le domaine économique et les questions sociales. Se plaçant au-dessus de tous les régimes, elle les appelle «à son tribunal pour les approuver ou les condamner selon les règles de la foi et de la morale[61]».

L'Église proclame la dignité de la personne humaine. Le père Arès rappelle que, selon les encycliques, les ouvriers ont le «droit de s'organiser en groupements professionnels pour défendre leurs intérêts[62]». Par contre, il souligne que ceux-ci ont le devoir d'accepter les inégalités sociales : «Ces inégalités sont nécessaires à l'ordre, elles sont dans l'ordre[63].» Il reconnaît également le bien-fondé des allocations familiales introduites par le gouvernement fédéral. Mais, dans la pure tradition nationaliste québécoise, il trouve suspect et dangereux tout ce qui vient d'Ottawa : «La loi, bonne dans son principe, [...] constitue un empiétement sur les droits provinciaux et représente, en particulier pour la province de Québec, des inconvénients considérables[64].» On s'étonne de trouver dans ce document une critique de la division des pouvoirs entre Ottawa et Québec, puisque, de toute évidence, ce problème n'a aucun rapport avec la restauration de l'ordre social dont traitent les encycliques. Mais lorsque l'École sociale populaire adapte la doctrine de l'Église à la situation québécoise, elle ne peut s'empêcher d'en profiter pour réclamer plus d'autonomie provinciale. En ce qui concerne l'État, deuxième agent de la restauration sociale, le père Arès réitère le point de vue de l'Église québécoise: pour faire face au chômage des jeunes, l'État doit aider l'agriculture, parce que les Canadiens français ne sont pas prêts à s'emparer de la grande industrie. «La profession agricole a toujours été la plus conforme à nos aptitudes, à nos talents, à nos besoins[65].» D'où la nécessité de développer et d'appliquer une politique de colonisation. Ainsi, en 1941, l'Église québécoise profite de la diffusion de la doctrine sociale des encycliques pour continuer à faire la promotion d'un projet qui lui est propre: le retour à la terre. Malgré une industrialisation galopante, le mythe du terroir a la vie dure au Québec; il est systématiquement propagé dans le système scolaire, notamment à travers la littérature. En somme, l'État a pour fonction principale d'être le maître d'œuvre dans la restauration sociale telle que conçue par l'Église.

Le père Arès aborde alors le troisième agent de la restauration sociale: les corps professionnels, dont il fait l'éloge. Il affirme que l'Église reconnaît le droit aux patrons et aux ouvriers de former des associations syndicales, à condition que celles-ci, «suscitées par des catholiques pour des catholiques, se constituent entre catholiques». Il fait également la promotion d'un syndicalisme agricole qui, lui aussi, «a le droit et même le devoir d'être catholique[66]». Pour l'École sociale populaire, les associations syndicales catholiques ne constituent pas une fin en soi. Elles ont pour vraie fonction, comme le dit Pie XI, « de frayer la voie à ces organismes meilleurs, à ces groupements corporatifs[67] ». La corporation constitue, selon le père Arès, « un élément de l'ordre et de l'organisation dans le monde économique[68] ».

Appliquant ce modèle économique aux conditions locales, le père Arès redevient nationaliste : Pour nous, précise-t-il, le corporatisme offre « un moyen de nous libérer, de reconquérir notre patrimoine national[69] ». Il est inutile, dit-il, de tenter cette expérience à l'échelle du Canada, pays trop divers pour se prêter à un mouvement d'une telle complexité. On a vu qu'en réalité le Canada est exclu parce qu'il est, dans l'ensemble, protestant et anglophone. Six ans après ces *Plans d'étude*, le père Arès n'utilisera plus l'argument de la complexité pour limiter sa volonté d'action au Québec seulement. Il écrira, en 1947 : « Il y a un peuple canadien, certes, mais ce peuple hétérogène dans sa composition, divisé dans ses affections et ses vouloirs, ayant moins d'un siècle de vie commune, ne semble pas avoir atteint à cette unité psychologique et morale que requiert la qualité de nation. » Par contre, ajoutera-t-il, « pour les Canadiens français du Québec, cette province constitue vraiment une patrie, et cela au triple point de vue géographique, national et politique[70] ». En 1941, cependant, il se contente d'affirmer que ce régime ne peut servir de mouvement de libération « nationale » qu'à l'intérieur des frontières du Québec. Reprenant avec enthousiasme, mot pour mot, le vœu exprimé dans la Lettre pastorale, le père Arès affirme son espérance que le jour viendra « où la province de Québec donnera au monde l'exemple d'une organisation corporative inspirée des encycliques[71] ». Pour expliquer l'engouement au Québec pour le corporatisme, il cite « les réalisations corporatives modernes et surtout l'approbation de l'Église[72] ». D'ailleurs, déjà le 17 avril 1937, se faisant l'écho du pape, le cardinal Villeneuve lançait le mot d'ordre enthousiaste: «Nous avons ici et là quelques bribes de justice sociale, mais ces semblants de correctifs ne suffisent pas. C'est plus que cela qu'il nous faut, c'est du corporatisme à plein[73].»

Rappelons que, lorsque paraît le document de l'École sociale populaire, le gouvernement de Pétain s'est ajouté aux régimes fascistes appliquant le modèle corporatiste. Pourtant le père Arès affirme que le corporatisme est possible «sous toute forme de gouvernement qui respecte les exigences de la loi naturelle et de la loi divine. Seule la dictature totalitaire lui est nuisible, parce que trop centralisatrice. Donc, loin de lui être incompatible, le corporatisme convient à la démocratie. Il protégera notre système démocratique contre les abus auxquels il est exposé[74]». Pourtant, en 1941, seuls des régimes fascistes ont tenté l'expérience, alors qu'aucune démocratie n'a emboîté le pas. Et pour cause. Examinons le rôle et le pouvoir de l'État dans ce type de régime.

Reprenant le point de vue du père Archambault à ce sujet, le père Arès écrit que l'État devrait «aider, soutenir, stimuler les initiatives privées qui tendent à établir les corporations, et à accorder à celles-ci ce dont elles ont besoin pour remplir leur mission[75]». En somme, c'est l'État qui décide des limites de son propre pouvoir et qui accorde aux corporations les pouvoirs dont elles ont besoin. D'autre part, les corporations, nous dit-on, amènent la paix sociale. Mais comment? Dans un tel régime, comment règle-t-on les cas de conflit au sein d'une corporation? À cette question, l'encyclique *Quadragesimo anno* répond: «Grève et lock-out sont interdits; si les parties ne peuvent se mettre d'accord, c'est l'autorité qui intervient.» (article 94) Le corporatisme ôte ainsi tout moyen de pression entre groupes adverses. C'est l'État qui devient juge suprême de tous les conflits. Il n'existe aucun mécanisme de contrôle de l'État par les citoyens.

Manifestement, le corporatisme va à l'encontre d'une conception libérale et démocratique des rapports entre l'individu et l'État. Dans une démocratie libérale, la société est perçue comme le regroupement d'individus autonomes qui veillent à leur bien-être personnel. Par le biais du suffrage universel, ils ont un contrôle sur les institutions et le système de lois qui les régissent. Les tenants du corporatisme soutiennent que dans un tel système, les individus ne s'intéressent qu'à leurs intérêts égoïstes; leur participation aux affaires de la cité est purement formelle. Par contre, affirment-ils, le système corporatiste tisse des liens « organiques », d'abord entre l'individu et son groupe ou sa corporation, ensuite entre les diverses corporations qui sont, à leur tour, organiquement liées au grand tout qu'est la nation. Dans un système corporatiste, le groupement professionnel est censé constituer l'axe central des activités des individus. Non seulement est-ce de lui qu'ils tirent leur sentiment de fierté et de satisfaction, en y réalisant leurs talents, mais c'est également à travers lui qu'ils agiraient sur la société, en général. Dans un tel régime, les individus, abandonnant toute idée de conflits d'intérêts, sont censés reconnaître la primauté du groupe sur l'individu, accepter leur place dans la hiérarchie sociale, et se soumettre à l'autorité d'un État puissant, dirigé par un chef, bienfaisant et sage, non assujetti à la volonté du peuple.

Le corporatisme est l'antithèse de la démocratie, puisque le peuple est soumis à l'État. Il est l'antithèse du libéralisme puisque la volonté du chef se substitue à l'État de droit. Une lettre de l'épiscopat catholique allemand, publiée dans *Le Devoir* du 6 juillet 1933, montre clairement comment cette conception organique de la nation mène à l'admiration de régimes de type fasciste : « Notre époque se distingue par une affirmation singulièrement énergique de l'autorité et par l'inflexible volonté d'enchaîner organiquement les citoyens et les corporations au grand Tout figuré par l'État. Elle part ainsi d'un principe du droit naturel : il n'est pas, en effet, de vie sociale qui puisse prospérer sans une autorité suprême[76].» L'intelligentsia canadienne-française partage largement ce point de vue.

Contrairement donc à l'affirmation du père Arès, cet «ordre nouveau» corporatiste convient aux dictatures, aux systèmes autoritaires et fascistes. Sa compatibilité avec la démocratie ne repose sur aucune preuve théorique ou empirique. Cependant, puisque le père Arès cite les réalisations modernes du corporatisme, il renvoie forcément aux régimes fascistes européens qui sont d'autant plus admirés qu'ils accordent une place importante à l'Église catholique. Le pape a manifesté son appréciation de ces dictateurs en décorant Mussolini, et en félicitant Franco «pour sa victoire catholique» et Pétain «pour l'heureuse renaissance de la vie religieuse en France[77]».

Ainsi, la recherche d'un nouvel ordre, commencée en 1931 sous l'influence du père Archambault, aboutit, avec les *Plans d'étude sur la restauration sociale*, à la promotion du corporatisme et à une tentative bien structurée de sa mise en pratique. Du fait que ce modèle d'organisation sociale n'ait été utilisé que par des régimes autoritaires et fascistes, plusieurs en ont conclu que, pendant la guerre, la majorité des membres de l'élite canadienne-française était non seulement contre la conscription, mais également sympathique au fascisme.

En 1962, André Laurendeau tente d'expliquer la crise de la conscription et la position des Canadiens français pendant la Deuxième Guerre mondiale. Avec courage et honnêteté, il reprend un à un les événements de cette période, vus de l'intérieur. Alors que les médias canadiens les bombardaient d'informations au sujet des atrocités des nazis, les Canadiens français persistaient à croire qu'il s'agissait de pure propagande. Nous étions «des sourds volontaires[78]», explique Laurendeau, ou «bien naïfs et dûment endoctrinés[79]», selon l'expression de Jean-Louis Roux. Aveuglés par leur haine des «Anglais», ils refusaient de croire tout ce que disaient ou écrivaient ces Anglais au sujet de la guerre. «Ce qui nous en parvenait portait l'estampille de la propagande britannique, nous ne la croyions pas[80]», écrit Laurendeau. Même les rares voix – comme celles du cardinal Villeneuve, de Jean-Charles Harvey, et de quelques autres – qui appuyaient la position du gouvernement fédéral étaient considérées comme victimes de la propagande, et étaient de moins en moins écoutées[81]. Seul un tel aveuglement, dit-il, peut expliquer que Henri Bourassa ait parlé un jour de «Pétain, plus grand à Vichy qu'à Verdun[82]». Il affirme que peu de gens de son entourage écoutaient la propagande de Vichy transmise sur ondes courtes. Peut-être ne l'écoutaient-ils par sur les ondes, mais Laurendeau oublie de mentionner que les discours de Pétain étaient publiés au Québec par les éditions Fidès, contrôlées par les Frères de Sainte-Croix. Le responsable de ce projet était Roger Varin[83]. Celui-ci collaborera avec le jeune Trudeau dans certaines activités politiques.

Mais André Laurendeau n'explique qu'à moitié la cause de cette erreur de jugement. S'il est vrai que les Canadiens français étaient «des sourds volontaires» aux messages des Anglais, en bons catholiques, ils écoutaient d'une oreille très attentive les messages du pape et de l'Église. Pour eux, le corporatisme défendait des valeurs chrétiennes, qui semblaient nettement préférables à celles des démocraties libérales, protestantes et anglo-saxonnes. Enthousiasmés par les messages des encycliques, une grande partie de l'élite rêvait d'établir au Québec un beau régime corporatiste, où un chef puissant ferait régner l'ordre, les valeurs chrétiennes et restaurerait la dignité humaine. L'aveuglement dû à la méfiance de la propagande anglaise n'explique pas adéquatement l'admiration de Henri Bourassa pour le Maréchal...

Lorsque paraît *Plans d'étude sur la restauration sociale*, Trudeau, âgé de 22 ans, est étudiant à l'Université de Montréal. Ce document ne fait que reprendre et confirmer le message de mobilisation lancé en 1931 par le pape à tous les Catholiques. Il en a été imprégné dans ses cours à Brébeuf et dans les semaines sociales. On lui a systématiquement répété que le libéralisme et la démocratie sont à la source du désordre actuel. Par contre, on prie, depuis plusieurs années déjà, pour qu'émerge un chef autoritaire, inspiré par la foi chrétienne, semblable à Mussolini, Pétain ou Salazar. Ce chef tant attendu, canadien-français *pure laine*, rétablira l'ordre et la paix sociale au Québec en instaurant le corporatisme dans un État catholique et français. Jusqu'en 1944, date du départ de Trudeau pour l'université Harvard, c'est dans ce seul contexte idéologique et social qu'il développe sa pensée et qu'il s'engage dans ses activités politiques.

Après la guerre, le père Arès quittera lui aussi le Québec pour étudier à l'étranger. Il obtiendra un doctorat en sciences sociales de l'Institut catholique de Paris ainsi qu'un doctorat en droit international de l'Université de Paris. Il deviendra une figure de proue du nationalisme canadien français. En 1953, le premier ministre Maurice Duplessis, en désaccord avec le gouvernement fédéral au sujet de la taxation et du financement des études supérieures, nommera la Commission royale d'enquête sur les problèmes constitutionnels, sous la présidence du juge Thomas Tremblay. Les quatre volumes du «Rapport Tremblay» publié en 1956 portent clairement la marque du père Arès et des économistes nationalistes Esdras Minville et François-Albert Angers. Ces experts, adhérant à la théorie des deux peuples fondateurs, posent le gouvernement fédéral comme la création des provinces. Alliant cette conception du Canada avec la doctrine de l'Église, ils recommandent une très grande décentralisation. Ils affirment, en effet, que « les besoins auxquels peuvent satisfaire l'individu, la famille, les communautés territoriales et professionnelles ou d'autres corps autonomes doivent être abandonnés à leur propre initiative et à leur libre collaboration. Dans tous les cas, le pouvoir supérieur doit se borner à faire ce qui ne serait pas accompli par les communautés primaires ». Ainsi, la commission propose pour le Canada une structure dans laquelle les provinces et les municipalités ont la responsabilité de presque tous les aspects de la vie de leurs citoyens, réservant au gouvernement fédéral une autorité minimale. Le trouvant trop radical, Duplessis n'a adopté ce principe qu'en partie. Par contre, à partir de 1960, Jean Lesage, et tous les autres premiers ministres québécois après lui, l'ont défendu intégralement. Le Rapport Tremblay a grandement contribué aux luttes endémiques entre le Québec et le gouvernement fédéral relatives à leurs visions respectives du fédéralisme.

Si Pierre Trudeau et Richard Arès partagent le même point de vue jusqu'en 1944, à partir de cette date, ils emprunteront des chemins qui deviendront totalement divergents.

CHAPITRE 7

Lire pour agir

Sûrs d'eux-mêmes, [les mystiques] se révèlent grands hommes d'action.
[Ils sentent] le besoin de répandre autour d'eux ce qu'ils ont reçu,
ils le ressentent comme un élan d'amour.
Henri Bergson,
Les deux sources de la morale et de la religion, 1932

Trudeau, dans la jeune vingtaine, s'engage, sans enthousiasme, dans des études de droit à l'Université de Montréal. En automne 1940, le monde est en guerre, un climat d'insécurité règne au pays depuis la crise économique, et les Canadiens français, se souvenant de la Première Guerre mondiale, s'opposent farouchement à la conscription pour service outre-mer. Au Québec, l'élite clérico-nationaliste donne son appui inconditionnel aux encycliques papales, est pleine d'admiration pour les nouveaux régimes autoritaires d'Europe, et multiplie les prières pour l'avènement d'un ordre nouveau et pour l'émergence d'un chef qui viendrait sauver le peuple canadien-français.

Pour suivre l'évolution de la pensée de Trudeau pendant ces années d'études, ses notes de lecture nous seront particulièrement utiles. En effet, il dialogue avec l'auteur, inscrit des réactions tout à fait personnelles, et se livre avec tant de franchise et de candeur qu'on se sent parfois coupable d'indiscrétion.

Trudeau connaît bien ses notes. Il doit probablement les classer et les relire. Il sait facilement les retrouver. Ainsi, pour ne donner qu'un exemple, il lit, très probablement en 1940, *Le Désespéré*, de Léon Bloy, paru en 1866. En août 1944, soit quatre ans plus tard, il lit, du même auteur, *La Femme pauvre*, roman paru en 1897, et ajoute, sur la même fiche de lecture : « Tout ce que j'ai dit du *Désespéré*, je le redis de *La Femme pauvre* et j'efface le reste. C'est un grand *roman*[1] [...] Écrivain de la douleur et de la misère. » Connaît-on beaucoup d'autres lecteurs aussi bien organisés ?

Suivons-le donc à travers ses lectures à partir de l'été 1940. Pendant les vacances qui marquent son passage de Brébeuf à l'Université de Montréal, il lit surtout pour se distraire. En juillet, il lit deux pièces de Shakespeare : *A Midsummer Night's Dream*, qu'il trouve belle « à ravir l'âme d'un enfant », et *The Tempest*, qu'il apprécie moins, parce que « ça n'a pas la puissance des grands drames (*Macbeth*, etc.) ni la féerie fantastique des comédies[2] ». Remarquons les commentaires, rédigés en français, sur des pièces lues en anglais. Ce phénomène se répétera régulièrement par la suite. Tout indique que Trudeau est un Canadien français qui s'avère être bilingue. S'il lit l'anglais sans aucun problème, il n'en va pas de même pour l'écriture. Toute sa vie, il aura plus de facilité à écrire en français qu'en anglais.

En août, il lit *Le Pain dur*, de Paul Claudel, auteur particulièrement apprécié par les jésuites. Il lira cinq de ses œuvres entre 1940 et 1943 et laissera treize pages de notes très admiratives de ce poète-moraliste, profondément catholique. Il écrit, dans les commentaires sur *Le Pain dur*, « Lu en route du retour, à travers les arides pays de l'Ouest (août 1940) ». Ce type de renseignements, qu'on trouve de temps en temps, est fort utile, aujourd'hui, pour reconstruire son parcours intellectuel. Il trouve que la pièce est un « drame passionnant », écrite dans un style « admirable », si riche qu'il faut la lire et la relire. Il semble totalement inconscient de l'antisémitisme patent de Claudel. En cela, il ne se distingue ni de son milieu ni de son époque. Il résume le sujet sans sourciller : « Drame sombre et profond où [...] toute l'intrigue est psychologique. L'attention est fascinée par ces scènes où des êtres [juifs] évoluent [...] un peu fatalement, comme s'ils étaient contraints à l'action par tout leur atavisme, toute leur force héréditaire. [...] Sichel, cette juive éhontée qui subira tout pour sortir de sa race, pour être enfin libérée du joug qui pèse sur Israël, mais qui garde malgré tout une certaine noblesse dans sa turpitude. » Tout à l'éloge de cet auteur, il écrit : « Je trouve que Claudel est le seul qui approche de la richesse de pensée, de l'abondance de style, de la fécondité d'image, de la philosophie humaine de Shakespeare. »

Trudeau lira avec enthousiasme deux autres écrits de Claudel pendant cette période : *L'Oiseau noir dans le soleil levant* et son œuvre la plus importante et la plus célèbre : *Le Soulier de satin*, qu'il faut lire, dit-il, « ni trop lentement ni trop vite, pour saisir tout ce qu'on peut de la sublimité. [...] L'œuvre est un mariage inégalé du spirituel et du charnel ».

Durant sa première année à l'Université de Montréal, les auteurs d'inspiration catholique, comme Claudel, François Mauriac, Léon Bloy, Paul Bourget, Ernest Psichari et Blaise Pascal, occupent une place très importante dans ses lectures. Trudeau qualifie de chef-d'œuvre *Le Nœud de vipères*, de Mauriac, qu'il lit en septembre 1940. François Mauriac (1885-1970), Prix Nobel de littérature en 1952, présente dans ses romans une sombre vision de l'être humain pris entre ses passions et la recherche de Dieu. Notons que, contrairement à la plupart des auteurs que lit Trudeau, Mauriac appuyait de Gaulle et s'est joint à la Résistance. Un autre commentaire de Trudeau nous informe davantage sur lui que sur le livre : « Les romans ne seraient pas intéressants si les personnages n'avaient quelque ressemblance avec le lecteur. » Et quels sont les traits quelque peu ressemblants qu'il souligne ? « Je prenais avec les femmes, par timidité et par orgueil, ce ton supérieur et doctoral qu'elles exècrent. [...] Je me hâtais de déplaire exprès par crainte de déplaire naturellement. [...] Cette habileté à se duper soi-même, qui aide à vivre la plupart des hommes, m'a toujours fait défaut. [...] Le silence est une facilité à laquelle je succombe toujours. »

Ces notes révèlent un jeune Trudeau qui s'observe sans complaisance ni fausse modestie d'ailleurs. Fervent catholique, il apprécie particulièrement les livres qui l'aident à mieux formuler ses idéaux chrétiens. Ainsi, lisant *Thérèse Desqueyroux*[3], il note : « Il faut avoir lu les romans de Mauriac si l'on veut acquérir la Charité, l'Amour, la Pitié pour l'Humanité. » Il trouve *Le Disciple*, de Paul Bourget[4], « superbe », parce que ce roman illustre merveilleusement la présence de Dieu partout et montre bien que, contrairement à la norme en psychologie, « les mouvements de l'âme ne s'étudient pas comme ceux d'une montre. [...] La leçon qui se dégage est que l'on peut s'emmurer dans des théories qui nous éloignent du bon sens. Mais qu'il suffit d'observer les hommes pour sentir la présence d'un Dieu, d'un mystère de l'au-delà ».

Par contre, *Mondes chimériques*, de François Hertel, ne lui plaît pas particulièrement. Il trouve que « les divers épisodes sont présentés avec originalité, ce qui les sauve de la sécheresse de dissertation. Quelques-uns n'ont guère d'intérêt et d'autres sont tout simplement des bateaux montés autour d'une farce prévue[5] ». Dans l'ensemble, il en apprécie le style, mais trouve qu'il « y a tout de même un peu d'épatatoire, dans une fastidieuse nomenclature de livres lus et non commentés ». Ainsi, si Trudeau connaît et apprécie Hertel depuis ses années à Brébeuf, il n'est pas pour autant un admirateur inconditionnel de ses écrits.

Il lit un seul livre portant sur des questions sociales : *Le Souverain captif*[6]. Le parcours inhabituel de l'auteur, André Tardieu, mérite qu'on s'y attarde. Né à Paris en 1876, il est d'abord correspondant au *Temps*, quotidien de tendance libérale du début du siècle, et devient par la suite écrivain. Mais il est mieux connu comme l'un des plus éminents hommes politiques de l'entre-deux-guerres. En effet, à partir de la fin de la Première Guerre mondiale, il occupe des fonctions importantes au sein du gouvernement et il dirige plusieurs ministères. Pendant qu'il est président du Conseil[7] en 1929-1930, au moment où sévit la grande crise mondiale, il défend une politique favorisant la sécurité sociale, la gratuité scolaire et le financement de grands travaux publics. Cependant, face aux crises fréquentes de légitimité et d'autorité que traverse la France, il perd confiance dans ses institutions et critique sévèrement aussi bien les hommes politiques que le système parlementaire. Convaincu que la IIIe République court à sa perte, il veut rebâtir les institutions de fond en comble et, à cette fin, n'hésite pas à s'associer à l'Action française de Charles Maurras ainsi qu'à d'autres mouvements politiques de même obédience. En 1934, chargé d'étudier une réforme de la Constitution, il préconise un État autoritaire. Il se retire de la vie politique active en 1935, pour se consacrer à l'étude des institutions politiques et des questions sociales.

Tardieu présente ses nouvelles idées dans *Le Souverain captif*, publié en 1936. Il y attaque sans merci la démocratie et le parlementarisme, proposant à la place un système élitiste et autoritaire. Dans un article généralement favorable à Tardieu, Yves Poirmeur, professeur à l'Université de Versailles Saint-Quentin, souligne cependant que « son hostilité au parlement, qui stérilise les gouvernants et empêche la réalisation de la politique qu'il juge indispensable au pays, se renforce d'un mépris social pour des députés, d'extraction modeste et provinciale, incapables pour la plupart d'avoir, selon lui, la hauteur de vue nécessaire à la satisfaction de l'intérêt général et au traitement des affaires d'État[8]».

Tardieu est convaincu que pour qu'un gouvernement soit efficace, il faut un système politique qui «permette à des hommes compétents, issus de l'élite, d'y exercer leurs talents». Plein d'admiration, Trudeau écrit au sujet du *Souverain captif*: «Ouvrage bien fait, concret, plutôt impartial.» Si ces idées autoritaires et élitistes ne le troublent pas, c'est qu'elles vont tout à fait dans le sens des positions de l'Église et de l'élite canadienne-française, qui préconisent même une révolution pour redresser la situation. Tardieu aussi parle de révolution, et souligne sa relation avec le christianisme: «C'est le christianisme qui, par la séparation de la conscience et de l'État, a rendu possibles les révolutions modernes.»

On comprend donc que Trudeau ne fasse aucune remarque négative sur les idées défendues par l'auteur, puisqu'elles correspondent aussi bien aux siennes qu'à celles de son milieu. On sait, par exemple, que les jésuites ne portaient dans leur cœur ni la démocratie ni la Révolution française. Tardieu non plus: «Tous les gouvernements depuis 1789 furent contre la liberté et l'égalité. [...] La souveraineté du peuple n'est pas: la Chambre ne représente ni la majorité de la nation, ni celle des électeurs. La démocratie est le règne de l'argent.» Il trouve le principe démocratique vicié à la base: «Le système des majorités repose sur une présomption, celle de l'infaillibilité du grand nombre. Prouvez-moi que cette présomption est un principe[9].» Ce qui suscite, chez Trudeau, la réaction suivante: «Quoi qu'il en soit, on voit la faiblesse de la démocratie qui ne peut se réformer par elle-même. [...] Plus on veut rendre une idée populaire, plus il faut transiger.» Trudeau ne fait qu'une critique de cette œuvre : «Évidemment, c'est un peu agaçant de voir cette démolition de tout le système actuel, sans pouvoir savoir ce qu'on propose d'édifier.» On reconnaît ici, une fois de plus, le jeune Trudeau qui ne se contente pas des jeux de l'esprit. Pour lui, la réflexion a pour but de guider l'action. Il lit pour agir... Insatisfait, il continue à chercher des bases concrètes à son engagement politique, mais toujours chez des auteurs fortement marqués par le catholicisme.

En mars 1941, il lit, d'Ernest Psichari, *Le Voyage du centurion*. Cette œuvre posthume publiée en 1916 est le récit autobiographique de la conversion et du développement spirituel d'un soldat. Psichari était le petit-fils d'Ernest Renan et l'ami intime du philosophe Jacques Maritain, lui-même converti au catholicisme. Paul Claudel lui a dédié quelques écrits. Lorsque Psichari est mort au front en 1914, il se destinait à la prêtrise. En 1940, le gouvernement de Vichy le prenait comme modèle pour sa «Révolution nationale». Catholique, de droite, il était très apprécié par les jésuites du Québec. Plein d'admiration, Trudeau écrit : «C'est le grand intérêt du volume de voir comment ce jeune homme désabusé du monde est amené à se convertir, en étapes dures mais fermes. [...] Il retrouve sa fidélité envers la France qu'il avait maudite. Mais cette fidélité le conduit vers cette autre à qui il doit fidélité, à cette autre qui est l'âme même de la France : la Chrétienneté (sic!)[10]. [...] Ce grand mystique écrit des pages sublimes, des prières admirables. [...] Plusieurs passages donnent une lumière nouvelle à nos croyances, à des passages de l'Évangile. [...] Surtout, cette belle âme semble réaliser l'importance de Jésus, trait d'union entre Dieu et nous.»

Pendant toute sa première année à l'Université de Montréal, la religion continue à imprégner le choix et l'appréciation des œuvres que Trudeau lit, qu'elles soient en français ou en anglais. Ainsi, Gilbert Keith Chesterton, converti au catholicisme, est considéré comme l'un des plus grands auteurs catholiques britanniques de son temps. La grande majorité de ses écrits fait l'éloge du catholicisme. Lorsque Trudeau lit de lui *The Man Who Was Thursday*, il tire comme leçon : « C'est dans la nature humaine de chercher le bien et le vrai[11]. » De *Point Counterpoint*, d'Aldous Huxley[12], œuvre dans laquelle l'auteur exprime essentiellement sa désillusion et son scepticisme, Trudeau relève surtout les rapports avec le christianisme : « L'œuvre est une admirable création. [...] L'auteur est une espèce de libre penseur humaniste. Son héros [...] idéalise l'homme complet, qui développe pleinement le corps et l'esprit, qui trouve le christianisme écœurant parce que l'ascétisme est un mépris du corps. Il faut d'ailleurs dire qu'il croit que le Christ était un excellent modèle parce qu'il était pleinement humain. [...] En somme œuvre profonde, parfois obscure. Peut-être dangereuse pour un esprit non préparé : et par certaines scènes sensuelles et par les théories hétérodoxes. »

Trudeau est capable d'apprécier les qualités de cette œuvre, même si elle va à l'encontre de sa foi. Cependant, sa remarque sur le danger qu'elle pourrait présenter pour un esprit non préparé montre qu'il a bien intériorisé le principe de la mise à l'Index. On comprend qu'il s'y soit lui-même soumis longtemps et docilement, jugeant ce contrôle raisonnable.

Trudeau cherche dans les œuvres littéraires des enseignements par rapport à sa foi, mais il y cherche également des leçons de vie. Ainsi, ce qu'il lit dans *Point Counterpoint* lui inspire un mécanisme possible de défense : « Un spectacle impressionnant, s'il est divisé en ses composantes, devient facilement ridicule. Ainsi je pense que si quelqu'un m'intimidait ou m'en imposait, je n'aurais qu'à prendre des instantanés de ses gestes, de sa bouche grimaçante, de sa phrase mal construite, ou si cela ne suffisait pas, je n'aurais qu'à songer à l'affreux crâne que camoufle une peau fort mince, pour prendre de l'assurance et au moins offrir en défense un regard méprisant.»

On pense au Trudeau polémiste, et plus tard homme d'État, à qui l'on a si souvent reproché un regard méprisant ou arrogant. On voit ici qu'il a développé cette attitude méthodiquement, comme arme de défense. Il n'est donc pas surprenant que seuls ses adversaires aient décrié ce trait de caractère, l'attribuant à de l'arrogance.

En mars 1941, Trudeau lit les *Pensées* de Blaise Pascal. Ses notes sur les *Pensées* sont si révélatrices que nous nous permettons d'en citer de longs extraits. Il écrit, en introduction: «On hésite à donner son opinion sur Pascal si elle est en quelque lieu désobligeante, car l'on nous a fait accroire que c'était un génie. Lors donc qu'on rencontre une pensée qui semble inexacte ou superficielle, l'on n'est pas enclin à le dire.» Même lorsque nous sommes sûrs d'avoir raison, poursuit Trudeau, la justification de notre pensée contredisant celle de Pascal, «exigerait de longs développements, une foule de subtilités, de références à d'autres axiomes, et aussi beaucoup de restrictions à l'effet que nous n'avons pas la bêtise de croire que Pascal a complètement tort». Mais, demande Trudeau, qu'est-ce qui nous empêcherait d'écrire ce que nous pensons, en omettant toutes ces restrictions et ces références? La réponse à la fois surprenante et intéressante nous interpelle directement en tant que biographes. Sans ces restrictions et ces références, explique-t-il, nous craignons que les lecteurs nous trouvent ridicule. «Et donc notre réticence vient de l'orgueil. Et cet orgueil en suppose un autre bien plus grand, car il pose comme prémisse que des personnes prendront la peine de lire nos écrits, nos chiffons de papier, qu'un jour des biographes s'ingéreront dans toutes nos rédactions pour y connaître le développement de notre esprit. On sent instinctivement combien cela est sottement fastidieux. Aussi on se rebelle contre soi-même, on prend sa plume et on écrit. Mais cette rébellion même est orgueilleuse : elle ne vient pas tant de ce que nous croyons impossible notre future grandeur et la nécessité de biographes, mais bien plus de ce qu'il est très invraisemblable que ces biographes (que nous espérons devoir exister) prendront jamais la peine immense d'étudier l'immensité des paperasses que nous accumulons (comme à dessein et pour leur fournir de la matière !!!) [...]

«Quand moi je critique Pascal, je me dis, avec raison, qu'il n'y a pas de mal à ça, qu'on ne doit pas m'en juger par trop suffisant. Car je n'ai aucune raison de me croire à la valeur de Pascal ; mon écrit n'est donc qu'un moyen inoffensif de perfectionner mon style, de libérer ma pensée, de fortifier mon jugement au contact de celui d'un génie. Mais quand Pascal écrit de Descartes qu'il est ridicule et insipide, n'est-il pas un peu dans ma position ? [...] Le parallèle n'est évidemment pas le même, puisque Pascal venait en un temps où les siècles n'avaient pas confirmé la grandeur de Descartes (tandis que moi je viens quand Pascal est su génial) ; et plus, Pascal écrivant ses pensées était plus assuré de survivre que moi je ne le suis (plus assuré par ses succès antérieurs, mais non plus convaincu ! Telle est mon assurance.) (J'ai cette assurance par jeu, et non pas tant parce qu'elle existe d'elle-même en moi.)»

Incroyable, mais vrai ! Nulle part ailleurs on n'a autant l'impression que Trudeau parle à la postérité, pour qu'on le juge à sa juste valeur. Il veut que ses futurs biographes puissent suivre le raisonnement qui l'a fait aboutir à telle ou telle conclusion – ce qui suppose, évidemment, que ces biographes existeront. Est-ce cela qui explique «l'immensité des paperasses» qui se trouvent aux Archives nationales du Canada et que nous avons pu consulter? On se le demande… Et lorsqu'il affirme être convaincu de devenir célèbre, le fait-il, comme il le dit, « par jeu » ou bien, décidé de s'engager dans la vie politique, il envisage déjà la possibilité de devenir un jour un personnage important? Décidément, on se demande s'il pratiquait déjà ses pirouettes, ses coups de théâtre ou ses clins d'œil au public…

Ce même mois de mars 1941, Trudeau, découvrant *Les deux sources de la morale et de la religion*, d'Henri Bergson, s'exclame, dès la première ligne: « Voilà une œuvre! » Ses cinq pages de notes regorgent d'admiration. Est-ce pour cela que, le 7 avril de la même année, il écrira à l'Archevêché de Montréal pour demander l'autorisation de lire deux autres œuvres de ce philosophe? C'est fort possible. Ébloui par le génie de Bergson, il enchaîne: « L'unique, l'impayable leçon que donne ce maître est de chercher la Vérité impartialement, de voir plus loin que les "axiomes" du bon sens. C'est toute une critique, toute une philosophie à bases inédites qu'il fait intervenir dans cet essai sur la Morale. À écouter ce grand esprit, on profite non seulement de ce qu'il enseigne, mais surtout de sa méthode de travail et de penser. »

Déjà dans ces quelques lignes, trois éléments de la philosophie de Bergson renvoient à des idées promues par les jésuites de Brébeuf: recherche de la vérité; exigence d'aller plus loin que le bon sens; recherche de principes philosophiques servant de base à la morale. Aurait-il déjà été initié à Bergson à travers les cours d'un de ses professeurs? En aurait-il lu des extraits? On ne le sait pas. Il est possible, cependant, que Trudeau ait été ébloui par ce « maître » parce qu'il exprimait ce qu'il pensait – avec plus de génie.

Notons un autre fait qui a probablement contribué à son émerveillement: Trudeau voit un grand penseur se proposer de faire l'apologie du catholicisme sur une base scientifique. Or, comme on le sait, Bergson était d'origine juive. Dans le processus de développement de sa philosophie et de sa recherche de la vérité, il en arrive à répudier sa foi pour se convertir au catholicisme, qu'il considère supérieur à toutes les autres religions, tant sur le plan spirituel que moral. Pour un jeune, comme Trudeau, qui se pique de vouloir chercher avant tout la vérité, comment ne pas s'émerveiller devant ce penseur qui, l'ayant découverte, a le courage de dépasser les pressions sociales de son milieu pour aller jusqu'à adhérer à une autre religion ? Et comment ne pas se réjouir du fait que la religion qui s'impose à Bergson et dont il tente de prouver «scientifiquement» la supériorité sur le plan moral s'avère être celle à laquelle il adhère lui-même, avec passion ? La philosophie de Bergson, notamment telle que développée dans cet ouvrage, a tout pour plaire à Trudeau. Il convient donc d'en esquisser les grandes lignes.

Toute sa vie, Bergson a tenté d'élaborer une philosophie de la morale basée sur des principes scientifiques. Bien qu'ayant reçu le prix Nobel de littérature en 1927 pour son œuvre maîtresse, *L'Évolution créatrice*, publiée en 1907, il n'aurait véritablement réalisé son objectif qu'avec la publication, en 1932, du dernier grand ouvrage de sa vie : *Les deux sources de la morale et de la religion*[13]. Avec cette œuvre, selon ses admirateurs et disciples, il élabore enfin une «science» de la morale qui accorde une place déterminante à Dieu, à la religion et au christianisme. On n'est donc pas surpris que Trudeau qualifie ce livre de «magnifique théodicée», qui établit, selon lui, une manière très satisfaisante de comprendre et d'expliquer Dieu.

D'où nous vient la notion de Bien, demande Bergson ? Quels sont les fondements de la Morale ? La première source de la morale, celle de «la société close», écrit Trudeau, qui traduit fidèlement la pensée de Bergson, est la raison. Quant à la seconde source, celle de la morale de «la société ouverte», celle-ci, dépassant la raison, et nous liant à Dieu, s'adresse à toute l'humanité et «fut amenée par des grands mystiques qui virent qu'Il aime tous les hommes».

Selon Bergson, la raison, comme source de la morale, peut donc mener les êtres humains bien loin, mais elle ne suffit pas. En effet, pour lui, même la «société juste» de Platon se limite à une société bien définie; ses membres sont «liés les uns aux autres par des obligations strictes[14]». Pourtant, Platon est arrivé, par la raison seule, à une conception de la morale très proche de celle de la «société ouverte»: «De là à l'idée que tous avaient une égale valeur en tant qu'hommes,... il n'y avait qu'un pas. Mais le pas ne fut pas franchi. Il eût fallu condamner l'esclavage, renoncer à l'idée grecque que les étrangers, étant des barbares, ne pouvaient revendiquer aucun droit[15].» Ce «pas» est en effet infranchissable par la raison seule, explique Bergson, parce que «la raison ne peut qu'alléguer des raisons, auxquelles il semble toujours loisible d'opposer d'autres raisons[16]».

Bergson soutient que le peuple juif, quoiqu'il se distingue fondamentalement des Grecs, reste dans une morale et une justice de «société close». En effet, la justice que prêchaient les prophètes d'Israël «concernait avant tout Israël; leur indignation contre l'injustice était la colère même de Jahvé contre son peuple désobéissant ou contre les ennemis de ce peuple élu[17]». Néanmoins, écrit Bergson, le judaïsme avait presque atteint une morale de société ouverte. «Israël [...] s'élevait si haut au-dessus du reste de l'humanité que tôt ou tard il serait pris pour modèle[18].» C'est justement ce qu'a fait le christianisme, successeur naturel du judaïsme, réalisant ainsi un saut qualitatif sur les plans de la morale et de la justice.

Mais pour passer du groupe à l'humanité, du respect de la loi à l'amour d'autrui, il faut, affirme Bergson, dépasser non seulement l'intérêt particulier mais également la raison humaine: «Il fallut attendre jusqu'au christianisme pour que l'idée de fraternité universelle, laquelle implique l'égalité des droits et l'inviolabilité de la personne, devînt agissante. On dira que l'action fut bien lente : dix-huit siècles s'écoulèrent, en effet, avant que les Droits de l'homme fussent proclamés par les puritains d'Amérique, bientôt suivis par les hommes de la Révolution française. Elle n'en avait pas moins commencé avec l'enseignement de l'Évangile, pour se continuer indéfiniment : autre chose est un idéal simplement présenté aux hommes par des sages dignes d'admiration, autre chose celui qui fut lancé à travers le monde dans un message chargé d'amour, qui appelait l'amour[19]. »

Fraternité universelle, égalité des droits, inviolabilité de la personne… toutes des notions que l'on retrouve chez Trudeau, tout au long de sa vie, et qu'il rencontre probablement pour la première fois dans le cadre d'une philosophie politique et morale d'un auteur de grand renom. Pour Bergson, que lit avec enthousiasme le jeune Trudeau, c'est par le christianisme que des idéaux abstraits, tels « l'inviolabilité de la personne » ou « l'égalité de droits », sont devenus « agissants ». Comment ne pas penser que la Charte des droits et libertés – qu'il a léguée au Canada avec le rapatriement de la Constitution en 1982 – ne soit pas sa manière de rendre ces principes « agissants » ? On a tendance à attribuer les concepts de primauté de la personne, d'inviolabilité des droits, chez Trudeau, à sa découverte du personnalisme de Mounier. Comme on le voit, ces concepts, il les avait déjà rencontrés dans ses cours de religion à Brébeuf. Il les a également lus dans une œuvre de Bergson qui l'a ébloui. Le personnalisme a enrichi et précisé sa pensée, mais la plupart des idées qu'il y a trouvées lui étaient déjà bien connues. Il le confirme lui-même dans ses *Mémoires* lorsqu'il écrit : « Mon adhésion au personnalisme n'a pas été l'effet d'une illumination subite sur le chemin de Damas. Au contraire, elle fut l'aboutissement d'une longue réflexion[20]. »

Comment, selon Bergson, rend-on les idéaux d'inviolabilité de la personne, de justice sociale « agissants » ? Cela se fait par un processus de dépassement de ce qui existe déjà pour créer quelque chose de nouveau. Ce processus, que Bergson qualifie «d'élan vital», consiste à «supposer possible ce qui est effectivement impossible dans une société donnée[21]». Pour penser une «société ouverte», englobant l'humanité tout entière, il faut aller au-delà de la raison, qui se limite, forcément, à ce qui existe déjà. Pour que ceci se réalise, il faut qu'émergent des hommes qui ont la capacité exceptionnelle de «supposer possible ce qui est impossible» et qui agissent en conséquence. Bergson appelle ces êtres des «mystiques», qu'il décrit comme «des âmes privilégiées [...] qui se sentaient apparentées à toutes les âmes et qui, au lieu de rester dans les limites du groupe [...] se portaient vers l'humanité en général dans un élan d'amour[22]». Ces êtres exceptionnels, ces «mystiques» nous inspirent à les suivre, à les imiter. Comment y parviennent-ils? «Ce n'est plus une coercition plus ou moins atténuée, écrit Bergson, c'est un plus ou moins résistible attrait[23].»

D'où vient le pouvoir de ces mystiques, selon Bergson? «Sûrs d'eux-mêmes, parce qu'ils sentent en eux quelque chose de meilleur qu'eux, ils se révèlent grands hommes d'action, à la surprise de ceux pour qui le mysticisme n'est que vision, transport, extase. [Ils sentent en eux] le besoin de répandre autour d'eux ce qu'ils ont reçu, ils le ressentent comme un élan d'amour. [...] Amour qui fait que chacun d'eux est aimé ainsi pour lui-même, et que par lui, pour lui, d'autres hommes laisseront leur âme s'ouvrir à l'amour de l'humanité[24].»

La théorie des mystiques de Bergson expliquerait-elle, d'une certaine façon, l'étrange fascination qu'exerçait Trudeau sur les foules? Pendant les élections de 1968, ce phénomène était si puissant qu'on l'a baptisé «Trudeaumanie». Nulle part, dans les annales canadiennes, on ne trouve pareil engouement pour un homme politique. Des foules enthousiastes, parfois jusqu'au délire, s'assemblaient pour l'écouter ; des jeunes filles tombaient presque en pâmoison à sa seule vue... Lorsque Trudeau est mort, 16 ans après avoir quitté le pouvoir, un élan d'amour et de reconnaissance s'est emparé de toute la population canadienne, pendant plus d'une semaine. Des gens, venus de près ou de loin, faisaient patiemment la queue pendant des heures pour s'incliner quelques secondes devant son cercueil. Même ses adversaires les plus farouches reconnaissent qu'il avait un certain « charisme ». Serait-ce l'équivalent de la « force vitale » de Bergson ? On le croirait volontiers... Les Canadiens auraient perçu son humanisme, son « élan d'amour » et sa réelle volonté de rendre la société plus « ouverte », laissant moins de place à la haine et à la discrimination. Que l'on utilise le mot « mystique », comme Bergson, ou tout simplement « charisme », cette caractéristique de Pierre Trudeau expliquerait que, intuitivement, la plupart des gens l'ont toujours considéré comme faisant partie d'une « classe à part ».

La lecture de Bergson confirme Trudeau dans sa conviction que pour rechercher le Vrai et le Bien, la raison seule ne suffit pas ; il faut qu'intervienne la foi. Elle le rassure dans son sentiment, renforcé à Brébeuf, que le chef ne doit pas avoir honte de reconnaître ce qui est exceptionnel en lui, qu'il ne doit pas hésiter à s'opposer aux idées reçues. Tel était d'ailleurs le thème le plus commun de ses articles dans *Brébeuf*. Par contre, il ne semble pas saisir une idée essentielle de Bergson : celle de la morale de la « société ouverte ». Le mystique doit travailler pour le bien de toute l'humanité et non pour celui d'un groupe particulier, les Canadiens français par exemple, comme on le lui enseignait à Brébeuf. Il faudra attendre plusieurs années avant que Trudeau ne fasse vraiment sienne cette idée, et qu'il dépasse le nationalisme de son milieu, expression d'une morale de « société close ». Combattant alors le nationalisme de sa jeunesse, il appliquera une morale de « société ouverte » au Canada, cadre dans lequel s'exerce son action politique immédiate. Il luttera pour que soient reconnues la dignité et l'inviolabilité de chaque personne. En œuvrant également pour la paix, le désarmement et les droits de la personne, partout dans le monde, il luttera pour que l'humanité tout entière tende vers une morale de « société ouverte ».

La lecture de Bergson terminée, en mars 1941, il faudra attendre jusqu'au mois de février 1942 pour que Trudeau se relance systématiquement dans la lecture d'ouvrages de nature politique et philosophique. Entre ces deux dates, il lit surtout des œuvres littéraires. Notons son appréciation de quelques grandes œuvres. À propos de *Du côté de chez Swann*, de Marcel Proust, il écrit, très admiratif : « Celui qui n'a jamais lu Proust est bien à plaindre […] Car il n'aura pas appris qu'il est possible d'être spectateur de son âme. » Il apprécie beaucoup *Alice's Adventures in Wonderland*, de Lewis Carroll, qui indique, une fois de plus, son attrait pour l'extraordinaire : « Il faut revenir aux Anglais pour trouver des œuvres de "non-sense". Ils ont l'imagination […]. À tout âge on apprécie un tel livre qui méprise le banal réel, […] et qui plie les mots à des usages nouveaux[25]. »

En septembre 1941, après avoir fait lui-même une expédition remarquable en canot, il lit, avec ravissement un récit de voyage publié en 1929. Dans *Équipée ou Voyage au pays du réel*, Victor Segalen exprime sa passion pour la nature sauvage, pour les sensations fortes, et son dégoût pour les retours dans la vie urbaine. « Bravo, écrit Trudeau, voilà véritablement un livre à sensations ! Et je n'aurais pu trouver meilleur temps pour le lire qu'au retour de l'Équipée de la Baie d'Hudson […] Chaque chapitre révèle et fait sentir une sensation nouvelle, inexploitée par les poètes banals, une sensation réelle et vivace : […] le bain dans le torrent, les sensations de la peau au contact des baisers de l'eau, la descente d'un rapide. Et ce qui est véritablement extraordinaire, c'est que ce chef-d'œuvre explicite une foule de joies, de dégoûts, que ressent tout vrai voyageur de l'inconnu. Ainsi ce dégoût pour le retour, [...] ce mépris pour les «Tiens! Tu n'as pas changé» du retour[26].»

L'expédition à laquelle se réfère Trudeau est en fait une équipée de plus de 1000 miles, entreprise avec son ancien camarade de classe, Guy Viau, et les cousins Desrosiers, pendant les vacances de 1941, et qui refait le chemin parcouru, au XVIIe siècle, par Radisson et Des Groseillers, coureurs de bois et fondateurs de la Compagnie de la Baie d'Hudson[27]. Partis de Montréal, ces jeunes ont remonté la rivière des Outaouais, traversé le lac Témiscamingue, descendu l'Harricana jusqu'à la baie James, et traversé cette baie pour atteindre Moosonee. En juin 1944, Trudeau écrira une ode à l'amitié et aux vertus purificatrices de la communion avec la nature, inspirée de cette expédition. «L'ascétisme en canot» sera publié dans le *Journal JEC*[28].

Mais c'est un compte rendu fort différent qu'il en fait à son retour, dans une lettre de huit pages, datée du 5 septembre 1941, adressée à François Hertel[29]. Dès les premières lignes, on constate les liens d'amitié et de confiance que le jeune Trudeau entretient avec Hertel. «Mon cher Monsieur Hertel, Vous ne lisez donc pas les journaux, vous? Ou est-il possible que la région de votre exil soit si reculée que vous n'ayez rien entendu d'une équipée dont s'entretient tout le monde civilisé?» Trudeau fait ici allusion au fait que Hertel a été transféré de Montréal à Sudbury, dans le nord de l'Ontario. Quant à «l'équipée dont s'entretient tout le monde civilisé», il s'agit d'un petit entrefilet d'un journal local non spécifié. On ne tarde pas à constater que Trudeau a peine à contenir sa rage parce que le journaliste a eu l'audace de rapporter leur expédition comme s'il s'agissait d'un voyage d'agrément: «"Étudiants qui font un voyage agréable", c'est le titre, grandiose, incroyable mais vrai. "Ils font une agréable excursion" (Phrase géniale de journaliste. Sentez-vous qu'elle caractérise le sublime essai, l'incommensurable hardiesse de notre gentille randonnée ?) [...] Non mais, sans blague, a-t-on jamais rien vu de si stupide ? Et ce qui me fait bouillonner à chaque fois, c'est que le dernier passage est plus monumentalement inepte que l'ensemble de l'article (la partie plus grande que le tout). Je comprends que le journaliste écrive idiotement, c'est la consigne. »

Suivent plusieurs attaques dans le même style. Mais Trudeau ne peste pas seulement contre le journaliste ; toute l'aventure merveilleuse dont il rêvait a failli, selon lui, très mal tourner : « Mais là où je suffoque mortellement c'est quand David, dans l'impossibilité de se trouver un coéquipier (il faut être deux par canot), décide de solder un Indien. Ça, c'est le comble. [...] Moi j'étais parti de Montréal dans l'intention d'assouvir un peu cette extraordinaire soif de l'extraordinaire. Imaginez alors mes sentiments lorsque j'apprends que cette "agréable excursion", à laquelle j'avais longtemps rêvé, et qui était un peu *mon* entreprise (chut ! Il ne faut pas le dire aux autres) allait prendre une allure tout à fait bourgeoise. [...] Merde !»

On imagine la déception de Trudeau. Inspiré peut-être par sa lecture d'Alexis Carrel, il est convaincu qu'il faut se priver, pousser son corps jusqu'à ses extrêmes limites pour devenir véritablement homme. De plus, un futur chef se doit de développer au maximum à la fois son corps et son esprit. C'est donc pour braver les éléments et le danger qu'il a conçu et organisé ce qu'il appelle cette «entreprise». Engager un guide (indien) minait totalement le projet.

Dégoûté, Trudeau envisage d'abandonner le groupe. Mais il change d'avis pour des raisons qui révèlent un aspect très intéressant de son caractère : « Le ciel soit loué qui, après deux jours, se mit à nous envoyer de la misère. D'abord il se trouva que l'Indien n'avait parcouru que 60 des 280 miles entre Amos et Moosonee ; il n'était donc pas un guide [...] Malheur à l'homme qui dira que nous avons eu un guide; il sentira la lame de mon poignard. Pour comble de veine (peut-on être cynique à ce point!), ce pauvre Indien après deux jours attrape une grippe formidable. Et tout le long du voyage il aura la fièvre, il délirera. Aussi nous pouvons rivaliser avec lui de hardiesse et d'artifice. Ainsi Guizot et moi sautons des rapides où les autres portagent. Les vivres commencent à manquer, les portages sont impossibles, les rapides dangereux, la pluie nous accable, l'ouragan souffle sans arrêt. En somme la vie commence à être belle.»

Comment peut-on se réjouir d'une telle série de malchances? Pourtant, voilà ce qui ravit Trudeau au plus au haut point. En tout cas, puisque ses amis et lui ont réussi à surmonter toute cette adversité, on aurait pensé qu'il aurait été particulièrement fier de lui. Mais non. Après avoir raconté à Hertel le reste de ses exploits, il explique les raisons d'une si longue lettre: «Je croyais probablement qu'en écrivant librement je finirais par me justifier, par légitimer l'entreprise, par prouver que je n'avais pas misérablement raté. Pourtant, je dois conclure scolairement que je ne suis pas plus homme qu'avant, malgré ma barbe. [...] En somme, de quoi est-ce que je me plains? De ce que notre aventure ait bien tourné? De ce que nous soyons revenus sains et saufs? Ma foi, je crois que j'étais parti avec la conviction que nous devions nous perdre dans les bois, que nous étions destinés à vivre deux ans chez une tribu merveilleuse dans un pays inconnu. Quel idiot! Ces choses-là n'arrivent pas. Il n'y a qu'une chose extraordinaire, non banale, qui puisse arriver dans une vie: c'est la mort.»

On reste interloqué devant la sincérité désarmante de cet aveu. À la quête d'aventures extraordinaires – comme on en lit dans les livres –, Trudeau ne trouve pas la vie à la hauteur de ses attentes. Pensait-il à Alexis Carrel, qui écrit: «La mort elle-même devient souriante quand elle s'associe à une grande aventure, à la beauté du sacrifice, ou à l'illumination de l'âme qui s'abîme dans le sein de Dieu[30] »? Fait-il preuve de manque de maturité? Exprime-t-il le désir de se prouver qu'il peut tout affronter, qu'il n'a peur de rien, même pas de la mort? Veut-il se préparer à devenir un chef? Est-ce une hyperbole de collégien? Quelle que soit l'hypothèse retenue, force est bien de conclure qu'on est loin ici de la sérénité de l'article qu'il écrira trois ans plus tard, « L'ascétisme en canot ».

Trudeau termine sa lettre en manifestant son manque d'intérêt pour ses études. « Excusez ce libre bavardage. J'en perdrai l'habitude dans deux jours : mes professeurs viendront me dégoûter encore une fois du voyage sous toutes ses formes », écrit-il à Hertel avec, peut-être, un serrement de cœur.

Peu après la rentrée en deuxième année à l'université, son ami Roger Rolland l'invite à écrire pour la revue qu'il vient de fonder, *Amérique française*. Trudeau choisit de faire un compte rendu des *Voyages de Marco Polo,* d'Alain Grandbois[31], livre couronné d'un prix David, soit une des trois récompenses financières attribuées alors aux trois meilleurs livres de l'année. Rappelons qu'il revient à peine de sa merveilleuse équipée de 1000 miles. Il vient de lire, par ailleurs, *Équipée* de Victor Segalen, qui l'a enthousiasmé. Ce nouveau livre, qui est censé traiter des voyages d'un des plus grands explorateurs, lui déplaît catégoriquement. L'introduction de son bref compte rendu est dévastatrice : « Ouvrage que tout homme cultivé se doit d'avoir dans sa poubelle[32]. » Il explique ainsi son jugement : « En somme […] il a suffi de tout précipiter ensemble, de mentionner ici et là les Polo, les citer en masse, de combler les failles par quelque anachronisme sur Mahomet, et voilà votre livre. C'est ainsi qu'on

fait le chocolat. [...] Quand l'épisode est vieux de sept siècles, on est vraiment peu excusable de ressasser les péripéties, à moins de faire quelque trouvaille historique; à moins
de fournir l'effort littéraire, d'explorer des sentiments nouveaux. (Je pense à la splendide *Équipée* de Victor Segalen.)»
Le reste de la critique est de la même eau. Trudeau reconnaît
néanmoins à l'auteur quelques qualités: «Je ne dirai pas
qu'il ait misérablement failli: dans un style clair et toujours
naturel, c'est la narration d'anecdotes sur ces étrangers
d'autrefois.» Mais, pour lui, cette œuvre insipide ne mérite
pas un premier prix: «Car un premier prix contient la promesse d'une œuvre nouvelle, d'une chose pétrie et façon-
née.» C'est pourquoi il conclut: «Mais l'auteur n'apporte
pas un souffle vierge. L'artiste n'a rien créé. Et nous dévisa-
geons une vulgaire vulgarisation pour le vulgaire...»

C'est la première fois que Trudeau écrit pour une revue
non collégiale. Est-ce pour cela qu'il soumet son brouillon à
quelqu'un pour obtenir une critique de son style[33]? Aucun
indice ne permet de deviner l'identité du correcteur, dont la
calligraphie se distingue nettement de celle de Trudeau.
S'agit-il de Vadeboncoeur? Dans ses *Mémoires*, Trudeau
écrit: «C'est Pierre Vadeboncoeur qui, vers la fin du cours
classique, allait m'initier véritablement à l'art d'écrire le
français[34].» Interrogé par nous, celui-ci affirme n'avoir
jamais corrigé de texte de son ami, et dit ne pas savoir à
quoi Trudeau fait allusion[35]. Serait-ce Roger Rolland, le
directeur de la revue? Interrogé, Rolland nie avoir jamais
vu le brouillon de ce compte rendu. Serait-ce alors Jean-
Baptiste Boulanger (décédé en 2000)? «Ce garçon précoce
m'épatait», écrit Trudeau dans ses *Mémoires*[36]. Quel que
soit ce correcteur, le ton des commentaires indique sans
aucun doute qu'il s'agit d'un ami intime qui se permet de le
critiquer durement, tout en s'en excusant: «Pardonne un
certain ton de suffisance, qui vient du rôle que tu me fais
jouer.»

Au sujet du « souffle vierge », le correcteur écrit : « Très bien ». Par contre « la vulgaire vulgarisation pour le vulgaire » est jugée « faible ». Ce qui n'empêche pas Trudeau de garder sa phrase dans la version finale. On trouve, dans les marges, des commentaires du genre : « C'est aller chercher l'expression de ton idée dans une observation en l'air. » Mais on trouve, à l'occasion, quelques éloges : « bon », « excellent ». Le correcteur fait parfois la morale à Trudeau : « Je conçois maintenant comment ton orgueil te puisse être une occasion de chute ! [...] Tes principaux défauts : de ne point avoir suffisamment tu le harangueur en toi ; les mots parfois t'entraînent au point que tes observations en souffrent – le modèle ici est La Rochefoucaud, qui ne s'emballe jamais – [...]. Je voudrais aussi que tu considérasses moins fixement ton lecteur – on te sent préoccupé d'une réussite. » Vu le style fort précieux de ces observations, on se demande si Trudeau a bien choisi son correcteur. Ce dernier poursuit en résumant les trois degrés de l'art. En conclusion, néanmoins, il encourage son ami : « La plus belle réussite – et elle est énorme – de ton article : il montre que tu as compris le style. » Une idée reçue veut que, depuis sa plus tendre enfance, Trudeau n'admettait pas la moindre critique. Cet exemple le révèle prêt à bénéficier de l'expertise des autres.

Le 13 novembre 1941, Trudeau écrit un brouillon d'une tout autre nature, qui ne semble pas avoir abouti à une publication quelconque. S'il mérite notre attention, c'est qu'il constitue, très probablement, son premier écrit politiquement engagé. Intitulé « Mûrs[37] », ce texte critique vertement d'un côté les Anglais d'Ottawa qui veulent imposer la conscription et, de l'autre, les Canadiens français qui se laissent faire, sans broncher. On comprend le titre dès le début de son réquisitoire : « Les gourmets d'Ottawa nous ont tâtés, sentis, manipulés, et nous ont trouvés mûrs.» Passant tout de suite à l'anglais, il écrit, dans la phrase suivante: «*Now is the time for conscription.*» De toute évidence, il commence à bien savoir manipuler l'alternance entre le français et l'anglais pour produire les effets de style recherchés: le français pour parler de lui ou des Canadiens français, l'anglais pour faire parler Ottawa. Le gouvernement fédéral, dit-il en français, fait semblant de défendre la liberté, alors que son seul objectif est de se ranger aux côtés de l'Angleterre lorsque celle-ci est menacée. Et passant à l'anglais, il explique, avec ironie: «*The pledge of "no conscription" was given in the days of the Maginot Line. Today things have changed, and we are not held to our promises.*» (La promesse de ne pas avoir recours à la conscription a été faite du temps de la ligne Maginot. Les choses ont changé depuis et nous ne sommes plus tenus par cette promesse.) Le gouvernement a donc fait une virevolte malhonnête. Mais nous, Canadiens français, dit-il, sommes coupables, nous aussi: «Ces promesses que nous avons extorquées du gouvernement, nous sommes les premiers à les oublier.» Les Canadiens français n'ont de courage que lorsqu'il n'y a pas de danger: «Naguère si les anti-conscriptionnistes se faisaient élire, ce n'est pas que le peuple haïssait la conscription; c'est que la conscription semblait improbable; et le peuple admirait les courageuses promesses qui n'exigeaient aucun effort pour se réaliser. Mais maintenant que le danger est prochain, le peuple aime la conscription, et on peut y procéder sans le consulter.»

Il critique les Canadiens français qui participent à l'effort de guerre et qui sont donc complices d'Ottawa. Et le gouvernement peut ainsi prétendre que les Canadiens français sont en faveur de la conscription: «Donc, on veut aller combattre. Donc on veut le service obligatoire, Forts en logique, nos gouvernements. Psychologues, les bonzes... Ils connaissent notre pensée sans nous faire parler. [...] Ils se sont fait accroire que les autres Canadiens aimaient la guerre, et il s'est trouvé qu'ils sont tombés juste ; car les autres n'ont rien répondu : c'était donc vrai.» Et, passant à l'anglais, il ajoute : «*The brave French-Canadians are as anxious as any to have conscription.*» (Les braves Canadiens français veulent la conscription tout autant que les autres.)

Trudeau, veut montrer que lui, au moins, a le courage de ses opinions. C'est pourquoi il clame haut et fort – et en anglais cette fois pour que le gouvernement comprenne bien – son opposition tant à la conscription qu'à la guerre sous toutes ses formes. Sa conclusion met en relief toute sa rage : «C'est surprenant pourtant : ils se sont trompés sur mon compte. [...] Dans mon cas particulier, ils se sont mépris, par hasard. Et puisque je n'aime pas beaucoup qu'on me prête des opinions sans m'en parler d'abord, je voudrais leur signaler leur erreur. Je suis Canadien français et je ne suis pas en faveur de la conscription. Permettez-moi de me faire comprendre : "*I am a brave French-Canadian and I am not as anxious as any to have conscription.*" Non seulement je suis contre la conscription ; mais je suis également contre la mobilisation, contre la participation, contre l'armement, contre l'aide aux belligérants. Je suis *contre la guerre*. Est-ce assez clair ou allez-vous encore jouer sur les mots ?»

Le mythe veut que, comme il l'écrit lui-même, la guerre était pour Trudeau «une réalité importante, certes, mais très lointaine», qu'elle faisait partie «d'une actualité dont [il] n'avait pas souci[38]». Effectivement, comme la majorité des Canadiens français, il semble totalement indifférent aux enjeux et aux horreurs de cette guerre. Pour lui, la vraie guerre qui se combat avec férocité en Europe, provoquant la détresse de tant de millions de personnes, est un événement aussi lointain que les guerres médiques. Par contre, l'opposition à la conscription lui paraît d'une importance capitale. Un an donc avant le discours appuyant la candidature de Jean Drapeau, Trudeau révèle, dans ce premier écrit engagé, son opposition violente non seulement à la conscription, mais à tout ce qui a trait à la guerre.

Au terme de l'année 1941, Trudeau a déjà pris une position ferme sur la question de la conscription. Sur le plan du développement de sa pensée politique, il n'a lu que deux ouvrages : *Le Souverain captif* de Tardieu et *Les deux sources de la morale et de la religion* de Bergson. Ces deux livres, traitant l'un de politique et l'autre de philosophie, ne font que renforcer des perspectives qu'il a acquises à Brébeuf, notamment la nécessité de lutter pour l'avènement d'une nouvelle société fondée sur les valeurs chrétiennes. Il apprécie d'y trouver des bases « scientifiques » à ses convictions, mais il n'a pas encore trouvé de suggestions concrètes lui permettant d'accéder à ce nouvel ordre social.

L'année 1942 marquera un tournant très important tant dans sa formation que dans son engagement politique.

CHAPITRE 8

1942 : L'année du Maréchal

*Les vrais traîtres ne sont ni Pétain ni Maurras, mais
« les gauches au pouvoir [...] le Front populaire [...]
voilà les traîtres du métèque Léon Blum ».*
Jean-Baptiste Boulanger,
Maurras a-t-il trahi ? 1945

L'année 1942 représente, sans conteste, le sommet du militantisme politique de Trudeau. C'est également, indiscutablement, l'année sur laquelle nous avons trouvé le plus difficile de travailler, tant nous étions consternés par nos découvertes. Bien qu'étudiant à plein temps en droit, Trudeau trouve le temps de se consacrer à une multitude d'activités, qui vont de la lecture de traités de théorie politique à l'élaboration de stratégies et de tactiques révolutionnaires. Il travaille tantôt seul, tantôt en tandem avec Jean-Baptiste Boulanger, tantôt en groupe… À suivre son évolution pendant cette période, on a peine à croire que toute cette effervescence ne couvre qu'une année. On a plutôt l'impression de voir un film en accéléré ou de se trouver en présence d'un Gargantua à l'énergie plus grande que nature…Vers quoi converge toute cette activité fébrile ? Faire la révolution.

Deux questions se posaient à nous sans cesse au cours de notre travail : Pourquoi Trudeau, par ailleurs si direct, a-t-il, jusqu'à sa mort, gardé un silence presque total sur cette période bouillonnante de son existence ? Et pourquoi ses contemporains, dont la plupart sont devenus ses adversaires les plus acharnés, ont-ils discrètement accepté de rester complices de ce silence ? Comme il est impossible de répondre à ces questions troublantes sans entrer dans le domaine de l'intention, nous nous bornerons à suggérer des réponses qui, sur base des documents consultés, nous semblent probables.

Le jeune Trudeau, mouture 1941-1944, défend avec un enthousiasme et une conviction à toute épreuve des positions idéologiques pour lesquelles le Trudeau post-1950 va acquérir beaucoup de mépris. Lorsqu'il est admis à Harvard, un nouvel univers culturel s'ouvre à lui, et il s'en sert pour essayer de comprendre comment et pourquoi, lui si désireux de chercher la vérité, a pu défendre des positions totalement erronées. Il se rend compte alors que c'est tout le contexte culturel dans lequel il a été plongé qui l'a aveuglé et qui continue à faire du mal à tous les Canadiens français. Progressivement, il se débarrassera de l'idéologie qui a été sienne durant les années les plus formatrices de sa vie, adoptera les valeurs universelles propres au libéralisme, et consacrera le reste de sa vie d'abord à promouvoir ces valeurs, ensuite à chercher des solutions concrètes aux vrais problèmes des Canadiens français, des autochtones et des minorités en général. Cette lutte, il la mènera jusqu'à la fin de sa vie, en demeurant attaché à son identité de Canadien français du Québec. Mais si l'on peut affirmer que Trudeau a, sans aucun doute, dépassé son passé, on a tout lieu de croire qu'il ne l'a jamais entièrement assumé. S'il a condamné sans relâche ceux qui nourrissent un nationalisme fermé et séparatiste, il aurait, par contre, refoulé dans sa mémoire une partie de son passé. De la guerre, il a surtout retenu le bien-fondé de sa lutte contre la conscription. D'où sa réticence à parler de ses années de jeunesse.

Et ses contemporains, ceux qui ont milité à ses côtés, pourquoi n'ont-ils pas révélé au grand jour son passé? Peut-être pour les mêmes raisons: en dénonçant Trudeau, ils devraient révéler au grand jour les valeurs qu'ils défendaient eux aussi pendant la guerre. «D'un commun accord, nous [les Canadiens français] avons cessé d'en parler, écrit Laurendeau, comme si nous n'étions pas tellement fiers [...] de ce que nous y avions fait.[1]» De la guerre, les Canadiens français n'ont retenu que la crise de la conscription. Cependant, il nous semble évident que si la lutte contre la «promesse trahie» de Mackenzie King n'avait pas existé, l'élite canadienne-française aurait voulu l'inventer... En effet, la guerre la forçait à choisir entre, d'un côté l'Angleterre, son ennemie héréditaire, qui défendait, par surcroît, de fausses valeurs, comme le libéralisme et la démocratie, et de l'autre, un Pétain adulé qui, avec sa «Révolution nationale» et son slogan «Travail, Famille, Patrie», a enfin renoué avec la seule, la vraie France, chère au clergé québécois, la France prérévolutionnaire, antérieure à la sécularisation de l'État. Avec qui, et contre qui se battre? Comment se battre aux côtés de l'Angleterre lorsque, ironie du sort, la France de Pétain collabore avec l'Allemagne? Et comment s'allier à Pétain lorsque le Québec fait partie du Dominion du Canada, qui reconnaît la Couronne britannique? «Quelle que soit la paix, elle se fera sans nous et contre nous[2]», écrit, en 1943, l'ami et principal collaborateur du jeune Trudeau, Jean-Baptiste Boulanger, qui est alors étudiant en médecine à l'Université de Montréal[3].

On comprend donc que l'élite québécoise, embourbée dans le dilemme des allégeances, se soit accrochée à la lutte contre la conscription, qui donne, aux yeux du monde – et à ses propres yeux – un alibi noble au refus de reconnaître les horreurs du nazisme et de s'engager dans cette guerre.

Conscients d'être jugés coupables par les « autres », ils ne savent pas comment expliquer qu'ils n'étaient ni plus méchants ni plus poltrons que les autres, qu'ils étaient tout simplement victimes d'un endoctrinement tout à fait réussi. En fin de compte, pour une bonne partie de l'élite de l'époque, y compris Trudeau, l'amnésie collective représente la solution la moins pénible. Même Laurendeau, qui fait son mea-culpa en 1962, se contente de retracer l'évolution des événements politiques canadiens qui légitiment, à ses yeux, l'opposition des Québécois francophones à la conscription, en passant sous silence l'attitude de l'élite canadienne-française vis-à-vis de Pétain, des régimes autoritaires et fascistes ou de la démocratie.

Mais les documents, eux, ne perdent pas la mémoire. On peut donc se demander pourquoi Trudeau les a conservés : en les détruisant, il aurait effacé toute trace de ce lourd passé, et le mythe aurait facilement perduré, peut-être à tout jamais. Selon nous, conscient de n'avoir pas été capable de faire face à ses égarements passés, il ne voulait cependant pas tricher avec l'histoire. Homme épris toute sa vie de recherche de la vérité, il a probablement voulu qu'on fasse un jour la lumière sur ces années bien sombres pour la grande majorité de l'élite canadienne-française.

Retraçons donc le parcours de Trudeau en 1942 en nous basant essentiellement sur des documents inédits à ce jour. Il est évident qu'un nombre important d'activités intellectuelles (lectures, assistance à des conférences, etc.) ou engagées (participation à des manifestations, présence à des réunions, etc.) auxquelles il a sans aucun doute participé n'a pas été consigné dans ses notes. Pour suivre ce parcours, nous nous référerons, à l'occasion, à des sources secondaires qui nous semblent fiables. On verra néanmoins que Trudeau a légué une documentation tellement abondante qu'elle s'impose par elle-même et éclipse tout le reste.

Comme toujours, Trudeau lit un nombre impressionnant de romans et d'autres ouvrages littéraires tant en français qu'en anglais. Jules Romains, Paul Valéry, André Malraux, Panaït Istrati, André Gide, Virginia Woolf, Emily Brontë comme tant d'autres auteurs défilent ainsi sous ses yeux, le plus souvent ravis. Nous ne nous attarderons pas sur ces livres afin de nous concentrer sur les ouvrages qui ont joué un rôle plus important dans sa formation politique. Nous signalerons à l'occasion des articles, surtout dans *Le Quartier Latin*, le journal des étudiants de l'Université de Montréal, que Trudeau lisait très régulièrement, même lorsqu'il était à Harvard[4].

En janvier 1942, il lit *Revolution (Why, How, When)* de Robert Hunter, manifestant ainsi, une fois de plus, son intérêt pour la révolution, intérêt qui ira grandissant jusqu'en juin 1942, date à laquelle il lira, avec le plus grand enthousiasme, *La Révolution nécessaire*, de Robert Aron et Arnaud Dandieu[5]. Le livre de Hunter lui plaît modérément. « Livre hybride où l'excellent côtoie le médiocre », note-t-il. Culturaliste, et convaincu de la supériorité de l'esprit français – il le demeurera encore pendant quelques années –, il écrit : « L'esprit américain diffère bien du français : la composition est lâche […] on dégage avec peine l'idée d'ensemble. » Mais, malgré tout, « il reste que l'ouvrage conserverait une assez grande valeur, même s'il n'avait d'autre mérite que de présenter les thèses et les techniques des grands révolutionnaires ». C'est ainsi qu'il apprend qu'en lisant le traité de Marx sur la Révolution française, les communistes ont été initiés à l'art de la révolution, y compris à l'idée que « les républicains et les modérés doivent être écartés ; on ne peut pas faire confiance aux gouvernements représentatifs ». Lénine, lui, donne le conseil suivant : « Le moyen le plus sûr de renverser les structures sociales est de corrompre la monnaie. » Il est clair que les questions de stratégies révolutionnaires et militaires intéressent beaucoup Trudeau. Il note, par exemple, les deux livres de chevet de Lénine: *La Guerre civile en France,* de Karl Marx, examinant la tentative avortée de septembre 1870 de créer, à Paris, une république autonome ouvrière, et *Concerning War (De la guerre),* de Carl von Clausewitz, ouvrage classique en stratégie militaire. Il note également la méthode de Trotski: «Trotski, ce maître de la stratégie révolutionnaire, disait que la Révolution se réalise non par les révoltes des foules, mais grâce à une petite élite bien entraînée: Lénine, Mussolini et Hitler ont utilisé sa méthode.» Trudeau sera particulièrement captivé par l'expertise de Trotski, notamment par l'idée qu'il suffit d'un petit groupe bien entraîné pour réussir. Son admiration pour ce révolutionnaire sera renforcée par la lecture de Tharaud, en mars, de Malaparte, en avril et enfin, de Sorel, en mai 1942.

Mais nous sommes encore en janvier. Ce même mois, paraît dans *Le Quartier Latin*[6] un article de Jean-Baptiste Boulanger. Trudeau le connaît bien. Ce cadet de trois ans l'impressionne. En 1993, il écrit à son sujet: «Ce garçon précoce m'épatait. Il avait écrit, à l'âge de dix ans, une biographie de Napoléon qui lui avait permis d'obtenir une médaille de l'Académie française[7].» Il se souvient également que «[nous avions décidé] tous les deux de parcourir au cours d'un été les grands ouvrages politiques: Aristote, Platon, *Le Contrat social* de Rousseau, Montesquieu, d'autres encore, puis d'échanger par lettres nos impressions et nos commentaires sur chacune des œuvres lues. Boulanger en savait plus long que moi dans ce domaine et c'est pourquoi je le fréquentais[8]». Celui-ci s'en souvient, lui aussi: «Je me rappelle l'été studieux consacré aux "grands ouvrages politiques[9]"». Aucun des deux ne donne de date précise ni la raison de ce programme. En fait, il s'agit de l'été 1942, et ces lectures se situent dans le cadre d'un projet politique d'envergure dans lequel ils seront les principaux acteurs. Lorsque Boulanger écrit cet article, et d'autres, dans *Le Quartier*

Latin, Trudeau doit certainement le lire et probablement partager son point de vue, puisqu'il est engagé avec lui dans un projet politique d'envergure.

À première vue, le titre « Sous le masque d'Otto Strasser » ne suggère rien. Mais l'allusion devient claire lorsqu'on apprend qu'il s'agit de la recension d'un livre d'Otto Strasser intitulé *L'Aigle prussien sur l'Allemagne*[10], que l'auteur avait voulu d'abord intituler *Sous le masque d'Hitler.* Dans ce livre, Strasser soutient qu'une Allemagne pacifique ne peut exister « sans l'annihilation complète du nazisme et du prussianisme ». Boulanger rejette cette thèse. Pour lui, la lutte contre Hitler d'Otto Strasser et de son frère Gregor – que Hitler a fait assassiner – se réduit à une querelle de famille : « Otto ressuscite son frère [Gregor] pour le venger et se compléter. » Et il ajoute plus loin, avec mépris : « Il y a de Strasser des passages qui sentent "le laquais chassé" ».

Pourquoi Otto veut-il ressusciter son frère ? Au fait, qui est ce Gregor Strasser ? Voici la réponse, selon Otto, cité par Boulanger : « Le seul homme qui eût pu prendre la direction [d'un mouvement anti-hitlérien], Gregor Strasser, s'était désintéressé de toute politique ; il s'abandonna à un profond dégoût ; il se consacra à sa famille, à son métier. » En somme, pour Otto, son frère était un politicien désabusé. Boulanger y voit les signes d'un faible : « Est-ce là un caractère de grand politique ou bien une sorte de héros romantique tourmenté d'action et vite repris par la mélancolie, un Lamartine raté ? » Notons l'attribut « romantique », opposé au « grand politique ». La connotation péjorative de ce terme se retrouve dans un certain type de discours de la droite, comme celui de Maurras. Pour Boulanger, le livre de Strasser « ne [lui] paraît pas moins suspect, dans son genre, que les souvenirs véridiques d'une bonne d'Hitler dans *Liberty* ».

Mais si Gregor n'était qu'une espèce de héros romantique, pourquoi son frère veut-il le ressusciter, et pour le venger de qui ? Comme Boulanger ne dit rien des circonstances qui ont provoqué sa mort, nous le ferons à sa place. Gregor Strasser a péri dans la nuit du 30 juin 1934, c'est-à-dire pendant la macabre « nuit des longs couteaux » au cours de laquelle Hitler s'est débarrassé à la fois de ses opposants et des membres du Parti nazi qui l'avaient critiqué. Gregor Strasser, à la tête de l'aile gauche du parti, défendant une perspective socialiste, compte parmi les nombreuses victimes de cet assassinat politique. Mais Boulanger réduit la thèse de ce livre à une banale querelle de familles. En fait, le penchant de Boulanger pour Hitler se manifeste clairement dans la conclusion. Prévenant les lecteurs qu'ils chercheraient en vain dans le livre de Strasser « les dessous ou le dedans du national-socialisme », il les informe que « tout le régime intérieur du parti a été analysé par le maître qui l'avait établi : cette exposition forme le deuxième tome de *Mein Kampf* ». Incroyable ! Boulanger a non seulement lu le triste ouvrage de ce « maître », mais il le recommande aux étudiants du *Quartier Latin*. Notons, en passant, que *Mein Kampf* n'était pas à l'Index.

Boulanger aborde un tout autre sujet dans un post-scriptum. Dans son journal, *Le Jour* – l'une des rares voix libérales dans le Québec des années 1940 –, Jean-Charles Harvey lui avait reproché d'avoir rapporté les propos de Churchill au Canada avec un manque total d'enthousiasme. Boulanger riposte : « Mais n'est-ce pas plutôt de M. Churchill que vient l'attaque ? » D'après lui, il faut plutôt s'indigner du fait « qu'au Canada, l'amour de la France nous est mesuré, et non l'injure. Ce qu'interdisent à notre plume des *Règlements de défense nationale*, nous devons le recueillir en notre cœur endolori pour ne l'oublier jamais ». Rappelons que le cœur endolori souffre de ne pas pouvoir clamer son amour pour le régime de Pétain, collaborateur de l'Allemagne. Mais Harvey a, selon Boulanger, outrepassé toutes les limites de la bienséance lorsqu'il a eu l'audace d'écrire : « Je ne vois rien de *miraculeux* dans le vieillard de Vichy. » À quoi Boulanger réplique, avec indignation : « Le miracle de Pétain, comme de Jeanne d'Arc, c'est tout simplement d'avoir sauvé sa patrie. » Pétain, Jeanne d'Arc, même combat ! On pourrait croire que l'évolution de la guerre refroidirait l'admiration de Boulanger pour Pétain. Pas du tout. Le 23 janvier 1943, il écrit dans *Le Quartier Latin* : « La défaite a sauvé la France du suicide [...] L'âme latine renaît. [...] Cette âme nouvelle est prévoyante et laborieuse, elle se nourrit de la vie même et de ses sublimes réalités. Cette âme est celle de nos ancêtres français qui nous ont transmis avec leur sang l'honneur de leur race à perpétuer en terre américaine. Et c'est parce que cette âme est immortelle que nous avons foi en notre *travail*, que nous avons bâti nos vies autour de la *famille*, source de l'espérance charnelle, berceau et justification de la *patrie* qui embrasse notre humaine charité, et que nous attendons la résurrection de notre peuple dans la Paix romaine de l'Église universelle. »

On reconnaît le slogan pétainiste : « Travail, famille, patrie ». L'adulation de Boulanger pour Pétain n'a cependant rien d'exceptionnel dans son milieu. En effet, on se souvient que les professeurs de Trudeau rappelaient à leurs élèves qu'ils n'étaient certainement pas les fils de Voltaire. Pour Adolphe-Basile Routhier, auteur des paroles de l'hymne national *Ô Canada !*, Voltaire est « l'esprit du mal fait homme[11] ». En 1905, en votant la loi de la séparation de l'Église et de l'État, la France « se déshonore aux yeux du monde civilisé[12] ». *Le Quartier Latin* reprend souvent ce rejet de la France post-révolutionnaire. On peut lire, par exemple, dans le numéro du 19 décembre 1941 : « Après avoir rompu en 1789 avec la tradition chrétienne, la France révolutionnaire et franc-maçonne s'est forgée et promène par tout l'univers une culture faussée, diminuée. [...] C'est la France qui se renie elle-même, la France dont nous ne sommes plus les fils et que nous ne voulons pas reproduire en nous[13]. » L'élite canadienne-française se réjouit de voir la France retrouver, enfin, ces bonnes vieilles valeurs. En effet, le 10 juillet 1940, l'Assemblée nationale vote une loi abolissant la Constitution républicaine, et confère les pleins pouvoirs au maréchal Pétain. Avec son slogan «Travail, Famille, Patrie», son éloge du terroir, son rejet du cosmopolitisme – euphémisme pour influence des juifs – son exaltation de la nation, le maréchal a tout pour plaire aux Canadiens français. L'élite se réjouit de pouvoir enfin clamer fièrement sa descendance française : «L'œuvre de Pétain et de son équipe replonge le génie français à la source de son baptême et aux valeurs les plus authentiques de la tradition gréco-latine. [...] Et c'est une joie pour nous de voir la France retrouver ses traits éternels. [...] Elle nous rejoint, puisque c'est l'esprit d'avant la Révolution qui continue à informer notre vie culturelle et religieuse[14].»

Mais, ironie du sort, cette France revenue aux valeurs pré-révolutionnaires se trouve maintenant parmi les ennemis de l'Angleterre, et donc du Canada. D'où, comme l'expliquait Boulanger, l'amour secret que les Canadiens français doivent garder dans leur cœur endolori. Amour pas si secret que cela, puisque, pendant toute la guerre, malgré la censure, et à quelques rares exceptions près, *Le Quartier Latin* ne publiera que des articles admiratifs de la France de Pétain, sans se formaliser de sa collaboration avec l'Allemagne nazie.

Ainsi, tout le numéro du 20 décembre 1940 constitue une espèce d'ode au génie français sous toutes ses formes. Pour n'en citer qu'un exemple, dans l'article, «Charles Lepic et la France», François Hertel exprime une admiration si excessive pour ce pays qu'il sombre dans le ridicule. Citons quelques exemples : «Tous les Français ont de l'esprit. [...] Quand la France rit, c'est toute la poitrine de la terre qui se soulève, et lorsqu'elle pleure les deux pôles grimacent sous leurs glaciers.» Dans ce même numéro, le rédacteur ne se gêne pas pour publier un extrait d'un discours du maréchal

Pétain lui-même, qui chante les louanges du paysan français puisant ses forces «à même le sol de la patrie[15]». On imagine le bonheur du clergé, des politiciens, des poètes et des romanciers, qui ont systématiquement exalté les vertus patriotiques du terroir, de se retrouver, enfin, sur la même longueur d'onde que la France.

Dans ce climat, Harvey est plus qu'un trouble-fête. Pour Boulanger, c'est un être méprisable : «Mais pourquoi répondre à M. Harvey ? Il nous hait parce que nous voulons être Français […] il n'est pas digne d'écrire dans la langue de France.» Pourquoi cette hargne contre Harvey ? C'est que, dans son journal *Le Jour*, Jean-Charles Harvey défend avec courage, depuis le début de la guerre, un point de vue libéral et démocratique, et soutient sans réserve les forces alliées. Mais comme le montre l'étude bien étayée de l'historien Éric Amyot, sa critique lucide et véhémente de Pétain et de son régime et son appui enthousiaste au général de Gaulle desservent sa cause : «L'appui d'Harvey se révèle une arme à double tranchant. Le radicalisme des idées exprimées au *Jour* en fait un journal marginal. La violence des propos et l'anticléricalisme affiché comme un flambeau par l'hebdomadaire indisposent, et c'est un euphémisme, la grande majorité des Canadiens français. Ainsi, par une malheureuse association, l'appui du *Jour* dessert les gaullistes[16].»

Boulanger, lui, a choisi son camp. Il voue une admiration presque sans borne à Pétain et à Charles Maurras. Journaliste, poète, écrivain et homme politique, Maurras est bien connu pour ses positions d'extrême droite. C'est un des piliers de l'Action française, mouvement s'exprimant à travers la revue nationaliste du même nom, fondée en 1899 au moment de l'affaire Dreyfus. Républicaine, au départ, elle devient, sous son impulsion, monarchiste et de plus en plus antilibérale, antidémocratique et antisémite. En 1900, il écrit son œuvre majeure, *Enquête sur la monarchie*. Dans *La Seule France, chronique des jours d'épreuve*, publié en 1941, il donne son appui total au régime du maréchal Pétain. Maurras sera condamné et emprisonné, à la fin de la guerre, pour sa collaboration avec l'Allemagne.

En 1945, après la libération de la France, après que ses deux héros ont été jugés et condamnés, Boulanger persiste et signe, en publiant *Charles Maurras a-t-il trahi? de Maurras à Pétain*[17], petit ouvrage de seize pages qui reprend certains de ses articles du *Quartier Latin*. Dans la préface, s'indignant du revirement de l'opinion québécoise, il rappelle qu'«il y eut un temps où l'on était maurrassien, et où cela donnait du ton[18]». Pour lui, les vrais traîtres ne sont ni Pétain ni Maurras, mais «les pacifistes, […] les gauches au pouvoir qui instituaient la semaine de quarante heures [...] c'est le Front populaire [...] voilà les traîtres du métèque Léon Blum[19]». Boulanger en veut surtout à ces «faux-Français», et à «la propagande de gauche qui infeste nos journaux[20]». Malheureusement, dit-il, «dans les pays anglo-saxons, et le nôtre l'est encore, l'anathème frappe les gens de droite: il n'y a de salut que par le démocratisme, et Maurras a dénoncé toute sa vie l'erreur démocratique comme "le péché contre l'esprit" et le "renversement de tous les principes" en matière de gouvernement[21]».

En 1945 donc, Boulanger, toujours admiratif, cite abondamment Maurras, surtout dans *La Seule France* et dans *Enquête sur la monarchie* (Trudeau lira ces livres, très probablement sur la recommandation de son ami). En conclusion, il exprime sa plus profonde reconnaissance au «Maître qui nous enseigna l'usage des lois organiques de la pensée et qui mena notre jeune raison[22]». Et, s'adressant directement au Maître: «Je vous remercie, Charles Maurras, de m'avoir éveillé à la conscience française; de m'avoir initié aux idées claires et à l'exacte harmonie de leurs rapports, à l'Ordre qui engendre le Progrès, et à la Tradition, gardienne de l'Espérance. Soyez à jamais béni[23].» Rappelons que la notion d'un rapport «organique» entre la personne, la nation et son chef, constitue une composante essentielle des idéologies autoritaires de l'époque, qu'elles soient corporatiste, fasciste ou nazie.

Voici donc un exemple de ce qu'écrit Jean-Baptiste Boulanger, avec qui Trudeau entretiendra une collaboration politique étroite. Cependant, il serait erroné de conclure que Trudeau partage totalement ce point de vue. Généralement favorable à cette perspective, il n'a pas, pour autant, abandonné tout sens critique. S'il est, comme son milieu, pétainiste convaincu, sa recherche de la vérité le porte à lire des ouvrages appuyant la position contraire. Par exemple, en août 1942, il lira *France : 1940-1942*, de Frank Rice[24]. L'auteur présente avec minutie les documents relatifs à l'instauration du régime de Vichy. Trudeau reconnaît l'objectivité de la présentation : « La valeur de ce volume est en ce qu'il nous permet de juger par nous-mêmes, en nous fournissant les témoignages de tous les aspects. Certes l'auteur est gaulliste et anti-axiste, mais il ne force pas notre assentiment. » Or, comme on le sait, pendant toute la guerre, de Gaulle avait très peu d'appui au Québec. Ce livre n'ébranle pas la sympathie de Trudeau pour le régime de Vichy, mais il lui communique néanmoins un certain respect pour ceux qui le combattent : « Moi-même, j'en recueille une immense pitié pour la France, une grande sympathie pour Pétain et ceux qui sont restés et assez d'admiration pour ceux qui quittent leur patrie afin de lutter jusqu'au bout. » Mais il ne va pas jusqu'à admirer le chef de ces combattants, le général de Gaulle. Il se contente d'écrire, à son sujet : « De la sagesse et de la sincérité de leur chef, je ne sais rien. »

En février 1942, Trudeau lit *Les Conséquences politiques de la paix*, de Jacques Bainville, historien de droite, ami de Maurras, et l'une des figures marquantes de *L'Action française*.

Il s'exclame: «Remarquable exemple de ce que la sagesse, la perspicacité, le calcul peuvent faire dans le domaine de la politique.» Il trouve remarquable qu'à «coups de maître», cet historien ait su prévoir, avec autant de justesse, les effets pervers du traité de Versailles: «Le traité [de Versailles] enlève tout à l'Allemagne. Sauf le principal, sauf la puissance politique, génératrice de toutes les autres. [...] La victoire donna aux vaincus ce vers quoi ils évoluaient depuis 1871: une Allemagne unie [...] La paix a eu le tort de reconnaître cette unité.»

Trudeau s'émerveille qu'en 1920, grâce à son analyse rigoureuse, Bainville ait pu prédire, que «l'Allemagne serait le premier vaincu à se rétablir» et à redevenir une très grande puissance; qu'elle «s'emparerait de la Pologne (encore son territoire) tandis que la Russie déborderait aussi pour réclamer ses anciennes possessions en Pologne». Effectivement, cette analyse faite par Bainville en 1920 est impressionnante par la lucidité de l'analyse des conséquences du traité de Versailles. Comme cet auteur est mort en 1936, on ne saurait lui tenir rigueur de n'avoir pas ajouté quelques autres causes à la Deuxième Guerre mondiale. Mais on s'étonne qu'en 1942 Trudeau n'ait pas vu les insuffisances de l'explication de Bainville, alors que tout le monde occidental est témoin de la montée fulgurante du nazisme et des conséquences catastrophiques de cette idéologie barbare. Mais, tout à son admiration de la justesse de l'analyse de Bainville, Trudeau n'évoque pas la possibilité que le phénomène Hitler, dans toute son horreur, puisse faire partie des causes de la guerre.

Nous n'avons pas trouvé de traces d'autres lectures sur les causes de la Deuxième Guerre mondiale. Or ce livre ne fait que renforcer la perspective partagée par la très grande majorité des intellectuels québécois de l'époque. Pour eux, cette guerre n'était que la conséquence logique de la première puisqu'elle était le produit inévitable d'erreurs majeures commises par les puissances européennes lors du traité de Versailles. Par conséquent, le Canada n'avait nullement à participer à des règlements de comptes qui n'intéressaient que l'Europe, ni à subir les conséquences des erreurs commises par des puissances impérialistes européennes.

Poursuivant sa formation autodidacte, Trudeau lit, en février 1942, un ouvrage biographique, *Léon Degrelle et l'avenir de « Rex »*. Journaliste et écrivain, l'auteur, Robert Brasillach, est d'abord chroniqueur littéraire à l'*Action française* de Charles Maurras. Progressivement, comme plusieurs intellectuels français de l'extrême droite traditionnelle, il évolue vers le nazisme. En 1941, dans *Notre avant-guerre*, ouvrage essentiellement autobiographique sur la période de l'entre-deux-guerres, il exprime ouvertement son racisme et son antisémitisme, teintés d'exaltation fanatique. Rédacteur en chef de la revue hebdomadaire *Je suis partout*, depuis 1937, il manifeste de plus en plus son admiration pour le nazisme. Durant le régime de Vichy, il célèbre avec enthousiasme la collaboration franco-allemande. Il est fusillé à la Libération, en 1945, pour faits de collaboration.

Trudeau lisant *Léon Degrelle et l'avenir de « Rex »* en 1942 ne semble nullement préoccupé par les antécédents de l'auteur. Il est ravi par l'ouvrage : «Cet essai biographique, malheureusement trop court, est assez long pour m'emballer à fond. Degrelle, chef et fondateur du parti Rexiste, en Belgique, est un jeune homme qu'il faut imiter. Dynamique, gavroche, faiseur de blagues, mais idéaliste, catholique, courageux, mystique.» Notons les qualités de Degrelle : elles correspondent en tous points à celles que Trudeau possède déjà ou auxquelles il aspire. Par ailleurs, ce Degrelle agit en vrai mystique, selon la définition de Bergson. Il se donne entièrement à des idéaux qui le dépassent et se sacrifie pour le bien de la collectivité. De plus, comme dans le cas de Trudeau, l'action politique de Degrelle et sa volonté de restaurer l'ordre social trouvent leur source d'inspiration dans les encycliques, notamment dans *Quadragesimo anno*. Comme les jésuites et une bonne partie des évêques québécois, Degrelle rêve de transformer la Belgique en un État catholique et corporatiste. Sa dévotion au Christ Roi a également tout pour plaire à un jeune Trudeau rompu aux Exercices spirituels d'Ignace de Loyola, dans lesquels les élèves doivent choisir entre « deux étendards », celui du diable et celui du Christ, qui tentent tous les deux de les gagner à leur cause.

Après un périple en Amérique, Degrelle revient en Belgique et entre en politique pour combattre les maux de son peuple. Comme le mystique de Bergson, Degrelle exige la justice, et lorsqu'il parle, écrit Trudeau, les gens l'écoutent et veulent le suivre parce qu'il parle le langage simple de la vérité : « Son parti s'accroît de jour en jour [et] fait trembler le gouvernement, démasque les ministres, exige la justice partout… et l'obtient. On balaie (au figuré et littéralement) les ordures devant la porte du ministre. Et Degrelle continue sa campagne […] il converse plutôt avec son auditoire, lui conte ses projets, rit et pleure avec lui. »

Degrelle mène également un combat qui touche une corde sensible chez Trudeau : il veut préserver à la fois le français et le flamand, ce qui le rend populaire tant chez les Wallons que chez les Flamands. Trudeau note : « Les jeunes et les vieux, les Wallons et les Flamands accourent ; car il prêche aux premiers la conservation du français, aux seconds la langue flamande. Il est inutile de vouloir fondre ces deux nationalités ; le bilinguisme ne peut pas être appliqué partout : il suffit dans la capitale. » En somme, Degrelle préconise ce qu'on appelle communément le « bilinguisme territorial », que défendent plusieurs intellectuels et politiciens nationalistes québécois. Le jeune Trudeau, séduit en 1942 par ce modèle de bilinguisme, changera totalement d'avis par la suite et ne l'appliquera pas dans sa *Loi sur les langues officielles*. Commentant ce sujet en 1997, il nous dit : « Il faut que le Canada soit bilingue. À cet égard, l'expérience belge est à noter. Ils ont opté là-bas pour une politique territoriale de la langue. Et ça ne va pas mieux, ça va moins bien : le pays est plus divisé que jamais. Il faudrait tirer des leçons de cette expérience[25]. »

À lire les deux pages de notes enthousiastes de Trudeau sur Degrelle, on croirait qu'il s'agit d'un chevalier sans peur et sans reproche qui fonde un parti honnête visant réellement le bien de son pays. Mais quel est ce parti Rexiste dont Trudeau ne cite que les actes courageux ? Né en Belgique dans les années 1930, et dirigé par Léon Degrelle, ce parti porte un nom, Christus Rex (Christ Roi), lié à la politique sociale de l'Église catholique. Le « rexisme » veut réaliser un renouveau moral de la société belge selon les enseignements de l'Église, c'est-à-dire en instaurant un régime corporatiste et antidémocratique. Il exploite dans sa propagande les nombreux scandales politiques et financiers qui agitent la Belgique à cette époque. En 1936, en se rapprochant des mouvements fascistes qui se développent un peu partout en Europe, le rexisme perd de ce fait une partie de son électorat modéré. En juillet 1937, Léon Degrelle est condamné à quatre mois de prison avec sursis pour diffamation. En juin 1940, au lendemain de l'invasion de la Belgique par les armées allemandes, et à l'instar de certains partis collaborationnistes en France, il prône la collaboration avec le Reich nazi. En août 1941, avec les rexistes les plus extrémistes, il constitue une Légion antibolchevique – la division SS « Wallonie », une organisation paramilitaire structurée sur le modèle des SS – qui part combattre aux côtés des Allemands sur le front russe. À la fin de la guerre, le mouvement rexiste est interdit, nombre de ses militants et dirigeants sont fusillés, tandis que Degrelle, condamné à mort par contumace, se réfugie en Espagne.

Voilà, en 1942, le «jeune homme qu'il faut imiter», selon Trudeau! Voilà l'homme voulant tant de bien à son pays, qui fait trembler les politiciens corrompus! Trudeau ignorait-il ce que nous avons mentionné tant sur l'auteur, Brasillach, que sur son héros, Degrelle? Si tel est le cas, comment a-t-il pu s'aveugler à ce point, lui qui voulait tant chercher la vérité? Sinon, a-t-il jugé ces détails si inintéressants qu'ils ne méritaient aucune mention dans ses notes? Les deux hypothèses sont tout aussi troublantes. Le reste de ses lectures n'est pas pour nous réconforter...

En mars 1942, Trudeau lit *L'Envoyé de l'archange*, publié en 1939 par Jean et Jérôme Tharaud. Les auteurs, lauréats du prix Goncourt en 1906, et futurs membres de l'Académie française, comptent, parmi leurs écrits, des ouvrages à caractère antisémite, tels que: *Quand Israël n'est plus* (1927) et *Petite Histoire des juifs* (1934). Le livre que Trudeau lit est la biographie de Corneliu Zelea Codreanu, chef du mouvement terroriste d'inspiration nazie, la Garde de Fer, qui déclare ouvertement sa haine pour les juifs. Trudeau estime que ce livre est «loin d'être un chef-d'œuvre du genre», mais il le juge «objectif dans les faits». Au sujet du personnage principal, il note: «Codreanu est un dur, un fils d'immigrés qui veut profondément le bien de la Roumanie. Mais il en veut surtout aux juifs qui semblent ruiner le pays [...] Dès la sortie du lycée, les Vingt [une société secrète] jurent de lutter à mort contre les juifs. [À l'université] son professeur lui enseigne encore la haine des juifs. Puis réaction juive: la police le malmène, l'insulte. Il jure vengeance et à la prochaine provocation abat le chef de police à bout portant. [...] Le "Capitaine" [Codreanu] n'a qu'à suggérer un assassinat pour qu'il se produise.»

Trudeau ne semble même pas remarquer cet antisémitisme primaire. Il ne fait aucun commentaire sur la haine des juifs, ni sur le fait que la police malmène Codreanu «à cause de la réaction juive». Il ne réagit pas non plus aux assassinats banalisés. Mais, malgré tous les délits de Codreanu, «le gouvernement essaie en vain de le condamner : partout la population lui est sympathique». La raison de son succès, selon Trudeau? «Il est un mystique, un homme autour de qui la légende naît spontanément ; qui s'attire le peuple comme un thaumaturge ; car il intuitionne [sic!] la tendance des Roumains : haine des juifs, suppression des partis, renaissance morale.»

Nous revoilà en présence d'un autre mystique, comme Degrelle. À ce moment de sa vie, Trudeau semble totalement fasciné par les biographies de «vrais» mystiques, en chair et en os. Il admire tellement ces personnes ardentes, idéalistes, voulant le bien de leur peuple, affrontant tous les dangers au nom du Christ, qu'il est totalement aveugle à leur face sombre. C'est pourquoi le côté parfaitement vil de ce terroriste, assassinant des innocents sans remords, engageant une lutte à mort contre les juifs, ne le perturbe pas. Comme jugement global de Codreanu, il écrit : «Je crois que cet homme avait plus d'enthousiasme que d'intelligence. Et pourtant il a su former un homme nouveau ; il a réveillé l'idéal. Mais il s'aliéna de nombreux collaborateurs.» Remarques à tout le moins modérées au sujet d'un terroriste sans scrupules, antisémite dans l'âme. Codreanu, ce mystique, a été abattu en prison alors qu'il purgeait une peine de 10 ans de travaux forcés.

Faut-il conclure de son admiration pour Degrelle et son appréciation de Codreanu que Trudeau est, à ce moment de sa vie, antisémite? On se souvient qu'à Brébeuf, il avait écrit *Dupés,* une pièce à saveur antisémite. Chez plusieurs des auteurs qu'il apprécie, la culpabilité collective des juifs est considérée comme un fait banal, évident. Une telle attitude est aujourd'hui inacceptable. Mais dans les années 1940, l'antisémitisme était monnaie courante, dans la plupart des pays occidentaux, y compris au Canada, même chez des personnes qui ont connu, par la suite, des carrières prestigieuses. Notons cependant que si, ici et là au Canada, quelques voix courageuses ont publiquement condamné l'antisémitisme, nous n'en avons trouvé aucune dans *Le Quartier Latin*. En revanche, les articles antisémites ou xénophobes sont légion. Nous en citerons deux, à titre d'exemple, signés par de jeunes étudiants qui deviendront des personnalités fort appréciées au Québec. Il s'agit de Michel Chartrand – futur dirigeant syndical et grand orateur qui saura captiver son auditoire pendant des heures – et de Jean Drapeau, futur maire de Montréal, qui deviendra une légende vivante de cette ville.

Contrairement à Codreanu, Michel Chartrand[26] n'accuse pas les juifs de ruiner le Québec, mais il leur reproche de monopoliser l'industrie du vêtement. L'idée que rien n'empêchait les Canadiens français de faire la concurrence à ces immigrés arrivés le plus souvent sans le sou et sans éducation, et presque toujours ne connaissant aucune des deux langues du pays, ne lui effleure même pas l'esprit. Tout ce qui importe pour lui, dans son article de novembre 1940 dans *Le Quartier Latin*, c'est que «ces manufactures emploient dans Québec, 26 633 personnes qui doivent faire partie d'unions dirigées par des juifs pour le compte de patrons juifs». Il s'ensuit que 100 millions de dollars sont «ramassés par des étrangers que personne ne peut sentir, sauf les officiers de l'immigration». Pour Chartrand, ces juifs sont forcément des étrangers et le demeureront toute leur vie.

Jean Drapeau[27], lui, ne peut pas sentir tous les étrangers, «Nos hôtes», comme il les appelle dans le titre de son article. Il commence par nier le lieu commun voulant que les Canadiens français ne savent rien de la guerre. Au contraire, dit-il, on les bombarde de nouvelles jusqu'à «écœurement». D'ailleurs, même sans ces nouvelles, ils sauraient que «le Canada sert actuellement de refuge à un nombre considérable d'immigrés» pour la simple raison que chaque jour, explique-t-il, «nous les voyons, nous les entendons, nous les coudoyons, et parfois aussi, nous les sentons». Poursuivant son raisonnement, il déclare: «Nous avons donc des réfugiés de guerre au Canada. Et, paraît-il, il est fort bien vu dans certaine société de s'apitoyer sur le sort de ces malheureux.» De toute évidence, cette certaine société n'est pas celle à laquelle il appartient: «Chaque fois que le Canada, dit-il, et particulièrement le Canada français, a daigné recevoir des immigrés au nom de quelque grand principe, nous avons toujours eu à nous en repentir. [...] Que nous a valu d'ouvrir toutes grandes nos portes aux réfugiés de la Révolution russe? Comment ces autres "pauvres malheureux" qui avaient dû fuir devant les feux de la révolution nous ont-ils manifesté leur reconnaissance?»

Et voici la réponse de Drapeau, inimaginable aujourd'hui: «Pas autrement qu'en transformant la grande artère commerciale de notre ville – la rue «principale» du temps[28] – en une dégoûtante foire où quelque viande puante voisine avec de sales croûtons et où les trottoirs servent trop souvent de poubelles aux fruits et légumes en état de décomposition, en dotant encore la métropole de quartiers repoussants, où nous ne pouvons circuler sans éprouver de violents haut-le-cœur.» Non satisfaits de répandre leur puanteur dans la rue Saint-Laurent, ces immigrants ont recours à des tactiques «franchement malhonnêtes», qui ruinent le commerce canadien-français.

Dans une logique maurrassienne, Drapeau rappelle que cette expérience ne se limite pas au Canada: «Si l'expérience canadienne ne suffit pas, nous pourrions peut-être souligner les épreuves innombrables qu'essuie la France actuellement, et qui ne sont que la conséquence de sa politique d'hospitalité charitable envers tous les réfugiés de Russie, d'Autriche, de Tchécoslovaquie, d'Espagne.»

Et voilà! Si la France est entrée en guerre, si elle a essuyé une défaite, si elle est divisée entre une zone occupée et une zone sous le contrôle du gouvernement de Vichy... c'est la faute aux métèques! C'était déjà ce qu'écrivait Émile Baumann en 1938, en préface du livre d'André Laurendeau sur Lionel Groulx : «Les Français de la métropole [...] depuis trop longtemps, souffrent de voir la figure de la patrie déformée par l'intrusion des métèques[29].» C'est ce que répète également Georges Pelletier, directeur du *Devoir*, qui exprime plus ouvertement son antisémitisme. Comme le rappelle Éric Amyot, «dès le 10 août 1940, il [Pelletier] défend les décisions prises par le gouvernement de Vichy en soulignant la trahison des étrangers qui ont poussé la France à la catastrophe. Du même souffle, Pelletier met en garde ses concitoyens Canadiens français contre la menace que font planer les immigrants juifs fuyant l'Europe[30]». Dans un long éditorial du 18 octobre, Pelletier approuve les mesures antisémites de Pétain. Pour lui, il «ne s'agit pas là de mesures vexatoires, mais de mesures indispensables à la sûreté de l'État[31]».

Les étudiants de l'Université de Montréal ne font ainsi que refléter les opinions des personnes qu'ils admirent. Nous aurions pu citer, dans *Le Quartier Latin,* un très grand nombre d'articles au contenu aussi navrant, sinon plus, que ceux de Chartrand et de Drapeau. Si nous les avons choisis, ce n'est pas pour l'extrémisme de leur position, mais pour leur signature. En effet, comme l'explique André Laurendeau, qui coprésidera la célèbre Commission royale d'enquête sur le bilinguisme et le biculturalisme, ce point de vue était prédominant chez les Canadiens français, surtout parmi les jeunes. Sa propre prise de conscience de l'énormité de son erreur a lieu en février 1963, à la suite d'une rencontre avec une dame juive dont le grand-père a pu fuir l'Allemagne pour se réfugier au Canada. Il se rend compte alors, avec honte et regret, que cet homme a pu immigrer au Canada, et ainsi être sauvé, non *grâce à* ses efforts et à ceux des autres Canadiens français, mais *en dépit de* tous leurs efforts pour empêcher l'immigration des juifs :

« En 1933 [...] j'appartenais à un groupe de nationalistes – des jeunes Turcs qui s'appelaient les Jeune-Canada.

« Les Juifs alors protestaient à travers le monde contre le sort qui leur était fait en Allemagne. Ils avaient tenu une assemblée à Montréal, à laquelle avaient pris part des politiciens canadiens-français, dont le sénateur Raoul Dandurand.

« Alors, nous avons tenu une contre-manifestation [...] que nous avons baptisée *Politiciens et Juifs*. Je me demande encore qui nous l'a inspirée [...] J'ai participé à cette assemblée, où j'ai beaucoup parlé des politiciens et peu des Juifs – ce qui était encore trop. Car nous avons prononcé d'affreux discours : l'un d'entre nous est allé jusqu'à déclarer "qu'il est impossible de piler, en Allemagne, sur la queue de cette chienne de juiverie, sans qu'on entende japper au Canada".

« "Pardonnez-leur, Seigneur, car ils ne savaient pas ce qu'ils disaient." Vraiment, nous ne le savions pas. Les discours des garçons de vingt ans reflètent les idées courantes de leur milieu : celles qui traînaient alors n'étaient pas toujours belles et lucides.

« Mais c'est justement ce qui effraye. [Mes camarades étaient] de braves types. Aucun, que je sache, n'a viré bandit ou antisémite. Ils étaient sincères et passionnés. Au moment où Hitler s'apprêtait à tuer six millions de Juifs, ils parlaient très sincèrement d'une "supposée persécution", de "prétendues persécutions", qu'ils opposaient aux mauvais traitements – "très réels, ceux-là" – que les Canadiens français subissent ici. Je me revois et m'entends gueulant de mon mieux à cette assemblée, tandis qu'un Juif allemand arrache par l'exil sa famille à la mort. [...] Il y a des jours où les progrès de l'homme paraissent bien lents[32]. »

Cet aveu, à la fois affligeant et sincère, nous aide à mieux comprendre l'esprit de l'époque. Évidemment, avec le recul du temps, de nombreux Canadiens français se rendent compte, comme le fait Laurendeau, de cette formidable erreur de jugement et déplorent ses conséquences catastrophiques sur la vie de tant d'innocents. Mais à l'époque, à leurs yeux, la souffrance des juifs semblait bien exagérée, comparée à la leur... C'est dans ce seul climat qu'évolue Trudeau jusqu'en 1944, lorsque, âgé de 25 ans, il part étudier à Harvard. Comment s'étonner que les idées antisémites le laissent froid ?

Même François Hertel, qu'il fréquente et qu'il admire tant à l'époque, tiendra, en 1944 (oui, en 1944, lorsque la guerre est presque finie et que les atrocités nazies, telles les chambres à gaz, sont révélées au grand jour) des propos qui révoltent. Après avoir déploré la générosité des Canadiens français qui leur a fait combler de faveurs une « certaine race » qui est devenue une menace pour leurs entreprises et même pour leurs lieux de villégiature[33]. (On se souvient de Old Orchard, « ville juive et tapageuse »). Hertel fait probablement allusion au village de Sainte-Agathe-des-Monts, dans les Laurentides, où de nombreuses familles juives possédaient des chalets. Il passe néanmoins sous silence le fait que très peu d'autres endroits les acceptaient. Par exemple au Lac-des-Quatorze-Îles, également dans les Laurentides, les propriétaires s'étaient entendus pour ne pas vendre ou louer leurs chalets à des juifs. Hertel se dissocie cependant de l'antisémitisme extrême qu'affiche le journaliste Édouard Drumont dans son best-seller *La France juive,* publié en 1886 : « Certes l'antisémitisme à la Drumont est une sottise et une méchanceté ; mais n'est-il pas aussi sot de préparer des crises antisémites en laissant le Juif abuser des nôtres jusqu'au jour où les haines sourdes éclateront en pogroms retentissants[34] ? » C'est ce même Hertel qui, selon Trudeau, a eu « tant d'influence sur une génération d'étudiants ».

Aucun article de Trudeau, aucune note ne témoigne d'une opposition quelconque à ce courant de pensée. Cependant, quand on compare ses réactions – consignées dans ses notes intimes – à celles de tant et tant d'autres, il nous semble qu'on pourrait lui reprocher moins ses propos antisémites que son silence, son manque désolant de critique des points de vue franchement antisémites de son milieu, des auteurs ou des «héros» qu'il admire.

Mais suivons le jeune Trudeau toujours à la recherche de fondements solides à un engagement politique éventuel. On se souvient qu'en lisant Tardieu, en 1940, il avait apprécié l'idée de la nécessité d'une révolution chrétienne pour pallier les lacunes de la démocratie. Par contre, il se plaignait de n'y avoir pas trouvé de propositions concrètes de moyens d'action. En janvier 1942, dans *Revolution (Why, How, When)*, de Robert Hunter, il avait particulièrement apprécié la lecture des «thèses et techniques des grands révolutionnaires», dont Trotski. Déterminé maintenant à la faire, cette fameuse révolution chrétienne, fidèle à son caractère méthodique, il veut savoir comment s'y prendre, d'un point de vue pratique. En «avril? 1942 » (le point d'interrogation est de Trudeau), il lit *La Technique du coup d'État*, du journaliste italien profasciste Curzio Malaparte, qu'il trouve «suprêmement intéressant», malgré quelques faiblesses. Il s'agit du «développement de la tactique du coup d'État, telle que conçue par Trotski», qui a su, affirme Trudeau, admirablement trouver la manière la plus efficace de paralyser les rouages de l'État. Trudeau prend quatre pages de notes sur le succès ou l'échec de certains coups d'État, selon que les révolutionnaires ont appliqué ou non les tactiques de Trotski, ce tacticien génial de la révolution bolchevique : «Pour s'emparer de l'État, Trotski a prouvé qu'il était inutile de s'emparer du gouvernement, cerner les ministères, assiéger le Parlement. Il suffit d'équipes formées de dix techniciens qui exerceront longtemps leur rôle et qui au moment donné prendront la direction des centrales électriques, des gares, des bureaux de postes et de télégraphie, des centrales téléphoniques, des aqueducs, des services publics. Ils paralyseront ainsi tous les rouages économiques, politiques et sociaux. Le gouvernement sera ainsi incapable d'agir. Cette technique n'exige nullement la force armée considérable, ni le concours des masses ; elle n'exige que l'inertie bienveillante des masses. »

Dans son autobiographie, Jean-Louis Roux confie avoir appartenu, vers la fin de son cours classique – donc vers 1942 –, à un mouvement révolutionnaire secret, les X (que l'on retrouve parfois sous le nom de LX), qui prônait l'indépendance du Canada français. Il se souvient d'un document qui circulait, « dans lequel était expliquée la tactique à suivre, le jour où serait décidé l'investissement des postes de police et de pompiers, ainsi que l'occupation des stations radiophoniques de la ville[35] ». Parmi les X, quelqu'un semble avoir lu attentivement les tactiques préconisées par Trotski…

En mai 1942, le jeune Trudeau lit *La Seule France, chronique des jours d'épreuve*. Ce livre, note Trudeau, est « entré en contrebande au Canada, miméographié et vendu subrepticement ». Ainsi, ce jeune étudiant qui ne se permet pas de lire un livre à l'Index sans en avoir, au préalable, obtenu la permission de l'Église, ne semble nullement troublé par sa désobéissance aux autorités canadiennes, en temps de guerre. Tout à l'admiration de Maurras, il prend quatre pages de notes sur *La Seule France*. En automne 1942, il lira *Enquête sur la monarchie* et la relira en mars 1944. Il couvrira alors treize pages tout aussi élogieuses.

Trudeau écrit, en introduction : « Baptiste (Boulanger) m'écrivait que Maurras est "le plus français des Français" ». D'après Pierre Boutang, collaborateur et biographe de Maurras, ce qualificatif lui a été donné, le 22 novembre 1941, par le maréchal Pétain, dans sa dédicace de *La France nouvelle* : « À M. Charles Maurras, le plus français des Français[36]. » Voici la réaction de Trudeau : « C'est, ma foi, presque vrai, et il y aurait long à noter sur le style qui joint une aisance parfaite à une très grande limpidité et pureté […] Mais ce qui importe, c'est la pensée. […] Maurras est inexorablement logique, et c'est un véritable délice de le voir partir de l'observation d'un fait pour en tirer les conséquences les plus implacables, comme les plus justes.» Ainsi, jusqu'en 1944, Trudeau est ébloui par le style et la rigueur de la pensée, selon lui très françaises, de Maurras. «Il est impossible de nier que sa doctrine ait un ferme fondement dans l'histoire des faits», écrit-il. Examinons, dans cette perspective, quelques-unes des idées que Maurras défend dans *La Seule France*.

Le titre du premier chapitre, intitulé «Unité française d'abord», donne le ton général du livre. Maurras explique que s'étant débarrassés du *pays légal*, les Français retrouvent enfin, avec Pétain, *le pays réel* (les italiques sont de Maurras). Au deuxième chapitre, l'auteur explique les causes de la défaite de la France, en 1940. Voici ce qu'en retient Trudeau, reflétant correctement l'argumentation de Maurras : «Il [Maurras] condamne impitoyablement le gouvernement républicain en général ; et en particulier il démontre très justement que leur conduite depuis 1918 est typiquement et bêtement républicaine. Tous les faux-Français, la clique internationale des métèques installés en France, ont sans cesse poussé la France vers la paix ; puis en 1935, dès qu'elle fut parfaitement affaiblie et désarmée, ils commencèrent la guerre. Ils firent tout pour la provoquer, et commirent l'impardonnable crime de *déclarer* la guerre, c'est-à-dire de lancer une guerre offensive, quand le peuple était tout au plus paré à une défense de la patrie. Le gouvernement fut aussi amplement responsable : ce gouvernement républicain, aveuglément romantique, asservi à la juiverie internationale, à la franc-maçonnerie, aux communistes et aux Anglais.»

Ainsi, selon les arguments de Maurras, que Trudeau trouve «inexorablement logiques», cette guerre, on la doit d'abord au gouvernement qui a agi d'une manière typiquement et bêtement républicaine. Maurras condamne tout ce qui est républicain, parce que «*la République en France est le règne de l'Étranger*[37]». On ne s'étonne donc pas que, pour Maurras, il soit facile d'identifier les auteurs des bêtises commises en France : ce sont tous les faux-Français, la clique internationale des métèques et la juiverie internationale. Après avoir affaibli la France, explique Maurras, ils ont provoqué la guerre : «Je sais, je vois, je vérifie, que ce sont les politiciens du régime parlementaire et du judéo-maçonnisme qui nous ont jetés dans l'abîme où nous voilà roulant. Ils l'ont voulu. Bien voulu. Ils l'ont préparé consciemment, longuement, mûrement. [...] Il a fallu que ces hommes disent : *Nous la faisons*, et, partant : *nous la voulons*. [...] Alors, comment concilier ce propos si ferme, ce dessein si clair, avec les résultats qu'ils ne pouvaient pas manquer de prévoir, d'après la force de l'ennemi et d'après leur propre faiblesse[38] ? »

Ainsi, selon Maurras, les judéo-maçons ont affaibli la France, puis ont voulu la guerre tout en sachant que la défaite était inévitable. L'illogisme de cette position ne fait pas réfléchir Maurras à la justesse de son interprétation des causes de la guerre. Alors, comment justifie-t-il un comportement aussi incompréhensible ? Pour Maurras, effectivement, c'est un mystère : «*On ne sait jamais ce qui se passe dans la tête d'un Juif...* La nervosité de la race, ses longues migrations, les contradictions de son statut historique, ont pour effet naturel de nous barrer la route pour toute espèce d'induction psychologique utile quant aux cheminements secrets de leurs mobiles et de leurs motifs. [...] Que personne ne nous demande donc d'expliquer la conduite des Juifs d'Occident lors de la déclaration de guerre![39] »

Poursuivant l'argumentation «logique» des causes de la guerre, selon Maurras, Trudeau écrit : «Quelle ineptie : une guerre pour les principes, pour la démocratie, quand la France n'était même pas rétablie [...] de la dernière guerre.» Une guerre pour des «principes» est une ineptie? On s'étonne que le jeune Trudeau, enthousiasmé par l'idéal du mystique qui consacre sa vie à répandre le «principe» du Bien et à promouvoir une société fondée sur des valeurs catholiques, puisse, à l'instar de Maurras, considérer que «faire la guerre pour des principes» soit une ineptie. De toute évidence, il s'agit de «faux principes».

Lorsque Maurras parle de «faux principes», de «guerre d'idées», il fait allusion à un complot juif «pour la guerre offensive», contre lequel il veut mettre en garde les membres du gouvernement : «Juifs ou judaïsants, ces très beaux messieurs sont en relations étroites avec le clan juif, si puissant, de Londres[40].» Pour lui, Neville Chamberlain, premier ministre britannique de 1937 à 1940, s'est laissé duper par la juiverie internationale. Il croit s'engager dans une «guerre de prestige doublée d'une guerre d'idées», alors qu'il défend les intérêts des juifs de France et d'Angleterre. Chamberlain – que l'histoire condamnera pour avoir trop voulu «apaiser» l'Allemagne dans l'espoir d'éviter la guerre – est accusé par Maurras d'avoir, au contraire, voulu la guerre[41]. Si Trudeau ne relève pas ces failles dans l'argumentation de Maurras, c'est que, dans son milieu, les sentiments anti-anglais et anti-juifs sont monnaie courante à cette époque.

Alors, comment expliquer qu'on se soit engagé dans cette guerre ? Réponse de Trudeau : «Maurras montre que ce fut toujours la politique de l'Angleterre d'affaiblir la France : de même que l'Angleterre fit la Révolution (dite) Française, de même ce fut l'Angleterre qui empêcha le 2 septembre 1939 une médiation proposée par Mussolini entre Hitler et les démocraties. Puis quand le coup vint, l'Angleterre voulait que la France subisse tout le choc. […]» Ainsi, cette monstrueuse bêtise est maintenant due à l'Angleterre. Mais, pourrions-nous demander, qu'est-il advenu de la culpabilité des métèques et autres ? Trudeau ne remarque pas ce nouvel illogisme. Habitué par ses maîtres à considérer la «perfide

Albion» responsable de tous les maux, il ajoute, sans sourciller, que l'Angleterre est à la fois la cause de la guerre et la cause de la Révolution (dite) française! Remarquons que Maurras écrit plutôt: «La plus cosmopolite des Révolutions, celle qu'on a encore la bêtise d'appeler Française[42]...».

Pourquoi cette révolution n'est-elle pas réellement française? Parce que Maurras, comme ses alliés de l'extrême droite française, et comme la majorité de l'élite québécoise, sait que les «vraies» valeurs que chérissent les «vrais» Français ne sont pas celles de la Révolution de 1789, de la république, de la démocratie, des métèques, des juifs et des francs-maçons, ni celles des Anglais. Non, les «vraies» valeurs françaises sont celles de la «vieille France», qui ont heureusement repris vie grâce au maréchal Pétain. C'est pourquoi Trudeau partage l'enthousiasme de Maurras: «Le royaliste immuable écrit ici des pages pleines de confiance en l'avenir, et pleines d'acrimonie pour le passé. Il a enfin un État autoritaire. Il endosse intégralement la conduite du grand maréchal Pétain. [...] Il est plein d'un sage enthousiasme pour la Révolution nationale et la devise "Travail, Famille, Patrie".»

Effectivement, Maurras ne tarit pas d'éloges pour le maréchal Pétain, qui a enfin rendu «la France aux Français». Comment le fait-il, selon Maurras? En promulguant, entre autres, la loi Raphaël Alibert du 3 octobre 1940 sur le «statut des Juifs». Disciple de Maurras, antisémite notoire, homme de confiance et ami de Pétain, Raphaël Alibert a été nommé, dès les premiers jours du régime, sous-secrétaire d'État à la présidence du Conseil. C'est en tant que garde des Sceaux, autrement dit ministre de la Justice, que Alibert est responsable de la loi sur le «statut des Juifs». L'historien français Marc Ferro affirme que cette loi n'a nullement été le résultat de pressions de l'Allemagne et que Pétain a pris part, personnellement, à sa rédaction, se révélant «parmi les plus sévères[43]». Maurras se réjouit de ce statut et, prenant en exemple la médecine, il affirme qu'il «n'y avait pas de profession aussi envahie par le cosmopolitisme que la profession médicale[44] ». La nouvelle loi met ainsi fin « aux abus devenus intolérables[45] ». La profession médicale, explique Maurras, se transmettait autrefois de père en fils. Or, « le cosmopolitisme dans les professions libérales tendait à détruire cette admirable et précieuse *continuité des élites* qui avait fait la force profonde de notre pays. [...] La famille devenait l'appui de la corporation et cette construction harmonieuse se prolongeait jusqu'aux sommets. C'est donc bien à une véritable restauration de l'esprit national, familial et corporatif en même temps qu'à une restauration des élites que tend la loi nouvelle[46] ». À ceux qui se plaindraient de l'atteinte aux droits de la personne, Maurras répond : « Nous sommes les maîtres de la maison que nos pères ont construite et pour laquelle ils ont donné leurs sueurs et leur sang. Nous avons le droit absolu de faire nos conditions aux nomades que nous recevons sous nos toits. Et nous avons aussi le droit de fixer la mesure dans laquelle se donne une hospitalité que nous pourrions ne pas donner[47]. »

Voilà les idées de Maurras pour qui le jeune Trudeau a la plus grande admiration. Comment expliquer qu'à 22 ans, il admire tant le point de vue vicieux, xénophobe et paranoïaque de cet auteur ? Comment peut-il trouver ses arguments inexorablement logiques ? À ce stade de sa vie, comme la plupart des Québécois francophones, il croit à la supériorité d'un État autoritaire. Il partage avec Maurras non seulement son admiration pour le « grand » maréchal Pétain et sa Révolution nationale, mais également son mépris pour celui que Maurras appelle « l'ex-général » de Gaulle et ses Français « libres ». (Comme on l'a vu, en août 1942, lorsqu'il lira *France : 1940-1942*, de Frank Rice, son évaluation des Français libres sera quelque peu nuancée.) Comme Maurras, Trudeau pense que l'appui au maréchal Pétain représente la seule voie honorable pour tout Français digne de ce nom et, comme lui, il trouve qu'une guerre pour ces faux « principes » est une ineptie.

Rappelons que notre étudiant ne lit pas seulement pour s'informer, mais pour agir dans son propre milieu. C'est pourquoi, en conclusion de ses notes sur *La Seule France*, il écrit une demi-page de commentaires sous la rubrique «Appliquer au Canada», où il essaie de synthétiser ce qu'il retient de Maurras: «Si le territoire français est menacé, si notre frontière est envahie, tous les efforts, et les plus puissants, sont commandés contre l'envahisseur, mais de là à vouloir la guerre, à l'entreprendre, nous, il y a un grand pas: la guerre d'idées, la guerre des principes, la guerre de magnificence, non, merci; cela dépasse trop ce qui reste de nos moyens. [...] Foncer maintenant, parce que l'Angleterre fonce ou parce que les principes anglais exigent de foncer est une politique romantique... »

Trudeau trouve ainsi un argument autre que la fameuse «promesse trahie» de King pour justifier son opposition à la Deuxième Guerre mondiale. Convaincu par Maurras, il refuse de faire une guerre pour des «principes anglais», qui appliquent une politique «romantique». Mais que veut dire Maurras par «politique romantique», utilisé dans un sens péjoratif? Ce qualificatif étonne, et on lui devine une connotation négative, sans trop savoir pourquoi. On a vu, dans le long extrait cité plus haut, que Maurras accusait le gouvernement républicain d'être «aveuglément romantique». On se souvient, par ailleurs, que Boulanger dénigrait Otto Strasser en le qualifiant de «héros romantique». En fait, Maurras a consacré une partie importante de son œuvre à la condamnation du romantisme, tant sur le plan littéraire que politique, donnant à ce terme un sens péjoratif. Voici, par exemple, son opinion sur Victor Hugo – écrivain romantique s'il en fut –: «La médiocrité même, la quasi-nullité de la "pensée" de Hugo» ne fait que renforcer «le matraquage idéologique de l'école républicaine: le progressisme, le pacifisme, la religion humanitaire[48]».

Mais pourquoi ce mépris pour le romantisme? Essentiellement, parce qu'il symbolise pour Maurras «le primat du passionnel sur [...] la raison[49] ». Pour lui, comme pour la plupart des tenants d'idéologies d'extrême droite, en accordant la primauté aux passions, on perd de vue les intérêts réels de la communauté. Les « romantiques », ceux que nous appellerions aujourd'hui les « libéraux », ont vite la larme à l'œil et, justifiant les crimes par les circonstances sociales du criminel, ils finissent par avoir plus de pitié pour celui-ci que pour la victime. Or, explique Maurras : « La pitié, la pitié réelle [...] est précisément la raison qui prescrit de ne pas oublier, autant que le fait notre siècle, la juste protection due à la semence des Forts. Car, outre l'Initiative et l'Invention qui leur appartiennent 9 fois sur 10, ce n'est que leur semence qui fait ce capital par quoi tout avance. Il n'est pas de progrès sans elle. [...] Le mendiant qui dévore son pain noir sur sa borne bénéficie de l'œuvre de 20 siècles dont il est précédé[50]. » Maurras reproche surtout aux romantiques leur négligence du rôle vital de l'élite. Il écrit dans *Enquête sur la monarchie* : « La volonté, la décision, l'entreprise sortent du petit nombre ; l'assentiment, l'acceptation, de la majorité. C'est aux minorités qu'appartiennent la vertu, l'audace, la puissance et la conception [...] Nous n'avons donc pas à nous soucier de rallier les majorités. De toute façon, elles se rallieront d'elles-mêmes[51]. »

Les lecteurs seront probablement surpris de voir que la devise légendaire de Trudeau, « Raison avant passion », ait été rencontrée pour la première fois chez Maurras, dans une perspective de droite, et qu'elle ait été utilisée dans un sens fort éloigné de celui que le Trudeau intellectuel engagé et homme d'État lui donnera, plusieurs années plus tard.

Pour le moment, le jeune Trudeau se trouve sous le charme de Maurras et adhère totalement à ses thèses. Correction : presque totalement. En effet, il émet deux critiques. Au sujet de la guerre, il écrit : « Néanmoins de nombreuses difficultés à ses théories sont expédiées sommairement : l'attitude de la Russie en juin 1941, la raison pour laquelle le gouvernement de France voulait une France faible au moment du danger... Mais cela sera éclairci un jour, pro-met-il. Je le crois. » En y regardant de plus près, on voit que c'est plutôt Maurras qui fait son autocritique, promettant de combler un jour les lacunes de son argumentation ; Trudeau se contente de le croire. Il trouve, par contre, que la défense de la monarchie, quoique lucide, est « légèrement tendan-cieuse [...] car Maurras veut tout faire servir à sa thèse royaliste ». N'empêche que Maurras arrive presque à le convaincre : « Je ne suis pas français, et ne saurais dire si Maurras est un juste observateur des faits. Mais une fois ces faits admis en prémisses, il doit être difficile pour un Fran-çais de n'être pas royaliste. En vérité, une seule chose me trouble à propos de Maurras : c'est que la France n'est pas royaliste après près d'un demi-siècle de propagande si intense. »

L'admiration pour Maurras est telle que même lorsque Trudeau écrit : « Il faut voir la haine qu'il porte aux étrangers (les métèques) qui prostituent la France », ce commentaire n'appelle aucune critique et ne ternit pas, à ses yeux, les mérites de l'auteur. Rappelons qu'il a relu *Enquête sur la monarchie* en mars 1944 ! Pour Trudeau, ce « maître de la poli-tique, père du nationalisme contemporain vaut d'être connu pour cette raison seule qu'il place le salut de sa patrie au-dessus de tout ». « Bon ou mauvais, écrit-il avec approba-tion, l'avenir est aux nations. » Il note pourtant, quelques pages plus loin, que le nationalisme trop poussé de Maur-ras, son « gallicanisme », a été condamné par l'Église. (Au Québec, Henri Bourassa avait été critiqué par Rome pour des raisons analogues.) Et il ajoute que l'auteur « ne semble pas comprendre que pour un catholique, *c'est le règne de l'Église qui importe avant tout* ». Comment Trudeau peut-il à la fois admirer sans réserve le nationalisme de Maurras et reconnaître que ce nationalisme, condamné par l'Église, s'oppose à la mission universelle du catholicisme ? Pourtant, l'illogisme de cette position lui échappe, probablement parce que lui-même, comme la majorité de l'élite québécoise de son époque, vit cette ambiguïté : il désire ardemment concilier le catholicisme et le nationalisme canadien-français.

Il est intéressant de noter que la critique qu'a fait le pape du nationalisme excessif de Maurras et la mise à l'Index de *L'Action française* ont eu pour effet, en France, de favoriser l'émergence d'une pensée catholique moins nationaliste, autoritaire, corporatiste, antilibérale et antidémocratique, orientée davantage vers l'action sociale. Contrairement à Maurras, ces catholiques « de gauche », tels Étienne Gilson, Nicolas Berdiaev, Jacques Maritain et Emmanuel Mounier – qui est le fondateur, en 1932, de la revue *Esprit*, modèle de la future *Cité libre*, mettent l'accent sur la « personne » plutôt que sur la nation. Ces « personnalistes », s'opposant au nationalisme de type maurrassien, font appel aux valeurs universelles que partagent tous les êtres humains.

Au Québec, le personnalisme ne prend racine que bien plus tard, avec la naissance de *Cité libre*. Dans les années 1930, il n'y a qu'un faible écho. Maritain y donne quelques conférences et *Le Quartier Latin* rend compte de ses visites. Trudeau lit son *Humanisme intégral* en août 1942, sans grand enthousiasme. Le nationalisme occupe tellement les esprits que, même lorsque des hommes tels qu'André Laurendeau et François Hertel, qui se disent personnalistes, introduisent ce mouvement au Québec, celui-ci est tellement coloré de nationalisme que l'élément progressiste de la gauche chrétienne disparaît presque entièrement, cédant la place à des idées proches de celles de Maurras.

Trudeau suit le courant. Il approuve totalement le rejet catégorique de la démocratie et la nécessité d'une structure autoritaire et hiérarchique. Maurras, écrit-il, « montre l'ineptie de la démocratie et de la république en France [car] l'idée d'organisation exclut celle d'égalité ». C'est pourquoi il ne voit rien d'injuste à ce qu'un « seul homme commande à tous les autres ». Et il souligne : « *Si de toute façon l'on est tou-*

jours gouverné, la justice consiste à l'être bien : qu'importe d'obéir à un, à cent ou à mille? La pire iniquité est de manquer du nécessaire, faute d'un bon gouvernement[52].» Pour Maurras, un bon gouvernement doit relever d'une seule personne, en l'occurrence un roi. Trudeau ne partage pas cette thèse monarchiste, mais il endosse le principe de l'autorité investie dans une seule personne. Il ne semble nullement troublé par les abus de pouvoir que pourrait engendrer ce type de régime : «Les dangers du pouvoir sont moindres que les risques du manque de pouvoir.» Il doit sans doute penser ici aux graves lacunes de la Troisième République que fustige Maurras. Pour Trudeau, pour que les administrés aient plus de liberté, il faut plus d'autorité chez les administrateurs. Il faut, souligne-t-il, «*l'autorité en haut, les libertés en bas*[53]».

Pour Maurras, il ne fait aucun doute que la démocratie mène au chaos : «Quelle industrie ne serait pas ruinée si le personnel directeur en était bouleversé tous les 10 ou 30 mois?... Aucun ministre n'a le temps d'étudier les services qu'il est censé diriger[54].» D'où la supériorité incontestable d'un système politique comprenant des communautés locales fortes et un État central fort (système qu'on appellera, quelques années plus tard, le «corporatisme»). Une fois de plus, Trudeau cite Maurras : «Il va de soi que villes, provinces, associations, toutes ces souverainetés sont représentées. Leurs conseils élus (et l'on sait combien l'élection professionnelle donne des résultats supérieurs à ceux de l'élection politique) sont ainsi des conseils souverains. Ce sont de véritables sénats locaux. [...] Et l'État si fort sera faible pour rien entreprendre contre le citoyen... qui se trouve engagé dans de libres et fortes communautés[55].» L'idée que seul un État fort peut créer des communautés locales fortes et favoriser la décentralisation est au cœur de la pensée de Maurras. Le 18 août 1900, Philippe, duc d'Orléans, prétendant au trône de France, exprime à Maurras son parfait accord avec les principes exposés dans *Enquête* : « La décentralisation ! C'est l'économie ; c'est la liberté. C'est le meilleur contrepoids comme la plus solide défense de l'autorité. C'est donc d'elle que dépend l'avenir, le salut de la France. Aucun pouvoir faible ne saurait décentraliser[56]. »

Trudeau est enchanté par ce type de système. Mais comment y accéder ? En agissant là où est le mal. Et, explique le jeune Trudeau : « Parce que le mal est dans la politique, Maurras invente le brocard : "Politique d'abord[57]". » Et comment s'opérera le passage du système actuel à celui préconisé par Maurras ? Par la révolution. Cette réponse non plus n'est pas pour déplaire au jeune Trudeau : « Nous accusera-t-on d'organiser la sédition ? Ce serait vrai en un sens. Car ce régime suscitant toutes les révoltes, nous les *organisons* : nous faisons tourner des révoltes qui sont fatales au profit d'un ordre public qui sauve et qui restaure tout[58]. »

En fait, de *Enquête sur la monarchie,* qu'il qualifie de « très grosse brique », il apprécie particulièrement deux textes : « Le magistral *discours préliminaire* de 150 pages [qui] montre l'ineptie de la démocratie et de la république en France », et « *Si le coup de force est possible* [qui] est un essai très audacieux sur le coup de mains qu'il faut faire pour renverser la IIIe République. » Admiratif, Trudeau écrit : « Vers 1909, Maurras découvrait donc le ressort de la révolution moderne qui sera plus tard perfectionné par Trotski et qui servira dans tous les pays : c'est la prise des centrales du pays par des petits groupes audacieux. Il ne s'agit pas de vaincre les armées, il s'agit de paralyser le cerveau du pays. » Voici resurgir la tactique révolutionnaire de Trotski ! De plus, Maurras, lui aussi, condamne la démocratie et affirme la supériorité manifeste des régimes autoritaires sous la direction d'un chef puissant... Si toutes ces voix lui chantent la même chanson, c'est que, pratiquement jusqu'à son départ pour l'université Harvard, Trudeau s'abreuve presque exclusivement à des sources de droite, sinon

d'extrême droite, le plus souvent d'inspiration maurrassienne. Nous disons «presque», parce qu'il existe quelques
rares exceptions, dont celle dont nous traitons maintenant.

Toujours à la recherche de bons modèles et de justifications morales pour faire sa révolution, Trudeau lit, en mai
1942, un ouvrage qui semble à première vue d'une tout autre
nature: *Réflexions sur la violence,* publié en 1908. L'auteur,
Georges Sorel, est un des principaux théoriciens du syndicalisme révolutionnaire français. Dans ce livre, considéré
comme son œuvre maîtresse, il s'appuie sur Marx, Proudhon
et Nietzsche pour faire une critique sévère de la démocratie
parlementaire, de l'immoralité de la bourgeoisie et de la corruption des politiciens. Sa critique n'est pas plus tendre à
l'égard des politiciens, tel Jean Jaurès, qui voulaient accéder
au socialisme par des moyens démocratiques. En fait, Sorel
considère ces derniers comme ses pires ennemis. Pour lui, il
n'est pas possible de progresser vers une société nouvelle en
ayant recours aux institutions bourgeoises. Seule la violence
ouvrière pourra mettre fin à la pourriture du régime actuel.
Mais comment rallier la classe ouvrière? Sorel voit dans la
grève générale le mythe indispensable à sa mobilisation pour
la prise du pouvoir. Ironiquement, la critique que fait ce syndicaliste de gauche de la démocratie parlementaire et de la
décadence bourgeoise, de même que son apologie de la violence, ont nourri davantage le fascisme, surtout italien, que
la gauche socialiste. C'est que Sorel, d'extrême gauche, partage avec Maurras, d'extrême droite, son aversion pour la
démocratie et le libéralisme, et décrie avec lui la pourriture
de la bourgeoisie et des politiciens corrompus par le pouvoir
de l'argent. Il n'est donc pas surprenant qu'en 1906 il se soit
rapproché de *L'Action française.* Cependant, cette alliance ne
dure qu'un moment, puisqu'en 1914, il rompt avec ce mou-

vement. S'enthousiasmant par la suite pour la révolution bolchevique, il écrit, en 1920, *Plaidoyer pour Lénine.*

Comme on le voit, dans sa quête de moyens pour réaliser le changement radical de l'ordre social, Trudeau n'hésite pas à lire un ouvrage fort éloigné du milieu idéologique dans lequel il évolue. Ses treize pages de notes sur *Réflexions sur la violence* commencent par ce commentaire : « Le livre, dit Tharaud, qui a le plus influencé Lénine et Mussolini. » Rappelons que les frères Tharaud sont les auteurs de la biographie du terroriste roumain Corneliu Codreano. Serait-ce donc par le truchement des Tharaud, d'extrême droite, qu'il découvre le marxiste Sorel ? C'est fort possible.

Ses notes témoignent d'un certain désarroi face au premier auteur marxiste d'importance qu'il lit, et à des idées rencontrées ici pour la première fois, telles la notion de « lutte des classes », l'absence de dimension chrétienne comme fondement du nouvel ordre social ou l'idée que l'acteur historique pour l'avènement de cette nouvelle société est non une personne, un « mystique », mais une classe sociale, la classe ouvrière. Malgré cela, Trudeau ne condamne ni le livre ni son auteur. Au contraire : « C'est sûr qu'il est dans la catégorie restreinte d'ouvrages qui apportent quelque chose de nouveau, qui jaillissent de la réflexion profonde et personnelle. Il y a peut-être des erreurs, il y a sûrement des lacunes, mais au moins, Sorel a élaboré une pensée et il l'a risquée sur le papier. » Il admire donc chez Sorel le courage de sortir des sentiers battus, de ne s'être pas maintenu « dans le prudent et populeux "juste" milieu » de ceux qu'il appelle, avec mépris, les « innombrables ressasseurs et remastiqueurs » de ce « juste » milieu. Mais l'auteur a d'autres mérites : « Sorel est un autodidacte dont la tournure d'esprit doit beaucoup à Bergson. Il possède (à un degré moindre toutefois) cette admirable abnégation intellectuelle qui fait découvrir les points nouveaux.[…] Mais il lui manque la phrase inégalable de Bergson, la puissance inconcevable de création. »

Comparer Sorel à Bergson, voilà un éloge d'importance, surtout quand on tient compte du fait qu'il s'adresse à un non-croyant! De plus, selon Trudeau, Sorel émet des critiques valables de l'Église catholique. «Certes il lui arrive d'errer monstrueusement, mais il est indéniable qu'en général il est un critique perspicace et utile de nos défauts [à nous, catholiques]». En particulier, l'idée que «la masse des chrétiens ne suit pas la vraie morale chrétienne» ne peut que gagner l'approbation de Trudeau. De plus, Sorel dit «que la morale doit avoir le sublime comme ressort. Ce qui est le fait chez les catholiques, quand ils ont à lutter dans un pays protestant». Cette remarque ne peut manquer de toucher une corde sensible chez ce jeune Canadien français, en lutte contre «le Canada protestant». Par contre, Trudeau ne peut certainement pas approuver Sorel quand il écrit que cet «esprit du sublime se retrouve chez les ouvriers passionnés pour la grève générale». Du moins pas en 1942. En 1949, lorsqu'il militera avec une ferveur exceptionnelle aux côtés des ouvriers en grève, à Asbestos, il pensera peut-être autrement. Sorel est convaincu que pour réaliser le sublime, il est «nécessaire dans un parti que chacun se considère comme étant l'armée de la vérité ayant à combattre les armées du mal». Les jésuites de Brébeuf n'auraient pas dit mieux... La référence à la lutte de l'armée de la vérité contre l'armée du mal doit trouver chez Trudeau une grande résonance, même s'il ne partage pas la conception de la vérité ou du bien de Sorel.

Quant aux moyens concrets pour réaliser sa future révolution, il retient chez ce marxiste, d'une part, le pouvoir mobilisateur du mythe et, d'autre part, la moralité de la violence. «On peut indéfiniment parler de révoltes sans provoquer jamais aucun mouvement révolutionnaire, tant qu'il n'y a pas de mythes acceptés par les masses», affirme Sorel. C'est le mythe qui, en nourrissant l'imagination, provoque l'action. Après avoir été convaincu par la lecture de Maurras que la raison doit primer la passion, Trudeau trouve maintenant très intéressante l'idée du pouvoir mobilisateur du mythe : « Aujourd'hui, écrit-il, un recul de 35 ans permet d'apprécier à la fois la perspicacité et les erreurs de Sorel. L'importance du *"mythe"* a été démontrée par les prises de pouvoir par Lénine, Mussolini, Hitler. » Et, cherchant le mythe mobilisateur qui pourrait s'appliquer dans son milieu, Trudeau écrit: « Le mythe du séparatisme pourrait fort bien réussir au pays du Québec. » *Il émet ce jugement en mai 1942!* Les référendums de 1980 et de 1995 ont souligné la justesse de son pronostic. Si Trudeau a lutté avec autant d'acharnement en faveur du Non lors du référendum sur la souveraineté-association de 1980, c'est qu'il savait, depuis près de 40 ans, la puissance mobilisatrice du mythe du séparatisme. En 1942, il pensait l'utiliser lui-même pour sa révolution. En 1980, il aura, depuis quelques décennies déjà, analysé et compris ses effets pervers.

En ce qui concerne la moralité de la violence, la perspective de Sorel semble aller à l'encontre des valeurs de Trudeau. On ne s'étonne donc pas de lire: « Certes une doctrine qui a à sa base le principe de la lutte des classes semble être foncièrement mauvaise et antichrétienne. » Mais il ajoute immédiatement que « cette évidence peut être singulièrement restreinte. [...] Sorel montre que le système actuel n'est pas sans violence ». Alors, demande-t-il : « En quoi, par conséquent, la grève générale serait-elle plus immorale qu'une guerre ou une révolution faite pour obtenir justice? Sorel répond par Proudhon : "Sentir et affirmer la dignité humaine, d'abord dans tout ce qui nous est propre, puis dans la personne du prochain, et cela sans retour d'égoïsme, comme sans considération aucune de divinité ou de communauté: *voilà le droit.* Être prêt en toute circonstance à prendre avec énergie, et au besoin contre soi-même la défense de cette dignité: *voilà la justice*[59]." » Si le jeune Trudeau ne peut évidemment pas accepter que la moralité puisse se penser « sans considération aucune de divinité ou de communauté», il trouve néanmoins chez Sorel des concepts tout à fait compatibles avec les valeurs chrétiennes qu'il a intériorisées depuis ses années à Brébeuf: respect de la dignité humaine chez soi et chez les autres sans arrière-pensée égoïste, défense de la dignité humaine au nom de la justice.

Ravi par sa lecture de Sorel, Trudeau examinera soigneusement un seul autre livre avant de s'engager, corps et âme, dans l'action révolutionnaire. En juin 1942, il prend douze pages de notes sur *La Révolution nécessaire*, de Robert Aron et Arnaud Dandieu[60], publié en 1933. Robert Aron fait partie de «tous ces jeunes hommes [qui] étaient à la recherche d'un ordre intelligent ou d'une ordonnance plus humaine de la société[61].» Comme solution alternative à la crise économique mondiale, à l'instabilité chronique du système parlementaire français et au collectivisme bolchevique, ces intellectuels français, pour la plupart catholiques (Aron est juif), offrent une forme de corporatisme qui s'inspire du catholicisme social. C'est ainsi que Aron écrivait dans la revue fondée par son ami Dandieu, *L'Ordre nouveau,* qui ne se voulait ni de droite ni de gauche, alors que le nom d'Emmanuel Mounier est à jamais associé à *Esprit,* revue catholique de gauche. Cet ensemble d'intellectuels engagés trouvait des appuis tant à gauche qu'à droite, incluant même le «syndicalisme révolutionnaire», d'extrême gauche, et l'extrême droite maurrassienne. Ils étaient cependant tous unis par la conviction qu'il fallait créer d'urgence un «ordre nouveau» distinct de tout ce qui existait alors.

Pour Trudeau, *La Révolution nécessaire* tombe à point. Si Bergson lui a apporté un soutien scientifique à sa philosophie morale, si Maurras a enrichi sa philosophie politique et si Malaparte et Sorel l'ont initié à des stratégies révolutionnaires testées dans la pratique, il a encore le sentiment qu'il lui manque des éléments idéologiques et stratégiques pour pouvoir s'engager dans son projet révolutionnaire. Avec ce livre, il est comblé : il y trouve non seulement une synthèse, selon lui admirable, de tout ce qu'il a déjà lu et apprécié, mais également un projet de société révolutionnaire basé sur des principes moraux et spirituels correspondant aux siens. Il y découvre le modèle parfait pour faire sa révolution personnaliste et chrétienne : « La révolution nécessaire est la révolution humaine. Il faut en toute chose voir d'abord à ce que l'homme reprenne son rang de personne, c'est-à-dire, d'être libre autonome, intelligent. Le seul système admissible est l'anarchie[62] (cf. Larousse : Système politique et social où l'individu se développe librement, émancipé de toute tutelle gouvernementale). D'ailleurs chez tous les révolutionnaires du XIXe siècle (Marx, Bakounine, Proudhon) la même conception anarchique de l'individu forme le ressort profond de l'esprit révolutionnaire. Parenté d'inspiration, diversité tactique : le seul but commun... est d'organiser l'anarchie. »

Remarquons le sens inusité du concept d'anarchie. Étymologiquement, ce mot veut simplement dire : absence de gouvernement. De nos jours, son sens varie selon le point de vue politique. Pour ses adeptes, anarchie égale « société sans État », liberté individuelle complète. Pour ses critiques, il est synonyme de chaos. Trudeau, lui, l'utilise dans sa connotation tout à fait positive. Remarquons, en passant, qu'en attribuant aux trois farouches adversaires, Marx, Bakounine et Proudhon un même objectif, l'anarchie, il dévoile sa méconnaissance de la critique acerbe de Marx des perspectives anarchistes des deux autres. En lisant les douze pages de notes, on a la nette impression que Trudeau pense avoir enfin trouvé ce qui lui manquait pour asseoir son projet révolutionnaire : premièrement, une critique de l'ordre social existant ; deuxièmement, un aperçu des principes théoriques sous-jacents à la Révolution; et enfin, une brève présentation de l'ordre social post-révolutionnaire.

Pour faire la critique de l'ordre social existant, les auteurs font appel aux notions marxistes de «plus-value absolue» (compression des salaires) et de «plus-value relative» (abaissement du prix de revient). C'est ainsi qu'ils expliquent que, pour accroître leurs profits, les capitalistes doivent intensifier la production et abaisser son coût en remplaçant l'ouvrier par des machines. Mais cela a des conséquences désastreuses pour les êtres humains: «Si le consommateur perd confiance ou diminue ses besoins, le capitalisme fait banqueroute. Et de l'autre côté le chômage devient gigantesque. C'est pourquoi tous les yeux se tournent vers l'Économie dirigée. Et alors c'est la tyrannie collective de Staline, Mussolini, Hitler.»

D'abord avec Sorel, ensuite avec Aron et Dandieu, le jeune Trudeau s'initie à la critique marxiste du système capitaliste. Cette découverte constituera une première étape dans son rapprochement ultérieur de la gauche catholique et du mouvement personnaliste. Pour l'instant, comme Aron et Dandieu, Trudeau dénonce l'économie dirigée qui engendre la «tyrannie collective» sous toutes ses formes: «Si le prolétariat au pouvoir constitue un État, aussi centralisé et rigide que les autres États, monarchiste, fasciste ou bourgeois, son vice profond sera le même: brimer l'individu au nom de cadres abstraits.» Il est convaincu que «la solution doit se chercher ailleurs: non dans la tyrannie mais dans la liberté».

À l'instar d'Aron et Dandieu, Trudeau critique «l'étatisme», y compris celui de l'État prolétarien. Il est important de noter que pour lui, comme pour eux, comme pour Hertel et pour l'élite québécoise, la notion d'«étatisme» avait une connotation très péjorative et s'appliquait surtout au communisme, parfois au nazisme et, très rarement, au fascisme. Elle ne s'appliquait jamais ni à l'autoritarisme ni au corporatisme. Mettant dans le même sac le marxisme et le libéralisme, Trudeau estime, avec Aron et Dandieu, que «l'édification de l'ordre nouveau [devrait être fondée sur la] réfutation du marxisme et du libéralisme dont l'erreur commune est de réduire la personne à l'homme économique [...] comme si les conflits n'avaient pas parfois des causes psychologiques ou spirituelles!». Seul un corporatisme de type pétainiste et maurrassien trouve grâce aux yeux du Trudeau de 1942.

Trudeau apprécie la critique de l'économie de Aron et Dandieu, qui considèrent le chômage comme un mal inhérent au système capitaliste. Ces auteurs mettent également en relief l'existence de ce qu'ils appellent «une classe servile». Non seulement les individus qui la composent effectuent les tâches les plus ingrates de la société, mais ils sont également menacés davantage par le chômage. C'est pourquoi, dans leur modèle post-révolutionnaire, ces auteurs se proposeront d'éliminer cette classe. Leur remède est-il meilleur ou pire que le mal? Nous le verrons tout à l'heure.

Après les critiques du système capitaliste, les auteurs passent à une «Esquisse d'une théorie générale de la révolution» qui convainc Trudeau. Pour eux, seul est valable un État fondé sur le respect de «la valeur suprême de la personne humaine» qui devient ainsi «libre, autonome, intelligente». Mais, concrètement, quel type d'État garantit le mieux le respect de ces belles valeurs, vagues à souhait? Pour certains, la démocratie libérale est le système le plus apte à garantir ces valeurs. Pour Maurras, au contraire, seul un État autoritaire, idéalement monarchiste, peut les garantir. Mais Trudeau ne semble pas sensible au fait que presque tous les systèmes politiques, autoritaires ou non, se réclament de la notion ambiguë d'un État respectueux de la personne. En guise de résumé de cette «théorie générale de la révolution», il se contente d'écrire qu'il n'est pas possible de réformer les institutions existantes, parce que celles-ci «ne sont pas conçues en fonction de la personne humaine». C'est pourquoi, «il faut à tout prix qu'il y ait révolution et non évolution».

La Révolution nécessaire confirme ainsi Trudeau dans ses convictions: premièrement, «cette révolution doit être anarchique, ce qui veut dire que toutes les institutions doivent être conçues en fonction de la personne humaine»; deuxièmement, elle «doit englober toutes les sphères de l'activité humaine»; et, troisièmement, «du point de vue économique, la révolution devra favoriser les progrès technologiques et les mettre au service de la personne». Superbes idéaux! Reste à savoir, évidemment, comment on y arrive et à quoi ressemblera cette nouvelle société. Nous l'apprenons tout de suite, dans la troisième section, qui fait une brève présentation de l'ordre social post-révolutionnaire.

Pour réduire au maximum les travaux serviles, donc dégradants, les auteurs préconisent le développement extrême du machinisme. Or ces auteurs, adoptant un point de vue de type marxiste pour critiquer le système capitaliste, avaient attribué le chômage et la misère ouvrière au remplacement effréné, ou «extrême» de l'homme par la machine. Pourquoi l'intensification du machinisme aurait-elle des résultats différents après la révolution? La réponse se trouve en partie dans leur conception du corporatisme. En partie seulement, car il y a plus. Ils proposent la «création d'un service civil, analogue au service militaire, appelant aux usines le nombre nécessaire pour assurer la production». Mais le fait que l'État décide du choix et du lieu de travail des citoyens, n'est-ce pas là de l'économie dirigée? Et Trudeau n'avait-il pas, avec les auteurs, décrié plus haut les méfaits de l'économie dirigée qui, enlevant à l'homme sa liberté et sa dignité, aboutit à la «tyrannie collective de Staline, Mussolini, Hitler»? Mais ni les auteurs ni Trudeau ne voient les contradictions entre leur modèle de société, qui exige un accroissement considérable de l'ingérence de l'État dans tous les domaines, et leur objectif de libération de la personne humaine de ce qu'ils appellent « la tutelle du gouvernement ».

En fait, l'histoire montre que ce modèle d'organisation du travail a eu la faveur des régimes fascistes et corporatistes de Mussolini, de Salazar et, plus tard, de Pétain. Citons, par exemple, le Service du travail obligatoire (STO) promulgué par Pierre Laval, « chef du gouvernement » de Vichy. Il s'agit d'une espèce de service militaire qui consiste à expédier en Allemagne tous les Français âgés de 23 à 25 ans, pour travailler dans les usines. Les centaines de milliers d'hommes partis ainsi pour effectuer des travaux serviles ont-ils vraiment apprécié leur liberté accrue grâce au régime de Pétain? On sait qu'un très grand nombre de Français ont été tellement reconnaissants qu'ils ont choisi de grossir les rangs de la Résistance! Peut-on imaginer un régime non autoritaire capable d'instaurer une telle loi? Pensons aux tribulations du pauvre King qui, la même année, implorait la population canadienne de le dégager de ses promesses. Mais le Trudeau mouture 1942 n'est nullement sensible à ces deux poids, deux mesures...

Sur un plan purement théorique, il est possible de concilier les concepts de corporatisme et de liberté de la personne. C'est ce qu'ont tenté de faire, dans les années 1930 et 1940, quelques « personnalistes », dans une perspective « catholique de gauche ». Mais sur le plan pratique des réalités historiques, il faut se rappeler que Trudeau, comme ses contemporains québécois, n'avait comme modèles concrets de corporatisme que celui, impopulaire, de Hitler – considéré comme trop antichrétien, et qui n'attirait donc qu'une infime minorité de Québécois – et ceux, très populaires, de Salazar, de Mussolini, et, surtout, du maréchal Pétain. C'est à ces trois derniers modèles de corporatisme « réussi », et notamment à celui de Pétain, que se réfère Trudeau lorsqu'il se prépare à faire sa révolution, en lisant *La Révolution nécessaire,* sans remarquer la divergence entre les beaux idéaux de liberté et de dignité de la personne et leur mise en application dans les régimes fascistes.

À la fin de ses notes, Trudeau fait une évaluation globale des auteurs – auxquels il se réfère au singulier, «l'auteur». Il n'a qu'une seule critique à formuler: «Il n'a qu'une tendance déplaisante: le philosophisme», c'est-à-dire, une tendance à l'abstraction qui le fait «s'éloigner du sujet», ou «à ne pas indiquer au lecteur où il veut le mener». Mais cela n'enlève rien à la grandeur de l'œuvre: «Reproches de détails d'ailleurs, car l'auteur en somme réussit un magnifique exposé de la Révolution humaine, et révèle les bases d'un système qui peut avoir des conséquences incalculables et merveilleuses. Il ne vécut malheureusement pas pour élaborer le plan économique et concret qu'il faudra appliquer. À d'autres, le flambeau…»

Des deux auteurs, seul Robert Dandieu est mort en 1933, juste avant la publication de ce livre. Au moment où Trudeau lit cet ouvrage, Robert Aron subit, en tant que juif, les persécutions du régime de Vichy et doit sa survie à sa fuite. En 1954, il écrira une *Histoire de Vichy* qui deviendra une référence incontournable sur ce régime[63]. Il mourra en 1975. Pourquoi Trudeau considère-t-il seulement Dandieu comme auteur de *La Révolution nécessaire*? Quelle qu'en soit la raison, il pense qu'il faut passer le flambeau à d'autres. La suite des événements montre que les autres, ce sont lui et ses camarades d'armes. En effet, juste après la lecture de cet ouvrage, il se lance dans l'élaboration d'un projet de révolution que l'auteur décédé n'a pas pu compléter. Ce livre fait plus que l'enthousiasmer; il lui donne l'envie irrésistible de «prendre le flambeau».

Au terme de sa préparation théorique et à l'orée de son engagement dans l'action politique, Trudeau s'abreuve principalement à deux sources: celle de Bergson, pour la philosophie morale, et celle de Maurras, pour la philosophie politique. Sa conception de l'action est fortement inspirée de ce dernier, pour qui priment avant tout : « l'idée d'autorité, l'idée d'hérédité, l'idée d'ordre, l'idée d'autonomie locale et professionnelle, l'idée de primat politique du catholicisme[64]. » À l'exception, peut-être, de « l'idée d'hérédité », on peut affirmer qu'en 1942, quand il prend le flambeau, Pierre Trudeau est indéniablement maurrassien.

CHAPITRE 9

La Révolution nationale

La Patrie qui renaîtra de la Révolution est
catholique, française et laurentienne.
Manifeste des LX, 1942

À partir de l'été 1942, Trudeau vit dans un véritable tour-billon intellectuel. Les écrits et les activités se bousculent tel-lement qu'il a été parfois difficile de démêler le fil des événe-ments. Le défi a été d'autant plus grand que tout tourne autour d'un projet de création d'une société secrète révolu-tionnaire. Trudeau fait-il déjà partie d'un mouvement clan-destin? Depuis combien de temps? Nous ne le savons pas. Cependant, nous avons trouvé dans ses archives un docu-ment intrigant, que nous situons à l'automne 1942. Intitulé «Document destiné aux "dirigeants exclusivement"», il offre quelques éléments de réponses.

«Un jour, il y a plusieurs années, il y eut trois types qui en avaient assez de s'entendre prêcher les demi-mesures, répéter l'inutilité de tout effort; ou conseiller le suicide, de voir les forces divisées et les énergies gaspillées pendant que tout le peuple glissait vers la crevasse, et d'attendre de ceux qui auraient pu donner le signal qui n'est pas encore venu. Ils décidèrent de commencer et de ne plus jamais cesser. [...] Du tumulte des élans et des idées finit par surgir la conscience certaine de la Patrie. Ils commencèrent ensuite à se découvrir eux-mêmes. Enfin, s'étant analysés, ils purent définir les motifs véritables de leur détermination et orienter définitivement leur action[1]. »

Ainsi, en automne 1942, Trudeau fait déjà partie d'un petit groupe de trois personnes qui veut changer les choses. Mais qui sont-elles ? Comme il s'agit d'une société secrète, leurs noms ne sont jamais révélés explicitement. Cependant, on trouve un peu plus loin, dans ce document, les quelques indices suivants : « Ils n'avaient rien, ne savaient rien, n'étaient rien. L'un connaissait la franc-maçonnerie, les deux autres, rien, encore, ma foi ! Le second était d'une audace à peu près sans borne et d'une ténacité indomptable. Le dernier échappe à l'analyse, sauf pour l'intelligence, qui était extrême. »

Tâchons de déchiffrer l'énigme à l'aide de ces indices. Dans *Messages au « Frère » Trudeau*[2], paru en 1979, François Lessard dit connaître la franc-maçonnerie. Le premier est donc François Lessard. Contrairement à plusieurs autres amis de jeunesse de Trudeau, celui-ci fera par la suite une carrière peu remarquée comme courtier dans des entreprises de placement. Cependant, vers la fin des années 1930, début des années 1940, il collaborait étroitement avec Trudeau dans le cadre de leur société secrète.

Qui est la deuxième personne ? L'audace et la ténacité renvoient à Trudeau. Quant à la troisième personne, on sait que Trudeau admirait l'intelligence et la culture de Jean-Baptiste Boulanger. C'est donc lui le troisième. Mais quels sont ces dirigeants à qui ce document est destiné « exclusivement » ? Et, surtout, quels sont les objectifs de ce mouvement ? Les fils de ce projet sont tellement mêlés que pour savoir qui était qui, qui faisait quoi, à quel moment et dans quel but, nous avons parfois eu l'impression de jouer à Sherlock Holmes !

Afin de rendre notre présentation aussi claire que possible, nous présentons en deux chapitres la révolution que préparent Trudeau et son groupe. Dans celui-ci, nous examinons les documents préparatoires au manifeste, le manifeste lui-même, ainsi que le programme de lectures que Boulanger et Trudeau ont convenu de réaliser pour donner des assises théoriques à leur projet. Dans le prochain chapitre, nous traiterons des activités politiques auxquelles Trudeau prend part, parallèlement à ses activités d'ordre théorique et organisationnel. Cette période fébrile s'étale sur une dizaine de mois, soit de février à décembre 1942. Des chevauchements entre les lectures et l'action militante, entre diverses formes d'action et la complexité du processus de rédaction du manifeste nous obligeront parfois à faire des sauts en avant, des retours en arrière, à laisser en suspens un élément que nous n'éclaircirons que plus loin. Cette incursion dans la clandestinité nous a parfois donné le vertige.

Dans un Cahier de notes[3], Trudeau griffonne dans la partie inférieure de la dernière page du brouillon de l'article « Mûrs » :

Baptiste
10018, 102ᵉ Avenue
Edmonton

Il s'agit de Jean-Baptiste Boulanger, une des trois personnes mentionnées dans le « Document destiné aux dirigeants exclusivement ». Bien qu'il soit son cadet de trois ans, Trudeau a tissé des liens étroits avec lui depuis son arrivée à Brébeuf en 1939. Franco-Albertain, cet étudiant en médecine de l'Université de Montréal passe ses vacances d'été chez lui. Les deux amis devront donc échanger leurs commentaires par correspondance. Trudeau note également l'échéancier suivant :

Lettre part	14 juillet :	Plan
jeudi	24 juillet :	République
lundi	3 août :	Politique
lundi	10 août :	Contrat
vend	20 août :	Enquête Maurras

Trudeau écrit dans ses *Mémoires* que cet ami était bien plus versé que lui dans la politique. Effectivement, l'article «Sous le masque d'Otto Strasser», que nous avons examiné au chapitre 8, témoigne d'une certaine connaissance de ce qui se passe aussi bien en Allemagne que dans la France du maréchal Pétain. Trudeau, par contre, n'a publié jusque-là que des textes relatifs à son milieu.

Ces deux amis s'engagent à rédiger un «plan», non précisé, pour le 14 juillet. Ensuite, en un peu plus d'un mois, ils s'engagent à lire et à commenter : *La République* de Platon, *La Politique* d'Aristote, *Du contrat social* de Rousseau et, pour finir, *Enquête sur la monarchie* de Maurras, soit des œuvres considérées, à l'exception de celle de Maurras, comme des classiques en philosophie politique. Tel que présenté par la plupart des biographes de Trudeau, y compris par lui-même dans ses *Mémoires,* ce programme de lecture donne l'impression qu'il s'agit d'un passe-temps de jeunes universitaires cherchant à occuper leurs vacances d'été. En fait, ces deux amis espèrent trouver dans ces lectures les fondements théoriques nécessaires à la construction de leur société postrévolutionnaire.

Nous n'avons aucune trace des commentaires de Boulanger sur ces œuvres, mais il est évident qu'il les a lues puisqu'un dialogue s'engage entre lui et Trudeau. Ce dernier, par contre, méthodique comme à son habitude, a conservé des notes détaillées sur tous ces auteurs. Nous savons aussi qu'il a respecté les échéances sauf dans des cas de force majeure. Ainsi, n'ayant pu obtenir à temps un exemplaire du livre d'Aristote, il lit d'abord Rousseau. Autre exception :

Trudeau n'envoie pas ses commentaires sur *Enquête sur la monarchie* de Maurras à la date prévue. On a vu au dernier chapitre qu'il écrit avoir lu cet ouvrage à l'automne 1942 et l'avoir relu en mars 1944. Nous savons, par ailleurs, qu'il a déjà bien apprécié *La Seule France* de Maurras.

Commençons par le « plan », rédigé entre le 7 et le 14 juillet. Ce n'est rien de moins qu'un manifeste politique, annonçant la création d'un nouveau mouvement politique. Bien que les auteurs ne donnent jamais le nom de « manifeste » à ce document, c'est ce terme que nous utiliserons, pour des raisons de clarté. Chaque mot, chaque idée de ce manifeste sont vus et revus avec beaucoup de minutie. L'exemple du processus suivi pour en établir le titre illustre bien les soins apportés à ce travail.

Après avoir titré son texte « Principes de la révolution », Trudeau l'intitule « Plan » dans sa deuxième version. Dans la troisième, il le nomme « Notre plan » et explique à Boulanger sa décision comme suit : « Il fallait bien faire sentir que ces cinq principes absolus et vrais ontologiquement, lorsqu'ils étaient réunis, composaient non pas un plan quelconque et hasardeux, mais "le plan" de notre combine qui la rédige, mais "notre plan" à nous, groupe spécifique de révolutionnaires laurentiens. C'est pourquoi tu constates que "Plan" a donné place à "Notre plan" ou "Le plan". (Je t'avoue d'ailleurs que si tous consentent à la suppression totale du mot "notre", je préfère encore "Plan", tout court.) »

Qui sont ces « tous » qui doivent consentir ? Nous tâcherons plus bas d'en identifier quelques-uns.

Trois pages plus loin, dans une section de ses notes intitulée « Glose », Trudeau reprend une fois de plus son argumentation en faveur de Plan, tout court :

PLAN:

Mot destructeur. Plan, le premier temps d'une cadence de tambourine : plan, plan, plan, rataplan. Plan, monosyllabe explosive ; par les lèvres soudain écartées, lancement brusque d'une signification ; le son qu'on entend ; l'haleine et la salive qui suivent ; canonnade. (*300 yards. Target in front, one sound...* Ah ! Cher Baptiste, c'était le bon temps !)

Mot constructeur. Plan, surface qui sert de fondement. Plan, esquisse architecturale de la Cité future.

Or qu'est-ce que révolutionner sinon détruire et construire ? Mais paradoxalement, le mot est diminué si on lui en ajoute un autre : « Notre plan », « le plan », « plan de la Laurentie », etc. D'ailleurs, ces additions sont futiles dans tous les cas que nous envisageons : l'ensemble du livre, le contexte, le lieu de publication, les distributeurs du pamphlet, tout suffira à individualiser le plan.

Tout au long de l'élaboration du manifeste, on remarquera la passion de Trudeau pour le mot juste, pour la concision. Cependant, malgré cette belle argumentation, son point de vue n'a pas prévalu, et « Principes de la Révolution » devient, dans le manifeste final – du moins le dernier dont nous ayons connaissance – : « Les principes ».

Disons tout de suite que nous ne suivrons pas chacun des termes ou chacune des idées à travers tous les raffinements de leur perfectionnement. Mais déjà, on voit la complexité de l'entreprise avec les versions successives, la prolifération de sections telles que « Commentaires », « Gloses », les changements de titres[4]...

Les vingt pages manuscrites datées du 7 au 14 juillet, qui incluent les trois brouillons du manifeste, s'adressent à Boulanger seulement. Mais nous savons que d'autres personnes gravitent autour de ce projet. Ainsi, dans une lettre adressée à Trudeau, datée du 29 juin, François Lessard lui demande de rappeler à Boulanger de passer chercher des documents à l'adresse de Thomas (s.j.) Il s'agit, sans aucun doute, du père Thomas Mignault. En effet, d'une part, comme le rappelle Jean-Louis Roux, « pour beaucoup de jeunes gens ayant fréquenté le Collège Sainte-Marie et subi l'influence de son préfet de discipline, le père Thomas Mignault, les Canadiens français réaliseraient leur destin dans une Laurentie dont serait bannie toute domination anglaise[5] ». D'autre part, François Lessard écrit à son sujet qu'« on s'apercevra plus tard de l'importance du rôle que [le père Mignault] a joué dans l'histoire du Québec[6] ». Celui-ci est donc au courant du projet de révolution et y a même probablement participé.

À part cette référence à Mignault, aucun autre nom n'est mentionné avant le 14 juillet, date à laquelle est remise la première version du manifeste. Cependant, le contenu du texte dactylographié de la version finale indique clairement que d'autres y ont participé. Les discussions menant à l'adoption du manifeste final étaient probablement prévues pour l'automne, comme le laisse entendre la remarque de Trudeau à Boulanger : « Voici donc mon texte le plus récent ; rejette-le immédiatement ou attends l'automne pour le démolir, peu importe. »

Le manifeste comprend six articles dans sa première version et cinq seulement dans sa version finale. Pour illustrer l'évolution de sa formulation, comparons les trois premiers articles de la première version avec les deux articles qui y correspondent dans la version finale :

Première version

1. Notre Révolution sera la lutte permanente que le Canadien français livrera pour assurer le triomphe puis le maintien du Bien dans la société canadienne-française.
2. L'existence d'un État souverain canadien-français est la condition essentielle de l'existence d'un ordre de choses conçu dans l'intérêt propre des Canadiens français.

3. La nation ainsi constituée aura trois caractères fondamentaux qui ne sont d'ailleurs que l'affirmation catégorique de ses tendances confuses mais quintessencielles : elle sera laurentienne, française et catholique.

Version finale

1. La révolution nationale est une lutte permanente qui tend à l'excellence humaine de la communauté.
2. La Patrie qui renaîtra de la Révolution est catholique, française et laurentienne.

On remarque tout de suite la progression évidente vers une formulation plus lapidaire. Trudeau explique le changement dans un de ses commentaires : « Dans une forme laconique et impérative, exprimer une logique concise et inexorable : c'est ainsi seulement que nous espérions trouver le dynamisme et la véracité indispensables à une déclaration de principes. [...] Nous avons été soucieux d'employer des termes précis, exclusifs les uns des autres. (C'est ainsi que nous ne parlons point d'État "libre et souverain", car là est la nature de l'État d'être "libre et souverain".) Car il s'agissait bien d'une déclaration de principes, et non d'un mélange de considérations, de conseils, de commentaires et de principes. »

Tout au long des divers remaniements, le souci de concision de Trudeau contraste avec la verbosité de Boulanger – dont nous ne connaissons le point de vue qu'à travers les commentaires et les citations de Trudeau. Ainsi, lorsque Boulanger recommande la formule : « Nous voulons un État souverain, un État qui, pour organiser la nation, a la puissance de commander et dont l'autorité ne relève d'aucun autre pouvoir et qui ne peut être égalée par aucun autre pouvoir », Trudeau réplique : « La déclaration de principes n'est pas un cours de Politique. Il faudra chercher ailleurs, et surtout dans la glose, la définition des termes. »

En comparant à nouveau les deux versions du manifeste, on remarque que la révolution des Canadiens français devient « la révolution nationale » dès le premier article. Étant donné le soin extrême dans le choix des mots, il semble improbable que les auteurs ignorent que le régime de Vichy utilise cette même formule depuis le 26 juin 1940, soit le lendemain de l'Armistice accordé à la France par l'Allemagne nazie.

On constate également que le terme *canadien-français* (avec ses variantes), qui apparaît quatre fois dans la première version des deux premiers principes, est remplacé par *laurentien* dans la version finale. Pour nos révolutionnaires, les habitants de ce nouvel État devront se définir exclusivement en fonction de leur nouvelle patrie, la Laurentie, brisant tout lien identitaire avec le Canada. À partir des années 1960, les tenants du sécessionnisme utiliseront la même stratégie, mais remplaceront les mots « Laurentie » et « Laurentien » par « Québec » et « Québécois ».

Quels rapports ces révolutionnaires des années 1940 envisagent-ils entre leur futur État et le Canada ? Et quelles seront les obligations de la Laurentie vis-à-vis des francophones du « reste du Canada » ? Franco-Albertain, Boulanger ne peut se désintéresser de ces questions. Il propose comme réponse : « Nous sommes séparatistes, si par séparatisme on entend le Québec actuel État *souverain*[7] dans ou hors d'une Confédération, peu importe pour l'instant ; et invariablement solidaire de toutes les minorités françaises qui vivent sur l'ancien territoire de la Nouvelle-France. »

Trudeau réplique : « Au sujet de la solidarité des minorités françaises, nous ne croyons pas qu'il y ait lieu de se prononcer dans la déclaration. [...] Rappelons toutefois qu'on ne peut pas en même temps se retirer de la Fédération et prétendre y exercer un contrôle. » Cette vérité, il en est déjà convaincu en 1942. Plus tard dans sa carrière, il la répétera inlassablement aux séparatistes, leur rappelant qu'il n'est pas logique de réclamer le beurre et l'argent du beurre.

Boulanger déclare que leur nouvel État sera souverain et décidera ensuite s'il fera partie ou non de la Confédération. Trudeau rétorque : « Les nécessités politiques et la justice détermineront le sens immédiat de notre autonomie. Et s'il paraît dans notre intérêt de ne pas rompre *immédiatement* tous les liens confédératifs ou américains, nous n'hésiterons pas. La révolution ne se fera pas pour le mot séparatisme, mais pour l'amélioration bien entendue des peuples. »

Avant le référendum de mai 1980 sur la sécession du Québec, Claude Morin, ministre des Affaires intergouvernementales du gouvernement de René Lévesque, donnera l'impression d'avoir « découvert » une nouvelle stratégie, que l'on baptisera alors « étapisme ». Trudeau y avait pensé quatre décennies plus tôt. Il sait déjà, en 1942, que la politique étant l'art du possible, il faut pouvoir s'ajuster aux circonstances et faire des compromis, en l'occurrence, ne pas déclarer l'indépendance de la Laurentie tout de suite. La question suivante se pose alors : comment s'ajuster aux circonstances sans trahir ses principes ? Il faut, répond-il, distinguer le fondamental de l'accessoire. Pour lui, l'objectif principal n'étant pas la victoire du « séparatisme », mais le bien du peuple, il est prêt à mettre la déclaration d'indépendance en veilleuse le temps qu'il faudra.

Mais il ne cesse pas pour autant d'être séparatiste. Pour le Trudeau de 1942, un État souverain « est la condition essentielle » au triomphe et au maintien du Bien. Et pour cela, il faut une révolution. Or, l'insurrection va à l'encontre du principe d'obéissance aux autorités politiques prêché par l'Église. Elle ne devient morale que lorsqu'elle répond à des critères spécifiques, comme l'enseignait le professeur Groulx. Comment Trudeau et ses compagnons d'armes justifient-ils la moralité de leur révolution ? Tout simplement en partant d'un postulat, dont ils ne font nullement la

démonstration: le triomphe du Bien exige une nation simultanément «laurentienne, française et catholique». Or, comme
pour créer la Laurentie il faut nécessairement une révolution, celle-ci devient morale.

Une Laurentie catholique et française assurera le triomphe du Bien pour les Canadiens français. Soit. Mais, qu'ad-
viendra-t-il du Bien des anglophones, des protestants, des
juifs, et de tous ceux qui ne sont pas des Canadiens français
catholiques? Ce manifeste n'en a cure, puisque tous ces gens
ne font pas partie de la patrie: «La Patrie [est un] décor
vivant, créé par Dieu, où des hommes cherchent le Bonheur
dans une communauté de foi, de génie, de sang, de langue.»
Cette définition raciste de la patrie reflète l'esprit du temps.
On y reconnaît, par exemple, l'influence de Groulx, fort préoccupé par la pureté de la race. Ou celle de Hertel, qui affirmait que pour réaliser une révolution personnaliste, il fallait
«être nous-mêmes», c'est-à-dire être français et catholiques.
Nos révolutionnaires souscrivent totalement à cette conception ethnique de la nation. Ainsi, dans la section des «commentaires», Trudeau et ses collaborateurs posent la question: «Quel État idéal [nous] conviendrait, étant ce que nous
sommes?» La réponse: «Selon notre type catholique, latin
et français, nous reconnaissons la nécessité de l'ordre dans
l'État et la primauté de la personne humaine.»

En somme, la nécessité de l'ordre et la primauté de la
personne découlent du caractère catholique, latin et français
de ce groupe ethnique, qui a des attributs et des besoins qui
lui sont propres. On présume que, hors de ce groupe, point
n'est besoin d'ordre ni de primauté de la personne... On a
vu au chapitre 6 que cette humanisation de la nation se
retrouve dans la doctrine sociale de l'Église, dans les encycliques des papes Léon XIII et Pie XI ainsi que dans les lettres pastorales du haut clergé québécois. Chaque nation
possédant sa propre nature et sa personnalité, elle ne peut se
développer normalement que si on respecte ses attributs. Le

Trudeau de 1942 adhère totalement à ce modèle. Il écrit : « La libération de la patrie, l'établissement d'institutions et de disciplines conformes à sa nature lui permettra d'atteindre le développement normal de sa personnalité. »

La révolution vise le Bien. Cependant, en comparant la première et la dernière version du manifeste, on constate qu'au lieu d'assurer le triomphe du « Bien dans la société canadienne-française », la révolution doit « tendre à l'excellence humaine de la communauté ». Trudeau explique : « Nous croyons avoir trouvé dans l'excellence humaine de notre communauté, le "Mythe" ou, si l'on préfère Platon à Sorel, "l'Idéal" de notre action révolutionnaire. C'est-à-dire, un but toujours convoité, sans cesse approché, mais jamais atteint. » Voici resurgir le « mythe » mobilisateur de Sorel. Combinant – maladroitement – Sorel et Platon, Trudeau adopte en fait les notions platoniciennes du Vrai et du Bien absolus. Selon Platon, pour atteindre cet Idéal, il faut avoir la sagesse d'un Dieu. Un simple être humain doit tout faire pour s'en rapprocher. On ne peut pas assurer une fois pour toutes le triomphe du Bien, parce que, écrit Trudeau, « l'excellence humaine est fugace, non que le Bien soit capricieux, mais qu'il soit dans le temps ». C'est pourquoi, « pour ne pas perdre les fruits d'une heureuse révolution politique, nous établissons la Révolution en permanence (et cela dans un sens beaucoup plus large que ne l'entend le trotskisme). Nous ne voulons pas d'une révolte accidentelle et temporaire qui dégénérerait en un nouvel "ordre établi" aussi odieux que le précédent ».

Cette dernière remarque semble à première vue étrange. Comment cette révolution permanente peut-elle s'entendre dans « un sens beaucoup plus large que ne l'entend le trotskisme », lorsqu'on sait que pour Trotski, le socialisme ne pouvait réussir en Russie que si on le répandait sur toute la planète ? Or Trudeau et ses compagnons n'expriment nullement l'intention d'exporter leur révolution ailleurs qu'en

Laurentie. Quel est donc ce «sens beaucoup plus large»? Alors que l'objectif de Trotski était la révolution prolétarienne, leur objectif est la lutte chrétienne du bien contre le mal. Il est évident, à leurs yeux, que la nation, comme les humains, ne peut éliminer le péché une fois pour toutes. On ne peut donc pas garder à jamais «les fruits d'une révolution réussie». C'est pourquoi, s'appuyant sur la Bible, Trudeau et ses camarades projettent une révolution permanente pour tenir compte de la faiblesse de l'homme et du péché originel.

Dans quel type d'État se réalisera cette révolution? La réponse de Trudeau s'inspire fortement de ses lectures: «La constitution de l'État laurentien sera autoritaire et unitaire en principe. Mais la décentralisation, inspirée de l'aspect économique du territoire et brimant tout espoir de tyrannie, veillera aux intérêts de la liberté collective et de l'anarchie personnelle.» Ce texte devient, dans la forme finale: «La Nation s'exprimera dans un État ensemble autoritaire et gardien des libertés.» À quoi Trudeau ajoute, dans un commentaire: «Nous croyons que l'État ne saurait rechercher efficacement le bien commun de la nation que s'il est responsable à un chef unique. [...] Nous nous rappellerons que l'autorité vient d'en haut, non d'en bas: nous condamnons la démocratie parlementaire et le libéralisme.» Cette condamnation ainsi que la juxtaposition des concepts contradictoires d'un État à la fois autoritaire et gardien des libertés ne sont nullement des idées propres à Trudeau. *La Révolution nécessaire* d'Aron et Dandieu, l'*Enquête sur la monarchie* de Maurras, les lettres pastorales des prélats de l'Église, les guides de l'École sociale populaire du Québec, tous, autour de lui, défendent ce même point de vue. Il ne fait qu'appliquer ce que l'élite canadienne-française appelle de tous ses vœux.

Boulanger va encore plus loin que Trudeau: «Nous voulons un État monarchique, un État dont le chef roi, régent ou président sera sa vie durant – avec droit de désigner ses collaborateurs et son successeur – responsable devant la Révolution seule.» *Un monarque au pouvoir absolu, responsable seulement devant la pure abstraction que constitue «la Révolution»?*

Cette proposition, pour le moins étonnante, ne semble pas déranger Trudeau outre mesure. Il se contente de remarquer que «la responsabilité et le mode de succession n'ont pas encore fait l'objet de nos études». Visiblement, les deux compagnons d'armes ont été convaincus par Maurras, qui défend avec vigueur ce point de vue dans son *Enquête sur la monarchie*: «Nous concevons [le régime royal] comme le régime de l'ordre. Nous concevons cet ordre comme conforme à la nature de la nation française et aux règles de la raison universelle. En d'autres termes, ce régime nous apparaît comme le contre-pied de celui que nous subissons[8].»

Dans un régime où un chef puissant, voire un roi, nommé à vie, choisit ses successeurs, comment évitera-t-on les dangers de dictature et de tyrannie? Trudeau n'y voit aucun problème. Pour lui, «la décentralisation politique et économique, inspirée de l'aspect divers de notre territoire, limitera la puissance du monarque, et veillera à la sauvegarde des libertés personnelles. [...] Il nous semble qu'un État ainsi conçu respectera la personnalité humaine des citoyens et reconnaîtra que si l'anarchie sociale est funeste, l'anarchie individuelle est une nécessité!» Voici resurgir l'anarchie individuelle, préconisée par Aron et Dandieu. Voici encore l'idée chère à Maurras, selon laquelle la monarchie héréditaire a non seulement le pouvoir de promouvoir la décentralisation, mais c'est dans son intérêt propre de le faire: «la Monarchie héréditaire, libre du joug de l'élection [...] aurait le *pouvoir* de décentraliser. L'intérêt national et par conséquent son intérêt propre lui en feraient manifestement un *devoir*[9].» Les lectures ont porté fruit.

Mais même la décentralisation demande un principe général d'organisation. «Étant ce que nous sommes, quelle organisation sociale et économique nous serait donnée par un État idéal?» demandent nos révolutionnaires. Leur réponse: «L'organisation économique et sociale sera corporative. Chacune des collectivités qui composent la société veillera à régler les problèmes particuliers, et un conseil central se chargera d'établir l'harmonie entre les parties.» Le corporatisme représentant la panacée capable de résoudre tous les problèmes économiques et sociaux, les auteurs ne poussent pas plus loin leur réflexion. On ne trouve nulle part une référence quelconque aux principes qui sous-tendront les fonctions attribuées à l'État: gestion de l'armée, de la police, des impôts, de la monnaie, de l'éducation, de la santé, etc. La foi dans le corporatisme tient lieu de science économique, politique et sociale: «La société sur laquelle se fondera notre État s'organisera corporativement, de manière à grouper ceux que des intérêts communs attirent: ils pourront ainsi choisir à leurs fins propres les moyens qu'ils sont seuls à pouvoir discuter judicieusement. Les délégations des corporations aux assemblées régionales constitueront la base du Gouvernement; et une assemblée nationale, composée de façon analogue, constituera le lien unitaire de l'État.»

Nos révolutionnaires sont convaincus du bien-fondé de leur système corporatiste, préconisé d'ailleurs par Maurras, le pape, l'Église catholique, et même par Aron et Dandieu, quoique sous une forme différente. À ce modèle, ils ajoutent l'idée de Platon selon laquelle pour qu'une société soit juste et bien ordonnée, il faut attribuer à chaque individu la place et la fonction sociale qui correspondent à ses talents et à ses aptitudes. Visant l'excellence, et apte à l'atteindre, à travers son corps de métier, l'individu ne se mêle pas des affaires des autres ni des questions politiques. À ceux qui reprocheraient à leur modèle l'absence d'égalité des chances, nos révolutionnaires répondent: «L'égalité parfaite des personnes n'étant ni désirable, ni possible, il s'édifiera une hiérarchie naturelle à la société.» C'est pourquoi «la constitution sociale et économique sera hiérarchique, familiale et corporative».

Au sommet de cette hiérarchie se trouve un «philosophe-roi», seule personne ayant les compétences et les aptitudes requises pour gérer les questions d'ordre politique. Étant dans l'ordre des choses ou, selon l'expression de Maurras, étant conforme «aux règles de la raison universelle», la structure hiérarchique n'a, pour ce groupe, rien de répréhensible. Notons que, comme chez Platon, la «hiérarchie» envisagée par Trudeau et Boulanger ne repose pas sur la fortune et ne donne pas de privilèges sociaux : «La division d'une nation est funeste ; surtout lorsqu'elle est basée sur les frontières arbitraires de la fortune. Il s'agit plutôt de tolérer l'existence d'une "échelle sociale", dont les degrés seront fondés sur les valeurs humaines de culture et de moralité, de famille et de travail. En taxant la fortune et en la limitant même, l'on favoriserait de plus nombreuses éclosions dans l'élite, et l'on placerait ailleurs que dans le lucre les espoirs de l'ambition.»

Ainsi, comme on l'enseigne à tous les élèves des collèges classiques, en harmonie avec la doctrine sociale de l'Église catholique, l'élite se reconnaît non à sa fortune mais à ses vertus, telles sa foi, sa culture ou sa moralité. Elle ne réclame aucun privilège. Au contraire, elle a le devoir de veiller au bien-être de son peuple. C'est pourquoi Trudeau et ses compagnons d'armes affichent leur appartenance à cette aristocratie avec le plus grand naturel.

Parmi les multiples aspects de la révolution dont discutent Trudeau et Boulanger, signalons-en un dernier : le rôle des femmes dans la révolution et dans la société post-révolutionnaire. Boulanger pense que «comme épouses et comme mères, les femmes de notre pays ont un rôle à jouer dans la Révolution et que personne ne peut mieux le définir que quelques-unes d'entre elles». Trudeau ne partage pas ce raisonnement culturaliste selon lequel seules des femmes peuvent parler au nom des femmes. Déjà en 1942, il prend une position ferme à ce sujet : «Principe inutile. Nous ne ferons pas aux femmes l'injure de les reléguer à un mode particulariste d'action, en marge des principes généraux de la révolution. Il va de soi que l'excellence humaine d'une communauté ne saurait être achevée sans elles. Nous en parlerons plus longuement au chapitre de l'organisation familiale et corporative. » Malheureusement, nous n'avons trouvé aucune trace du chapitre en question.

Sans décrire davantage le processus complexe qui a mené à la rédaction finale du «plan», nous conclurons cette section en présentant *in extenso* la première et la dernière version de ce manifeste.

Première version manuscrite du manifeste :

Principes de la révolution

1. Notre Révolution sera la lutte permanente que le Canadien français livrera pour assurer le triomphe puis le maintien du Bien dans la société canadienne-française.

2. L'existence d'un État Souverain canadien-français est la condition essentielle de l'existence d'un ordre de choses conçu dans l'intérêt propre des Canadiens français.

3. La nation ainsi constituée aura trois caractères fondamentaux qui ne sont d'ailleurs que l'affirmation catégorique de ses tendances confuses mais quintessencielles : elle sera laurentienne, française et catholique.

4. Cet État aura un territoire propre, déterminé par les nécessités historiques et démographiques, et par une politique internationale toujours préoccupée d'ordre et de justice.

5. La constitution de l'État laurentien sera autoritaire et unitaire en principe. Mais la décentralisation, inspirée de l'aspect économique du territoire et brimant tout espoir de tyrannie, veillera aux intérêts de la liberté collective et de l'anarchie personnelle.

6. L'organisation économique et sociale sera corporative. Chacune des collectivités qui composent la société veillera à régler les problèmes particuliers, et un conseil central se chargera

d'établir l'harmonie entre les parties. L'égalité des personnes n'étant considérée ni comme désirable, ni comme possible, une aristocratie ou une élite pourra se former librement, puisant sa valeur moins dans la fortune qui sera limitée par les statuts, mais dans les qualités plus humaines d'excellence morale et intellectuelle.

Version finale dactylographiée du manifeste:

Les principes

1. La révolution nationale est une lutte permanente qui tend à l'excellence humaine de la communauté.
2. La Patrie qui renaîtra de la Révolution est catholique, française et laurentienne.
3. La Nation s'exprimera dans un État ensemble autoritaire et gardien des libertés.
4. La constitution sociale et économique sera hiérarchique, familiale et corporative.
7. Dieu est d'avis.

Dans la version finale, deux anomalies sautent aux yeux. Premièrement, on passe du quatrième principe au septième et, deuxièmement, «Dieu est d'avis» constitue non un principe mais une affirmation. Comment les expliquer? Pour cela, nous devons revenir à des textes antérieurs à la version finale du manifeste. Déjà dans la deuxième version, le nombre de principes passait de six à cinq. Cependant, Trudeau ajoute, après le cinquième principe, en numéro 7: «Dieu a dit.» Même phénomène dans la troisième version. Mais cette fois, Trudeau explique: «La dernière proposition (Dieu a dit) a été écrite pour les raisons qu'on sait. Mais même quand ces raisons seront périmées, nous aimerions que s'établisse la coutume d'écrire toujours en 7ᵉ lieu: Dieu a dit, tant nous plaît la fierté définitive et un peu emphatique de cette courte phrase.» Le

Seigneur, ayant fini sa création, s'est reposé le septième jour. Les révolutionnaires veulent eux aussi marquer leur fierté d'avoir achevé leur manifeste. Ce clin d'œil à l'œuvre de Dieu a dû plaire au groupe puisque l'argumentation se retrouve mot pour mot dans les Commentaires du texte final, avec la différence que « Dieu a dit » a été remplacé par « Dieu est d'avis ». Dieu, cessant de dicter les principes de la révolution, se contente de les approuver. Cet exemple illustre, une fois de plus, non seulement combien la religion imprègne tous ces documents, mais également combien le texte final du manifeste porte l'empreinte de Trudeau. Il en est la force et l'esprit. En est-il le chef ? Question que nous laisserons en suspens, pour le moment.

Le plan terminé, le groupe se consacre à l'organisation de la cellule révolutionnaire. Nous avons trouvé un seul texte, selon nous incomplet, traitant de ce sujet. Une fois de plus, c'est à Trudeau que semble revenir cette tâche, puisqu'on reconnaît aisément son écriture. « Le pouvoir central sera à plusieurs, écrit-il. D'abord les cinq (pas nécessairement tous) qui sont au courant. Puis les autres qui viendront et qui sont compétents. »

Qui sont ces cinq ? Nous en connaissons déjà trois : Trudeau, Boulanger et Lessard. Pour les deux autres, rien n'est certain. L'un des deux est probablement le père Thomas Mignault (on a vu que Boulanger devait lui remettre des documents, et qu'il partageait les perspectives révolutionnaires et séparatistes du groupe). Quant au cinquième, deux textes laissent entendre qu'il s'agirait du père Marie-Joseph d'Anjou, enseignant à Brébeuf. En effet, dans les archives de Trudeau se trouve une lettre signée M.-J. d'Anjou, s.j. Le texte énigmatique, dactylographié, adressé à M. Antonio Boisclair, CECC du collège Brébeuf, est daté du 7 novembre

1941. Pourquoi Trudeau aurait-il en sa possession une telle lettre, parmi d'autres documents relatifs à leur projet secret de révolution ? Le contenu, plein de non-dits, ajoute au mystère. Citons quelques exemples :

> Après discussion du « cas » que vous m'avez posé, je crois qu'il faut répondre par la *négative*, c'est-à-dire que celui qui s'est déjà engagé (dans les sens que vous m'avez dit) ne doit pas chercher à s'engager ailleurs s'il lui faut absolument, pour cela, jurer qu'il n'est pas déjà engagé. [...]
>
> Il est normal que, pour accomplir un bien supérieur, on rencontre de plus grandes difficultés que dans la poursuite ordinaire et médiocre de la vertu et de l'apostolat.
>
> Bonjour. Priez pour moi.

Pourquoi parler en termes si détournés d'un « cas » ? Et pour un jésuite, que serait un « bien supérieur » à la poursuite – considérée médiocre ! – de la vertu et de l'apostolat ? Il ne peut s'agir que d'un acte héroïque et dangereux, qu'on ne peut décrire qu'en code. La Révolution, visant une Laurentie catholique, correspondrait à ce bien supérieur. Pourquoi le père demande-t-il à ce M. Boisclair de prier pour lui ? Serait-ce pour que son projet plein de difficultés réussisse ? Questions troublantes et sans réponses claires. Elles indiquent cependant que le père d'Anjou jouait un rôle central dans l'organisation.

Cette lettre du 7 novembre 1941 suggère que déjà à cette date un projet de constitution d'une société secrète est en gestation depuis quelque temps. En fait, selon François Lessard[10], Trudeau aurait fait partie de groupes clandestins dès 1937. Dans son article « Sur les pompiers » publié dans *Brébeuf* du 22 février 1940, Trudeau lui-même faisait allusion à des affrontements avec la police, mais il ne mentionne ni dans ses *Mémoires* ni dans des entrevues avoir participé à des manifestations. Cependant, un incident survenu à la Chambre des communes le 5 avril 1977 mérite notre attention. On trouve dans *Hansard*, le journal officiel des débats aux Communes, l'extrait suivant:

> M. René Matte (Champlain): Le très honorable premier ministre dirait-il à la Chambre s'il a déjà milité, ou plus précisément, s'il a déjà fait partie et s'il ferait encore partie d'un mouvement secret préconisant une attitude pacifique à l'égard de l'indépendance du Québec?
> [...]
>
> M. Hnatyshyn: Le premier ministre fait signe que oui[11].

Ainsi, le premier ministre Pierre Trudeau reconnaît en Chambre avoir fait partie d'une société secrète. Nous avons vu par ailleurs, à travers la rédaction du plan, qu'il en était probablement un des membres les plus actifs. Tout porte sa marque. Selon François Hertel, il en était même le chef. En 1977, celui-ci relate à un journaliste de *La Presse* que «Trudeau avait formé une société secrète[12]», ce qui laisse entendre qu'il en était le chef. Nous ne le pensons pas. Si sa participation très active à ce groupe ne fait aucun doute, aucun indice ne permet de supposer qu'il en était le chef. Alors, qui était-ce?

Selon Jean-Louis Roux, la rumeur circulait à l'époque que c'était François Hertel. Cependant, aucun document n'appuie cette hypothèse. Que Hertel ait fait partie de cette société secrète semble très probable, sinon certain. Comment, autrement, serait-il au courant de son existence? De plus, Lessard mentionne, à son sujet, qu'il en était «le meilleur agent recruteur[13]». Mais rien ne montre qu'il en était le chef. Il n'en avait probablement ni la trempe ni le goût, car c'était un homme d'idées plutôt que d'action. Alors qui?

Trudeau écrivait dans le document proposant la structure de la société secrète que le pouvoir central (P.C.) serait composé des cinq « au courant », auxquels s'ajouteraient d'autres, « compétents ». Il attribue la nécessité de ces personnes compétentes au fait que les cinq n'ont pas « toute l'expérience ». Certains se spécialiseront dans l'information, d'autres dans le recrutement, d'autres dans la propagande. Ce pouvoir central (P.C.) aura un président élu qui sera « l'Orateur ». Il discutera « de toutes les branches ». En cas de désaccords, « il faudra consulter le pouvoir ultime (P.U.), inconnu du P.C., et avec lequel on communique secrètement par un lieutenant (ex. Gagné ou un autre, non suspect de l'autre gang). » Qui est ce pouvoir ultime ? Un nouvel indice suggère, une fois de plus, le rôle central du père d'Anjou : « Ce P.U. se réduira à d'An. Et celui-ci sera remplacé si quelqu'un manifeste des qualités de chef incomparablement plus fortes. D'A. restera comme son aviseur. » Il nous semble donc possible que le père d'Anjou ait été le chef suprême [ou pouvoir ultime] de cette société secrète. La lettre de novembre 1941 pourrait même laisser croire qu'il en était l'instigateur.

Ce chef, qui détient le pouvoir ultime, est à la tête d'une organisation tout à fait hiérarchique. En dessous de lui se trouve le pouvoir central. Viennent ensuite les chefs de service ou les secrétaires qui transmettent les ordres « aux trois chefs de bande [le chef de la Propagande, le chef de l'Information et le chef du Recrutement] : ceux-ci les transmettront à leurs subordonnés de sorte que tous les LX soient avertis ».

Voici enfin révélé le nom que se donne cette société secrète. Ces LX seront organisés selon le modèle corporatif : « Il faudra voir à grouper ceux qui ont les mêmes aptitudes (anarchie) : ils devront se connaître puisqu'ils exerceront une action commune. [...] Ainsi se formeront des chefs qui pourront inventer autour d'eux une société secrète, accaparer le pouvoir dans leur localité, dépister des bandes adverses, etc. Mais

les chefs nous resteront soumis; ils pourront être promus. »
Le souci du secret et la peur de la trahison se manifestent
partout : « Il faudra que tous les gens du P.C. soient très sûrs,
afin que l'un d'eux ne trahisse pas les autres. De plus, il faudra qu'ils aient peur du P.U. qui usera de représailles très
sévères (enlèvement temporaire). [...] Les décisions prises
seront transmises par un du P.C. (Lessard, car il est connu)
qui feindra recevoir ça d'autres inconnus. »

La mesure préconisée pour garantir l'anonymat des membres reflète à la fois le goût que Trudeau a toujours eu pour le
théâtre et sa volonté de faire une séparation très nette entre
ses divers rôles sociaux : « Il y aurait même avantage à ce que
les gens du P.C., lorsqu'ils s'assemblent, s'appellent par des
pseudonymes et soient déguisés, ceci afin qu'ils s'habituent à
ne pas mêler leurs affaires secrètes et leurs affaires sociales. »

Après l'organisation des cellules, les LX passent au recrutement et aux actions projetées. Sur un prototype de fiche de
recrutement, en plus des renseignements habituels (nom,
adresse, date de naissance), d'autres, moins usuels, sont jugés
importants par les LX, tels : « recommandé par », « recruté
par », « description physique : barbe, moustache, verres, mar-
ques ». Si la recrue est mariée, elle doit indiquer le nombre
d'enfants. Elle doit donner non seulement son occupation
actuelle, mais également ses occupations antérieures avec le
nom des employeurs. Elle spécifie également ses connaissances techniques. Les LX ne plaisantent pas ! Cependant,
curieusement, la seule fiche manuscrite que nous ayons
trouvée ne suit pas les consignes détaillées mentionnées
plus haut. Elle indique comme recrue : Bernard Boivin, avec
le numéro d'identification : MI 498 I. Serait-il la 498e recrue ?
Lessard affirme qu'ils étaient quelques centaines[14]. Le « I »
représente-t-il la bande « Information » ? Cette hypothèse
semble plausible puisque, sous la mention « au courant », est
inscrite l'entrée suivante : « Re : information civile, police,
nos postes, nombre policiers, etc. ».

Le témoignage d'un membre, devenu célèbre, donne au processus de recrutement un éclairage révélateur. Jean-Louis Roux relate dans ses Mémoires avoir appartenu, pendant une brève période, à une société secrète «parfaitement loufoque qui s'appelait les X». (Selon nos documents, elle s'appelait plutôt les LX.) Roux en explique le fonctionnement :

«Dans la hiérarchie de ces X, nous ne devions connaître que deux personnes : notre supérieur immédiat, qui nous donnait les ordres, et notre subalterne direct à qui nous les transmettions. Les X se prenaient très au sérieux. Dans leurs rangs, circulait un document dans lequel était expliquée la tactique à suivre, le jour où serait décidé l'investissement des postes de police et de pompiers, ainsi que l'occupation des stations radiophoniques de la ville. Chacun des X avait un certain nombre de membres à recruter. Dans ma liste, figuraient les noms de Jean-Marie Gauvreau, fondateur de l'École du meuble, et d'Édouard Montpetit, secrétaire général de l'Université de Montréal. [...] Lorsque Pierre-Louis Gélinas, qui me précédait dans la hiérarchie du groupe, me communiqua ces noms, je me trouvai confirmé dans les doutes que j'entretenais au sujet du caractère sérieux des X... »

Une nuit de Noël, l'identité du Grand X, chef suprême, devait être dévoilée lors d'un important rassemblement. La rumeur circulait déjà qu'il s'agissait de François Hertel [...]. Un collégien plus vieux que moi, François Lessard, me transmit la convocation. [...] J'annonçai donc à mon interlocuteur mon intention de démissionner du mouvement. Silence à l'autre bout de la ligne. Puis, de sa voix de basse profonde, Lessard me déclara qu'on "ne quittait pas les X comme ça", sur un ton solennel laissant soupçonner de graves mesures répressives à mon endroit. Et il raccrocha. Je ne fus pas inquiété outre mesure, mais bien plutôt curieux du traitement qui m'allait être infligé. Les jours, les semaines, les mois passèrent. Rien ne se produisit. J'attends encore. »

Le témoignage de Jean-Louis Roux montre que l'organisation prévue pour le recrutement a, effectivement, été mise en pratique. Néanmoins, selon Roux, l'inclusion du secrétaire général de l'Université de Montréal, Édouard Montpetit, parmi les membres à recruter, suggère le manque de sérieux du mouvement. Mais à la lumière de ce qui précède, il ne paraît pas impossible que des personnes haut placées aient fait partie des LX. On ne le saura probablement jamais puisque, selon Lessard, aucune liste des membres n'a jamais existé[15]. Quant aux « représailles » dont on a menacé Roux, on voit que les « enlèvements temporaires » prévus dans de telles circonstances semblent être restés lettre morte.

Avec ces événements et ces documents, nous sommes rendus bien plus loin que le « Plan » dont la rédaction était prévue pour le 14 juillet. Revenons à l'échéancier que s'étaient fixé Trudeau et Boulanger pour l'été 1942. On se souvient que l'élaboration d'un manifeste ne représentait que leur première tâche. Ils devaient lire par la suite une série d'œuvres et échanger leurs commentaires par correspondance.

Trudeau respecte son échéancier et trouve même le temps de lire quelques autres ouvrages, pour se divertir. En juillet, il lit *La Voie royale,* d'André Malraux ; en août, *La beauté sur la terre,* du romancier suisse Charles-Ferdinand Ramuz, et *Wuthering Heights* d'Emily Brontë, et en septembre, *Thunder on the Left,* de Christopher Morley et *To the Lighthouse,* de Virginia Woolf. Curieusement, alors que Trudeau veut faire une révolution toute laurentienne et française, trois des livres qu'il lit pour le plaisir sont d'auteurs anglophones. Il est enthousiasmé par *To the Lighthouse,* qui est « un bijou de suggestion, un modèle de maîtrise du style et de l'idée ». Nous ne nous attarderons pas sur ces lectures faites en marge de ses activités principales. Un seul ouvrage hors programme retiendra plus loin notre attention: *Humanisme intégral*, de Jacques Maritain, lu en août 1942.

Dix jours après la remise du plan à Boulanger, Trudeau doit expédier ses commentaires sur *La République*, de Platon. Entre les deux, il se paie le luxe d'une Harley-Davidson d'occasion, à 450 $. Quelques détails relatifs à cet achat nous ramènent un peu sur terre. En effet, à suivre les activités révolutionnaires de Trudeau, on a l'impression qu'il vit sur la lune, en dehors du temps. Pourtant, les réalités de la guerre imprègnent son quotidien. Ainsi, sur la police d'assurance qu'il contracte pour sa motocyclette, se trouve apposée la notice suivante: «Le gouvernement a imposé des restrictions sur la vente des nouveaux pneus et chambres à air. Prenez toutes les précautions possibles pour prévenir le vol des pneus et chambres à air de votre automobile. Le remplacement sera difficile et peut-être impossible[16].»

Ces restrictions n'affectent pas l'enthousiasme de Trudeau pour sa nouvelle acquisition. Il écrit à son ami: «Certes, nous avons eu la chance égale, toi et moi; et ces deux semaines nous ont paru courtes à l'un et à l'autre. Mais il y a cette différence que moi, je me suis acheté une motocyclette. Je ne te détaillerai pas les effets en général de la moto; qu'il te suffise de savoir qu'en particulier elle m'a conduit il y a une semaine au lac des Pins, chez une famille charmante, mais où la lecture et la rédaction sont beaucoup moins faciles que dans ma chambre.» C'est pourquoi, ajoute-t-il, «le temps qui me reste est plus court que je n'aurais désiré, car ma lettre guette le dernier train pour Montréal». Il parvient quand même à envoyer ses commentaires sur Platon exactement à la date prévue, soit le 24 juillet, en s'exclamant: «Ouf! Baptiste je suis vidé. Il ne me resterait que mon amitié et ma bénédiction et je n'hésite pas à te les donner. »

Accusant réception de la lettre de ce dernier, dont nous ignorons le contenu, Trudeau lui écrit : « La simplicité vigoureuse de ton texte peut faire rougir les faiseurs de littérature. » Trudeau admire Boulanger, comme il le rappelle dans ses *Mémoires politiques*. Peut-être veut-il être à sa hauteur, car il ajoute : « Et je me suis dit qu'il fallait à tout prix tuer le harangueur que j'ai en moi. » L'expression « tuer le harangueur en moi » reprend presque mot pour mot un des commentaires du « correcteur » du compte rendu sur *Les Voyages de Marco Polo*. Ce qui laisse supposer que ce correcteur était Boulanger.

Avant de passer à ses commentaires sur Platon, Trudeau prévient son ami : « Sache d'abord que je suis lent et difficile à enthousiasmer. » Platon le surprend, par sa simplicité. « Naïvement [...] je m'étais imaginé je ne sais quoi, peut-être un grand métaphysicien énorme, un penseur hérissé d'abstractions, à la dialectique impénétrable. Et je fus tout étonné de connaître ce philosophe si humain, si vulnérable. » Trudeau se demande comment il doit le lire pour en tirer le plus grand profit : « Je ne vois que deux façons de juger équitablement Platon. La 1re serait de le lire (dans le grec) ayant une connaissance exacte de la vie et de la philosophie de ses contemporains. La seconde, qui a aussi une valeur beaucoup moindre, est de lire dans une excellente traduction tous les principaux dialogues. Hors de là, pas de salut. [...] Si l'on ne désire pas que le philosophe se paye notre tête [...] il est prudent de contrôler ce penseur par un contact assidu avec toutes ses œuvres, ou par la connaissance de ses contemporains. Or moi, plutôt que de tenter l'une ou l'autre de ces vérifications, j'ai mis mon temps à lire des essais sur la vie, les œuvres, la philosophie de Platon, l'analyse de sa *République* [...] Ces lectures ne sont pas perdues ; mais elles n'autorisent nullement à se former une opinion *personnelle*. »

Ainsi, en 10 jours, Trudeau lit non seulement *La Républi-que*, mais des essais sur la vie et les œuvres de Platon. D'autres, avec ce bagage, auraient revendiqué une certaine expertise en la matière. Pas lui : « De Platon je sais exactement assez pour n'en oser rien écrire. […] Je ne saurais affirmer de Platon rien dont le contraire ne puisse également être soutenu. » Ce qui ne l'empêche pas d'envoyer quinze pages de commentaires à son ami.

Commençons par les critiques. La plus importante a trait à ce qu'il appelle « l'étatisme » de Platon : « L'idée politique omniprésente, dans la République idéale, c'est sûrement l'étatisme. Je ne m'attarderai pas à cette doctrine contre laquelle nous avons considérablement déblatéré. On n'a d'ailleurs, pour en apprécier la valeur, qu'à voir les conséquences exagérées où elle conduit même l'esprit mesuré de Platon : y a-t-il quelque chose de moins humain et de plus antisocial que son fameux communisme familial ? […] Je ne le crois pas excusable d'avoir méconnu le caractère fondamentalement humain de ces conventions, dont la négation est fatale non seulement à la libre manifestation de la personnalité – car les enfants "expriment" les parents – mais aussi au sain développement de la race. (Cette question mérite que nous en reparlions à ton retour). »

On a vu au chapitre 8 que l'étatisme avait, pour Trudeau et ses compagnons d'armes, ainsi que pour des auteurs tels Aron et Dandieu, une connotation très péjorative. On comprend donc sa réaction négative à Platon. On regrette, cependant, qu'il ait, avec ses amis, « considérablement déblatéré » contre cet étatisme. Cela nous prive de textes explicatifs. On aurait aimé savoir, par exemple, comment il envisage « le sain développement de la race ». Son rejet du communisme familial ne surprend guère, surtout quand on connaît l'importance qu'accorde l'Église à la famille. Par contre, on comprend mal pourquoi il trouve l'extension du rôle de l'État inacceptable chez Platon alors qu'il projette pour la Laurentie un État autoritaire dirigé par un chef puissant. Cette question est d'autant plus intrigante que Trudeau reconnaît «à la décharge de Platon, que si jamais quelqu'un a pu justifier l'étatisme en s'efforçant de le maintenir dans de justes limites, c'est bien lui».

Grand amateur, toute sa vie, d'art et de littérature, Trudeau n'apprécie pas, chez Platon, «sa relégation des arts au 3e rang». Mais même là, il s'empresse de lui pardonner «à cause de cette fine distinction entre le théâtre qui purifie et ennoblit puis le théâtre qui exploite les sentimentalités des foules. Le premier étant sacrifié afin de tuer plus sûrement le second qui est mauvais». Cela témoigne de l'adhésion de Trudeau à la position de ses maîtres jésuites et de l'Église, et illustre l'influence probable d'Alexis Carrel qui attribuait «la dissolution des groupes familiaux et sociaux [à] l'énorme diffusion des journaux, de la radiophonie et du cinéma». Comme ses maîtres, Trudeau approuve le théâtre classique et condamne ces nouvelles formes de divertissement qui auraient, comme le dit Carrel, «nivelé les classes intellectuelles de la société au point le plus bas[17]».

Trudeau fait également quelques critiques sur le style: «Je t'avouerai que le truc des dialogues philosophiques finit par me raser. Certes, cela sert parfois à mettre de la variété et de l'intérêt, [...] mais le plus souvent je suis exaspéré par les affirmations et les stupides "concedo" du banal interlocuteur.»

Mais les critiques pâlissent en regard des louanges à tous égards, à la surprise même de Trudeau: «N'ai-je pas commencé ce travail plein de défiance pour Platon? Mais alors, je ne t'ai pas écrit en vain; car si je ne m'abuse, me voilà glissant vers un platonicisme enragé.» Il considère ce philosophe comme «un éducateur et un professeur hors pair» et apprécie, entre autres, sa «merveilleuse théorie de l'éducation par la musique et la gymnastique». Découvrant que Platon préconise, comme eux, la division de la société en corps de métiers, il s'exclame: «Pour elle, je n'ai que des louanges.

Dans l'État bien organisé, le citoyen n'est pas esclave de son métier, mais il en est amoureux.» Qui plus est, Platon propose une structure pyramidale de la société, avec, à sa tête, un chef autoritaire, un «philosophe-roi». Voyant ainsi la confirmation du bien-fondé de leur propre projet, Trudeau écrit : «Permets-moi seulement d'observer que si jamais, Baptiste, nous ratons tout, il nous sera d'un singulier réconfort de relire ces passages où Platon aussi prône la politique autoritaire et aristocratique.»

Même au sujet du style, Trudeau reconnaît que l'ironie de Platon est si fine et agréable qu'au début, elle lui avait échappé. Bref, il s'extasie devant toutes les vertus de ce philosophe : «Rarement ai-je rencontré [...] un homme dont le souci aussi constant fut d'assurer le triomphe du bien. Voilà véritablement un homme juste et craignant Dieu. [...] [Platon] est éminemment sincère et sa caractéristique transcendantale c'est sûrement de posséder cette magnifique vertu de justice [...] qui se préoccupait de découvrir et d'enseigner ce qui perfectionnait les hommes et plaisait aux dieux.» Appliquant les idées de Platon à son propre salut dans l'au-delà, il écrit à Boulanger : «N'est-il pas sublime d'affirmer que si les effets rémunérateurs de la vertu ne sont pas toujours sensibles, eh bien ! c'est tant pis : une fois au ciel, il sera utile d'avoir été juste.»

Pour respecter l'échéancier, Trudeau doit envoyer ses commentaires sur *La Politique* d'Aristote le 3 août. En fait, il expédie, le 4 août, six pages sur *Le Contrat social* de Rousseau. Déçu, dit-il, des notes chaotiques sur Platon qu'il avait envoyées à son ami, il s'était promis de faire de son prochain envoi «une petite merveille». Mais des difficultés imprévues l'ont forcé à modifier ses plans : «J'ai mis plus de temps à chercher *La Politique* d'Aristote que j'en aurais pris pour la lire ; et finalement j'ai dû me résigner à faire venir le volume je ne sais d'où, des États-Unis peut-être. En attendant, je me lançai dans la politique de Rousseau, et voilà notre programme renversé. » Et il ajoute, avec une pointe d'humour : « Tant pis, à défaut d'autres qualités, je t'offre au moins le plaisir de l'imprévu. »

À la fin de son brouillon, un petit mot renvoie à ses « notes marginales du *Contrat social* » – que nous n'avons malheureusement pas. On se souvient qu'en avril 1941, il avait demandé et obtenu la permission de lire *Le Contrat social*, qui était à l'Index, bien qu'on ne sache pas s'il l'a effectivement lu. En 1942, il est enthousiasmé par ce livre : « D'abord Rousseau m'a enchanté pour son style. Puis son *Contrat* m'a fortement impressionné. Je crois maintenant que *Le Contrat social* [...] a été très injustement vilipendé par la plupart des "penseurs" que j'avais honorés de mon attention. [...] Il faut ajouter d'ailleurs que de prétendus justes critiques ont scandaleusement calomnié le *Contrat*, le condamnant sur des contradictions que leur étroitesse imaginait et lui prêtant d'inexacts jugements sur l'Église, l'égalité, la liberté... »

Pourtant, malgré ces propos élogieux, Trudeau déforme la pensée de Rousseau, et croit y trouver un appui à son propre point de vue. Par exemple, lorsque Rousseau écrit que « la force est une puissance physique [...] Céder à la force est un acte de nécessité, non de volonté[18] », il exprime une évidence : le faible obéit au fort parce qu'il ne peut pas faire autrement. Pour Rousseau, ce n'est pas la force qui est le fondement de la légitimité de l'État, mais la volonté générale. Trudeau interprète ce principe comme suit : « Lorsqu'un gouvernement a été imposé de force, après conquête, ce gouvernement est illégitime, car il n'a pas été établi principalement pour le bien-être du peuple conquis. Donc ce n'est pas le nombre des années qui rendra jamais ce gouvernement légitime : il faudrait pour cela que le peuple consente à l'unanimité d'accepter un tel gouvernement. Et si une partie de la population est dissidente elle peut former un peuple à part.»

Ainsi, le jeune Trudeau utilise Rousseau pour justifier la création d'une Laurentie indépendante. Son raisonnement ne tient nullement compte du fait que depuis plus d'un siècle, les Canadiens français participent à la vie politique au même titre que le reste de la population. Par ailleurs, on chercherait en vain dans le *Contrat social* une référence quelconque au droit d'une partie dissidente de la population de former un peuple à part.

Trudeau est convaincu que le corporatisme comble les faiblesses du modèle de Rousseau. Selon lui, dans l'abstrait, Rousseau «propose des institutions très recommandables», mais elles ne fonctionnent pas dans la pratique. Par contre, écrit-il avec enthousiasme, «ce qui m'a émerveillé à chaque page ce fut de voir que le corporatisme, l'aristocratie humaniste et la limitation des richesses, tels que proposés dans notre plan, ressortaient comme les moyens évidents et uniques d'achever l'ordre idéal». Si l'on trouve effectivement, chez Rousseau, des propositions sur la limitation des richesses et sur les avantages d'une aristocratie de mérite, on aurait bien du mal à dénicher des arguments en faveur du corporatisme. Au contraire. Dans une société idéale, selon Rousseau, pour que la volonté générale se manifeste, il faut «qu'il n'y ait pas de société partielle dans l'État et que chaque citoyen n'opine que d'après lui. [...] Quand il se fait des brigues, des associations partielles [...] alors il n'y a plus de volonté générale[19]». De toute évidence, selon le modèle idéal de Rousseau, la corporation, société éminemment partielle, constituerait une entrave incontournable à la manifestation de la volonté générale.

En fait, dit Rousseau, il faut impérativement que les citoyens participent activement à la vie politique: «Le souverain n'ayant d'autre force que la puissance législative n'agit que par des lois, et les lois n'étant que des actes authentiques de la volonté générale, le souverain ne saurait agir que quand le peuple est assemblé[20]. » De toute évidence, le modèle de Rousseau est l'antithèse du corporatisme puisque les membres des corporations ne s'occupent que de leurs affaires professionnelles et n'ont aucun droit de regard sur les questions politiques.

Ne tenant nullement compte de cette dimension de la pensée de Rousseau, Trudeau conclut : « Ce sera la corporation qui répondra à l'exigence de Rousseau. » Sans en faire la démonstration, il déclare que la simple existence des corporations résoudra tous les problèmes de participation directe et d'expression de la volonté générale soulevés par Rousseau. Ainsi, la lecture du *Contrat social* de Rousseau, comme celle de *La République* de Platon, ne fait que le convaincre de l'excellence du projet politique qu'il partage avec Boulanger.

Selon son échéancier, Trudeau doit expédier ses commentaires sur *La Politique* d'Aristote le 10 août. Est-ce à cause du retard à recevoir le livre qu'il ne le fera que le 12 octobre ? Quelle qu'en soit la raison, malgré huit pages de commentaires, il est évident que cette lecture ne l'enthousiasme pas. Peut-être sa réaction négative s'explique-t-elle par la mauvaise qualité de la traduction anglaise, qu'il juge trop littérale : « Aristote m'a paru compliqué, détourné, rébarbatif. En vérité, de telles traductions sont nuisibles à ceux qui veulent goûter la substance de la pensée. »

Pour lui, Aristote a tous les défauts : « [Il] était en tous points le modèle de ceux qui enseignent aujourd'hui l'aristotélisme : un professeur sec, catégorique, érudit, encyclopédique, implacable logicien. [...] La pensée qu'il enseigne n'a plus de valeur : soit qu'elle soit désuète, soit qu'elle soit connue d'avance. [...] Jamais je n'ai si bien saisi la différence entre un penseur et un logicien. Platon par exemple est un homme qui

cherche et qui risque ; […] il consent à quelques excès de l'imagination parce qu'il espère par là trouver quelque chose de
neuf, d'original, et de durable. […] Il nous fait chercher avec
lui, il nous laisse libre d'accepter ceci, de rejeter cela. Mais Aristote ! Aristote tremble toujours de perdre la voie de la logique
et du juste milieu ; [le résultat est] fort peu d'originalité ou de
génie lorsqu'il s'agit d'inventer quelque chose de son cru ou
de poser les principes d'action nouvelle. »

Le penseur le fascine, le logicien l'ennuie. Mais il note
tout de même quelques idées qui lui semblent intéressantes,
et une fois de plus, son optique affecte son interprétation. Il
écrit en anglais : « *The state exists for the sake of the good life, not
merely for protection and intercourse. Therefore the absolute right
to power is ability to contribute to the good life*[21]. » Dans la première phrase, Trudeau cite directement Aristote. Pour ce
dernier, les hommes se regroupent en société pour « bien »
vivre. Bien vivre englobe, pour lui, non seulement le monde
matériel, mais également l'univers intellectuel et moral ainsi
que, impérativement, la participation à la vie politique.
Cependant, Trudeau croit avoir trouvé chez ce philosophe
une légitimation de son projet révolutionnaire, en concluant
qu'un gouvernement qui favorise la « bonne » vie a un droit
absolu au pouvoir, même si les citoyens ne participent pas à
la vie politique.

Le 20 août, Trudeau est censé expédier ses commentaires
sur *Enquête sur la monarchie*, de Maurras. Il ne le fait pas.
A-t-il lu cet ouvrage sans transmettre ses commentaires à
Boulanger ? Probablement. En fait, en août, il lit un livre non
au programme, *Humanisme intégral*[22], de Jacques Maritain,
l'un des plus grands philosophes catholiques du XXᵉ siècle.

Maritain a participé, comme Robert Aron et Arnaud
Dandieu, Nicolas Berdiaev et Emmanuel Mounier, à la création et à la promotion du « personnalisme ». Mais contraire-

ment à la plupart des personnalistes, Maritain appuie le libéralisme et la démocratie, et n'affiche pas de sentiments anti-américains. En fait, il connaît bien l'Amérique. Depuis 1932, il est professeur invité à l'Institut pontifical d'études médiévales de l'université de Toronto et donne quelques conférences à l'Université de Montréal. En 1939, se trouvant au Canada lorsque la guerre éclate, il décide de ne pas rentrer en France. Il est professeur à l'université de Princeton en 1941-1942, puis à l'université de Columbia de 1942 à 1944.

Maritain est à New York lorsque Trudeau lit *Humanisme intégral*. Il est en train d'élaborer les principes d'un humanisme libéral chrétien fondé sur la loi naturelle ; il participe activement à l'effort de guerre et fait la promotion des droits de l'homme. Lorsque Trudeau le lit, Maritain a déjà écrit, entre autres, *Le Crépuscule de la civilisation,* publié à Montréal en 1941. Dans ce livre, il fait l'éloge de la démocratie américaine et se réjouit d'y trouver les signes de « la réconciliation, qui est maintenant en route, après plus d'un siècle de conflit destructeur, entre le patriotisme, la liberté, la démocratie et la religion[23] ». Maritain a également publié cette même année, à New York cette fois, *À travers le désastre.* Dans ce livre, au lieu d'attribuer la chute de la France aux failles de la démocratie parlementaire, Maritain l'attribue à tous ceux qui « tablaient sur les dictatures totalitaires et plaçaient leur confiance en elles[24] ».

En mai 1942, il publie, à New York, *Les Droits de l'Homme*[25], dont la première parution a été diffusée clandestinement en France, en 1940, au début de l'Occupation. À la suite de la parution de cet ouvrage, il participe activement à l'élaboration de la Déclaration des droits de l'homme de l'ONU, qui sera adoptée le 10 décembre 1948 par l'Assemblée générale des Nations Unies. Se situant aux antipodes de la position d'Alexis Carrel ou de Charles Maurras, Maritain considère ces droits comme fondamentaux : « Nous savons qu'un trait essentiel d'une civilisation qui mérite ce nom est le sens et le respect de la dignité de la personne humaine ; nous savons que pour défendre les droits de la personne humaine comme pour défendre la liberté il convient d'être prêt à donner sa vie[26]. »

Mais Trudeau ne lit aucun des livres où Maritain défend des valeurs profondément catholiques et adopte des positions tout autres que celles qui prévalent alors au Québec. Dans le seul ouvrage qu'il lit, *Humanisme intégral,* devenu un classique, Maritain réfléchit au rôle du chrétien face aux grands problèmes de la vie en société, tels la justice, le rapport entre le spirituel et le temporel et entre la personne et l'État. Il y prône un humanisme « intégral », qui prend en compte la personne entière, dans ses dimensions matérielles et spirituelles. Le titre, cependant, évoque le « nationalisme intégral » de Maurras, que Maritain condamne à tout point de vue. Aurait-il choisi ce titre par dérision ou pour manifester clairement sa position diamétralement opposée à celle de Maurras ?

À notre connaissance, il s'agit de la première rencontre de Trudeau avec un penseur profondément catholique qui défend le libéralisme et la démocratie. On est d'ailleurs frappé par la similitude entre cette pensée et celle du Trudeau adulte. Pour l'un comme pour l'autre, la notion de primauté de la personne et de dignité humaine a comme corollaire le respect des droits inaliénables de la personne. Pour tous les deux, ces droits doivent être inscrits dans la loi.

On aurait donc pu s'attendre à trouver une espèce d'exaltation à la découverte de cette œuvre magistrale, comme dans le cas de Bergson, par exemple. Mais, curieusement, les six pages de notes ne débordent pas d'enthousiasme : « Sans beaucoup d'originalité, mais avec beaucoup de clairvoyance et d'esprit de synthèse, Maritain résume la carrière de l'humanisme à travers les âges et découvre les ressorts de la culture. [...] En somme Maritain parle le langage de la raison (inspirée de saint Thomas). Il discerne assez justement le juste milieu. » Trudeau trouve dans ce livre un appui à la nécessité d'une révolution chrétienne : « [Maritain] croit qu'une nouvelle chrétienté seule pourra sauver le monde... Il en montre les aspects : communautaire, personnaliste, pérégrinale[27]. » Mais, bizarrement, Trudeau ajoute « D'où décentralisation », idée qui ne découle pas de la prémisse principale de Maritian.

Pour finir, Trudeau apprécie l'importance que Maritain accorde aux droits et à la liberté de la personne, et se rend compte que le corporatisme ne porte pas automatiquement en lui un mécanisme garantissant ces droits. Il en conclut qu'il faudra s'en préoccuper dans la gestion de la future société : « Défendre la personne contre la collectivité corporative. [...] Garantir au sein même de ces organismes les droits et la liberté de la personne. » Il note que Maritain, comme son groupe révolutionnaire, pense qu'« il ne faut pas reconstruire une classe de privilégiés de l'argent, mais il faut permettre à tout homme de jouir effectivement de la condition d'héritier des générations précédentes ».

Des 311 pages de cette œuvre majeure de Maritain, Trudeau ne mentionne que ces quelques idées. Il ne semble rien trouver de particulièrement enthousiasmant. On a vraiment l'impression que Maritain lui apporte peu. Il n'aime pas son style : « Ce n'est pas l'écrivain le plus clair du monde. Sa phrase est répétiteuse [sic!] et souvent mal bâtie. Son style ne démêle pas les divers fils de pensée et nous les présente tous emmêlés. Ce qui le sauve heureusement, c'est qu'il annonce toujours ses divisions, en tient compte, et sait où il va. » Sur le plan pratique et politique, les idées de Maritain lui semblent peu pertinentes : « Dès [que Maritain] aborde les questions pratiques, il n'y est plus. Son action politique serait singulièrement irréaliste ; il s'attache à une démocratie retardataire, à un capitalisme qui ne se distingue pas très bien du corporatisme. » Trudeau ne se donne même pas la peine de justifier sa critique sévère, comme il le fait souvent dans ses lectures.

En fait, ce penseur défend sous ses yeux des points de vue qu'il défendra lui-même… bien des années plus tard. Mais en 1942, si notre jeune révolutionnaire rejette, presque du revers de la main, les idées de Maritain, c'est que celles-ci vont à l'encontre des positions défendues par la très grande majorité de l'élite canadienne-française. D'ailleurs, quand Trudeau lit *Humanisme intégral,* ce grand penseur catholique a mauvaise réputation au Québec. On en comprendra vite la cause.

Maritain fustige tous les régimes totalitaires, notamment la France de Pétain. Il condamne la persécution des juifs et l'antisémitisme au nom de la chrétienté : « Notre époque offre aux démons homicides des festins inouïs. Staline leur a donné les koulaks ; Hitler leur donne les Juifs. Et l'un et l'autre leur donnent aussi les chrétiens[28]. » Pour expliquer la défaite de la France, il condamne Maurras, les extrémistes français et leur « stupéfiante indifférence au bien commun et au renom de leur pays. À vrai dire, la France qu'ils aimaient et voulaient servir n'était pas la France, mais leur France, [qui était pour eux] la *bonne* France ». Il accuse ceux qui collaborent d'être aveugles ou complices. Il fustige « ce que la propagande allemande appelle la reconstruction de la paix en Europe et […] un "ordre nouveau" qui, s'il s'établissait vraiment et durablement, signifierait la vassalisation de l'Europe au totalitarisme nazi[29] ».

Pour Maritain, cette guerre est « non une simple guerre nationale, ni une simple guerre de police, ni une guerre sainte, ni une guerre idéologique, mais une guerre de civilisation[30] », une guerre totale contre les régimes fascistes et nazis qui ne méritent pas le nom de civilisations. Contrairement à Laurendeau, à Trudeau et à la grande majorité de l'intelligentsia canadienne-française, Maritain appuie sans réserve la position des Alliés : « Que l'effort commun du Commonwealth britannique et des États-Unis gagne cette guerre, voilà ce qui à cette heure importe d'abord et avant tout à la liberté et à la civilisation. À coup sûr il ne suffit pas que l'Allemagne soit vaincue pour que tous les problèmes de la liberté à conquérir, de la civilisation à sauver et à refaire se trouvent résolus. Mais c'est une condition pour qu'ils puissent être résolus, et pour que le monde soit soustrait à l'esclavage qui menace aujourd'hui tous et chacun[31].»

Maritain condamne la collaboration du gouvernement de Vichy avec les régimes fascistes et nazis. Il accuse Pétain, ami de Franco et admirateur de son œuvre, de vouloir instaurer en France «un régime catholico-dictatorial du même type[32]». Si, selon lui, on ne peut pas qualifier le régime de Vichy de fasciste, c'est «parce qu'il n'y a pas de régime du tout, et qu'il ne peut pas y en avoir tant que l'Allemagne gouverne et que la France est prisonnière de guerre[33]». Il faut, dit-il, que la France se débarrasse de ce régime pourri: «[Si le peuple français] met à profit quelques-unes des initiatives actuellement tentées en France [...] ce sera en balayant le régime autocratique, la pseudo-"révolution nationale", le décor d'Ordre moral et de "reconstruction" décidément fasciste que le gouvernement de l'armistice prétend imposer au pays[34].»

En 1962, Laurendeau tente de justifier l'opposition des Canadiens français à la guerre en alléguant qu'ils prenaient les nouvelles désastreuses en Europe pour de la propagande britannique. Pour défendre Henri Bourassa, qui a fait un jour les louanges du Grand maréchal, il affirme que celui-ci ne savait rien de ce qui se passait en France. En admettant que l'intelligentsia québécoise ait été aveuglée par ses profonds préjugés anti-britanniques, comment expliquer qu'elle ait ignoré le message poignant et lucide de ce penseur catholique de grande renommée, personnaliste, publiant en français, vivant en Amérique du Nord, et visitant souvent le Québec? Pourquoi la thèse de *À travers le désastre* était-elle inconnue alors que *La Seule France* de Maurras, livre condamné par la censure canadienne, circulait sous le manteau? Pourquoi ce rejet de Maritain?

En 2005, André Burelle, rédacteur de discours de Trudeau lorsqu'il était premier ministre, donne l'explication suivante: «Au Québec, les autorités ecclésiastiques et l'intelligentsia nationaliste des années 1930 et de l'après-guerre traitèrent Maritain comme un dangereux gauchiste et lui cherchèrent querelle parce qu'il avait eu l'audace de prendre parti contre Franco lors de la guerre d'Espagne[35].» Bizarre. Burelle mentionne *l'avant* et *l'après-guerre*. Et quelle opinion avaient-on de Maritain *pendant la guerre*? De plus, pourquoi donner comme seule explication du rejet de Maritain son opposition à Franco et passer sous silence sa promotion de la démocratie, son opposition ardente au fascisme, son appui total à la cause des Alliés et sa condamnation sans équivoque de Maurras, de Pétain et du régime de Vichy?

Lorsque Trudeau lit *Humanisme intégral*, le point de vue de Maritain va tellement à l'encontre de pratiquement tout ce que défendent l'Église et l'intelligentsia québécoise qu'il ne relève même pas des idées importantes exprimées en noir sur blanc, sous ses yeux.

Selon Maritain, dans la cité moderne, le chrétien doit reconnaître et accepter le fait que des citoyens se regroupent dans des sociétés qui ne partagent pas sa propre conception du Bien: «Par opposition aux diverses conceptions totalitaires de l'État actuellement en vogue, il s'agit là d'une cité *pluraliste*. [...] La société civile n'est pas composée seulement d'individus, mais des sociétés particulières formées par ceux-ci; et une cité pluraliste reconnaît à ces sociétés particulières une autonomie aussi haute que possible, et diversifie sa propre structure interne selon les convenances typiques de leur nature[36].»

Maritain souligne le fait qu'on n'a pas le choix: qu'on le veuille ou non, le pluralisme est déjà dans la cité. C'est pourquoi une société juste doit en tenir compte dans sa structure et dans sa gestion. «Il faut renoncer, écrit-il, à chercher dans une commune profession de foi la source et le principe de l'unité du corps social[37].» C'est exactement à cette conclusion qu'arrivera, un quart de siècle plus tard, Trudeau, ministre de la Justice, qui insistera pour que la loi, faisant la distinction entre le crime et le péché, ne punisse que le crime. Par la suite, reconnaissant la structure pluraliste évidente et incontournable du Canada, il enchâssera le principe du multiculturalisme dans la Constitution. Mais en 1942, Trudeau n'en est pas encore là.

Maritain fustige le manque de pluralisme des régimes totalitaires qui sont, de ce fait, antichrétiens : «Dans la cité des temps modernes, fidèles et infidèles sont mêlés. Et sans doute aujourd'hui la cité totalitaire prétend-elle de nouveau imposer à tous une même règle de foi, au nom de l'État toutefois et du pouvoir temporel : mais cette solution n'est pas acceptable pour un chrétien.[38]» Ainsi, Maritain qualifierait de «totalitaire» le projet de création d'une Laurentie catholique. Mais Trudeau ne note rien à ce sujet. Maritain condamne la notion du chef autoritaire dont on a nourri tous les jeunes Canadiens français depuis leur enfance. Pour lui, «le chef est seulement un compagnon qui a le droit de commander aux autres[39]». Il s'oppose également au système hiérarchique préconisé par les tenants du corporatisme. Mais Trudeau ne le voit pas. Il faudra plusieurs années pour qu'il adopte le libéralisme comme philosophie et la démocratie comme système politique.

Aveuglé par l'idéologie ambiante qu'il a bien intériorisée, il ne voit pas que *Humanisme intégral* condamne presque toutes les prémisses d'inspiration maurrassienne qui soustendent la «révolution nationale» qu'il prépare avec ses compagnons. Trudeau ne remarque pas que la «révolution chrétienne» à laquelle se réfère Maritain apportera la démocratie, la liberté, le respect des minorités et la tolérance des divers systèmes moraux. Leur révolution, par contre, apporterait l'autoritarisme, le corporatisme, l'indifférence aux besoins des minorités, l'imposition d'une seule religion d'État avec une seule conception du bien.

Un véritable rendez-vous manqué....

Au terme de ses lectures, faites à travers le prisme de ses convictions et des idées dominantes de son milieu, Trudeau n'a trouvé aucun argument mettant en doute les fondements idéologiques de leur projet. Au contraire. Il va donc se lancer corps et âme dans l'action. Pendant ce temps, la Deuxième Guerre mondiale prend, au Québec, une tournure très particulière. On s'oppose ardemment à la conscription pour service outre-mer. Cette lutte farouche est menée par la Ligue pour la défense du Canada, qui se transforme par la suite en un parti politique, le Bloc populaire canadien. *C'est dans ce contexte survolté que le jeune Trudeau veut faire sa révolution pour que triomphent le Vrai et le Bien.*

CHAPITRE 10

Plus rien n'importe sauf la victoire

Nous étions des sourds volontaires, [...] butés
dans nos refus. Peut-être, pour les garder, a-t-il fallu
se crever les yeux et les tympans ?
André Laurendeau,
La Crise de la conscription – 1942

Que font les LX une fois leur manifeste prêt ? François Lessard écrit qu'ils ont recruté des centaines de membres. Exagère-t-il ? Comment le savoir, puisque aucune liste n'a, semble-t-il, jamais existé ? Quel qu'en soit le nombre, que font-ils sur la scène publique ? Là encore, on ne le sait pas au juste. Dans *Essais sur l'imprégnation fasciste au Québec*, Esther Delisle rapporte quelques épisodes anecdotiques, racontés au téléphone ou en entrevue, dans les années 1990. Or, on sait combien peu fiables sont les souvenirs glanés des décennies plus tard. Elle cite également la correspondance personnelle de Lessard. Dans certaines lettres, on mentionne Trudeau, mais on ne trouve ni lettre adressée à lui directement, ni venant de lui, ni une référence à une activité à laquelle il aurait participé.

On ne sait pas quand Trudeau a cessé de faire partie des LX. On ne sait même pas quand ce groupe a cessé d'exister. Cependant, une lettre indique qu'en mars 1943, le père d'Anjou discute encore de stratégie révolutionnaire avec certains membres : « Il faut dire *comment* on va procéder pour limoger les partis politiques. Est-ce qu'on va y aller subitement ou par étapes ? […] On devra supprimer le Conseil législatif dans la province […] Si on a l'intention d'instaurer un régime corporatiste tel que le préconise Hertel dans son dernier ouvrage, il faut savoir comment on compte l'instaurer. Par un coup d'État radical, comme au Portugal, ou par une plus lente évolution, comme il semble qu'on doive procéder ici[1] ? » Comme l'a fait le régime de Pétain, le père d'Anjou et ses compagnons d'armes veulent éliminer le système parlementaire, et envisagent la possibilité d'un coup d'État, à la manière de Salazar. Quand ont-ils cessé de planifier l'organisation de leur futur État corporatiste, catholique et français ? On ne le sait pas. Tout ce dont on est sûr, c'est qu'il n'y a pas eu de révolution nationale au Québec, ni même de tentative de coup d'État.

Ce qui ne veut pas dire que Trudeau n'est pas intervenu sur la scène publique. Jusqu'ici nous n'avons vu que ses activités intellectuelles : il lit énormément, prend des notes, écrit des articles dans *Brébeuf*. Même lorsqu'il prépare la révolution, il rédige et corrige des textes. Est-ce possible qu'une personne aussi engagée politiquement ne prenne aucune part aux nombreuses manifestations des Canadiens français protestant contre la conscription pour service outremer ? L'histoire n'a retenu que son discours d'appui à Jean Drapeau… La réalité est bien plus complexe. Hertel affirme que Trudeau s'est « battu avec la police, dans les années 37-38, au moment du centenaire de la révolution des patriotes[2] », ce que ce dernier semble confirmer. On se souvient que dans l'article « Sur les pompiers », dans *Brébeuf*, il faisait allusion à des coups de matraque. La célébration du centenaire de cette insurrection ayant été largement exploitée pour aviver le sentiment nationaliste des Canadiens français, surtout des collégiens, il est donc fort possible que Trudeau se soit joint à ces manifestations.

À partir de 1939 s'établit un climat tout à fait particulier au Québec. L'opposition à la guerre – à laquelle participe le Canada – occupe une place de choix sur la scène publique. André Laurendeau explique la réticence des Canadiens français à se battre comme suit : la population « n'aimait pas l'Angleterre, elle redoutait de se laisser entraîner dans les querelles anglaises, elle n'avait pas le sentiment d'un devoir, elle demeurait réticente ; et par-dessus tout, elle détestait le régime qui forcerait ses fils à s'enrôler et à aller se battre à l'étranger[3] ». Cette position est critiquée, dès juin 1940, non seulement par les Canadiens anglophones, mais également par des intellectuels français, tel le père Doncoeur. Ce jésuite français, ami de Laurendeau, écrit : « Votre attitude en ce moment est sans grandeur. Je la crois sans intelligence. Je sais pourquoi vous ne voulez pas vous soumettre aux Anglais. […] Mais vous devez savoir aujourd'hui à quel prix sanglant on paie sa neutralité. Quant au Canada, ne vous croyez pas à l'abri de cette odieuse puissance hitlérienne[4]. » Laurendeau lui répond : « Comme au pire moment de l'autre guerre, nos plus chers amis français ne peuvent plus nous comprendre. […] Si l'attitude prise par nous est sans grandeur – ce n'est pas à nous d'en juger – elle n'était pas la plus facile[5]. » Un sentiment de grand isolement s'empare des Canadiens français.

La chute de la France les ébranle et a pour effet immédiat leur appui au décret de mobilisation. Mais peu après, d'autres facteurs, dont leur admiration pour le régime de Pétain, renforcent leur refus de la conscription pour service outremer. Or, les libéraux de Mackenzie King ont été réélus en 1940, obtenant 178 sièges sur 245, au niveau national. Au Québec, leur victoire est retentissante : ils emportent 64 sièges (dont trois pris par des «libéraux indépendants») sur 65. Un seul siège va à un député conservateur. Les politiciens, aux niveaux fédéral et provincial, se souviennent du prix qu'a dû payer le premier ministre Robert Borden pour avoir instauré la conscription en 1917, après avoir promis qu'il ne le ferait pas. Non seulement il a perdu le pouvoir, mais depuis, le Parti conservateur n'a jamais retrouvé un appui substantiel au Québec. Les libéraux ne souhaitent pas subir le même sort. La promesse est donc faite, et maintes fois répétée, tant au niveau provincial que fédéral, que jamais on n'imposera la conscription pour service outre-mer.

Cependant, plus les pays sont écrasés sous la botte des armées hitlériennes, plus les horreurs nazies sont mises au jour, et plus les Canadiens anglais veulent que le gouvernement impose la conscription. Une division profonde se creuse alors entre les Canadiens anglais et français. La crise atteint son paroxysme en 1942, comme en témoigne le titre du livre de Laurendeau: *La Crise de la conscription – 1942*. Pour justifier le point de vue des Canadiens français, celui-ci écrit: «Rétrospectivement, nous pensons la guerre de 1939-45 comme un conflit mondial: elle l'est devenue. En 1939, elle était européenne, exclusivement européenne[6].» Pourtant, Laurendeau situe, avec raison, la «crise de la conscription» en 1942. Faut-il en conclure qu'en cette année, la plus grave de la crise, la guerre était toujours européenne? Pour répondre à cette question et situer la position des Canadiens français dans son contexte historique, retraçons d'une part l'état de la Deuxième Guerre mondiale en 1942 et, d'autre part, la politique du gouvernement de Mackenzie King face aux pressions qui s'exercent sur lui.

Après la chute de la France, en 1940, seule la Grande-Bretagne se bat avec acharnement contre un Hitler qui va de victoire en victoire, envahissant un pays européen après l'autre. Un pacte de non-agression avec Staline, signé en 1939 par Hitler, lie l'Allemagne et l'URSS. Mais, ennemi juré du communisme, «résultat du complot juif sur la domination du monde», Hitler attend l'occasion de briser ce pacte. Le 22 juin 1941, sûr d'une victoire rapide, il donne l'ordre d'envahir l'URSS.

De son côté, le dimanche 7 décembre 1941, l'aviation japonaise attaque le port de Pearl Harbor, détruisant en quelques heures la flotte américaine et tuant près de 2500 soldats. Le lendemain, les États-Unis déclarent la guerre au Japon. Le 11 décembre, c'est au tour de l'Allemagne et de l'Italie de déclarer la guerre aux États-Unis. Ainsi, à la fin de l'année 1941, à la suite de l'entrée en guerre de l'Union soviétique et des États-Unis, la guerre fait rage aux quatre coins du globe. Peu de pays se trouvent alors en marge de ce conflit.

Le jour même de l'attaque de Pearl Harbor, Hitler met en place l'opération *Nuit et Brouillard (Nacht und Nebel)* pour créer un climat de panique et contrer ainsi les activités de résistance à l'occupation nazie. Dorénavant, il n'y a plus que deux types de mesures de dissuasion : l'exécution sommaire des présumés coupables ou leur disparition dans «la nuit et le brouillard», c'est-à-dire leur expédition vers des camps de concentration. De plus, pour mieux faire face à ses ennemis, devenus redoutables depuis que l'URSS et les États-Unis se sont joints aux forces alliées, l'Allemagne accapare les ressources des pays occupés et instaure le service du travail obligatoire. C'est ainsi que Pierre Laval, chef du gouvernement de Pétain, impose une loi contraignant des centaines de milliers de Français à partir en Allemagne pour effectuer des travaux d'esclaves au service des nazis. Peu après, soit le 20 janvier 1942, à Wannsee, banlieue de Berlin, les autorités allemandes mettent au point «la solution finale» à la question juive. Là encore, le gouvernement de Pétain se met au pas. Le 16 juillet a lieu la fameuse «rafle du Vel' d'Hiv». Des milliers de juifs sont rassemblés dans ce stade sportif parisien pour être déportés vers les camps de concentration. La plupart d'entre eux périront, en grande partie exterminés dans les chambres à gaz.

Force est donc de constater qu'en 1942, année de la crise de la conscription, il est difficile de soutenir, comme semble le suggérer Laurendeau, qu'il s'agit d'un conflit européen. Au contraire, il s'agit d'une lutte à finir entre deux civilisations dont l'une, convaincue qu'elle dominera le monde pour mille ans, élimine méthodiquement les «races inférieures». «Un espoir, un peuple, une nation, un chef vous libérera. Un espoir, un peuple, une nation, une destinée pour mille ans», scande la foule en liesse aux rassemblements nazis. L'autre civilisation se bat avec la force du désespoir, sachant qu'il y va de sa survie.

Cette situation a des répercussions importantes sur la politique canadienne. Depuis le début de la guerre, des soldats volontaires canadiens font partie de l'armée britannique. En avril 1942, en partie pour accéder à la demande soviétique d'ouvrir un deuxième front, les armées britannique et américaine font un raid de grande envergure à Dieppe, en France. Sur 6000 soldats en tout, 5000 sont canadiens. Cette bataille se solde par un désastre pour les Alliés tant sur le plan humain que militaire. L'armée, mal appuyée par les forces aériennes, est décimée en moins de 10 heures. Parmi les soldats canadiens, 900 meurent, 1000 sont blessés, et 2000 autres sont faits prisonniers. Mackenzie King mesure bien les retombées politiques de l'hécatombe de Dieppe: «Je ne suis toujours pas convaincu de la sagesse de ce que nous avons tenté de faire. Le tout remonte, à mon avis, au moment où on sentait qu'il était nécessaire de faire jouer un rôle aux Canadiens… Je m'en trouve chagriné[7].» Au Québec, cet incident prouvera, pour plusieurs et pour longtemps, que l'Empire utilise les forces canadiennes comme chair à canon. C'est ainsi que le 19 janvier 1946, quand la guerre est bien finie, Léopold Richer, directeur du journal hebdomadaire *Notre temps,* écrit: «On dirait que le Canada a été mis au monde pour être le sauveur, puis la risée de l'univers. Voilà ce que nous vaut le lien impérial.»

Les pressions du reste du Canada pour une participation plus totale augmentent de jour en jour. Mackenzie King doit chercher un moyen de se délier de sa promesse. Pris entre celle-ci et «une guerre totale qui requiert un effort total», il tente de gagner les Canadiens français à la cause, en sensibilisant la population à la gravité de la situation internationale. Il annonce donc, dans le Discours du Trône du 22 janvier, la tenue d'un plébiscite, le 27 avril 1942. Au Québec, cette nouvelle a pour effet la création immédiate de la Ligue pour la défense du Canada. Ce mouvement populaire, appuyé par le lion du nationalisme, Henri Bourassa, le maître à penser, Lionel Groulx, le directeur du *Devoir*, Georges Pelletier, et son journal[8], affiche du mépris pour les vieux partis et a pour objectif la lutte contre la conscription. Il obtient l'adhésion immédiate et enthousiaste de tous les regroupements et les dirigeants nationalistes, tels les mouvements de jeunesse, représentés par le jeune avocat Jean Drapeau, qui joue un rôle de plus en plus important dans la Ligue. Quelques mois plus tard, celui-ci sera le candidat officieux du Bloc populaire, et Trudeau fera le fameux discours en sa faveur.

André Laurendeau devient officiellement le secrétaire de la Ligue pour la défense du Canada; mais dans les faits, il en est le principal organisateur et l'âme directrice. Bien qu'il n'ait que 30 ans, son passé nationaliste, que nous avons retracé dans le chapitre 6, et qui se réclame ouvertement de la lignée de l'abbé Groulx, l'a bien préparé à remplir cette fonction. En 1942, lorsqu'il est nommé secrétaire de la Ligue pour la défense du Canada, il est directeur de *L'Action nationale* depuis 1937. Ce mouvement attire rapidement des dizaines de milliers de nationalistes de toute allégeance politique, et organise de nombreuses manifestations. On ne sait pas si Trudeau, qui est alors étudiant en droit, en a été officiellement membre, mais il a certainement participé à certaines – sinon à la plupart – de ses activités. Le journal des étudiants de l'Université de Montréal, *Le Quartier Latin*, fait la promotion enthousiaste de chaque activité de la Ligue et incite ardemment tous les étudiants à une participation très active à ses manifestations : « Il se tiendra au Marché St-Jacques, le mercredi 11 février prochain, sous les auspices de la Ligue pour la défense du Canada, une grande assemblée publique. Cette manifestation, sous la présidence de M. Jean Drapeau, *doit* être un succès [...] Nous devons y assister en nombre imposant, pour bien marquer notre détermination à suivre les chefs qui regardent l'intérêt du peuple – de tout le peuple – non un mesquin intérêt de parti ou leur intérêt propre [...] Les étudiants ne veulent à aucun prix la conscription pour outre-mer », lit-on dans l'éditorial du 6 février 1942.

Cet appel a un écho retentissant. Le 11 février, au marché Saint-Jacques, près de 10 000 personnes occupent la salle et la rue pour écouter les discours de Jean Drapeau, de Henri Bourassa et des autres conférenciers. Cette manifestation tourne en émeute lorsque les jeunes, en sortant de la salle, brisent les vitres des tramways de la *Montreal Tramways*, partent en bandes, vident une maison de prostitution et scandent : « À bas la *Gazette !* À bas les Juifs[9] ». Certains témoins affirment que Trudeau a pris part à cette émeute. Gaetan Robert, un ami à l'époque, dit avoir participé avec lui non seulement à celle-ci, mais à d'autres. Il se souvient qu'ils allaient souvent, avec d'autres camarades, briser des manifestations en faveur de la conscription : « Trudeau, moi et quelques autres amis y venions préparés, avec des morceaux de métal dans nos tuques, au cas où la police nous taperait dessus. Une fois, nous avons essayé de briser les vitres de l'édifice de la *Gazette*[10]. »

Jean-Louis Roux, étudiant en médecine à l'Université de Montréal, se souvient lui aussi de cette émeute : « Un grand rassemblement fut organisé au marché Saint-Jacques pour protester contre la menace de conscription. Des milliers de manifestants répondirent à l'appel [...] Michel Chartrand, juché sur un kiosque à journaux, narguait les policiers qui tentaient vainement de l'en faire descendre. [...] Les discours n'intéressèrent bientôt plus personne, et la manifestation se transforma en défilé. On prit la direction de la rue Sainte-Catherine, vers l'ouest, et de nombreuses vitrines de boutiques, dont les propriétaires portaient des noms à consonances étrangères – juive de préférence –, volèrent en éclats. Chez certains, les sentiments antibritanniques ne le cédaient qu'à une sérieuse aversion pour les juifs. [...] Ce mélange d'antisémitisme latent, d'animosité envers la Grande-Bretagne et d'aveuglement devant la montée du national-socialisme, nous le devions en grande partie au ton des journaux que nous lisions et à l'éducation qu'on nous dispensait. [...] On nous enseignait l'histoire du Canada dans le manuel des Frères des Écoles chrétiennes. [...] Tout y était teinté d'aversion envers l'Anglais[11]. »

Fin février, nouvelle manifestation, avec Jean Drapeau figurant encore parmi les orateurs. Le 20 mars, dans un numéro du *Quartier Latin* consacré entièrement au plébiscite, l'Association générale des étudiants de l'Université de Montréal explique, sur toute la première page, pourquoi il faut voter Non. Elle lance le mot d'ordre : « Mardi soir, le 24 mars : TOUS au marché Jean-Talon. » Ce soir-là, une fois de plus, le rassemblement tourne à l'émeute. Sur des cris de « À bas les juifs ! », des jeunes saccagent des boutiques juives de la rue Saint-Laurent[12]. Suit une rixe entre la police et les manifestants. Dans son livre, Laurendeau nie leur appartenance à la Ligue : « J'ai toujours pensé que ces jeunes antisémites étaient d'anciennes chemises noires d'Adrien Arcand[13]. » Peut-être. L'interprétation de Jean-Louis Roux semble néanmoins plus convaincante.

Lors de cette émeute, selon François Lessard, un étudiant en droit, Maurice Riel, aurait été arrêté pour vagabondage.

Deux autres étudiants, Pierre Labrecque et Pierre Trudeau, auraient témoigné en sa faveur. Il aurait été acquitté par la suite. En octobre 1973, Trudeau nommera Maurice Riel au sénat. Il deviendra président de cette Chambre haute en 1983-1984. Interrogé au sujet de cette émeute par Esther Delisle, Maurice Riel reconnaît avoir été l'ami de Trudeau à l'époque, mais ne se souvient pas de cet incident[14]. C'est possible. D'un commun accord, écrivait Laurendeau, les Canadiens ont cessé de parler de la guerre[15]. Seule une poignée d'entre eux ont jamais reconnu avoir été pétainistes, corporatistes ou avoir participé à ces émeutes...

Le 22 avril, soit cinq jours avant le plébiscite, a lieu la dernière manifestation organisée par la Ligue, au marché Jean-Talon. «On évalue l'assistance à plus de 20 000 personnes. Les propos que l'on tient n'ont plus d'importance, écrit Laurendeau, la foule vient assister à une fête populaire[16].» La Ligue a su faire vibrer toutes les fibres nationalistes des Canadiens français, en canalisant leurs frustrations dans une lutte commune contre la conscription. Au plébiscite, la Ligue connaît une victoire retentissante: alors que le Oui l'emporte à 80% dans toutes les autres provinces, au Québec, c'est le Non qui gagne à 71,6% pour l'ensemble de la population, et à 85% chez les Canadiens français. «Nous avons ainsi vécu ensemble [...] une heure d'unanimité comme nous en avons peu connu dans notre histoire[17]», écrit Laurendeau. On pourrait ajouter que cette lutte a également considérablement accru le sentiment xénophobe et anti-anglais des Canadiens français, qui frisait la haine; elle a diminué leur confiance dans tous les vieux partis et a possiblement contribué à favoriser un sentiment anticlérical chez l'intelligentsia nationaliste. Certains prélats de l'Église ayant appuyé la position du gouvernement fédéral se sont vu vertement critiqués par la Ligue et ses adhérents. C'est ainsi que le cardinal Villeneuve, entre autres, a été accusé de n'être fidèle ni à son peuple ni à son Église[18].

Le Canada est plus divisé que jamais; chaque clan cultivant sa haine contre l'autre. Naviguant à vue pour tenter de préserver l'unité canadienne, Mackenzie King amende la loi sur la mobilisation pour rendre la conscription possible, sans toutefois l'imposer immédiatement. Ainsi naît le slogan célébrissime par son ambiguïté: « La conscription si nécessaire, mais pas nécessairement la conscription[19]. » La Ligue n'est pas longue à réagir. Le 19 mai 1942, elle organise un rassemblement pour protester contre la nouvelle loi.

Dans le climat survolté dans lequel vivent tous les étudiants, la participation de Trudeau aux manifestations de la Ligue ne fait, pour nous, aucun doute. Son opposition à la guerre reflète l'opinion de tout son milieu. Ses idées politiques aussi. L'Église, comme l'élite, réclame à cor et à cris des changements sociaux radicaux, voire un pays. Les Canadiens français en ont un besoin urgent pour pouvoir s'épanouir, pour protéger leur langue et leur foi, pour se défendre contre les Anglais. Le jeune Trudeau ne fait que pousser ces exhortations à leur conclusion logique: seule une révolution nationale pourra apporter tous les changements souhaités. Il a le devoir de s'y préparer et de sensibiliser le peuple à sa nécessité. En attendant, sous le couvert de la Ligue, ses amis contestataires et lui peuvent commencer à répandre leur message.

C'est ainsi que, dans la foulée de la manifestation du 19 mai 1942, selon le témoignage de François Lessard[20], ils présentent une pièce allégorique probablement intitulée *Dollard*, ou *Jeu de Dollard*. « Dollard », c'est Adam Dollard-des-Ormeaux, mort en mai 1660, pendant le combat du Long-Sault, sur la rivière de l'Outaouais, à peu près à la frontière actuelle entre le Québec et l'Ontario. Si les historiens s'entendent sur ces données, la polémique fait rage sur les motifs de l'expédition de Dollard et même sur les causes de son décès[21]. Pour les historiens nationalistes, notamment pour l'abbé Groulx, Dollard et ses compagnons seraient des martyrs, morts pour défendre leur foi et leur pays (la Nouvelle-France) – ce que d'autres historiens récusent totalement, alléguant des motifs essentiellement économiques à cette expédition. Selon le point de vue qu'on adopte, Dollard devient donc soit un héros national soit un aventurier qui doit sa mort à de mauvais calculs.

Sans donner plus de précisions sur la date, Lessard écrit que cette adaptation moderne du combat du Long Sault a été jouée par une «soirée chaude» de 1942, en plein air, au pied du Mont-Royal, devant une foule très nombreuse[22]. Vu le thème et le lieu, cette pièce aurait probablement été jouée à la fin de mai, soit à la «fête de Dollard». L'abbé Groulx en faisait la promotion depuis plusieurs années dans le but de remplacer la traditionnelle «fête de la reine Victoria», célébrée depuis 1845 et jusqu'aujourd'hui partout ailleurs au Canada. Les choix de la date et du sujet transmettent ainsi, implicitement, un message nationaliste. Cette pièce aurait été écrite, selon Lessard, par deux auteurs à l'initiale «V». L'un deux est très probablement Roger Varin, très actif dans la Ligue. Depuis 1941, il tente de faire publier au Québec des œuvres de nationalistes français, catholiques, de droite. Cette pièce aurait été jouée par ce petit groupe et par certains de leurs compagnons, soit «une poignée d'indépendantistes québécois, femmes et hommes, groupés dans une société secrète»[23]. Jean-Louis Roux aurait joué Dollard, Jean Gascon aurait incarné le fleuve Saint-Laurent. (Ces deux acteurs laisseront leur marque sur la scène théâtrale canadienne.) Dans un costume de grand sachem, Trudeau aurait joué l'Iroquois. Pendant la représentation, à un moment où l'on torture un des survivants, une voix se serait élevée du chœur et aurait crié aux bourreaux: «Mettez-leur des verres, rouges ou bleus!» Les verres rouges renvoient, bien sûr, à la couleur des libéraux, les bleus, aux conservateurs. Ainsi, les Iroquois, qui torturaient les Canadiens français du temps de la Nouvelle-France ont été remplacés par les partis politiques actuels, quels qu'ils soient. Ces jeunes participeraient ainsi à répandre le mépris de la Ligue pour les vieux partis. Trudeau reprendra le thème des bourreaux dans son discours appuyant Drapeau : les Iroquois ont été remplacés par d'autres « sauvages » (les Anglais). Quel rapport aurait cette pièce avec un projet révolutionnaire ? À cause de la *Loi des mesures de guerre*, explique Lessard, ces jeunes sont obligés de déguiser leurs actions « sous des formes apparemment très anodines, que ce soit la Ligue pour la Défense du Canada ou le théâtre tragi-comique[24] ».

Pendant que Trudeau et ses compagnons jouent des pièces, discutent du manifeste des LX, et préparent la révolution, la guerre met la planète à feu et à sang. Les pressions augmentent pour que le Canada fasse des efforts de plus en plus grands. Pour renflouer les coffres de l'État dans le but d'accroître son soutien à l'armée et son aide financière aux Alliés, le gouvernement émet à quelques reprises des obligations du Trésor, nommées les « Emprunts de la Victoire ». Le 16 octobre 1942, Mackenzie King lance la troisième campagne de souscription à ces Emprunts, dans un discours radiophonique transmis de Montréal[25]. Il veut inciter les Canadiens à prêter au gouvernement 750 millions de dollars, la plus grosse somme jamais demandée. Pour expliquer cet effort particulier, il construit son discours autour du slogan de Churchill : « *Nothing matters now but Victory !* » (Plus rien n'importe sauf la victoire !). Ce slogan revient sept fois dans son vibrant appel : « Que ça nous plaise ou pas, nous ferions bien d'admettre qu'il s'agit d'une bataille à finir, et que, pour le meilleur ou pour le pire, l'avenir de tous les pays et de tous les continents en dépend [...] Dès que Hitler a pris le pouvoir en Allemagne, le camp de concentration est devenu un symbole de domination nazie. Dans les pays conquis, ainsi qu'en Allemagne même, Hitler s'est servi de l'horreur qu'inspirait le camp de concentration pour étouffer toute opposition à la race maîtresse unique.» Se référant à la «rafle du Vel' d'Hiv», il ajoute: «À preuve, ce qui s'est passé pas plus tard que juillet dernier, lorsque 15 000 réfugiés étrangers en France ont été arrêtés par les nazis et déportés dans des camps de concentration en Pologne[26].» Il dénonce la perversion du «Nouvel Ordre» nazi, la réduction des peuples à l'esclavage, et fait la liste de toutes les raisons pour lesquelles les Alliés doivent se battre jusqu'à la victoire finale.

Comme tout son milieu nationaliste, le jeune Trudeau considère ce discours comme de la pure propagande. La riposte ne se fera pas attendre. Dans un brouillon daté de «fin octobre», il écrit un texte intitulé «Plus rien n'importe sauf la victoire», qui se présente comme un discours aux étudiants, livré par un dignitaire canadien-français, fat à souhait. Cet article, signé Pierre Elliott Trudeau, Chevalier True de la Roche-Ondine, paraît le 20 novembre dans *Le Quartier Latin*. Avec ironie et sarcasme, il ridiculise le discours de Mackenzie King.

L'orateur commence: «Ma profession vénérable et ma haute valeur personnelle assurent mon accès aux milieux très distingués de notre Dominion. Je fréquente à l'envi les réfugiés de luxe, les hommes d'État, d'affaires, et d'ailleurs. […] Ah! belle jeunesse, belle jeunesse universitaire, nous vous aimons! Par expérience nous savons que vous êtes l'élite de demain; la crème et le fromage de la race.» Après quelques flatteries d'usage, faites sur un ton ridiculement pompeux, il avoue qu'il n'est pas content d'eux: «Plus d'une fois, vous nous avez profondément chagrinés […] Mais l'an dernier, la borne fut dépassée, et le mauvais esprit universitaire s'est avéré quasiment général. […] Vous vous êtes dégradés à applaudir des bagnards.» Que veut dire cette dernière phrase? En fait, ces «bagnards» sont Camillien

Houde, maire de Montréal, et Adrien Arcand, à la tête d'un parti marginal. Comme nous le verrons un peu plus bas, les lecteurs du *Quartier Latin* comprenaient le clin d'œil de Trudeau à propos de bagnards et d'applaudissements.

Le dignitaire continue sa critique des étudiants : « Vous avez tantôt raillé et tantôt méprisé nos grands politiques, en défiance de leur sagesse pourtant agréable à nos puissants Alliés. Vous fûtes rebelles lors du plébiscite. Jeunes gens, cela ne durera point. Je dirai même qu'il faudrait que cela cesse. » Le gouvernement pourrait sévir, gronde-t-il : « Nous pourrions enrayer la publication du subversif *Quartier Latin* où l'ignominie des rédacteurs l'emporte même sur le cynisme des lecteurs. » Après avoir énuméré une série de menaces possibles, l'orateur les rassure : rien de cela n'arrivera parce que le gouvernement ne veut pas troubler « les gentlemen parmi vous encore confiants aveuglément, et respectueux du pouvoir établi ». Notre homme a comme mission la réconciliation. Il veut faire « renaître la bonne entente parmi les peuples de notre grand Canada ». Reprenant alors textuellement le slogan de Mackenzie King, il clame : « Mes amis, plus rien n'importe sauf la victoire. » Il exhorte ses concitoyens à mettre de côté leurs griefs enfantins : « Supposons, par impossible, que l'Angleterre eût eu des torts envers nous, Canadiens français. Imaginons, pour les nationaleux, que nous ayons quelque grief légitime contre la race majoritaire. Et après ? Même les plus grands peuples ne sont pas parfaits [...] Et d'ailleurs, quand il y a péril dans la maison, [...] est-ce bien le temps d'évoquer des dissensions puériles ? Comment pouvez-vous songer à des droits minoritaires ? Parler de favoritisme économique ? Et agiter des questions de décentralisation, d'éducation, de religion ? Chers amis, mes chers bons petits amis, vous savez pourtant que l'élite veille : si toutes ces fadaises avaient quelque importance, les premiers nous nous en préoccuperions. »

Ainsi, sur un ton railleur, Trudeau fait la liste des revendications légitimes, selon les nationalistes, et se moque de ceux qui se rangent du côté du gouvernement, délaissent les intérêts réels de leur peuple. Toujours par la voix du dignitaire, il ridiculise ensuite les arguments communément avancés pour justifier la conscription pour service outre-mer : « Mais se peut-il que toutes ces balivernes raciales vous tracassent, à l'heure où la Liberté des peuples justes est menacée, à la minute où la démocratie et le libéralisme chancellent, au moment même où notre magnifique structure économique s'effondre ? »

Le sarcasme transpire à chaque mot. Pour Trudeau, ce sont, bien entendu, la démocratie, le libéralisme et le capitalisme qui sont des balivernes. L'orateur imaginaire arrive au cœur de son discours ; il explique pourquoi « Plus rien n'importe sauf la victoire » : « Canadiens français, songeons-y ! Si *le monstre de Berlin* est victorieux, nous n'aurons plus la vie facile. Coloniaux de la perfide Allemagne, nous trouverons en elle une maîtresse implacable qui tentera l'assimilation par tous les moyens. Détruire notre foi, imposer la langue allemande et abâtardir notre culture : visées qui nous vaudront seules ses funestes attentions. Elle dominera notre vie économique, elle nous réduira dans l'industrie aux emplois subalternes. Nos campagnes seront vidées, nos ressources naturelles accaparées. Et c'est alors que nous connaîtrons l'écœurante moquerie d'une presse qui trahit, d'une oligarchie qui écrase, et d'un gouvernement qui exploite le peuple qu'il est censé protéger. Scrutez ce tableau horrifique et songez que ces abominations pourraient nous accabler si nous n'anéantissons pas sur-le-champ *les hordes nazies.* »

La « perfide Allemagne » renvoie, évidemment, à « la perfide Albion », nom donné péjorativement à l'Angleterre. En somme, dit Trudeau, si la perfide Allemagne gagne la guerre, rien ne changera pour les Canadiens français, puisque toutes les « abominations » qu'elle leur ferait subir font déjà partie de leur quotidien. De nombreux Canadiens français soutiennent, à l'époque, que les Allemands et les Anglais se valent : « En Allemagne certes, le culte de l'esprit a aussi été aboli, et la science elle-même réduite à ce qu'il faut pour l'économie et la guerre [...] Soit. Mais le matérialisme anglo-saxon de toujours n'est pas une moindre reddition », lit-on dans l'éditorial du *Quartier Latin* du 6 mars 1942.

Pourtant, au nom de cette victoire qui ne leur apportera rien, on demande aux Canadiens français de mettre en veilleuse leurs vraies valeurs : « Quant à votre fierté nationale, étudiants, elle est vertu recommandable. Mais en temps et lieux. Après la Victoire du droit sur la violence, de la justice sur l'iniquité, nous reprendrons, si vous y tenez encore, toutes ces questions de Dieu, d'humanisme intégral, de corporatisme, d'autonomie, de travail des femmes, de conscription d'enfants, et je-ne-sais-quoi encore. Mais il importe incessamment de sauver l'essentiel : c'est notre vie matérielle qui périclite, puisque la défaite avilirait notre argent. De grâce, je l'implore, lâchez tout et pénétrons-nous de cette idée unique, que *plus rien n'importe sauf la victoire !* » En réalité, dit Trudeau, il s'agit d'une vulgaire affaire de sous. Là est l'enjeu véritable de cette guerre.

Revenons maintenant à la référence à des étudiants qui applaudissent des bagnards. De quoi s'agit-il ? Grâce aux documents personnels de Trudeau, nous savons la réponse. Nous avons trouvé le brouillon d'une pièce, écrite par lui, intitulée *Concentrer ou ne pas concentrer*[27]. Elle met en vedette, entre autres, le gardien d'un camp de concentration, Fritz Von Korn Flakes, un ministre en visite non identifié, et deux bagnards nommés Camillien et Adrien. Camillien Houde, maire de Montréal, a été arrêté le 5 août 1940 et emprisonné pour avoir encouragé la population à ne pas se soumettre à l'enregistrement national exigé par la loi du 21 juin 1940 sur la mobilisation générale. Un très grand nombre de Canadiens français admirent son courage et se rangent de son côté. Lorsqu'il sera libéré le 16 août 1944, il sera accueilli en héros national et redeviendra maire de Montréal de 1944 à 1954. Adrien Arcand, lui, est un antisémite jamais repenti, profondément anticommuniste. En 1938, il devient chef du Parti de l'unité nationale (fédéraliste et nazi). Son parti est déclaré illégal au début de la guerre et, de 1940 à 1945, il est emprisonné au Nouveau-Brunswick. Dans *Dangerous Patriots: Canada's Unknown Prisoners of War*, les auteurs rapportent qu'en prison il s'asseyait sur une espèce de trône et expliquait aux autres prisonniers comment il gouvernerait le Canada lorsque Hitler aurait gagné la guerre[28].

Pour illustrer la désinvolture avec laquelle la pièce traite du sujet, nous donnons quelques exemples, tirés du texte dactylographié de quatre pages. Sur un mur du camp, un écriteau affiche : «Concentrez, concentrez, il en sortira toujours quelque chose.» On pense, évidemment, à la célèbre phrase, attribuée, peut-être incorrectement, à Voltaire : «Mentez, mentez, il en restera toujours quelque chose.» Au ministre qui demande au gardien s'il est allemand, celui-ci répond : «Oui, monsieur le ministre. Heil Hitler!… Euh!… je veux dire Heil Mackenzie King!» Et que font les prisonniers toute la journée, dans ce camp de concentration? Eh bien, «ils fabriquent des concentrés de vin Rita, des comprimés d'aspirine, du lait concentré…» Pour se présenter au ministre, les deux bagnards chantent leurs paroles sur l'air de «La bonne aventure» – que connaissent bien tous les étudiants, depuis qu'ils sont tout petits. Voici, en exemple, ce que chante Adrien Arcand :

«Moi, j'ai voulu faire fureur
Près des créatures.
Et j'ai posé comme fuehrer
Ma candidature.
Mais ils m'ont dit qu'c'te job-là
C'est assez d'Adolf qui l'a!»

À la suite de quoi Camillien et Adrien reprennent en chœur : « La triste aventure, ô gué ! La triste aventure... » Dans une autre scène, les deux bagnards arrivent à s'évader, grâce au cuisinier. En sortant, ils rencontrent Santa Claus (le père Noël), condamné au camp de concentration à perpétuité pour avoir « sur son costume, écrit en grosses lettres : Made in Germany ». De toute évidence, le public a bien apprécié, puisqu'il s'est « dégradé à applaudir des bagnards ». Voilà à quoi s'amusent de nombreux étudiants de l'Université de Montréal pendant une des années les plus sombres de la guerre, lorsque Hitler semble invincible...

Cinq jours après la parution de « Plus rien n'importe sauf la victoire », Trudeau fait son discours d'appui à Drapeau. Quand nous avons observé, au chapitre 4, le reportage paru dans *Le Devoir*, plusieurs idées étaient restées obscures ; plusieurs questions sans réponse. Examinons maintenant ce discours à l'aide de ses documents personnels et en le remettant dans son contexte.

Lors de la manifestation du 19 mai 1942 citée plus haut, René Chaloult, un des leaders importants de la Ligue pour la défense du Canada, est accusé d'avoir tenu des propos outranciers contre la conscription. Il est emprisonné, mais il est acquitté en août. La Ligue organise un grand banquet pour fêter sa libération. Cette célébration a tant de succès que la salle prévue s'avère trop petite, et qu'il faut louer le Marché Atwater[29]. Laurendeau se souvient que « ce soir d'août 1942, au Marché Atwater, chacun pressentit qu'un nouveau parti allait naître[30] ». Effectivement, le mois suivant, naît le Bloc populaire canadien, auquel adhèrent tous les groupements patriotiques et nationalistes québécois. Comme la Ligue, le Bloc jouit de l'appui des incontournables Henri Bourassa, Lionel Groulx, Georges Pelletier et son journal, *Le Devoir*.

Ce nouveau parti se propose d'agir aux niveaux fédéral et provincial. Son slogan « Le Canada aux Canadiens, le Québec aux Québécois[31] » exprime bien sa plate-forme : il réclame l'indépendance du Canada par rapport à la Grande-Bretagne et l'autonomie du Québec au sein de la Confédération. De plus, dans sa publicité dans *Le Quartier Latin*, le mouvement affirme être le seul à mettre la famille au premier plan de sa politique, à réclamer la « libération économique sur le double terrain fédéral et provincial » et à ériger « un rempart efficace contre la menace grandissante du socialisme d'État, bureaucratique et centralisateur ». (Ainsi, lorsque nous lisions dans le discours de Michel Chartrand qu'il reprochait à Ottawa sa politique socialiste et centralisatrice, celui-ci ne faisait que reprendre la position du Bloc.) Maxime Raymond devient le chef de ce mouvement, dont la popularité grandit chaque jour. Les personnalités importantes de la Ligue se retrouvent dans le Bloc et continuent à lutter contre la conscription, même après le plébiscite.

Ceux qui appuient la position du gouvernement fédéral ou qui s'opposent au Bloc sont conspués, quelle que soit leur position sociale. C'est le cas de l'abbé Arthur Maheux, professeur d'histoire du Canada à l'Université Laval. De septembre 1942 à janvier 1943, il présente une série d'émissions à Radio-Canada sur le thème : « Pourquoi sommes-nous divisés ? » Ces émissions lui valent, de la part des nationalistes, « des attaques personnelles d'une virulence jamais vue au Québec dans le cas d'un homme d'Église[32] ».

Il affirme, dans *Ton Histoire est une épopée*, que les manuels d'histoire utilisés dans les écoles québécoises enseignent la haine des Anglais : « De tels manuels instillent, lentement et sûrement, la haine. » Il s'attire pour cela les foudres d'André Laurendeau[33]. L'abbé Sabourin, aumônier militaire, fait un discours en faveur de l'Angleterre. Il est ridiculisé par Michel Chartrand[34]. Plusieurs membres du haut clergé, tels le cardinal Villeneuve, l'archevêque Charbonneau de Montréal et l'archevêque Vachon d'Ottawa, n'endossent pas le Bloc.

Peu après la formation du Bloc, le gouvernement fédéral annonce la tenue de deux élections partielles en novembre, dont une à Outremont. Laurendeau explique le dilemme : le Bloc « ne veut pas jouer son sort prématurément. [...] Dans Outremont, la défaite d'un nationaliste est assurée par la présence d'une majorité anglo-juive. Au plébiscite, ce comté a voté Oui dans une proportion de 60 %[35] ». La défaite est d'autant plus assurée que le candidat libéral est le major-général La Flèche, nouveau ministre des Services de guerre. Les dirigeants du Bloc décident qu'au lieu de se présenter comme parti, ils saisiront cette occasion pour se faire la main. Le jeune Jean Drapeau, de plus en plus remarqué grâce à sa participation active à la Ligue, décide d'être le candidat officieux du Bloc. Il se présente comme le « candidat des conscrits ». Henri Bourassa lui apporte une caution de poids. Dans son excellente étude du Bloc, Paul-André Comeau écrit à ce sujet : « Presque tous les dirigeants du Bloc populaire vont défiler "à titre personnel" dans la circonscription d'Outremont. [...] Le quotidien Le Devoir emboîte le pas derrière les fondateurs du nouveau parti. Bref, une "générale" où la plupart des acteurs du Bloc populaire font leurs premières armes[36]. »

Cette élection présente donc un intérêt particulier pour le Bloc. On n'a pas de preuves que Trudeau en ait été membre à cette époque, mais tout porte à croire qu'il était, pour le moins, sympathisant de ce parti. Qu'il ait été choisi comme l'un des orateurs pour cette campagne, considérée si importante par le Bloc, montre qu'il y était déjà connu et apprécié. Curieusement, dans son compte rendu de cette assemblée, Laurendeau ne mentionne pas du tout Trudeau, bien que son discours ait inspiré le titre du reportage du Devoir. Notons qu'en 1962, lorsque Laurendeau écrit son livre sur la crise de la conscription, ces anciens compagnons d'armes défendent des points de vue très divergents à propos de la « question nationale ». Trudeau est devenu un anti-nationaliste notoire. Ce désaccord aurait-il contribué à l'« oubli » de Laurendeau ? Ce dernier se souvient par contre du discours de Michel Chartrand : « Tous les griefs histori-ques que nous entretenons contre *Mother England*, il les reprend dans son style virulent, avec une âcreté, une vio-lence dont nous demeurons saisis[37]. » Ce n'est pourtant pas l'impression que donne l'article du *Devoir*.

Trudeau et Drapeau se connaissent bien. Ils militent depuis quelque temps dans les mêmes mouvements natio-nalistes. Lorsque Trudeau livre ce discours, il a déjà beau-coup travaillé, avec Boulanger et peut-être d'autres, au manifeste de la Révolution nationale. Les cellules des LX sont probablement déjà constituées et la campagne de recru-tement est déjà, peut-être, commencée. On ne s'étonnera donc plus si Trudeau parsème son discours en faveur de Drapeau d'appels à la révolution. C'est ce qui ressort nette-ment de la lecture de la quinzaine de pages rédigées à la main, en petits caractères, en préparation à ce discours[38].

Trudeau commence en disant que, contrairement aux autres orateurs qui invitent les citoyens à voter *pour* Dra-peau, lui estime qu'il faut plutôt voter *contre* La Flèche, quel que soit son adversaire, « car dans la présente lutte, voter pour La Flèche c'est se prêter à un jeu politique perfide ». Il expliquera plus loin en quoi consiste ce jeu perfide. Trudeau écrit ensuite : « Entendons-nous. Je n'ai pas l'intention, dès le début d'une carrière qui n'est peut être pas près de sa fin, de verser dans les traditionnels duels d'injures. » Mais il se reprend, et raye le segment de phrase *dès le début d'une car-rière qui n'est peut être pas près de sa fin*. Ainsi, après avoir envi-sagé la possibilité de rendre publique son intention de se lan-cer en politique, Trudeau décide de ne pas la divulguer.

Notre jeune orateur n'est pas long à montrer que, con-trairement à ce qu'il a annoncé, il s'engagera, en fait, dans un « duel d'injures ». Il accuse maintenant La Flèche de se présenter en habit militaire : « j'ai appris qu'en démocratie, lorsqu'on brigue les suffrages du peuple, on doit se présenter en simple citoyen, et non en major-général, comme serviteur d'une clique militaire. » Mais, remarque-t-il, « les exemples viennent de haut, en cette guerre, de gens qui abusent de leur autorité pour faire accroire[39] qu'ils parlent au nom du peuple, quand en réalité ils ne parlent qu'en tant qu'individus : l'individu Godbout, l'individu Cardin, l'individu Sabourin, l'individu Villeneuve ». Il fait référence au premier ministre du Québec, Adélard Godbout, au ministre fédéral Pierre Joseph-Arthur Cardin, à l'abbé Sabourin et au cardinal Villeneuve. Remarquons que trois de ces « individus » donnant le mauvais exemple appuient la position du gouvernement fédéral. Cardin fait exception. Il a démissionné comme ministre des Travaux publics et comme ministre des Transports pour protester contre la position du gouvernement relative à la guerre. Mais, peut-être emporté par l'élan de son discours, Trudeau les met tous dans le même sac. Pour lui, lorsque ces personnes s'expriment dans la cité, elles n'ont le droit de parler qu'en tant qu'individus ; autrement, elles abusent de leur pouvoir. On sait que Trudeau, profondément catholique, reconnaît l'autorité des hommes d'Église en matière de foi et de morale, mais il leur refuse cette autorité lorsqu'ils émettent une opinion d'ordre politique. Trudeau estime qu'il a le droit d'attaquer ces personnes : « Je me sens d'autant plus à l'aise de dire ma pensée sur ces "hommes d'Église", qu'ils seront amplement dorlotés par les journaux athées que vous connaissez. » *Des journaux athées*, connus en plus par son auditoire, qui *dorlotent* les hommes d'Église ? Dans *le Québec de 1942* ? Décidément, la fougue de notre jeune orateur lui fait oublier son devoir de vérité… à moins qu'il ne se réfère vaguement à des journaux anglophones, comme la *Gazette*, ou à d'autres tels *Le Jour*, de Jean-Charles Harvey, *Le Canada* ou *Le Soleil* qui appuient la position de ces prélats et du gouvernement.

Trudeau explique alors en quoi consiste le «jeu politique perfide» du gouvernement fédéral qu'il mentionnait tout à l'heure: «On prétend obtenir le consentement des Canadiens français en faisant consentir des ministres qui ne pensent pas comme le peuple, qui ne sont canadiens-français que de nom, et qui ont été élus dans les circonscriptions les moins canadiennes-françaises de toute la province. [...] Voilà ce qui est malhonnête, d'une malhonnêteté dégoûtante.» Ainsi, si La Flèche, envoyé par le gouvernement, se fait élire au Québec sur la base d'une plate-forme conscriptionniste, Ottawa pourra prétendre que le peuple a voté pour la conscription. Or, affirme Trudeau avec autorité, La Flèche et les autres ministres canadiens-français qui appuient la conscription ne pensent pas comme le peuple. Ce ne sont donc pas de «vrais» Canadiens français. De là à dire que ce sont des traîtres, il n'y a qu'un pas... que notre orateur franchira bientôt. De plus, explique-t-il, ces gens ne réussissent à se faire élire que parce qu'ils se présentent dans les circonscriptions les moins canadiennes-françaises. Nous sommes à Outremont, ne l'oublions pas, là où habite Trudeau et une bonne partie de l'élite canadienne-française. Mais c'est là aussi que réside une communauté importante de juifs anglophones. Voilà ce qui est «d'une malhonnêteté dégoûtante»...

Quelques décennies plus tard, les adversaires de Trudeau lui resserviront, presque mot pour mot, ces mêmes arguments pour ne pas l'accepter comme représentant légitime du «peuple» québécois. Il sera accusé de n'être «Québécois» que de nom, de ne pas penser comme le peuple, et d'avoir été élu, dans la circonscription de Mont-Royal, par des électeurs qui ne sont pas majoritairement de «vrais» Québécois. Le scénario demeurera strictement le même. Seuls les acteurs auront changé... On comprend alors le sourire ironique de Trudeau: il connaît bien l'argument, l'ayant lui-même servi à d'autres. D'où sa critique cinglante de ceux qui y croient encore, plus d'un quart de siècle plus tard. De toute évidence, ce type d'argument a la vie dure, puisqu'on l'a encore resservi à l'orée du XXIᵉ siècle : en 1995, Jacques Parizeau attribuait la victoire du Non au référendum « à l'argent et au vote ethnique »…

L'orateur enflammé ne se prive pas du recours au langage vulgaire : «Ça fait vraiment trop de fois que notre peuple se fait foutre avec des tactiques semblables.» Pourtant, rappelle-t-il, en démocratie, c'est le gouvernement qui doit faire la volonté du peuple et non l'inverse. Et si on n'est pas en démocratie, clame-t-il, « qu'on le dise, et ça va : on va la commencer tout de suite, la révolution ». Si on n'avait pas lu le manifeste des LX, on aurait cru que Trudeau veut faire la révolution pour rétablir la démocratie. Or, comme on le sait, ni Trudeau, ni ses compagnons d'armes, ni l'Église ne considèrent la démocratie comme un système valable. Mais l'occasion est bonne pour sensibiliser les gens à la nécessité d'une révolution.

Trudeau poursuit son attaque féroce contre le gouvernement. «Savez-vous qu'il m'est avis que le gouvernement actuel se compose de deux espèces de bonzes : les bonzes traîtres et les bonzes honnêtes.» On se souvient que *Le Devoir* n'a rapporté que ses propos sur les bonzes honnêtes. On comprendra tout de suite la cause de cette discrétion. «Les traîtres, clame le jeune Trudeau, on doit les empaler vifs : n'en parlons plus, mais ne l'oublions pas.» On n'en croit pas ses yeux. Notre surprise augmente lorsqu'on lit que le carnage préconisé ne se limite pas aux bonzes traîtres. Un peu plus loin, notre orateur enflammé prévient les citoyens que « si Outremont est assez infâme pour élire La Flèche, et si à cause d'Outremont, la conscription prend force pour service outre-mer, […] je vous adjure d'éventrer tous les maudits bourgeois d'Outremont qui auront voté pour La Flèche à cause de leurs intérêts.» Pourquoi tant de violence contre ces «maudits bourgeois»? Rappelons-nous que depuis qu'il est à Brébeuf, ses professeurs, se faisant l'écho de l'Église et de Carrel, conspuent le matérialisme décadent de la bourgeoisie, source du déclin de nos valeurs morales.

Remarquons que Trudeau, qui trouve justifié qu'on fasse tout de suite la révolution si on n'est pas en démocratie, refuse cependant aux gens d'Outremont leur droit *démocratique* de voter pour le candidat de leur choix, quels que soient leurs motifs. Pour lui, La Flèche ne sera jamais le représentant *légitime* d'Outremont puisqu'il aura été élu par des électeurs qui ne sont pas de «vrais» Canadiens français. Par contre, Drapeau, lui, pourra prétendre à ce titre, même s'il est élu dans cette même circonscription par les mêmes «maudits bourgeois» et d'autres électeurs pas assez canadiens-français. En d'autres termes, de tous les députés québécois démocratiquement élus à la Chambre des communes d'Ottawa, Trudeau se permet de décréter lesquels sont les représentants légitimes du peuple québécois et lesquels ne le sont pas. Seuls comptent… ceux qui s'avèrent, comme par hasard, appuyer son option politique.

Lorsque Trudeau rapatriera la Constitution en 1982, grâce à l'appui de 74 députés québécois (sur un total de 75) à la Chambre des communes, les nationalistes lui resserviront – et continuent à resservir – exactement le même argument: ils considèrent le rapatriement de la Constitution comme un *coup de force imposé* aux Québécois, oubliant l'appui presque unanime des députés québécois, démocratiquement élus au gouvernement fédéral. Affirmant qu'ils sont seuls à connaître la volonté du peuple, ces nationalistes décrètent que ces députés n'étaient pas les représentants *légitimes* des Québécois.

Trudeau s'en prend ensuite à la contamination du peuple canadien-français par un peuple qui lui est étranger: «Trop longtemps hélas! des gouvernements félons et infects ont pu débaucher le corps et l'esprit de notre peuple. Un peuple est un être qui, comme un homme, a sa valeur en lui-même, et on n'a pas le droit de l'utiliser comme un vil instrument, comme un esclave au service d'un autre peuple, fût-ce même celui des immortels Anglo-Saxons», clame-t-il. Remarquons que le peuple a *un* corps et *un* esprit. En bon disciple de Lionel Groulx, le jeune Trudeau est alors convaincu qu'un peuple possède tous les attributs d'un être humain. Cette vision organique du peuple s'oppose à une perspective libérale. Elle va totalement à l'encontre de l'esprit de la Charte canadienne des droits et libertés, qui constitue probablement l'héritage le plus précieux de Trudeau. Selon la Charte, seul l'individu, ayant «sa valeur en lui-même» a des droits et des devoirs. En fait, sa conception d'alors du peuple nie le principe de primauté et de dignité de la personne, créature de Dieu, enseigné dans les cours de religion de Brébeuf. Mais pour le Trudeau de l'époque, comme pour l'élite intellectuelle et cléricale, le chant des sirènes nationalistes fait oublier certains enseignements de la foi.

Reprenant le thème de la lutte contre la conscription, le jeune Trudeau précise que «le peuple canadien-français connaît la guerre. Il n'a pas cessé de lutter un seul instant, pas un depuis le jour de sa naissance, au début contre les Iroquois, depuis contre d'autres sauvages». Notre orateur poursuit son exhortation dans un esprit tout à fait maurassien[40]: «Citoyens du Québec, il faut que l'élection de Jean Drapeau marque la fin de l'ère où les Canadiens français furent des poires et le début de l'ère où le métèque malhonnête commence de se faire casser la figure.» Qu'on est loin du futur père du multiculturalisme canadien! Que de distance parcourue depuis! Mais en 1942, s'attaquer aux métèques – forcément malhonnêtes – est monnaie courante aussi bien dans les milieux que fréquente Trudeau que dans les écrits de la droite et de l'extrême droite françaises.

Le discours est presque terminé. Citons les mots de la fin: «Trop longtemps ils [les gouvernements] ont pu agir impunément, quitte à mettre des cataplasmes sur ce qu'ils nommaient avec ironie : nos petits bobos. Finie maintenant la comédie ridicule ; finie la tragédie ; finis les bonzes, finis les traîtres. Finie la flèche du conquérant ; vive le drapeau de la liberté ! C'en est assez enfin des cataplasmes ; procédons maintenant au cataclysme. » À l'évidence, cette conclusion n'a qu'un rapport très lointain avec le sujet. Trudeau oublie qu'il s'agit tout simplement d'appuyer Drapeau, le candidat officieux du Bloc. Il sait bien qu'en élisant celui-ci, on ne mettra pas fin à la comédie ridicule, aux traîtres, aux cataplasmes, ni à la débauche du corps et de l'esprit du peuple canadien-français. Bien sûr que non ! Pour réaliser tout cela, il faut un cataclysme : une révolution nationale. Avec ces mots, le discours de Trudeau prend tout son sens.

Nous sommes le 25 novembre 1942. Trudeau ne fera aucun autre discours. Jusqu'à son départ à Harvard, en 1944, il participera à un seul débat, auquel assiste Gérard Pelletier. Celui-ci se rappelle, en 1983, que « cet exercice académique se termine sur un canular *hénaurme* quand Trudeau brandit soudain un revolver qu'il avait caché sous sa toge et tire en l'air quelques cartouches blanches, au grand émoi d'un ministre fédéral de l'époque qui préside la manifestation[41] ». Mais il dit ne pas se souvenir du sujet, et n'en spécifie pas la date. François Lessard, présent à cet événement, se souvient lui aussi du revolver. Hertel se rappelle, en 1977, que le jeune Trudeau « gardait des armes dans sa cave[42] ». Que Trudeau ait gardé des armes dans sa cave ne semble pas impossible, mais il est certain qu'il n'en a jamais fait autre chose que brandir ce revolver chargé à blanc.

Mais quel est ce débat ? Les documents personnels de Trudeau nous donnent la réponse[43]. À l'auditorium du Plateau, le 8 janvier 1943, la Société des débats de l'Université de Montréal organise, «sous la présidence de l'honorable Ernest Bertrand, ministre des Pêcheries à Ottawa», un débat sur le sujet : «Galanterie d'antan ou d'aujourd'hui ?» Cet événement semble avoir eu un grand rayonnement. On trouve, dans une revue non identifiée, une publicité décrivant les protagonistes. Un article, dans chacun des deux grands quotidiens de Montréal, commente cette joute oratoire. On apprend ainsi que la galanterie d'antan a été défendue par Pierre Elliott Trudeau et Marguerite Joron, l'autre par Michel Mathieu et Colette Toupin. Bizarrement, dans la publicité, on présente seulement les deux jeunes gens. Preuve de sexisme ? Voici ce qu'on dit de Trudeau : «Chevalier des nobles causes, Pierre fait figure de révolutionnaire en notre temps. Débordant d'enthousiasme, possédant une fine culture appuyée d'études solides de droit, il présente un mélange de Don Quichotte, de Bayard et de Hans Wittenstein zu Witt. Sa fougue et son culte de l'aventure l'ont conduit sur les pas de Radisson jusqu'à la baie d'Hudson. Ardent défenseur de la vérité (comme un digne avocat), il sait sortir du code civil pour se mêler à la politique.»

On ne sait pas qui a écrit les présentations, mais on soupçonne Trudeau d'avoir rédigé la sienne. On reconnaît son style mi-badin mi-sérieux, son érudition et sa fascination pour le merveilleux, le fantastique. Il se décrirait donc comme un mélange du touchant Don Quichotte, de Bayard, le célèbre «chevalier sans peur et sans reproche», et de Hans von Wittenstein zu Wittenstein, chevalier errant ordinaire et prosaïque, héros d'une pièce de Giraudoux, *Ondine,* où la féerie théâtrale se mêle à la tragédie classique. Notons qu'en janvier 1943, Trudeau affiche publiquement son penchant révolutionnaire et son grand intérêt pour la politique.

La présentation de Michel Mathieu semble bien terne, en comparaison. Citons un paragraphe, à titre d'exemple : «Non content de confiner son activité dans le champ médicinal, il a fait connaître au public une belle voix et une chaude persuasion. En plus de nombreuses causeries à la radio, il boit aujourd'hui pour la troisième fois l'eau de la carafe des Débats.»

En préparation à ce débat, Trudeau écrit un brouillon de vingt-quatre pages tellement surchargé de ratures qu'on a peine à le lire et à en suivre le développement. Certains passages sont repris quatre ou cinq fois, raturés, re-raturés… De toute évidence, notre jeune orateur prend cette joute oratoire très au sérieux – à moins qu'il ne trouve difficile de faire les acrobaties intellectuelles et stylistiques nécessaires pour transformer ce débat anodin en un plaidoyer pour sa cause révolutionnaire. Il commence à rédiger son brouillon le 23 décembre. À voir le nombre de reprises, il a dû y passer ses vacances de Noël.

Il introduit son sujet par une anecdote farfelue, de son invention. Un monsieur, se croyant au rez-de-chaussée, alors qu'il est au 78e étage, sort prendre l'air… et se trouve «soudain dans l'obligation d'en prendre une quantité démesurée», puisqu'il tombe en chute libre et atterrit sur le pavé. À l'agent de circulation qui lui demande ce qui se passe, le monsieur répond, en crachant des morceaux de trottoir: «Je n'en sais rien; je viens d'arriver moi-même.» La thèse est ainsi présentée: comme ce pauvre monsieur, «la galanterie contemporaine se paye une dégringolade verticale. […] Je ne vous dirai pas que le code moderne de la galanterie est défectueux, oh non. Je vous prouverai que la galanterie moderne elle-même est inexistante, et que sa codification constitue le plus inepte et le plus monumental des plagiats qu'on ait vu depuis notre code civil.»

Par exemple, dit Trudeau, les formules de politesse n'ont plus de sens. Ainsi, lorsqu'on dit à son auditoire «Mesdames et Messieurs», on utilise «une locution que nous a léguée l'époque des seigneurs et des serfs; mais qui, aujourd'hui, a perdu son sens. Précisément. Dans notre système actuel de galanterie, les mots et les gestes n'ont plus leur sens. Et les personnes mêmes sont insensées». On comprend alors pourquoi il a utilisé comme formule de salutation : «Aux citoyennes, aux citoyens, aux demi-libres et aux esclaves, Salut!» Le texte et l'argumentation, en apparence fantaisistes, font une critique très sérieuse, qui reflète ses idées politiques : «Oh! Certes, tous les âges ont connu la galanterie, plus ou moins – le nôtre moins. [...] C'est magnifique, vous savez : nous avons tout sauvé, sauf l'essentiel. Vraiment, une seule époque pouvait montrer un tel discernement : la nôtre, comme une seule – la nôtre aussi – pouvait gober le fameux cri de liberté : Plus rien n'importe sauf la victoire.»

Il construit son discours autour d'un personnage fictif appelé Toots. «Toots, chères brebis errantes, ça signifie Toots», explique-t-il. Déformation phonétique de «toutes», Toots représente toutes les femmes. Il les rend responsables de la mort de la galanterie. Mais il va beaucoup plus loin. Se faisant l'écho de la position de Carrel et de l'Église, il affirme que leur «libération» a comme conséquence la ruine des valeurs familiales traditionnelles : «Toots signifie le renoncement à tous vos privilèges de femmes. [...] Toots signifie que vous préférez le travail automatique de l'usine à la fantaisie infinie de la cuisine. [...] Toots signifie que vous êtes l'égale de l'homme ; vous êtes libres maintenant de vous salir de politicaillerie, libres de voter pour des gouvernements plus cyniques les uns que les autres, libres d'applaudir des imbéciles qui dépeuplent la patrie d'hommes et femmes. Toots signifie qu'il est extrêmement difficile de lancer ou de maintenir un mouvement pour réhabiliter la famille et pour condamner l'arrachement de la femme de son foyer : car vous retirez maintenant un salaire, Toots, et il n'est pas de votre intérêt d'opposer un refus d'obéir à un gouvernement qui vous impose la liberté de vous abêtir.» Rappelons que lorsqu'il fait ce discours, les femmes québécoises ont le droit de vote, depuis 1940 seulement. Elles ont donc maintenant le pouvoir de garder en place les vieux partis, composés de «cyniques» et «d'imbéciles».

Mais pourquoi Trudeau dit-il qu'il est extrêmement difficile de lancer ou de maintenir un mouvement pour réhabiliter la famille et pour condamner l'arrachement de la femme de son foyer? À quel mouvement fait-il allusion? Il semble peu probable qu'il se réfère au Bloc populaire, déjà constitué en parti politique qui a le vent dans les voiles. Commencerait-il à être déçu par les difficultés de recrutement des LX?

Fait intrigant: le brouillon est parsemé de notes qui ressemblent à des indications scéniques, comme si d'autres acteurs devaient intervenir. On trouve des phrases précédées de «Interruption», «tire une balle», «Il est temps de leur mettre un peu de plomb dans la tête». Que viennent faire ces notes dans une défense de la galanterie d'autrefois? On ne comprend ni de quoi il s'agit ni à qui s'adressent ces directives. Mais tout devient clair lorsqu'on lit la lettre du 30 mars 1977 que François Lessard écrit au premier ministre Trudeau. Il lui rappelle ce débat: «Dans l'auditoire se trouvent autant de tes Frères Chasseurs qu'il en faut pour interrompre ton discours aux instants propices et te permettre ainsi de poursuivre ton envolée sur de nouveaux thèmes. Tu m'as réservé le clou de la fin. Je me lève et te crie: "Mais, monsieur Trudeau, vous êtes-vous jamais demandé comment vous finirez vos jours si vous persistez à discourir de la sorte?" Tu commences par tirer un revolver de ta poche et par m'abattre. L'importun étant exécuté, tu daignes ensuite répondre à la question. Tu pivotes sur les talons afin de tourner le dos à la foule, tu étires le cou et, à l'image de Riel que tu aimes évoquer, tu joins les mains comme un pendu les a liées en arrière, à la hauteur du fessier, puis tu clames: "Avec un Union Jack là[44]!"» Ainsi, les interruptions étaient planifiées, le coup de revolver aussi. Le théâtre et le débat au sujet anodin ont été mis au service de la politique et d'une révolution antibritannique.

Gérard Pelletier se souviendra du coup de feu, 40 ans plus tard, mais, curieusement, il oubliera tout le reste, contribuant à renforcer l'image d'un jeune Trudeau apolitique, n'aimant que jouer des farces. En 1972, alors que Trudeau est premier ministre depuis quatre ans, André Potvin, Michel Letourneux et Robert Smith rapportent le même incident, dans l'avant-propos de *L'anti-Trudeau*. Ne faisant aucune allusion au revolver, ils expriment leur stupéfaction : « Ce gars-là, celui de la Loge des chasseurs, celui-là qui parlait de haut aux "touts" (femmes, dans le jeune langage de Trudeau), celui-là qui voulait mourir avec un Union Jack dans le cul, c'est lui qui survole maintenant la Tour de la paix à Ottawa[45]. » La distance monumentale qui sépare les opinions politiques du jeune Trudeau de celles de l'homme d'État leur semble tout simplement incompréhensible. Ils tentent donc, à travers les divers textes assemblés dans leur livre, « de faire la psychanalyse de ce fils égaré[46] ».

En 1977, George Radwanski relate, lui aussi, le même incident, dans sa biographie de Trudeau. Sa source, non identifiée, semble avoir oublié, comme Pelletier, le contenu des propos de Trudeau pour ne retenir que l'épisode du revolver, avec une variante. Déçu d'avoir perdu le débat, écrit Radwanski, Trudeau sort un pistolet, tire à blanc sur le juge épouvanté, et lui dit : « Ceci mettra un peu de plomb dans votre cervelle. »

Radwanski en tire ses propres conclusions psychologiques. Pour lui, ce fait prouve que Trudeau est un « farceur détestable ». De plus, affirme-t-il, « venant, non d'un enfant, mais d'un jeune homme dans la vingtaine, très intelligent, ces farces dévoilent un penchant cruel, une propension à trouver un malin plaisir à faire peur aux gens[47] ».

La mémoire joue bien des tours et mène à toutes sortes de conclusions d'ordre psychologique... Qu'ont pensé les témoins de ce débat de la performance du jeune Trudeau ? Comment s'est-il classé ? Selon les reportages de *La Presse* et du *Devoir,* ce sont les défenseurs de la galanterie d'aujourd'hui qui ont remporté la palme. Pourtant, aucun des deux journalistes ne semble enthousiasmé par le plaidoyer des gagnants. *Le Devoir* ne fait que résumer la thèse de Mathieu et Toupin. Il mentionne, par contre, le plaidoyer «très pittoresque» de leurs adversaires et souligne que M. Trudeau a défendu son point de vue avec «un art consommé de l'attitude et une éloquence spectaculaire». Quant au journaliste de *La Presse,* il exprime son désaccord profond avec la décision du jury. Pour lui, l'humoriste véritable est un profond philosophe: «Il n'est pas toujours besoin de prendre le ton emphatique et doctoral pour dire autre chose que des stupidités.» Il a bien saisi, lui, la critique sociale et politique cachée sous le ton frivole. Pour être bon juge, écrit-il, il faut «savoir démêler ce qui est intentionnellement badin et ce qui ne l'est pas. Et l'expérience prouve que tous ne sont pas également habiles à opérer cette démarcation. [...] Et bien fol qui se fierait à tel verdict pour modifier ses vues personnelles». Pour lui, les membres du jury n'ont tout simplement pas été à la hauteur de leur tâche. Il conclut donc, avec un regret évident, que la galanterie d'aujourd'hui «a prévalu dans l'esprit des jurés, bien qu'un vote démocratique de la salle entière eût sans doute accordé la palme aux défenseurs de celle d'autrefois».

Avec cette performance spectaculaire prend fin l'agitation effervescente de notre jeune révolutionnaire et ses discours enflammés sur la place publique. Au cours de l'année 1943, la tempête se calmera de plus en plus. Suivons-le maintenant dans ce calme relatif jusqu'à son départ pour l'université Harvard.

CHAPITRE 11

Le calme après la tempête

Avant 30 ans, un homme n'est pas intelligent.
Pierre Trudeau, le 13 octobre 1944

Entre le 8 janvier 1943, date du débat sur la galanterie, et le mois de mars 1944, Trudeau ne publie que deux articles : « Perçant dialogue persan » et « Ça vient d'où un sauvage ? » plus un commentaire, « Massons Clément ». On est bien loin de l'activité fébrile de l'année 1942. Les titres également semblent peu liés à la politique. Que se passe-t-il ?

Trudeau achève ses études en droit et doit passer les examens du Barreau au printemps 1943. Étudiant sérieux, même s'il n'aime pas ses cours, on imagine qu'il consacre beaucoup de temps à cette préparation. Mais cela ne peut pas suffire à justifier ce peu d'activité pour un jeune homme jusqu'ici débordant d'énergie et de passion pour la politique. Le temps passé aux études n'expliquerait d'ailleurs pas le calme relatif après les examens.

Quelque chose s'est passé. Mais quoi ? En référence à cette période, le journaliste Michel Vastel écrit, dans sa biographie de Trudeau : « C'est finalement un Pierre Trudeau frustré, amer, dégoûté de la vie et méprisant son peuple qui est admis au Barreau de la province de Québec en 1943[1]. » Effectivement, Trudeau passe par une phase d'amertume et de frustration. Mais est-il « méprisant » envers son peuple ? Comme cette accusation l'a suivi toute sa vie, voyons ce qu'il en est, dans ce cas précis.

Le 18 février 1943, Trudeau écrit un brouillon intitulé « Ô honte ![2] » qu'il abandonne après trois pages et demie. Est-ce l'ébauche d'un article qu'il ne se donne pas la peine d'achever ? Est-ce une simple façon pour lui d'exprimer ses sentiments, comme on le fait dans un journal intime ? On ne le sait pas. L'amertume, cependant, ne fait aucun doute : « Si vraiment le peuple savait sur quoi il compte pour faire son salut, et à quelle dégénérescence il est voué, il n'attendrait pas à demain pour se laisser couler à pic. » Trudeau clarifie ce sombre pronostic : « Le peuple n'a jamais tort, pas plus que la roche qui brise un verre ou que le minerai qui se laisse broyer. La masse prend toujours la direction que lui impriment ses chefs. Et c'est donc la classe dirigeante qui fait la grandeur ou la déchéance d'un peuple. [...] Il ne faut donc jamais gueuler contre le peuple, et lui dire "maudit" et qu'il est né pour l'esclavage. Mais au contraire qu'il peut tout s'il se soumet à des vecteurs puissants. » Dans la pure tradition élitiste dans laquelle il a grandi, Trudeau est convaincu que le peuple est perdu sans une bonne élite pour le mener. C'est pour cela que ses compagnons d'armes et lui préconisent une structure sociale hiérarchique pour leur future société, et accordent une importance capitale au chef. Il était probablement convaincu que, comme lui, tous les étudiants faisaient le nécessaire pour se préparer à devenir l'élite de demain. Il se rend compte que tel n'est pas le cas.

« Je cherche querelle aux étudiants, écrit-il. On leur répète à l'envi, ils répètent eux-mêmes, qu'ils sont l'élite. Ce qui est vrai, c'est qu'ils seront un jour la classe dirigeante de notre peuple. » Notons la distinction entre élite – aristocratie de la vertu – et classe dirigeante – détenant le pouvoir. Depuis son plus jeune âge, Trudeau a écouté les appels vibrants de Groulx, de Laurendeau, de l'Église, des jésuites, posant comme une évidence que les malheurs du peuple canadien-français proviennent de l'absence d'une véritable élite. Furieux contre ses camarades, il ajoute, avec un dédain évident: «Je cherche querelle à la méprisable bande de mollusques, visqueux et vicieux […] que forme la gent étudiante. Et c'est ça qui sera demain à la tête de la nation?» Les mots très durs traduisent un grand désabusement. Ce cri du cœur n'a probablement pas été écrit pour publication. Il nous permet néanmoins de connaître les états d'âme du jeune Trudeau.

Mais que reproche-t-il si amèrement aux étudiants? «Je ne puis penser que leur duplicité se résout en une double personnalité, car ils n'ont pas de personnalité. Mais il me vient à l'esprit l'expression plus juste de visages à deux faces. Voyez-les écrire, entendez-les déblatérer contre les traîtres à la race, contre les torrieux de politiciens abjects, contre Jean-Charles Harvey, contre les maudits Anglais, contre la conscription, contre les damnés communistes. En temps d'élections ou de plébiscite, admirez leur gueulage et leur cabale. Vous serez édifiés, et peut-être stupéfiés, d'un nationalisme si pur.» Trudeau leur reproche leur hypocrisie. En fait, toute sa vie, il aura du mépris pour les hypocrites, pour ceux qui se gargarisent de paroles sans agir, pour ceux qui n'ont de courage que lorsque celui-ci est sans conséquence. Lui s'est engagé dans un projet révolutionnaire pour faire son devoir. Ses camarades disaient partager sa volonté de transformer radicalement la société. Il s'aperçoit maintenant qu'ils ne suivent pas: «Les étudiants de l'Université de Montréal ne sont que des mauvais plaisants qui n'ont même pas le génie d'être des farceurs.» Non, contrairement à ce qu'écrit Michel Vastel, Trudeau ne méprise pas le peuple. C'est à la fausse élite qu'il s'en prend.

Mais que s'est-il passé, dans les faits? On l'ignore. Aurait-il rencontré des difficultés de recrutement pour son mouvement? Les étudiants auraient-ils prétexté l'inertie du peuple pour leur manque d'engagement? Aurait-il constaté que même parmi les LX, ses compagnons d'armes semblaient plus enclins à discuter des principes de la révolution qu'à la faire? Tout cela est possible, mais ne suffit pas à expliquer chez Trudeau un changement aussi radical sur le plan idéologique et politique, ni la nouvelle orientation de ses écrits en 1943 et 1944. Pour le comprendre, il faut, une fois de plus, décrire l'évolution du contexte de la guerre à partir de 1942.

Juste après la défaite de la France, l'enthousiasme des Canadiens français pour Pétain et son régime reflétait celui des Français. « La gauche a confiance en Pétain car il demeure pour elle l'homme des heures difficiles [...] À droite, ce fut l'enthousiasme, le délire[3] », écrit Marc Ferro au sujet de l'accueil du maréchal à son arrivée à Paris, en mai 1940. Naïvement, dans un pays vaincu, à moitié occupé, l'instauration d'un « ordre nouveau » paraissait réalisable, et tout à fait souhaitable. Convaincus que l'Angleterre aurait très bientôt « le cou tordu comme un poulet », Pétain et son régime préparaient le terrain pour que « la France devienne un associé de l'Allemagne victorieuse[4] ». Dans ses premières années, la révolution nationale, renouant avec l'Église, mettant à l'honneur la famille et le paysan, et condamnant la modernité et la laïcité, jouit même de l'appui massif du clergé. L'Église s'accommode même des mesures antisémites adoptées dès les premiers mois. Selon Marc Ferro, de nombreux membres du clergé « commentent favorablement l'interdiction de certaines professions pour les Juifs[5] ».

Mais la popularité du régime baisse rapidement, en raison de facteurs à la fois externes et internes. Le 8 novembre 1942, le président Roosevelt écrit à Pétain pour l'informer que les États-Unis, maintenant en guerre contre l'Allemagne, organisent, avec la Grande-Bretagne un débarquement en Afrique du Nord. La réponse du maréchal montre, sans ambiguïté, de quel côté il se range : « C'est avec stupeur et chagrin que j'ai appris cette nuit l'agression de vos troupes contre l'Afrique du Nord. [...] Nous sommes attaqués. Nous nous défendrons[6]. » Le lendemain, Mackenzie King rompt les rapports diplomatiques entre le Canada et le régime de Vichy.

La victoire d'El-Alamein, près d'Alexandrie, en Égypte, le 12 novembre 1942, par l'armée du général Montgomery, marque un tournant majeur dans la guerre. Par la suite, avec la victoire de Stalingrad, le 2 février 1943, il devient de plus en plus évident que Hitler sera vaincu. En septembre 1943, l'Italie capitule, entraînant l'effondrement du régime fasciste et corporatiste qui faisait rêver tant de Canadiens français.

En France, le premier décret de la *Loi du Service du travail obligatoire* (STO) est mis en place le 4 septembre 1942 par le régime de Vichy[7]. Cette loi a comme effet de renflouer les rangs de la Résistance. Les charges de plus en plus considérables que l'Allemagne exige de la France pèsent très lourd sur l'ensemble de la population. Avec les prises d'otages, les exécutions et la répression allemande qui se fait de plus en plus sévère, la haine de l'envahisseur commence à prendre racine, et le régime de Vichy est de plus en plus perçu comme son complice. Tous ceux que la révolution nationale attaque, notamment les laïcs, les instituteurs et les syndicalistes, commencent à s'organiser pour combattre le régime.

L'Église aussi prend de plus en plus ses distances avec le régime de Vichy. Dès l'été 1942, rompant avec leur approbation des mesures contre les juifs, de nombreux évêques et archevêques commencent à intervenir en leur faveur et à dénoncer les persécutions. Ainsi, dans sa lettre pastorale du 21 août, Mgr Salièges, archevêque de Toulouse, écrit : « Les Juifs sont des hommes, les Juives sont des femmes. Tout n'est pas permis contre eux [...] Ils sont nos frères comme tant d'autres. Un chrétien ne peut l'oublier[8].» L'Église québécoise revoit, elle aussi, ses positions par rapport au régime de Vichy.

Notons toutefois que, tant en France qu'au Canada, le maréchal Pétain lui-même n'est pas remis en cause. On attribue à d'autres l'odieux de la collaboration avec l'Allemagne nazie. Son ministre, Pierre Laval, lui sert de paratonnerre. On veut continuer à croire à la grandeur de Pétain, qui a «fait cadeau de sa personne à la France», dans ses pires heures. Au Québec, si l'engouement pour la personne de Pétain dure plus longtemps qu'en France, on découvre à son régime de plus en plus de verrues. La victoire des Alliés se faisant tous les jours plus probable, et l'échec du corporatisme de plus en plus évident, les Canadiens français ne savent plus à quel saint se vouer. Le modèle de «révolution nationale» de Trudeau, de Boulanger et de leurs camarades d'armes s'est tout simplement effondré. On comprend mieux pourquoi Boulanger disait, avec beaucoup de lucidité, dans son article de janvier 1943 dans *Brébeuf* que: «la paix se fera sans nous et contre nous.» On comprend mieux, également, pourquoi, à partir de 1943, Trudeau ne manifeste plus de ferveur militante. Il a perdu ses repères et, comme il le dira lui-même, en 1944, il sent le besoin de «réapprendre à penser[9]». En attendant, il s'adonne à d'autres activités.

Le 19 mars 1943, paraît, dans *Le Quartier Latin*, «Perçant dialogue persan», signé PITRE. L'article prend la forme d'une pièce de théâtre fantaisiste, qui ressemble à certains de ses écrits dans *Brébeuf*. Trudeau fait intervenir une quinzaine de personnages disparates tels: Premier touriste, Le Perse Epteur, Le Perse I, Le Perse Q., Le Trifluvien, Claudel, Le Parisien, Léon Bloy, etc. La trame est simple: deux touristes demandent qu'on leur recommande un bon spectacle. On conseille à l'un : « Un seul spectacle saura vous plaire : *Les Perses* d'Eschyle, que justement on donne ce soir, au Gesù. » À quoi celui-ci répond, avec un jeu de mots : « Ô Gesù ! Que j'ai hâte de voir ça. » Quelqu'un suggère que le touriste pourrait être dépaysé. À quoi Perse Epteur riposte avec vigueur : « Mais non... Ce qui était humain il y a 25 siècles, pourquoi dérouterait-ce un homme d'aujourd'hui ? C'est-il à un touriste intelligent, et qui sait compter jusqu'à cinq, que j'ai affaire ? Ou bien à un cave qui veut de la fanfare de cirque ; et des ballets pataboumesques, et des cabots d'arcade, et des décors de monument national ? » Il est évident que la défense de la tragédie grecque représente le point de vue de Trudeau. Pour lui, les spectacles populaires contribuent à « l'appauvrissement intellectuel et financier d'un popu grossier et d'une élite rolmatieuse ». À l'instar de l'Église, Trudeau rend cette forme de divertissement partiellement responsable de la dégénérescence de notre société. La tragédie grecque, par contre, est « de la sublime poésie ». Convaincu, le touriste choisit *Les Perses,* et compte désormais « parmi les 1347 personnes de l'hémisphère occidental qui connaissent le beau théâtre ». L'humour cache à peine l'amertume...

Après ce dialogue persan, grand silence... De fait, 1943 est pauvre, même sur le plan des notes de lecture. Jusqu'en juillet, Trudeau est probablement accaparé par ses études. Il fait également des demandes de renseignements auprès de quelques universités américaines au sujet de leur programme d'études supérieures. Dans une lettre non datée, il exprime à l'université Harvard son intention de s'inscrire en automne : « *I am interested in History, Government, and Economics Departments* », et leur demande leur annuaire de cours. Le 15 mai 1943, Harvard répond que les annuaires ne sont pas encore imprimés[10]. Il fait une demande similaire à l'université Columbia et ajoute les sciences politiques à ses champs d'intérêts. Le 19 juin, il écrit au Georgetown Graduate School of Foreign Service qu'il aimerait s'y inscrire en automne. Malgré des lettres d'appui très élogieuses, le 27 octobre, on lui refuse l'autorisation de quitter le Canada : « L'on n'accorde pas la permission d'aller suivre aux États-Unis des cours qui sont offerts aux étudiants dans les universités canadiennes[11] », lui donne-t-on comme raison. En dépit des deux médailles et des trois prix qu'il a reçus pour ses brillants résultats à l'examen du barreau, il lui est impossible de faire des études supérieures à l'étranger.

Coincé au Québec, il obtient un poste dans l'étude d'avocats Hyde et Ahern, mais il n'est pas heureux, ce métier ne l'ayant jamais attiré. « Je n'ai pratiqué qu'un an, dit-il à George Radwanski, et j'ai trouvé ça terrible. Un client venait me voir, et j'étais tenté de lui dire, "vous savez, votre cas ne m'intéresse pas vraiment[12]." » Tant sur le plan professionnel que sur les plans politique et intellectuel, Trudeau a l'impression de se trouver dans un cul-de-sac.

Bien que n'étant plus étudiant, Trudeau lit régulièrement le journal de l'Université de Montréal. Le 5 novembre 1943, paraît une lettre au directeur, titrée « *Le Quartier Latin* au cimetière », dans laquelle Clément Masson critique la nouvelle tournure de ce journal : « Jadis, il était un vrai journal d'étudiants, pétillant de vigueur et de jeunesse, vrai reflet du caractère estudiantin, sa lecture pouvait nous dérider, nous faire éclater de rire parfois. Aujourd'hui, on éclate encore, en prenant *Le Quartier Latin*, mais cette fois… en sanglots, comme devant un tombeau où repose un être cher. » Toute sa lettre est construite autour du thème de la mort : cortège funèbre, deuil, linceul…

Trudeau admire, au contraire, le journal, qui vient de prendre une position courageuse, en réclamant plus d'autonomie par rapport à l'association étudiante. Deux jours à peine après la parution de la lettre de Masson, il rédige le brouillon de sa réplique en deux volets : d'une part, il veut encourager le journal à persévérer dans sa nouvelle orientation, d'autre part, il veut remettre l'étudiant à sa place. Le 12 novembre, paraîtront simultanément une lettre au directeur du *Quartier Latin*, intitulée « Massons Clément », signée Pierre Elliott Trudeau, et une autre, « Mon cher Clément », adressée à l'étudiant, signée PITRE. Dans la première, pince-sans-rire, il demande au directeur d'excuser l'étudiant, qui « n'est pas un mauvais garçon [...] un peu puéril, un peu impondéré. Mais ils sont tous ainsi à la faculté de droit ». Jouant sur les mots, il lui suggère : « Soyons cléments nous-mêmes. » Il passe alors aux éloges, assurant le directeur qu'il « était souvent vaseux, notre *Quartier* des années passées », alors que cette année, l'équipe est « exactement assez spirituelle jusqu'ici pour débarrasser notre journal de ses femmeletteries sirupeuses, de ses balourdes dissertations, de ses niaiseuses histoires ». En conclusion, il avoue au directeur qu'il envie ceux qui peuvent utiliser leurs plumes comme « armes bien idoines à l'enferrement des pontifes ».

« Mon cher Clément » s'adresse directement à l'étudiant, en le tançant vertement, dans un style sarcastique et dans un langage plus populaire : « Mon cher Masson, tu as été absolument, totalement et intégralement en dehors de la track avec ton article. » Il ridiculise l'image larmoyante de l'enterrement : « Sensible comme que t'es ! Sensible comme pas personne ! Éclatant en sanglots [...] quand le journal n'est pas de ton goût ! » Mais la critique de Trudeau ne se limite pas à Masson : « Ne crois pas que ma petite colère soit distillée pour toi seul ; n'aimant pas les rancœurs personnelles, je veux chicaner tous ceux qui ont approuvé ton article. » Passant à l'attaque de tous les étudiants qui pensent comme lui, il demande : « Car enfin, où voulez-vous en revenir ?

C'est-il que vous voudriez un journal de collège ? Ou un journal d'ignares avec ses farces gâteuses ? [...] Vous êtes fous, que diable ! » Pour lui, la vie, c'est la lutte. Il faut être « de périlleux vivants ! Vive le régime des coups de pistolet et du funambulisme ! Vivent les "œils au beurre noir !" » Le Trudeau révolutionnaire refait surface. Le changement du journal lui redonne un peu d'espoir : « De ma mémoire, je n'ai jamais vu *Le Quartier* si bien orienté. » S'adressant aux étudiants, il leur dit que s'ils apprennent à faire des critiques constructives, ils seront « les agents du Renouveau. Et alors si *Le Quartier Latin* devient ce que promet d'être *Le Quartier Latin*, il n'y aura plus lieu de définir les étudiants de l'Université de Montréal comme "des mauvais plaisants qui n'ont pas le génie d'être des farceurs." » (On a certainement reconnu, dans les « mauvais plaisants qui n'ont pas le génie... », la phrase prise mot pour mot dans « Ô honte ! », texte qu'il avait écrit neuf mois plus tôt.)

Mais que veut dire « Si *Le Quartier Latin* devient ce que promet d'être *Le Quartier Latin* » ? Si Trudeau voulait tout simplement écrire : « si le journal devient ce qu'il promet d'être », pourquoi répéterait-il le nom du journal deux fois, lui qui attache tant d'importance à son style ? Sur son exemplaire du journal[13], il corrige, en mettant des minuscules au premier quartier latin, ce qui ne renvoie plus au journal, mais au quartier, au campus universitaire. La phrase devient alors : « Si le campus universitaire se transforme à l'image du journal *Le Quartier Latin*, alors les étudiants seront les agents du Renouveau et on ne pourra plus se plaindre de leur piètre qualité. » Cette subtilité a échappé à la rédaction, qui a cru bien faire en « corrigeant » le manuscrit, et en mettant une majuscule aux premiers *Q* et *L*.

Dans ce même numéro, Trudeau publie : « Ça vient d'où un sauvage ? » Rappelons qu'il était fréquent, à l'époque, d'utiliser ce mot pour se référer aux Amérindiens, mais Trudeau l'utilise ironiquement. Cet article fait partie des textes choisis et édités par Gérard Pelletier dans *Pierre Elliott Trudeau – À contre courant*. Il s'agit de la recension du livre *Les Origines de l'homme américain*, de Paul Rivet[14]. Malgré le sujet scientifique, nécessitant un vocabulaire spécialisé, et le style de Rivet souvent rébarbatif, Trudeau se débrouille pour résumer les idées principales de chaque chapitre dans un texte léger, amusant. Il apprécie particulièrement que dans sa conclusion, Rivet veuille sensibiliser « la vieille Europe comme la jeune Amérique » à ce qu'elles doivent à la civilisation amérindienne. Il cite les dernières lignes du livre, qui font un appel vibrant aux sentiments de fraternité : « Le sentiment de la grande solidarité humaine a besoin plus que jamais d'être exalté et fortifié. Tout homme doit comprendre et savoir que, sous toutes les latitudes et sous toutes les longitudes, d'autres êtres, ses frères, quelles que soient la couleur de leur peau ou la forme de leurs cheveux, ont contribué à lui rendre la vie plus douce ou plus facile. »

Trudeau sera lui-même un grand défenseur de la solidarité humaine et un ardent promoteur du multiculturalisme. Mais en 1943, à 24 ans, il ne peut résister à la tentation d'utiliser ce beau message pour asséner un coup de poing aux capitalistes répugnants, aux politiciens pourris, et à la censure imposée par le gouvernement King à cause de la guerre : « Ainsi donc, un seul homme de science par un labeur calme et honnête contribue infiniment plus à promouvoir la charité chrétienne au sein de l'humanité que tous les politiciens fétides et tous les financiers putréfaits. Aussi je m'étonne que la censure omniveillante ait souffert que tant de dignité anéantisse les méprisables efforts dont quatre ans de lamentable propagande ont fait les témoins. » Le mot *putréfait* n'est pas dans le dictionnaire. Trudeau voulait-il dire *putréfié*, pourri ? Bizarrement, cette critique sarcastique, représentative des idées politiques du Trudeau de l'époque, n'a pas été retenue dans le texte publié dans *À contre-courant*.

Pendant ce temps, le Bloc populaire, qui prend en quelque sorte la relève de la Ligue pour la défense du Canada, essaie de consolider ses appuis nationalistes en se présentant comme un souffle nouveau par rapport aux vieux partis. Trudeau gravite autour du Bloc. C'est ce qui explique sa participation à l'assemblée en faveur de Jean Drapeau, le candidat non officiel de ce parti. Cependant, comme le montrent les excellentes études de Michael Behiels, professeur d'histoire à l'Université d'Ottawa, et de Paul-André Comeau, journaliste et professeur à l'École nationale d'administration publique, le Bloc est miné par de graves luttes intestines, depuis sa formation. Behiels attribue en grande partie sa désintégration à des conflits de personnalité, à des luttes de pouvoir et à des conceptions divergentes de son organisation et de son orientation[15]. C'est qu'un nationalisme polymorphe réunit, au sein du Bloc, des adhérents issus de partis antagonistes. Dès le départ, pour choisir le chef du Bloc, trois des membres fondateurs du mouvement – nationalistes d'obédience groulxiste – s'unissent pour combattre la nomination de Maxime Raymond – admirateur d'Henri Bourassa. Il s'agit d'abord du député René Chaloult, condamné pour avoir conseillé la résistance à la conscription. La Ligue pour la défense du Canada l'avait accueilli en héros à son acquittement en août 1942. (Chaloult a été élu à plusieurs reprises comme membre de l'Union nationale, du Parti libéral et comme indépendant. C'est lui qui a convaincu Maurice Duplessis d'adopter pour le Québec un drapeau distinct, ce qui s'est réalisé le 21 janvier 1948.) Les deux autres membres sont Paul Gouin, fondateur de la défunte Action libérale nationale, et le Dr Philippe Hamel, ardent promoteur de la nationalisation de l'électricité. Raymond devenu chef, des dissensions surgissent à propos de nombreuses questions, dont la création d'une aile provinciale parallèle à l'aile fédérale du parti. Le trio demande qu'on soumette le chef, Raymond, à un vote de confiance des délégués. Raymond gagne ce vote, le 5 décembre 1943, avec une très grande marge. Le fossé entre les deux camps se creuse davantage lorsque, à la surprise générale, Raymond nomme André Laurendeau – secrétaire du parti, qui n'a aucune expérience de politique active – à la tête de l'aile provinciale.

Entre-temps, Trudeau reçoit une lettre du Bloc populaire l'invitant à devenir secrétaire du comité Éducation et Politique à son prochain congrès qui se tiendra du 3 au 6 février 1944. Effectivement, il y assiste, et à ce titre. Le Bloc a encore le vent dans les voiles, mais ses luttes intestines ne sont un secret pour personne. Le 7 février, à la suite de la nomination de Laurendeau, le trio déclare à Maxime Raymond : « Notre confiance en vous est sérieusement ébranlée. » Toutefois, ayant à cœur les intérêts supérieurs du peuple canadien-français, ils sont prêts, disent-ils, à étudier toute proposition sérieuse et honorable « pour réparer l'injustice que vous avez commise à notre endroit et pour vous réhabiliter à nos yeux et devant l'opinion publique[16] ». Les tentatives de réconciliation échouent les unes après les autres. À chaque coup, la lutte acrimonieuse étalée sur la place publique ne fait que ternir davantage la popularité du Bloc. Aux élections provinciales d'août 1944, il n'obtient que quatre sièges, dont celui de Laurendeau. Aux élections fédérales du 11 juin 1945, c'est la débâcle. Le Bloc n'obtient que 2 des 65 sièges du Québec et 13 % des suffrages. Le 6 juillet 1947, Laurendeau quitte ce bateau qui coule. Vexé par sa démission, Raymond le prévient que si le Bloc meurt par sa faute, « vous pourrez vous glorifier d'avoir été le fossoyeur d'un mouvement nationaliste et vous aurez bien mérité des vieux partis[17] ».

On a l'impression que chaque fois que Trudeau vit des déceptions sur le plan politique, il cherche une diversion ailleurs. Ainsi, un mois après son amer « Ô honte », il publiait «Perçant dialogue persan», tout à la gloire du théâtre grec. Le 10 mars 1944, un mois après le décevant congrès du Bloc, il publie, dans *Le Quartier Latin,* «Pritt Zoum Bing», à la louange de la motocyclette, ce «parfait outil d'évasion». Avec humour, il y dévoile sa passion pour la motocyclette, passion qui le suivra presque toute sa vie. De manière fantaisiste, il attribue l'invention de cet engin aux Chinois des temps anciens, et explique, pince-sans-rire, les causes scientifiques des pétarades de la moto: «Ces Chinois ingénieux, combinant le principe de la combustion à celui de la fusée, avaient imaginé un mécanisme actionné par de l'essence de banane et du jus de fèves au lard.» Mais, répond-il, à ceux qui ne le croiraient pas, «les preuves historiques ont toujours laissé des sceptiques». Face à une machine si parfaite, toujours pince-sans-rire, il arrive à la conclusion que «l'homme a été imaginé en vue du motocyclisme: les narines ouvertes vers le bas, les oreilles frôlant la tête permettent l'accélération optime sans entonnement du vent ou de la poussière. [...] Pour parler candidement: la moto se contrôle par deux poignées; aussi avons-nous deux poignets.»

On a souvent présenté Trudeau comme un homme froid, qui aime la solitude – ce que contredit son appréciation de cette «authentique confrérie des motocyclettes, dont l'entraide est la seule loi, et le salut le signe distinctif. [...] Quelle commune émotion les unit, il faut être motoïste pour le savoir. [...] Vous qui vantez les jeux d'équipe [...] dites-moi s'il est un sport où l'amitié soit satisfaite davantage.» Les paysages, la vitesse, les arrêts au gré de sa fantaisie, tout le ravit. La vitesse de la moto procure, selon lui, un sentiment de sérénité, «une espèce d'ahurissement ou, mieux, d'ataraxie». La moto partage avec les autres sports cette vertu particulière qui «est de libérer l'esprit; le corps alors livré à ses propres ressources réapprend la pensée». *Libérer l'esprit, réapprendre à penser...* signes d'un désir de faire le vide, d'abreuver son esprit à d'autres sources. Trudeau ne cherche plus à accumuler les connaissances, mais à réapprendre à penser. Son insatisfaction est évidente devant ce qu'il considère comme un cul-de-sac. Il veut apprendre à penser autrement, même s'il ne sait pas encore comment.

Trudeau inclut une photo amusante, prise par son ami Lussier. On le voit assis sur une moto derrière quelqu'un. Allongé sur le sol, devant la moto, on reconnaît Roger Rolland. Trudeau explique qu'il s'agit de l'illustration d'un «châtiment que dans la Chine du Nord la loi inflige aux mandarins malandrins. […] Un assassin professionnel et un bourreau amateur y sont sur le point de broyer la cervelle d'un condamné, qui se relèvera vivant de cette épreuve à la condition seulement de n'avoir pas de cervelle». Ce qui l'amène à la réflexion suivante: «Je me demande si ce supplice chinois serait fatal aux gens que j'ai connus…» Qui sont ces gens? Sans doute pense-t-il aux universitaires et à certains dirigeants du Bloc populaire… De toute évidence, l'ardent militantisme n'est plus au programme.

Pendant les trois mois qui suivent «Pritt Zoum Bing», Trudeau prend des notes sur sept livres, dont deux seulement traitent de problèmes économiques ou politiques. Il semble apprécier de plus en plus les auteurs anglophones. Il écrit à propos du roman classique *Jude the Obscure,* de Thomas Hardy, que les situations tragiques sont décrites avec une telle puissance que «ces événements sont plus angoissants et poignants que tout ce que j'ai vu jusqu'ici dans les livres[18]». Il apprécie aussi un autre grand classique, *The Scarlet Letter* de Nathaniel Hawthorne: c'est «un de ces romans comme en écrivaient les Anglais (et cet Américain) au siècle dernier. […] Je crois que c'est un grand livre[19]». Il lit deux contes de la jeune Canadienne française Andrée Maillet: *Le Marquiset têtu et le mulot réprobateur* et *Les aven-*

tures de la Princesse Claradore, publiés en 1944. Andrée Maillet recevra de nombreux prix pour son œuvre de littérature de jeunesse. Les remarques de Trudeau à propos de ces livres témoignent d'un début de changement de perspective. Jusqu'ici, il semblait convaincu de la supériorité de la littérature et de la pensée françaises. Il écrit maintenant : « Style facile, brillant, spirituel. […] Nous sommes bien loin de la puissance de *The Man Who Was Thursday,* et du style ébahissant de *Alice in Wonderland*[20]. » Il est peut-être injuste de la part de Trudeau de comparer Andrée Maillet, qui n'a que 23 ans lorsqu'elle écrit ces contes, à des géants de la littérature anglaise, mais le fait d'avoir choisi des auteurs anglais, plutôt que français, comme critère de référence, est digne de mention.

En juin 1944, la demi-page de notes sur *La Grande Peur dans la montagne* du romancier suisse Charles-Ferdinand Ramuz confirme un trait de caractère de Trudeau que nous avons déjà vu. En juin 1942, il avait lu, de cet auteur, *La Beauté sur la terre,* et écrivait en conclusion : « J'attends mieux de Ramuz. » Lorsqu'il lit *La Grande Peur dans la montagne,* il rédige ses notes au dos de la même page, et écrit en introduction : « Ici, je crois, est l'œuvre humaine que je souhaitais au verso. » Décidément, il connaît bien ses notes et les organise soigneusement…

En 1944, Trudeau lit deux livres de Maurice Barrès, nationaliste, royaliste et antisémite, qui fait partie des auteurs appréciés par les jésuites, et au sujet duquel il avait pris des notes, au collège Brébeuf. En mai, il lit *Les Déracinés,* premier volet de la trilogie *Le Roman de l'énergie nationale* (1897-1902), qui prône la fidélité au sol natal. Il écrit, dans ses trois pages de notes : « Roman dont la thèse veut prouver le mal social qui découle de l'éducation donnée par la IIIe République. […] Ce roman ne cache pas qu'il est une thèse. » Il en critique les faiblesses : « La pensée au début si française en prenant de la longueur perd de l'unité. » S'il admire les talents d'écrivain de Barrès, il ne fait aucun commentaire sur ses idées politiques extrémistes. En octobre, il lit *Un jardin sur l'Oronte,* publié en 1922. Il écrit quelques lignes seulement, quoique fort appréciatives : « Très beau conte d'amour tragique. [...] Style très pur et éthéré. » Si Trudeau admire les talents d'écrivain de Barrès, il ne fait aucun commentaire sur ses idées politiques extrémistes.

Trudeau continue à lire des auteurs de la droite maurrassienne et pétainiste (Maurice Barrès, Jacques Bainville, Lucien Romier), mais il ne manifeste plus le même engouement pour leur point de vue politique. Comme on l'a vu au chapitre 8, lorsqu'il avait lu, en février 1942, *Les Conséquences politiques de la paix,* de Jacques Bainville, il avait noté, avec enthousiasme, que ce livre était un « remarquable exemple de ce que la sagesse, la perspicacité, le calcul peuvent faire dans le domaine de la politique ». Mais en avril 1944, lorsqu'il lit *L'Angleterre et l'Empire britannique,* œuvre posthume (Bainville est mort en 1936) faite de collection d'articles de journaux ou de revues, il ne critique pas seulement ce type de publication qui, selon lui, résiste souvent mal à l'épreuve du temps, il trouve également que « Bainville n'est pas ici l'historien aux larges vues, mais le journaliste de droite. Et le zèle politique qui informe son patriotisme lui suggère parfois un conservatisme déplaisant ». En deux ans, la perspective de Trudeau a bien changé...

En mai 1944, il lit *Problèmes économiques de l'heure présente,* de Lucien Romier, économiste, historien et journaliste. Il s'agit d'un recueil de conférences données par ce professeur invité à l'école des Hautes Études commerciales (HEC), à Montréal, en 1932. Deux ans plus tard, Romier prendra, avec Pierre Brisson, la codirection du quotidien parisien *Le Figaro.* Durant la guerre, ces deux-là deviendront des adversaires idéologiques. Romier quittera le journal, fera partie de l'entourage du maréchal Pétain dès l'été 1940, deviendra ministre d'État à partir du 11 août

1941, et jouera un rôle de plus en plus grand dans le gouvernement de Vichy jusqu'à la fin de l'année 1943. Brisson, par contre, suspendra la parution du *Figaro* plutôt que de se soumettre à la censure allemande. Le journal ne reparaîtra qu'à la libération de Paris en 1944. Quand Lucien Romier meurt en janvier 1944, Pétain assiste à ses funérailles. Notons que l'invitation de Romier à Montréal témoigne, une fois de plus, des alliances souvent étroites qu'entretenait l'élite canadienne-française avec des personnalités proches du régime de Vichy.

Lorsque Trudeau lit *Problèmes économiques*, Romier est déjà décédé, après avoir été un des grands collaborateurs de Pétain. Il ne mentionne rien à propos de la carrière politique de l'auteur. Ce livre date néanmoins d'avant la guerre. Il traite de problèmes économiques avec plus de rigueur que ce que Trudeau a lu jusque-là. «C'est un livre sérieux, écrit-il, qui discute franchement et honnêtement les données du monde économique. [...] On y trouve surtout une méthode d'étude qui s'inspire de l'observation, de la clarté, de la simplicité.» Trudeau, habitué à étudier les questions économiques dans une perspective religieuse et nationaliste, les voit présentées autrement. Il souligne les avantages du libre-échange, qui a fait du XIXe siècle «le siècle du progrès rapide», alors que le nationalisme économique a des effets néfastes. Citant l'auteur, il écrit: «L'excès de protection amène un affaiblissement technique de l'industrie.» Il ajoute entre parenthèses: «(Il faut se protéger par son génie d'invention.)» Bien des années plus tard, il reprendra cette idée et affirmera que le Québec n'a pas besoin de béquilles pour se développer. Toujours prêt à faire le lien entre ce qu'il lit et sa propre situation, il remarque: «Ce chapitre s'applique fort bien au Québec.» Trudeau note que l'auteur ne préconise pas comme remède le corporatisme, mais «un capitalisme plus honnête, moins hypocrite, qui réhabiliterait le vrai libéralisme et le libre échange».

On aperçoit chez Trudeau un changement de perspective. On a l'impression qu'il commence à prendre ses distances par rapport au corporatisme et à la méthode révolutionnaire. Il ne s'agit évidemment pas d'un renversement de perspective, mais plutôt de l'exploration de nouvelles pistes.

En juin 1944, Trudeau publie dans le *Journal des Jeunesses étudiantes* « L'ascétisme en canot[21] », article inspiré de son épopée de l'été 1941. On se souvient qu'il avait écrit longuement à Hertel le 5 septembre 1941, en relatant cette expédition et en partageant avec lui surtout ses frustrations. Le temps embellit ses souvenirs. Dans «L'ascétisme en canot», Trudeau a oublié les difficultés de son épopée et se rappelle uniquement sa merveilleuse expérience de communion avec la nature : «Faites 1000 miles en train, écrit-il, et vous serez une brute; après 500 sur bicyclette, il vous restera un fond de bourgeoisie; en canot, faites 100 miles et vous êtes déjà l'enfant de la nature[22]. » Trudeau disait, dans « Pritt Zoum Bing» que la motocyclette, libérant l'esprit, permet de «réapprendre à penser». Ici, il développe davantage cette idée. Il admire le pouvoir purificateur et libérateur du canot : «L'expédition en canot a même cela de particulier que plus rapidement et plus implacablement qu'aucune autre, elle purifie son homme. [...] Une des conditions de l'équipée est de se confier dépouillé à cette nature [...] En retranchant ainsi de l'héritage humain tout l'inutile bagage matériel, l'esprit est en même temps libéré des calculs, des souvenirs, des préoccupations oiseuses[23]. »

On sait que pour Trudeau, la pensée doit servir de guide à l'action. Quand il écrit donc cet article, fatigué peut-être de plusieurs mois de vaines discussions, il apprécie la communion entre le corps et l'esprit que favorise l'équipée en canot : «L'esprit n'en reviendra pas plus raisonneur mais plus raisonnable; car tout ce temps, il aura appris à s'exercer dans ses conditions naturelles de rendement. Son rôle primordial aura été de soutenir le corps dans la lutte menée contre le lourd univers. Un bon campeur sait qu'il est plus important d'être ingénieux que génial. Et réciproquement, le corps aura servi l'esprit en lui indiquant le vrai sens du plaisir charnel[24].»

Une fois de plus, on trouve un exemple qui contredit la réputation de Trudeau comme homme froid et distant: «Que dire aussi de l'émotion qui s'empare du ventre et du corps quand le canot touche enfin au rivage? [...] Le canot est aussi une école d'amitié; et l'on apprend que le meilleur ami n'est pas la carabine, mais bien celui qui vous partage chaque nuit son sommeil [...]. Voyez votre ami trébucher sur les billots, glisser sur les roches [...] mais ne lâche jamais le câble [...] Lorsque ce même homme vous aura aussi nourri de l'exacte moitié de sa pêche et fait portage double à cause de votre blessure, vous pouvez vous vanter d'avoir un ami pour la vie et qui en sait long sur vous-même[25].»

En canot, poursuit-il, «l'esprit se forme à cette haute sagesse qu'on appelle la philosophie naturelle; cette saine méthodologie et cette humilité acquise ne seront ensuite pas inutiles pour aborder les questions spirituelles et mystiques[26]». Pour Trudeau, l'ascétisme qu'impose le canot n'est pas seulement source de souffrance. Il mène aussi à une «torpeur bienheureuse» semblable «à ce que recherchent les sages d'Orient». Pour une fois, dans toute cette ode à la nature et à l'amitié, on ne trouve aucun sarcasme, aucune ironie.

La sérénité qui imprègne «L'ascétisme en canot» ne durera qu'un moment. Le mois où paraît cet article, Trudeau prend quatre pages de notes sur un document du gouvernement fédéral qu'il intitule *Senate Report on BNA Act (1939)*[27], mais dont le titre officiel est long de trois lignes[28]. C'est un rapport de William F. O'Connor, légiste et conseiller parlementaire au Sénat, à qui l'on avait confié la tâche d'examiner les fondements juridiques de l'Acte de l'Amérique du Nord britannique (AANB). Nous l'appellerons « le rapport O'Connor ». Cette étude se fait parallèlement aux travaux de la commission Rowell-Sirois, commission royale d'enquête mise sur pied en août 1937 par le gouvernement King. Née dans la foulée du *New Deal* de Roosevelt, qui préconisait l'intervention active de l'État central pour remédier à la très grave crise économique, la commission Rowell-Sirois a des objectifs analogues pour le Canada. Le rapport O'Connor aurait donc servi de base juridique aux solutions proposées.

Déposé en 1940, le rapport de la commission Rowell-Sirois a fait l'objet d'une rencontre fédérale-provinciale en janvier 1941. La Commission accordait au gouvernement fédéral l'entière compétence en matière d'aide sociale. Toutes les provinces s'accordaient sur l'aspect centralisateur des recommandations. Mais le Manitoba, la Saskatchewan et les provinces maritimes y étaient tout de même favorables, alors que les autres provinces anglophones s'y opposaient farouchement. Au Québec, le gouvernement libéral d'Adélard Godbout, proche du gouvernement libéral de King, était indécis. En fait, déjà en 1940, par un amendement à l'AANB, la responsabilité de l'assurance-chômage avait été transférée à Ottawa. Plus tard, en donnant suite aux recommandations de ce rapport, le gouvernement fédéral établira d'autres programmes sociaux, tel le régime de retraite. Mais, l'intelligentsia nationaliste québécoise considérera ces programmes comme un empiètement sur l'autonomie et la juridiction du gouvernement du Québec.

Trudeau dénonce d'emblée le caractère centralisateur du rapport O'Connor : « Comme il fallait s'y attendre, ouvrage à tendances centralisatrices. » L'ajout de « comme il fallait s'y attendre » mérite notre attention. Comme Michel Chartrand dans son discours en faveur de Drapeau, et comme tout bon nationaliste d'hier et d'aujourd'hui, Trudeau est convaincu que les vocables «Ottawa», «gouvernement fédéral» et «centralisation» forment un tout indissociable. Trudeau lit le rapport O'Connor à travers ce prisme, bien que celui-ci se limite à l'analyse historique de la distribution des pouvoirs selon l'AANB, sans faire de recommandation. Il est probable que son jugement soit également influencé par la réaction générale au rapport Rowell-Sirois, qui donne, effectivement, plus de pouvoirs au gouvernement fédéral.

Cependant, bien que toute sa pensée se situe encore dans un cadre nationaliste, Trudeau ne peut s'empêcher de reconnaître la qualité du rapport. Cette ambivalence se manifeste, entre autres, par le fait que chaque éloge est vite suivi d'une critique. Ainsi «Ouvrage sérieux» est tempéré par «qui trahit un *désir* d'impartialité». En somme, l'ouvrage n'a pas réussi à être impartial, malgré la bonne volonté de l'auteur. Mais Trudeau n'indique nulle part la preuve de son insuccès. L'éloge «Raisonnements parfois originaux» est tout de suite suivi de «qui établissent tous une position résolument centralisatrice». De même, si le plan est «assez bien conçu», il reste qu'il «y a bien des longueurs et [que] la logique est souvent loin d'être lucide». Notons que le rapport lui-même n'a que quatorze pages; mais il est accompagné de cinq annexes qui totalisent des centaines de pages, comprenant de très nombreux documents, surtout d'ordre juridique, soumis par des auteurs individuels ou des institutions. Il n'est donc pas surprenant qu'il y ait des longueurs, des répétitions et que certaines analyses ne manifestent pas une grande lucidité.

Après ce préambule ambivalent, Trudeau veut trouver la preuve que l'Acte de l'Amérique du Nord britannique, acte fondateur du Canada, est «fondé sur une duperie». Là encore, il manifeste cette même ambivalence. Toutes les fois qu'il croit déceler une duperie, il trouve lui-même un argument qui contrebalance ce jugement. En gros, après avoir condamné un aspect ou l'autre du comportement de la Grande-Bretagne envers l'union de ses provinces d'Amérique du Nord, il doit admettre que celui-ci était dans l'ordre des choses. Il en résulte un raisonnement tortueux, parfois contradictoire, qui trahit un début de changement d'attitude vis-à-vis de «vérités» dont il était, jusque-là, convaincu. Suivons-le dans les méandres de sa pensée.

O'Connor rappelle qu'à la conférence de Québec d'octobre 1864, préalable à la conférence de 1867 sur l'AANB, les provinces qui s'étaient rencontrées avaient uniquement «l'autorité de discuter, mais non de conclure ou d'organiser, l'union des provinces de l'Amérique du Nord britannique[29]». Il ajoute : «Aucune proposition d'union de ces provinces n'a jamais été présentée, et le prétendu pacte de la confédération n'existe pas[30].» Son rapport défend donc la thèse que les provinces n'ont jamais conclu de pacte pour la simple raison qu'elles n'en avaient pas le pouvoir et qu'aucune proposition de pacte n'était sur la table. Bizarrement, Trudeau retient que «la thèse du livre est que les provinces ont fait un pacte entre elles, mais que ce pacte n'a jamais été sanctionné». Comment expliquer une interprétation si contraire au point de vue de O'Connor ? C'est que, en bon nationaliste, Trudeau est tellement convaincu que l'AANB est fondé sur un pacte qu'il n'est pas capable d'imaginer un autre point de vue, même si celui-ci est clairement exprimé sous ses yeux.

Cette perspective prévaut dans les milieux nationalistes québécois jusqu'à présent. Dans un livre récent, l'historien Stéphane Paquin, qui se déclare nationaliste, établit néanmoins de manière convaincante que «les différentes formes de la théorie du pacte (entre provinces ou entre deux peuples fondateurs) constituent des faussetés historiques[31]». La théorie du pacte a cependant la vie dure. Paquin en donne quelques exemples : «André Champagne, dans sa préface au livre de Jacques Lacoursière, *Histoire populaire du Québec,*

1841 à 1896, présente la théorie du pacte comme une évidence incontestable. [...] En 1995, Claude Ryan pose la théorie du pacte entre deux peuples fondateurs comme une évidence. [...] Plus récemment, le professeur Alain-G. Gagnon de l'université McGill justifiait son option souverainiste par la violation du pacte[32]. » Paquin affirme que « ces théories ne sont pas le produit d'une recherche de la vérité. Elles sont inventées, en tout ou en partie, pour donner une autorité historique à une thèse pour fins de mobilisation politique[33] ».

Trudeau dénoncera lui aussi, un jour, le mythe du «pacte fondateur ». Mais en 1944, y croyant dur comme fer, il lui est impossible de lire correctement O'Connor. Et puisqu'il y a eu pacte, tout changement sans le consentement du peuple canadien devient, pour lui, une «duperie». C'est justement ce qui s'est passé, affirme-t-il : «On l'a modifié, on en a fait un texte différent que le Parlement impérial sanctionna, sans le soumettre au peuple canadien », bien que «tous les cocontractants [aient manifesté] le souci constant de réviser la Confédération avant qu'elle ne devienne loi». Mais il n'a pas fini d'écrire ces lignes qu'il remarque : « Le Parlement impérial était omnipuissant (sic!) ; pourquoi se préoccuper de ces coloniaux ? » Ainsi son souci de vérité l'amène à reconnaître que l'Angleterre n'était nullement tenue de soumettre cet acte à l'approbation des habitants de ses colonies. Il n'a pas encore démontré la «duperie» de l'AANB, mais il persévère.

Poursuivant sa lecture, il note que, dans une annexe, il est dit que la Nouvelle-Écosse avait humblement prié la Couronne – «notre humble requête à Votre Majesté» – de ne pas faire de modifications à la Constitution de cette province sans l'approbation de la population. Encore une mauvaise compréhension du texte. O'Connor dit clairement que ce n'est pas le gouvernement de la Nouvelle-Écosse qui a fait cette demande, mais un groupe minoritaire de parlementaires. En fait, affirme-t-il, «des majorités écrasantes des deux

branches de la Législature[34] » ont appuyé la position du gouvernement. Considérant à tort qu'il s'agit d'une requête de
la province, Trudeau écrit : « Or rien de cela ne se fit. Londres
se contenta d'agir avec des émissaires envoyés par les provinces. » Mais même là, il doit avouer qu'on « ne peut guère
les blâmer d'avoir eu recours à cette voie expéditive. Ce sont
les politiciens canadiens qui auraient dû se montrer plus exi-
geants sur un sujet d'une telle importance. Mais on préféra
donner le change au peuple en faisant accroire qu'il s'agissait
ni plus ni moins des Résolutions de Québec. » S'il reconnaît
que ce sont les politiciens, représentants légitimes du peuple
canadien, qui ont pris une décision critiquable, il aurait dû en
conclure que l'AANB n'est pas fondé sur une duperie. Mais
il n'en est pas encore convaincu.

Tout de suite après cette affirmation, sous le titre
« Essai », il écrit : « Le Québec voulait un pacte. Londres en a
changé les termes sans consulter. Donc le pacte n'existe pas.
Il n'y a qu'une loi coercitive. Donc les parties au pacte ne
sont pas liées par le pacte. Donc elles peuvent agir à leur
guise (elles désobéiront alors à la loi impériale, mais doit-on
obéir à la loi si elle est injuste ?). » Se donne-t-il dans cet
« essai » un sujet de réflexion, à élaborer un jour, au sujet de
la moralité d'une insurrection dans le cas d'un pacte non
respecté ? On pense immédiatement au questionnement
similaire de Groulx dans son cours d'histoire. Malgré les
arguments contraires qu'il a lui-même notés, Trudeau veut
justifier la moralité de la désobéissance des Canadiens français, et même de la révolution. Il veut se convaincre que
puisque le contrat qui a donné naissance au Canada est
injuste, il devient invalide.

Quand Trudeau passe à la lecture de l'annexe 5 du rapport O'Connor, portant sur le statut de Westminster, il est
frappé par une idée à laquelle il n'avait jamais pensé :
« Comme le Parlement impérial nous a doté de ce statut, il
peut nous en doter d'un autre à son bon plaisir, où il serait

dit, par exemple : "Nonobstant tout ce qui est écrit dans la section 4 du statut de Westminster...", nous allons *imposer* au Canada telle mesure sans son consentement.» Ainsi, il prend conscience de la dépendance politique du Canada vis-à-vis de la Grande-Bretagne du fait que le statut de Westminster n'est qu'une simple loi. Par conséquent, souligne-t-il, «*en loi* l'Empire a tous les pouvoirs puisque le Parlement peut abroger demain une loi d'hier : il ne peut pas se lier lui-même». Et il conclut : «C'est à cause de l'article 7 du statut de Westminster que le Canada ne peut pas amender sa Constitution seul.»

Il se rend compte, probablement pour la première fois de sa vie, que tant que le Canada n'aura pas le contrôle total de sa Constitution, incluant une procédure d'amendement, il demeurera, sur le plan constitutionnel, une colonie britannique. Cette constatation stimule chez lui une réflexion qui semble prémonitoire : «*Il me vient à l'esprit que ce sera un bon jour excellent de conclure un traité où l'Angleterre et le Canada seront les parties, et où l'attitude de la seconde partie révélera qu'elle entre au contrat comme un égal.*»

Ce rêve se réalisera le 17 avril 1982, et Trudeau en sera le maître d'œuvre. Avec le rapatriement de la Constitution, négocié, comme il le souhaitait, d'égal à égal, le Canada accédera, enfin, à son indépendance totale vis-à-vis de la Grande-Bretagne.

Ces quatre pages de notes témoignent d'un changement progressif dans la perspective du jeune Trudeau. S'il n'a pas encore abandonné son point de vue nationaliste et révolutionnaire, il commence à s'intéresser à des questions de réformes constitutionnelles au sein du Canada.

Jusque-là, les lectures et les écrits de Trudeau sont surtout centrés sur le Québec. Qu'est-ce qui l'aurait poussé à s'intéresser à la politique fédérale? Un brouillon de juin 1944, intitulé «Notes pour un discours sur l'administration du pays[35]», donne un élément de réponse. Il s'agit d'un discours projeté en faveur du Bloc populaire, qui se propose d'œuvrer sur les scènes fédérale et provinciale. Le Bloc veut défendre l'autonomie du Québec. Selon ses partisans, celle-ci est menacée, entre autres, par les recommandations centralisatrices du rapport Rowell-Sirois. C'est sans doute pour préparer son discours que Trudeau lit le rapport O'Connor, pour mieux comprendre les fondements constitutionnels de la répartition des pouvoirs entre le gouvernement fédéral et les provinces.

On se souvient que lorsque, en novembre 1942, Trudeau appuyait la candidature de Jean Drapeau, il était en pleine effervescence révolutionnaire. Il voulait alors «empaler vifs les traîtres», «éventrer les maudits bourgeois d'Outremont». Au lieu de «cataplasmes», il préconisait un «cataclysme». Que dit-il dans son discours sur l'administration du pays, en juin 1944?

Il attaque encore le gouvernement King, mais cette fois, avec bien moins de fougue. Il s'oppose à la guerre, mais il admet que si «on peut aider les autres pays, tant mieux. Mais pas des pays plus grands et riches». Il partage ainsi le point de vue de la Ligue pour la défense du Canada, qui affirmait que le Canada, petit pays, n'avait nullement à aider les grands, comme l'Angleterre et les États-Unis. Jusqu'à la fin des hostilités, le Bloc populaire s'opposera à la guerre. Trudeau transmet ce message, sans grand enthousiasme: «Vous étiez bleu [Parti conservateur ou Union nationale], vous étiez rouge [Parti libéral], mais vous n'avez pas voulu la guerre. Montrez que vous avez de l'honneur, que vous exigez le respect des promesses de paix.»

Il reproche durement au gouvernement King de s'être donné de fausses priorités: «Vous vous plaignez que le gouvernement ne fait pas de bien au pays et ils vous répondent qu'ils sauvent le monde, la démocratie... Je veux bien croire ; mais ça n'est pas pour ça qu'ils furent nommés. Ce qu'on demande d'un gouvernement, c'est qu'il gouverne. Et gouverner c'est apporter du bonheur aux administrés. Donner du pain, des maisons, des vêtements, du travail. Salaire familial. » Si le ton a changé, la vision communautariste de l'État, bon père de famille, qui a le devoir d'apporter du bonheur à son peuple, demeure bien présente, comme le confirme cette note marginale : « C'est la marque de sa moralité. »

Poursuivant l'image du bon père de famille, il faut, dit Trudeau, que le gouvernement « se serre la ceinture un peu », qu'il mette « du linge raccommodé ». Au lieu de donner de l'argent « pour la guerre, pour le whisky, pour les routes somptueuses, pour les députés, sénateurs, conseillers », il devrait employer cet argent « pour donner un pays clair, sans hypothèque, aux enfants ». Mais comme le gouvernement ne remplit pas ses obligations, « c'est le temps de remettre un peu d'ordre dans la maison. Changer l'Intendant ». En 1942, pour changer l'intendant, il préconisait la révolution et n'hésitait pas à menacer d'égorger les uns et les autres. En 1944, il affirme, au contraire : « Je ne clame pas après la révolution. Je ne dis pas qu'il faut absolument zigouiller les traîtres. Mais ayez au moins assez de fierté pour agir par vous-mêmes. Votez contre le Bloc si vous croyez que c'est justice. Mais comment est-ce justice ? Vous ne les connaissez pas, et vous avez vu les traîtres à l'œuvre. »

Trudeau explore maintenant la voie démocratique, recommandant qu'on vote pour le Bloc. Il est encore nationaliste et demande aux Canadiens français de s'unir. Mais la dimension raciste de cette lutte commence à le déranger : « Je ne fais pas appel au racisme. Mais il faut que la race se sauve. » Il ne sait pas encore comment se sortir de ce dilemme. Plusieurs années se seront écoulées avant qu'il ne trouve, pour résoudre les problèmes du Québec et des minorités, une solution qui ne soit pas fondée sur la « race », ou l'ethnie.

Qu'on est loin des discours enflammés des dernières années! Ce texte sans flamboyance ne semble pas destiné à l'appui d'un candidat particulier. Ce qui ne surprend pas, puisque les élections n'auront lieu qu'en août. En juin 1944, Trudeau se contente de sensibiliser son auditoire à la nécessité d'un changement et au besoin d'élire des candidats de qualité: «Nommez des hommes qui en sont capables. S'il n'y en a pas, refusez de voter. Présentez-vous vous-même. Allez chercher des compétences. Une foule de gens dignes accepteraient. Mais organisez-vous, protestez, débinez-vous.»

On ne sait pas si ce discours a été prononcé. S'il avait pour objectif de rallier les foules autour du Bloc, on imagine mal un grand succès. À aucun moment Trudeau ne donne aux auditeurs potentiels des arguments convaincants en faveur de ce parti. Il suggère simplement de lui donner une chance. Contrairement au discours de 1942 dans lequel il défendait sa cause avec passion, ici il ne fait qu'inciter les gens à prendre une part active aux affaires de la cité. À l'évidence, Trudeau manque d'enthousiasme vis-à-vis du Bloc.

Pendant que paraît «L'ascétisme en canot» et que Trudeau rédige ses «Notes pour un discours...», ailleurs, sur la planète, la guerre prend un tournant majeur: les Alliés débarquent en Normandie le 6 juin 1944. On ne le devinerait pas à suivre les campagnes électorales du Bloc populaire. Dans *La Crise de la conscription*, Laurendeau cite un article du *Bloc* (journal de ce parti), du 27 mai 1944, rapportant qu'un agent de la Gendarmerie royale avait abattu un jeune déserteur. Il explique que cet incident a été utilisé comme élément de propagande par le Bloc populaire qui se présentait «comme un justicier, comme l'instrument d'une légitime revanche des Canadiens contre leurs mauvais maîtres». En conclusion, l'article lançait un appel au peuple. Avec lui, «nous mettrons fin au cauchemar des vieux partis, pour instaurer enfin un régime national et social, qui traitera les hommes comme des hommes, et ne les traquera plus comme des bêtes[36]». Jusqu'à la fin de la guerre, le Bloc restera insensible à la souffrance des millions de victimes de la guerre, trouvant, par contre, celle des Canadiens français tout à fait insupportable. Remarquons également que jusqu'en 1944, le Bloc juxtapose les termes «national et social», qui rappellent le national-socialisme de Hitler, avec une inconscience étonnante, et beaucoup de succès. En effet, écrit Laurendeau, les assemblées électorales attirent des foules enthousiastes: «Les masses que nous rencontrions dans des assemblées redevenues chaleureuses, partageaient ces sentiments, que l'adversaire qualifiait de démagogie criminelle[37].» Même après le Débarquement des Alliés, des candidats du Bloc continuent à tenir des propos contre la conscription que certains qualifieront de fascisants. Ainsi, selon Mason Wade, auteur d'un ouvrage devenu classique sur l'histoire des Canadiens français, le candidat du Bloc dans Maisonneuve, Jacques Sauriol, aurait prononcé un discours à Saint-Eustache, le 2 juillet 1944, dans lequel il aurait dit: «Ça fait cinq ans qu'on nous rebat les oreilles des dangers du fascisme et du nazisme. Avez-vous déjà vu Mussolini au Canada? Pas du tout! Par contre, vous avez vu King et Churchill[38].» Jacques Sauriol fera l'objet d'une enquête menée par le ministère de la Justice[39].

Paul-André Comeau confirme la réputation de fascisme du Bloc: «Que Dostaler O'Leary, candidat au Bloc aux élections fédérales de 1945, ait trouvé le moyen d'excuser et d'approuver le fascisme dans son ouvrage sur le séparatisme, qu'un autre candidat, Jean Mercier, soit accusé d'avoir milité au sein du parti d'Adrien Arcand, toutes les conditions seront réunies pour voir les accusations de fascisme coller au Bloc, dès ses débuts[40].» Les dirigeants du

Bloc qui ont accepté la candidature de Dostaler O'Leary ne pouvaient pas ignorer son anglophobie et son antisémitisme. Il écrivait, en 1935, dans *L'Inferiority Complex* : « L'Anglo-Saxon, "étatsunien" ou britannique est l'homme des grosses combines. [...] Il est aussi l'homme du "trust", des entreprises supercapitalisées [...]; avec le Juif, il peut se vanter de monopoliser les monopoles[41]. » À cause des déclarations intempestives faites par certains candidats, André Laurendeau se voit obligé de contre-attaquer pour dissiper les images d'extrémisme qu'on associe à son parti[42].

Cette réputation nuira au Bloc. Alors que, jusqu'en juillet, des sondages prévoyaient un bel avenir pour ce parti, aux élections provinciales du 8 août 1944, il n'obtient que 16 % des suffrages et quatre sièges, dont celui de Laurendeau. L'Union nationale, sous Maurice Duplessis, remporte la victoire, bien que n'ayant obtenu que 29 % des suffrages contre 40 % pour les libéraux de Godbout. On attribue en gros ce déséquilibre à la concentration des anglophones dans quelques circonscriptions. Pour certains, la mauvaise performance du Bloc s'explique par le radicalisme verbal de certains candidats, qui a fait peur aux électeurs[43]. D'autres, comme Michael Behiels, attribuent l'échec aux luttes intestines entre les dirigeants[44]. Plein d'amertume, l'abbé Groulx, qui souhaitait que l'on se débarrasse à tout jamais des « vieux partis », blâme son peuple, toujours incapable de s'unir, même pour la bonne cause : « La preuve s'est faite, une fois de plus, que le peuple québécois est bien celui, de tout le Canada, qui possède le moins d'éducation politique et nationale. [...] Les Canadiens français se sont divisés plus que jamais. Ils ont remplacé un histrion par un autre histrion[45]. » Quelles qu'en soient les explications, le fait demeure : le Bloc a du plomb dans l'aile et ne prendra jamais son envol.

Le jeune Trudeau a été témoin de la lutte intestine entre les dirigeants, même avant les premières élections. Il continue à militer pour ce parti, mais sans grand enthousiasme. De fait, il ne vivra que de loin la défaite électorale du Bloc. En effet, le 6 avril 1944, il obtient une autorisation d'absence, en tant qu'étudiant. Son instruction militaire est ajournée au 15 septembre 1944[46]. D'autre part, le 16 mai, il obtient l'autorisation de s'absenter du Canada du 12 juin au 10 septembre[47]. Sous les auspices de l'Université de Montréal, il fait partie de 100 étudiants qui partent étudier l'espagnol à Mexico. Ce voyage est organisé par l'Union des latins d'Amérique, organisme fondé par Dostaler O'Leary. Partisan de longue date d'une Laurentie indépendante, proche des cercles d'extrême droite, O'Leary veut créer des liens plus étroits avec les pays d'Amérique latine favorables à cette tendance politique. Selon Mason Wade, le journal *Le Bloc* aurait vu d'un bon œil la possibilité d'une alliance panaméricaine qui permettrait aux latins de s'unir contre la « finance judéo-américaine[48] ». Tant les élections provinciales du 8 août que la libération de Paris, le 25 août 1944, auront lieu pendant que Trudeau est au Mexique.

Il n'est donc pas étonnant que pour les mois de juillet et d'août, on ne trouve de notes de lecture que sur deux livres, dont un seul mérite l'attention. Trudeau écrit quatre pages sur *Pouvoir : les génies invisibles de la Cité*. L'auteur, Guglielmo Ferrero, est un philosophe et historien italien de tendance libérale bien connu pour son opposition farouche au fascisme. En 1929, il doit s'exiler et devient professeur à l'Université de Genève. Il meurt en Suisse en 1942. « Ce livre, écrit Trudeau, cherche à établir le ressort qui est à la base de toutes les perturbations politiques [...] Le trouble naît dès qu'un gouvernement illégitime est à la tête d'un pays quelconque. Autrement dit, la paix ne peut exister qu'entre gouvernements légitimes. Voici son raisonnement : le gouvernement légitime est celui qui a la sanction du temps, de la tradition. L'illégitime est sans sanction ; il a peur d'être renversé ; il prend des mesures défensives, il provoque les réactions, les révolutions, les guerres. »

On imagine la surprise de Trudeau : Ferrero soulève le problème de la légitimité de toute révolution. Il cite plusieurs phrases de l'auteur : « Le pouvoir conquis par un coup d'État a la diabolique puissance d'effrayer celui qui s'en est emparé avant d'effrayer les autres. [...] Un gouvernement légitime est un gouvernement qui s'est libéré de la peur. [...] Le totalitarisme n'est que l'extériorisation de la peur qui ronge le gouvernement révolutionnaire. » Voilà de quoi déstabiliser le jeune Trudeau et refroidir davantage sa ferveur révolutionnaire. Jusque-là, il ne voyait aucun problème à sa révolution corporatiste, puisqu'elle visait le Bien pour tous, objectif moral s'il en est. Il pensait qu'une fois le pouvoir conquis, il ne resterait à son groupe qu'à faire le Bien. Il n'avait pas envisagé la possibilité de dissensions et de corruption au sein de son groupe, ni que le peuple puisse ne pas reconnaître la légitimité de leur pouvoir, et, encore moins, que la peur puisse engendrer la dictature.

Cet ouvrage ébranle ses convictions. Bien qu'il y trouve quelques faiblesses, il reconnaît la qualité du raisonnement de Ferrero : « Ainsi donc cet ouvrage *est nettement anti-révolutionnaire*, impartial, un peu toqué, assez vaseux dans son style et même souvent incorrect. Mais le plan de l'ouvrage est net, et *il s'y trouve de grandes idées* [...] Il faut avouer que Ferrero clarifie bien des problèmes historiques, surtout ceux qui concernent les révolutions. » Trudeau est troublé par sa découverte. Il voit, probablement pour la première fois, les conséquences potentiellement néfastes d'une révolution, fût-elle conforme aux attentes de l'Église. Une nouvelle désillusion s'ajoute ainsi aux précédentes.

Trudeau a probablement l'impression que toutes ses activités politiques mènent à un cul-de-sac. On se souvient que dans sa louange de la motocyclette[49], ce «parfait outil d'évasion», il exprimait l'urgence de «réapprendre à penser». C'est ce qu'il fait. Le 12 septembre 1944, dès son retour du Mexique, il essaie à nouveau de s'inscrire à l'université Harvard et commence par demander les autorisations requises pour quitter le pays :

> Je désire actuellement entreprendre des Études avancées de Sciences économiques et politiques à l'université Harvard de Cambridge, au Massachusetts. C'est pourquoi je demande à cette Commission l'ajournement de mon instruction militaire jusqu'au 22 décembre 1944, et la permission de m'absenter du Canada jusqu'à cette date. [...]
>
> Je suis sans prétention, comme sans humilité d'ailleurs. Et ce que je demande ne m'est nullement dû parce que je suis sorti premier de la Province aux Examens du Barreau ; et que je suis arrivé le premier des Bacheliers à la sortie du Collège de Brébeuf, et le premier des licenciés en Droit à l'Université de Montréal ; ayant décroché ces deux peaux de cochon avec grande distinction.
>
> Mais par contre, il n'est pas évident que ma demande mérite moins de considération que bien d'autres.
>
> Et c'est cette pensée qui m'inspire à vous adresser cette demande avec confiance.
>
> Votre obéissant et attentif[50],

Le 8 octobre, pendant qu'il attend la réponse, il demande à l'université Harvard un formulaire d'admission[51]. Le 13 octobre, il remplit ce formulaire, et rédige, en réponse à la question 13, un texte expliquant les raisons de son choix. Nous examinerons ce document un peu plus loin. Le 18 octobre 1944, on lui accorde l'autorisation de s'absenter du Canada du 22 octobre 1944 au 22 janvier 1945[52]. Le même jour, il reçoit l'ajournement de son instruction militaire jusqu'au 18 avril 1945. Entre-temps, Harvard lui fait parvenir, le 16 octobre, sa lettre d'admission à la session d'hiver qui commence le 1er novembre.

Au début du mois d'octobre, peut-être parce qu'il a trouvé ce titre parmi les lectures requises dans son programme d'études à Harvard, Trudeau rédige sept pages de notes sur *An Inquiry Into the Nature and Causes of the Wealth of Nations* de ce penseur de la fin du XVIIIe siècle universellement reconnu comme le père du libéralisme économique qu'est Adam Smith[53]. L'enthousiasme de Trudeau se manifeste à chaque page : « Belle création de la pensée [...] il s'en dégage une pensée féconde, et comme *une inspiration.* » On a l'impression que Trudeau vient de découvrir Smith. Pourtant, dans son programme de dernière année au collège Brébeuf, il a obtenu 97,6 % à un cours de science économique. N'a-t-il pas forcément étudié Adam Smith ? Qui plus est, à la session d'automne 1941, à la faculté de droit de l'Université de Montréal, il a suivi le cours d'économie politique du professeur Édouard Montpetit, secrétaire général de l'université de Montréal de 1920 à 1950. Avocat, économiste, Édouard Montpetit (1881-1954) a fondé l'École des sciences sociales, économiques et politiques de l'Université de Montréal. Une rue, une station de métro, un pavillon de l'Université de Montréal portent aujourd'hui son nom. Le 26 septembre 1981, la Société canadienne des postes a émis un timbre soulignant son anniversaire de naissance. Un professeur aussi hautement qualifié n'a pas pu éviter de traiter l'incontournable Adam Smith.

Effectivement, le plan de cours, dans les archives de Trudeau, révèle que Smith était au programme[54]. On y présente trois courants de pensée économique : le premier, qui comprend les penseurs libéraux tels Adam Smith, John Stuart Mill et David Hume, est sommairement rejeté parce qu'entièrement centré sur l'individu. Le deuxième, qui inclut le socialisme et le communisme, est rapidement et catégoriquement rejeté parce qu'excessif et étatiste. Seul le troisième courant, celui de l'École sociale catholique inspiré de Léon XIII et de Pie XI, intitulé «Le remède : la doctrine sociale catholique», mérite d'être retenu. Le professeur Montpetit présente le corporatisme comme la voie médiane et idéale entre les modèles individualiste et étatiste. Mais comment ce professeur pouvait-il aborder l'enseignement du «corporatisme» d'un point de vue économique? Ce système, basé sur des principes scientifiques rudimentaires, n'a été mis en pratique que dans les pays fascistes. Ce cours visait-il la promotion d'une idéologie ou l'acquisition des fondements d'une discipline?

On comprend que dès son arrivée à Harvard, Trudeau se soit rendu compte des énormes lacunes de son programme d'études à l'Université de Montréal. On comprend également que, dans son projet de société post-révolutionnaire, le jeune Trudeau n'ait même pas envisagé un autre système économique. Tous ses maîtres à penser, que ce soient les papes, les jésuites ou ses professeurs d'économie politique, affirmaient avec autorité et beaucoup de conviction la supériorité indiscutable du corporatisme. On comprend, enfin, que la lecture autodidacte d'Adam Smith, en 1944, constitue, pour lui, une véritable découverte. Comme toujours, il écrit ses notes en français, bien que le texte soit en anglais. Il admire la qualité d'ensemble de l'ouvrage : «Pour tout dire, l'ouvrage est surtout une méthode de pensée économique, et c'est sa grande valeur.» Il y voit un excellent instrument d'analyse des problèmes sociaux : «Il entraîne au maniement des problèmes de la société, il habitue à saisir l'interdépendance des phénomènes, il forme un rouage capable de démêler la complexité des institutions et d'en saisir le point vital.» On sait que pour Smith, grâce à «la main invisible», la poursuite de la richesse et la satisfaction des intérêts personnels mènent, paradoxalement, au progrès et au bien-être de la nation.

Trudeau se serait-il immédiatement converti au libéralisme économique en reconnaissant les bienfaits de cette

« main invisible » ? Cela semble peu probable, étant donné ce que nous savons de sa prudence à la découverte d'une nouvelle idée. Cette lecture ébranle cependant quelques certitudes, telle la supériorité de la pensée française : « Certes, c'est de la pensée à l'anglaise et ça n'a peut-être pas l'apparence "tassée" de la pensée française, où les principes sont de durs diamants. *Mais j'ai appris qu'il n'y a pas que la façon française d'être dense.* » Élevé dans la certitude que « hors de la pensée française point de salut », il n'est pas surprenant qu'en lisant ce livre, il continue à admirer la pureté de cette pensée. Mais il découvre que la « façon anglaise », en l'occurrence la méthode empirique d'Adam Smith, peut, elle aussi, produire des joyaux.

Il note aussi que l'auteur a parfois tendance à plier certains phénomènes pour qu'ils entrent dans son système. Mais il s'empresse d'ajouter : « Mais de ça il n'y a pas d'abus, et jamais de mauvaise foi. *Le système est venu après l'étude des faits, et ne l'a pas conditionnée.* D'ailleurs Smith lui-même n'a jamais voulu l'Absolu, et dans ses études détaillées des mécanismes, il ne manque jamais de faire observer qu'à tel ou tel endroit, le libéralisme est impraticable. » Implicitement, et peut-être sans le savoir, Trudeau compare l'empirisme de Smith, qui part de faits concrets pour aboutir à un système théorique, à la scolastique des jésuites, qui part d'un système préétabli posé comme Vrai et Bon, puisque créé par Dieu, pour y insérer les faits. À 25 ans, Trudeau découvre la méthode scientifique et en est réjoui. Il en résume les principes de base, diamétralement opposés à tout ce qu'il a appris : « 1. Dans l'homme, le principal ressort économique est l'égocentrisme. 2. L'ensemble des tendances égoïstes tendent vers le bien commun. 3. Donc, laissez faire : libéralisme ou non-interventionnisme. » Ainsi, Trudeau apprend que l'égoïsme n'est pas nécessairement une perversion ; il peut servir à faire fonctionner le système.

L'État n'a pas pour fonction d'intervenir pour imposer le bien commun, mais pour garantir à chacun la liberté et la sécurité. Trudeau cite Smith : «L'effort naturel de chaque individu pour améliorer sa condition, quand on laisse à cet effort la liberté de se développer avec liberté et confiance, est un principe si puissant que, seul et sans autre assistance, non seulement il est capable de conduire la société à la prospérité et à l'opulence, mais qu'il peut encore surmonter mille obstacles absurdes dont la sottise des lois humaines vient souvent embarrasser sa marche, encore que l'effet de ces entraves soit toujours plus ou moins d'attenter à sa liberté ou d'atténuer sa confiance[55].»

Autodidacte, Trudeau n'a pas choisi le passage classique qu'on cite pour illustrer les bienfaits de la main invisible : «Ce n'est pas de la bienveillance du boucher, du marchand de bière et du boulanger que nous attendons notre dîner, mais bien du soin qu'ils apportent à leurs intérêts. Nous ne nous adressons pas à leur humanité, mais à leur égoïsme ; et ce n'est jamais de nos besoins que nous leur parlons, c'est toujours de leur avantage[56].» Ce dernier passage met en relief la nécessité, pour chaque individu, de n'agir que dans son intérêt personnel. Par contre, la citation choisie par Trudeau met en valeur à la fois la nécessité de l'intervention du gouvernement pour garantir la liberté et la sécurité des personnes, et le frein au développement social que constitue une réglementation excessive.

Selon le modèle de Smith, il faut que chaque individu puisse librement s'occuper de ses propres intérêts. Cela amène Trudeau à constater une faiblesse du corporatisme : «Danger du corporatisme qui ne laisse pas à chacun le choix de son ouvrage.» Mais il ajoute : «Dangers économiques, non politiques.» Ce faisant, il dévoile n'avoir pas totalement saisi une idée qu'il vient d'admirer, à savoir l'interdépendance des diverses composantes de la vie en société. Selon Smith, les dangers économiques ont nécessairement des répercussions politiques. Si Trudeau commence à percevoir, grâce à la lecture de Smith, la menace à la liberté que pose le corporatisme sur le plan économique, il s'imagine encore que l'État préservera la liberté politique des membres des corporations.

Si ce coup porté au corporatisme le déstabilise, la loi de l'offre et de la demande le ravit : « On commence à voir le fonctionnement de ce *merveilleux instrument d'équilibre* : la loi de l'offre et de la demande, *qui est commentée si sagement à travers tout le livre.* » Or, comme Trudeau doit certainement le constater, ce « merveilleux instrument d'équilibre » ne nécessite aucune révolution. Nul besoin de créer un homme ou un ordre nouveaux. Du coup, l'article 1 du manifeste de la révolution (« La lutte permanente que le Canadien français livrera pour assurer le triomphe puis le maintien du Bien dans la société canadienne-française »), sur lequel Trudeau a tant et tant travaillé, devient caduc. Cet article reflète une perspective communautariste, selon laquelle seule l'Autorité connaissant le Bien, elle seule peut en assurer la réalisation. *The Wealth of Nations* bouleverse totalement ce postulat. Pour Smith, le gouvernement ne peut ni connaître ni instaurer le Bien. Ses fonctions, réduites mais cruciales, consistent à assurer la liberté et la sécurité des citoyens. Les intérêts particuliers et la main invisible se chargeront du reste.

Ainsi, arrivé au terme de cette période, Trudeau découvre une nouvelle manière de penser, la méthode scientifique, et une nouvelle manière d'agir, par des réformes plutôt que par la révolution. La démarche scientifique va totalement à l'encontre de ce qu'il a appris jusque-là, puisque, contrairement aux vérités de l'Église, la vérité scientifique n'est jamais absolue. Mais Trudeau avance avec précaution. Il écrit « anticatholique », sans spécifier à quoi se réfère cette critique. Mais on sait que, contrairement à la doctrine sociale de l'Église à cette époque, pour Adam Smith, le libéralisme va de pair avec la séparation du temporel et du spirituel.

C'est probablement ce qui inspire à Trudeau la remarque «anticatholique».

Mais la graine de la séparation de l'Église et de l'État est semée. Elle germera, avec le temps. Trudeau ne reniera jamais l'univers des absolus et de Dieu, mais il ne l'abordera plus que par le biais de la foi. Quant aux réalités de ce monde, il les étudiera avec la rigueur de la méthode scientifique.

Le 1ᵉʳ novembre, Trudeau commencera sa session d'études à l'université Harvard. Nous suivrons son parcours intellectuel à partir de ce moment dans notre deuxième volume. Il nous reste ici à examiner le brouillon de la réponse de Trudeau à la question 13 du formulaire de sa demande d'admission. Cette question exige qu'il rédige un essai sur les motifs de son choix et sur ses qualifications personnelles. Une première remarque s'impose : Trudeau manie l'anglais écrit beaucoup moins bien que le français. On trouve dans son texte des maladresses de style, des calques du français, une orthographe parfois douteuse pour des mots simples, par exemple *marvellous* écrit *marvaleous*... Chaque phrase est reprise plusieurs fois. En fait, le style écrit de Trudeau demeurera toujours plus élégant en français qu'en anglais.

Il commence par noter qu'il a suivi les cours d'économie de Brébeuf et de l'Université de Montréal, puis ajoute : «Mais j'oserais dire que j'ai fait plus de progrès grâce à mes lectures personnelles de philosophes tels que Platon, Aristote, Cicéron, J.-J. Rousseau, Adam Smith, Georges Sorel, Charles Maurras, Léon Trotski, Aron-Dandieu, Maritain, Lucien Romier et bien d'autres. J'ai aussi vu Montesquieu, J. S. Mill et Marx, mais plus superficiellement.» Les lecteurs conviendront qu'il dit vrai. Nous avons vu ses notes sur tous les penseurs cités, sauf Cicéron – qui était au programme de tous les collèges classiques. Passant à sa motivation, il estime qu'on ne devrait pas demander à un jeune homme de 25 ans, comme lui, qui a toujours cherché à s'instruire « avec plaisir et souvent avec ardeur », pourquoi il voudrait entreprendre des études supérieures, mais plutôt pourquoi il ne voudrait pas le faire, surtout quand on lui offre l'occasion d'étudier avec des professeurs de grande renommée.

Il exprime sa soif insatiable de connaissances : « Je suis fait ainsi ; j'aime étudier, donc j'étudie. » Mais parfois, dit-il, le plaisir ne suggère pas la voie de la sagesse. Dans son cas, cependant, « mon plaisir m'aurait suggéré la même voie que le devoir. En vérité, si j'en avais décidé autrement, j'aurais agi sans prudence (mais non sans plaisir). Parce que, chez un jeune homme, le désir ardent de l'action est parfois plus fort que celui du savoir ». On apprend ainsi que ses activités politiques (son devoir) lui ont procuré parfois plus de plaisir que ses études. Mais il a mûri : « Celui qui agit le premier n'est pas toujours le plus sage, et ce qui vient trop tôt sans raison est inutile. D'ailleurs, il y a peut-être du vrai dans l'aphorisme "Avant 30 ans un homme n'est pas intelligent". Avec ces idées en tête, je m'empêche facilement de réaliser des petites choses utiles aujourd'hui dans l'espoir que ma réflexion et mes études rendront mon travail plus approprié demain. » De toute évidence, il commence à douter de la sagesse de ses activités révolutionnaires et de ses engagements politiques. Il les juge, maintenant, prématurés, peut-être même nuisibles. Avant de se lancer à nouveau dans l'action, il veut « réapprendre à penser »…

Il doit maintenant justifier son choix de programme, « Political Economy and Government ». Il reconnaît que ce qu'il va dire peut sembler manquer de modestie, « car seulement dans l'oreille d'un ami l'ambition et la modestie peuvent faire bon ménage ». Mais il écrit tout de même :

« Je n'ai pas besoin de cacher ma conviction que le Canada manque résolument d'hommes d'État. Nous, les Canadiens français en particulier, avons trop peu de penseurs politiques pour nous guider, et la vue d'un peuple aussi merveilleux allant à sa ruine me révolte. » Il confirme ainsi son désenchantement par rapport au monde politique et au manque de vision des politiciens. Il pense probablement à l'hypocrisie des étudiants, à l'impossibilité de créer un parti vraiment différent, à la petitesse des dirigeants du Bloc et à leurs luttes intestines... C'est pourquoi il veut faire son devoir, en se donnant d'abord une bonne formation politique : « Permettez-moi d'affirmer seulement ceci : les gouvernements existeront après la guerre. Par conséquent, le travail de tous les autres hommes d'une nation donnée – scientifiques, philosophes, artistes, travailleurs, fermiers – profitera à cette nation ou sera perdu en raison directe de la compétence ou de la nullité de ses politiciens. De nos jours, l'éducation et une ferme résolution produisent des hommes de sciences et de lettres qui honoreront le Canada en temps de paix, comme ses soldats l'auront honoré en temps de guerre. Mais trop peu de gens se préparent à servir directement la "Res Publica". Doit-on refuser même à ces rares individus l'accès au savoir ? » Ainsi, Trudeau estime que le système d'éducation canadien, généralement bon, a échoué dans le domaine le plus important pour lui, la politique.

Ces personnes feront honneur au Canada en tant de paix, *comme ses soldats l'auront honoré en temps de guerre.* Cette dernière référence surprend. Trudeau s'étant constamment opposé à la conscription et à la guerre, pourquoi déclare-t-il que les soldats canadiens-français font l'honneur du Canada en temps de guerre ? Serait-ce le signe d'un changement de perspective après le débarquement des Alliés et la libération de Paris ? Un début de prise de conscience des aspects pervers de « l'ordre nouveau » ? On ne le sait pas.

Et il conclut son texte avec cette révélation renversante : « être homme d'État sera ma profession et, si Dieu le veut, je connaîtrai bien ma profession. » *À 25 ans, Trudeau sait qu'il veut devenir homme d'État.* Ses vœux seront exaucés deux décennies plus tard. De son côté, il tiendra promesse : il se préparera à cette carrière minutieusement, avec énormément de détermination, de passion et d'intelligence. Il explorera la planète et se frottera à ses peuples. Toujours à la recherche de la vérité, il va acquérir plus de maturité, et sera amené à réviser ses positions, lentement mais sûrement.

Quand le moment viendra, il sera prêt.

CONCLUSION

Le mythe, bien établi, veut que le jeune Trudeau ne se soit jamais soumis à l'autorité, qu'il ait ramé à contre-courant depuis toujours, affichant son antinationalisme à la barbe de tous. Cette attitude, si contraire à celle de son milieu, a suscité toutes sortes d'explications, le plus souvent de nature psychologique, pour rendre compte de cette *énigme*. Nous espérons que ce premier volume de notre biographie a mis un terme à ces spéculations, en montrant qu'il n'y avait tout simplement pas d'énigme. Au contraire, Pierre Trudeau, parfaitement intégré à son milieu, et partageant ses valeurs les plus fondamentales, incarne le plus bel exemple de ce que l'éducation jésuite peut produire.

Brillant, sincère, prenant vraiment à cœur les messages que lui transmettent ses professeurs, ses maîtres à penser et l'Église, il souhaite l'avènement d'un «ordre nouveau», qui fera triompher le Bien tel que défini par l'Église catholique. Toujours en harmonie avec son milieu, il défend un nationalisme ethnique et organique. C'est pourquoi il s'investit, corps et âme, dans la préparation et la planification d'une révolution pour faire du Québec un État indépendant, catholique et français. Trudeau est, sans aucun doute, un «fils du Québec», qui fait honneur à ses maîtres.

Mais la résolution de cette énigme en pose une autre, bien plus complexe. Le Trudeau qui est resté dans l'histoire, c'est «le père du Canada», le père d'une nouvelle conception de l'identité canadienne, le père du multiculturalisme et de la Charte des droits et libertés. C'est l'homme d'État qui défend avec passion des valeurs libérales, qui lutte avec ardeur pour la séparation de l'Église et de l'État, inscrivant dans la loi des mesures qui vont parfois à l'encontre des valeurs catholiques... Le vrai mystère réside dans le passage d'une conception organique, ethnique et communautariste de la nation à une conception citoyenne, pluraliste et libérale de la société. Cette transition n'est ni évidente ni fréquente.

Comment Trudeau est-il passé de sa première perspective à la deuxième – qui lui est diamétralement opposée – tout en demeurant profondément croyant et pratiquant, et sans jamais renier son identité canadienne-française? Qu'est-il advenu de sa recherche du Vrai et du Bien? C'est à cette deuxième énigme, de taille, que nous nous attaquerons dans le deuxième volume de notre biographie.

REMERCIEMENTS

Nous tenons à remercier tous ceux et celles qui nous ont aidés à venir à bout de cette tâche fascinante, certes, mais qui nous a semblé, par moments, au-dessus de nos forces. Nous remercions chaleureusement Roy Heenan et Alexandre Trudeau de nous avoir fait confiance en nous donnant accès aux archives personnelles de Pierre Trudeau. Nous avons beaucoup apprécié l'amabilité, la compétence et le dévouement de Christian Rioux, responsable de la gestion du fonds Trudeau, de Michel Wyczynski et de tout le personnel de Bibliothèque et Archives du Canada (BAC). Grâce à eux, nos séjours de travail ont été la fois efficaces et agréables.

Plusieurs personnes ont généreusement accepté de lire notre première ébauche. Merci à Pierre Billon, Bill Echard, Gwenda Echard, Marc Lalonde, Pierre Léon et Monique Léon. Leurs commentaires judicieux nous ont été très utiles pour la rédaction finale. Monique Perrin-d'Arloz a gracieusement traduit plusieurs de nos citations, avec l'expertise qu'on lui connaît.

Merci à Suzette Rouleau (née Trudeau), à Thérèse Gouin, à Vianney Décarie, à Pierre Vadeboncoeur, à Jean de Grand-pré et à Jacques Hébert. Toutes ces personnes, proches du jeune Trudeau, nous ont généreusement accordé leur temps pour partager leurs souvenirs. Nous avons apprécié notre entrevue avec Jacques Monet, s.j., spécialiste des principes éducatifs des jésuites. Nous remercions très chaleureusement Roger Rolland, qui a non seulement accepté de nous parler plusieurs fois en entrevue et au téléphone, mais qui nous a donné accès à des lettres personnelles que Trudeau lui a écrites. Ces lettres, qui s'étalent sur de très nombreuses années, ont été pour nous d'une valeur inestimable.

Nous sommes reconnaissants aux responsables des Éditions de l'Homme d'avoir pris le risque de s'engager à publier un ouvrage dont ils ne détenaient pas le manuscrit. Nous espérons qu'ils ne regrettent pas leur pari. Nous remercions également Doug Gibson, éditeur de Doug Gibson Books, chez McClelland and Stewart, pour son travail minutieux d'édition, et pour avoir fait l'impossible pour publier la version anglaise dans des délais inconnus de sa maison.

Notre traducteur et ami, William Johnson, mérite des remerciements tout particuliers. Non seulement il a produit la version anglaise pendant que la française était en cours d'élaboration – avec les nombreuses corrections, reprises et frustrations que cela comprend – mais il nous a généreusement fait bénéficier de toute l'expertise qu'il a acquise dans sa longue carrière d'écrivain et de journaliste. Il nous a obtenu plusieurs ouvrages pertinents, a corrigé de nombreuses erreurs, et nous a signalé de nouvelles pistes de recherche. Nous lui devons, de plus, une bien meilleure connaissance de l'éducation que l'on dispensait autrefois à Jean-de-Brébeuf, collège qu'il a commencé à fréquenter l'année où Pierre Trudeau l'a quitté. Sa connaissance de l'Église québécoise de l'époque, acquise de l'intérieur, comme jésuite se préparant à la prêtrise, nous a également été très utile. Son dévouement exceptionnel à notre projet a grandement contribué à améliorer la qualité de notre manuscrit.

Si nous sommes profondément reconnaissants à tous ceux qui nous ont aidés et fait confiance, il va sans dire que nous assumons la pleine responsabilité de toutes les erreurs et les lacunes qui subsistent, et que des lecteurs avertis ne manqueront pas de trouver.

Max et Monique Nemni

NOTES

Chapitre 1
L'énigme Trudeau

1. Cité par Will Ferguson dans *Bastards & Boneheads: Canada's Glorious Leaders Past and Present*, Douglas & McIntyre, 1999, p. 236.

2. André Potvin, Michel Letourneux et Robert Smith, *L'anti-Trudeau. Choix de textes*, Montréal, Éditions Parti Pris, 1972, p. 8.

3. *Le Devoir*, 10 mai 1971, dans André Potvin, Michel Letourneux et Robert Smith, *op. cit.*, p. 75.

4. *Ibid.*, p. 71.

5. Michel Vastel, *Trudeau le Québécois… mais la colombe avait des griffes de faucon*, Montréal, Les Éditions de l'Homme, 1989.

6. *Ibid.*, p. 59.

7. Michel Vastel, *The Outsider: The Life of Pierre Elliott Trudeau*, Toronto, Macmillan of Canada, 1990. (L'étranger: La vie de Pierre Elliott Trudeau)

8. *Le Devoir*, 10 mai 1971, dans André Potvin, Michel Letourneux et Robert Smith, *op. cit.*, p. 75.

9. Fernand Dumont, «Octobre 1970: l'impasse?», *La Vigile du Québec*, Montréal, Hurtubise HMH, 1971, dans André Potvin, Michel Letourneux et Robert Smith, *op. cit.*, p. 70.

10. Guy Laforest, *Trudeau et la fin d'un rêve canadien*, Québec, Les éditions du Septentrion, 1992, p. 15.

11. Léon Dion, *Québec 1945-2000. Les intellectuels et le temps de Duplessis*, tome II, Sainte-Foy, Les Presses de l'Université Laval, 1993, p. 200.

12. Kenneth McRoberts, *Quebec, Social Change and Political Crisis*, Oxford University Press, 1993 (3e éd.), p. 338.

13. Graham Fraser, «As Quebec Premier, Charest is a Man of Firsts», *Toronto Star*, dimanche 20 avril 2003.

14. Donald G. Lenihan, Gordon Robertson et Roger Tassé, *Reclaiming the Middle Ground*, Montréal, Institut de recherche en politiques publiques, 1994, p. v.

15. Voir, par exemple, Douglas E. Williams (réd.), *Reconfigurations, Canadian Citizenship and Constitutional Change*, essais choisis, Toronto, McClelland & Stewart Inc., 1995, 431 p.

16. Stephen Clarkson et Christina McCall, *Trudeau and Our Times. The Magnificent Obsession*, vol. I, Toronto, McClelland & Stewart Inc., 1991 (c1990), p. 9.

17. Will Ferguson, *op. cit.*, p. 236.

18. Même lorsque, à l'échelle canadienne, son gouvernement devient minoritaire en 1972, au Québec il obtient 48% du vote populaire. À partir de 1972, sa popularité ne fait que croître. En 1974, il obtient 54% des voix. En 1979, lorsqu'il perd le pouvoir, il récolte au Québec 62% des suffrages. En 1980, l'année du premier référendum, 68% des Québécois votent pour lui.

19. Richard Gwyn, *The Northern Magus*, Toronto, McClelland & Stewart, 1980. (Le magicien du Nord)

20. http://www.canoe.ca/CNEWS/home.html, jeudi 14 octobre 1999.

21. Michel Vastel, *Trudeau, op. cit.*, p. 26.

22. Entrevue avec Suzette Rouleau, le 10 décembre 2002.

23. Jacques Hébert, *J'accuse les assassins de Coffin*, Montréal, Les éditions du Jour, 1963.

24. Entrevue avec Jacques Hébert, le 10 décembre 2002.

25. Peter Gzowski, «Portrait of an Intellectual in Action», *Maclean's*, 24 février 1962, p. 23, 29 et 30.

26. *Pierre Elliott Trudeau : Portrait intime*, Montréal, Télé-Métropole/Les Éditions internationales Alain Stanké Ltée, 1977, p. 19.

27. *Ibid.*, p. 23.

28. *Ibid.*, p. 31.

29. Entrevue avec Suzette Rouleau, le 10 décembre 2002.

30. George Radwanski, *Trudeau*, Toronto, The Macmillan Company of Canada, 1978, p. 50. Le journaliste Radwanski est le seul biographe à avoir bénéficié de huit heures d'interviews avec Trudeau.

31. Entrevue avec Suzette Rouleau, le 10 décembre 2002.

32. Pierre Elliott Trudeau, *Mémoires politiques*, Montréal, Le Jour, 1993, p. 29.

33. *Ibid.*, p. 29.

34. Lionel Groulx, *L'Appel de la race*, introduction de Bruno Lafleur, Montréal et Paris, Fides, 1956 (1re édition 1922), p. 130.

35. *Ibid.*, p. 131.

36. *Ibid.*, p. 89.

37. Stephen Clarkson et Christina McCall, *op. cit.*, p. 38.

38. Kenneth McRoberts, *Misconceiving Canada : The Struggle for National Unity*, Oxford University Press, 1997, p. 56.

39. *Ibid.*, p. 59.

40. *Mémoires, op. cit.*, p. 36-37.

41. *Portrait intime, op. cit.*, p. 44.

42. *Mémoires, op. cit.*, p. 53.

43. *Ibid.*, p. 54.

44. Entrevue avec Marc Lalonde, le 12 décembre 2002.

45. Entrevue avec Roger Rolland, le 22 mai 2001.

46. Jean-Louis Roux, *Nous sommes tous des acteurs*, Montréal, Éditions Lescop, 1998, p. 75.

47. Entrevue avec Marc Lalonde, le 12 décembre 2002.

48. *Portrait intime, op. cit.*, p. 57.

49. *Mémoires, op. cit.*, p. 37.

50. *Portrait intime, op. cit.*, p. 57.

51. Jean Pellerin, *Le Phénomène Trudeau*, Paris, Seghers, 1972, p. 95.

52. Cité par Allan MacEachen, « Faith », dans Nancy Southam (réd.) *Pierre*, Toronto, McClelland & Stewart, 2005, p. 2.

53. Entrevue avec Roger Rolland, le 22 mai 2001.

54. Justin Trudeau, dans *Cité libre*, vol. XXVIII, n° 4, automne 2000, p. 15. Également dans *Trudeau : The Life, Times and Passing of Pierre Elliott Trudeau*, Toronto, Key Porter Books. (Joe Clark était alors chef du Parti progressiste-conservateur.)

55. Entrevue avec Roy Heenan, présent à ce dîner, le 9 décembre 2002.

56. *Portrait intime, op. cit.*, p. 16.

57. Lettre à Roger Rolland, écrite à Harvard, le 23 janvier 1945.

58. Lettre à Roger Rolland, Harvard, le 13 avril 1945.

59. Lettre à Roger Rolland, Harvard, le 9 décembre 1945.

60. Cité par Edith Iglauer, *The New Yorker*, 5 juillet 1969, p. 36.

61. Lettre à Roger Rolland, écrite à Harvard, le 13 avril 1945.

62. Michel Vastel, *Trudeau le Québécois, op. cit.*, p. 32.

63. Jacques Hébert, conversation téléphonique, juillet 2005.

64. Stephen Clarkson et Christina McCall, *op.cit.*, p. 46.

65. Michel Vastel, *Trudeau, op. cit.*, 2ᵉ édition, p. 46-47.

66. Linda Griffith, « The Lover : Dancing with Trudeau », dans Andrew Cohen et Jack L. Granatstein, *Trudeau's Shadow : The Life and Legacy of Pierre Elliott Trudeau*, Random House of Canada, 1998, p. 35-46.

67. *Portrait intime, op. cit.*, p. 56.

68. John English, Richard Gwyn et P. Whitney Lackenbauer (réd.), *The Hidden Pierre Elliott Trudeau. The Faith Behind the Politics*, Ottawa, Novalis, Université Saint-Paul, 2004.

69. Entrevue avec Thérèse Gouin et Vianney Décarie, le 24 septembre 2001.

Chapitre 2
L'obéissance : principe premier
des jésuites

1. *Pierre Elliott Trudeau : Portrait intime,* Montréal, Télé-Métropole/Les Éditions internationales Alain Stanké Ltée, 1977, p. 31.

2. George Radwanski, *Trudeau,* Toronto, The Macmillan Company of Canada, 1978, p. 36.

3. Pierre Elliott Trudeau, *Mémoires politiques,* Montréal, Le Jour, 1993.

4. Pierre Elliott Trudeau, *À contre-courant. Textes choisis 1939-1996,* choix et présentation : Gérard Pelletier, Montréal, Stanké, 1996.

5. Cité par George Radwanski, *op. cit.,* p. 36.

6. *Ibid.,* p. 37.

7. Pierre Vadeboncoeur, entrevue du 27 septembre 2001.

8. Pierre René Latourelle, *Quel avenir pour le christianisme ?,* Montréal, Guérin, 2000, p. 16-17.

9. *Mémoires, op. cit.,* p. 15.

10. *Ibid.,* p. 19.

11. Voir, à ce sujet, l'excellente étude de Catherine Pomeyrols, *Les intellectuels québécois : formation et engagements, 1919-1939,* Paris et Montréal, L'Harmattan, 1996.

12. Paul-André Linteau *et al., Le Québec depuis 1930,* Montréal, Boréal, 1986, p. 169, dans Robert Lahaise, *Une histoire du Québec par sa littérature : 1914-1939,* Montréal, Guérin, 1998, p. 214.

13. Pour une excellente étude sur les jésuites, voir Jean Lacouture, *Jésuites. Une multibiographie. Les conquérants,* vol. 1, Paris, Éditions du Seuil, 1991, 510 p.

14. Constitution de l'Ordre des jésuites, dans Jean Lacouture, *op. cit.,* p. 112.

15. Loyola, *Lettre aux jésuites portugais,* dans Jean Lacouture, *op. cit.,* p. 111.

16. Cité par Catherine Pomeyrols, *op. cit.,* p. 73.

17. Règlement du Collège Sainte-Marie, dans Catherine Pomeyrols, *op. cit.,* p. 71-72.

18. Jacques Monet, s.j., « The Man's Formation in Faith », dans John English, Richard Gwyn et P. Whitney Lackenbauer (réd.), *The Hid-*

den Pierre Trudeau. The Faith Behind the Politics, Ottawa, Novalis, Université Saint-Paul, 2004, p. 87-94.

19. Journaliste et écrivain bien connu, William Johnson a fréquenté le collège Brébeuf de 1940 (année où Trudeau l'a quitté) à 1947. Nous le remercions chaleureusement pour tous les renseignements précieux qu'il nous a fournis sur la vie quotidienne au collège.

20. *Mémoires, op. cit.*, p. 26.

21. *Ibid.*, p. 38.

22. Stephen Clarkson et Christina McCall, *op. cit.*, p. 34.

23. André Burelle, *Pierre Elliott Trudeau, l'intellectuel et le politique*, Montréal, Fides, 2005, p. 69.

24. Stephen Clarkson et Christina McCall, *op. cit.*, p. 36.

25. Edith Iglauer, « Prime Minister/Premier ministre », *The New Yorker*, 5 juillet 1969.

26. Stephen Clarkson, « An Explicit Destination ? », dans John English, Richard Gwyn et P. Whitney Lackenbauer (réd.), *op. cit.*, p. 31-35.

27. Stephen Clarkson et Christina McCall, *op. cit.*, p. 36.

28. Bibliothèque et Archives du Canada (BAC), MG 26, *Fonds du très honorable Pierre Elliott Trudeau*, série 02 : *Documents antérieurs à la carrière politique*, vol. 1, folio 2. Nous abrégerons dorénavant sur le modèle : BAC, vol. 1, f. 2.

29. Juan Donoso Cortes, *Œuvres*, vol. I, Paris, Librairie d'Auguste Vaton, 1858.

30. *Ibid.*, p. 439.

31. *Mémoires, op. cit.*, p. 32.

32. BAC, vol. 1, f. 34.

33. *Brébeuf*, 11 mai 1938.

34. Quelques décennies plus tard, Paul Gérin-Lajoie deviendra ministre de l'Éducation, et fera donc, sans conteste, partie de l'élite politique canadienne-française.

35. *Brébeuf*, 3 décembre 1938.

36. *Ibid.*

37. Dans les journaux des étudiants, les auteurs utilisent souvent des majuscules. Nous les avons remplacées par des italiques, moins gênants pour la lecture.

38. *Brébeuf*, 23 décembre 1939.
39. George-Émile Lapalme, *Mémoires I : Le bruit des choses réveillées*, Montréal, Leméac, 1969, p. 110. Cité par Catherine Pomeyrols, *op. cit.*, p. 97.
40. Albert Tessier, *Souvenirs en vrac*, Montréal, Boréal, 1975. Cité par Catherine Pomeyrols, *op. cit.*, p. 97.
41. Catherine Pomeyrols, *op. cit.* Jacques Hébert, ancien élève du collège Sainte-Marie, se souvient que le journal *Le Devoir* faisait partie des journaux interdits.
42. Gabriel Compayré, *Histoire critique des doctrines de l'éducation en France depuis le XVIᵉ siècle*, 3ᵉ édition, Paris, Hachette et Cie, 1883.
43. Paul-André Linteau, dans Robert Lahaise, *op. cit.*, p. 214.
44. François Hertel, « La littérature canadienne-française », *L'Action nationale*, mai 1935. Cité par Catherine Pomeyrols, *op. cit.*, p. 80.
45. *Mémoires, op. cit.*, p. 32.
46. *Ibid.*, p. 32-33.
47. François Hertel, *L'enseignement des Belles-Lettres*, Montréal, L'Immaculée conception, octobre 1938. Cité par Catherine Pomeyrols, *op. cit.*, p. 82.
48. *Ibid.*, p. 81.
49. Gabriel Compayré, *op. cit.*
50. BAC, vol. 2, f. 8-9, cahier daté à partir d'octobre 1936. Pour ce cours, le professeur semble avoir été le père Gariépi.
51. *Portrait intime, op. cit.*, p. 59.
52. BAC, vol. 5, f. 8. Comme nous n'avons retrouvé que le brouillon de cette lettre, notre présentation ne suit pas nécessairement la forme finale.
53. BAC, vol. 5, f. 8.
54. BAC, vol. 7, f. 6.
55. *Ibid.* Dans toutes les citations, les soulignés et les italiques sont dans le texte, à moins d'indication contraire.

Chapitre 3
Brébeuf et la formation d'un chef

1. Dans toutes les citations, les italiques sont dans le texte. Pour des raisons de lisibilité, nous écrivons en italiques ce qui est en souligné ou en majuscules dans le texte.

2. Edith Iglauer, «Prime Minister/Premier ministre», *The New Yorker*, 5 juillet 1969, p. 39.

3. *Ibid.*

4. *Ibid.*

5. Max et Monique Nemni, «Entretien avec Pierre Elliott Trudeau», *Cité libre*, vol. 26, n° 1, février-mars 1998, p. 123.

6. Pierre Elliott Trudeau, *Mémoires politiques, op. cit.*, p. 35.

7. Rappelons qu'à l'époque le mot *canadien* référait exclusivement aux Canadiens français.

8. Lionel Groulx, «Nos positions», dans *Orientations*, Montréal, Éditions du Zodiaque, 1935, p. 240-241.

9. *Ibid.*, p. 247.

10. *Ibid.*, p. 250.

11. *Ibid.*, p. 253.

12. *Ibid.*, p. 257.

13. *Ibid.*, p. 266-267.

14. BAC, vol. 3, f. 18.

15. *Ibid.* Ce texte est truffé de fautes d'orthographe que nous avons corrigées.

16. Texte republié dans *Le Devoir* du 7 décembre 1976.

17. BAC, vol. 2, f. 10, mars 1938.

18. BAC, vol. 2, f. 10.

19. *Ibid.*, 25 mars 1938.

20. *Ibid.*, août 1938.

21. *Ibid.*, 1er juillet 1938.

22. Stephen Clarkson et Christina McCall, *op. cit.*, p. 44.

23. George Radwanski, *op. cit.*, p. 35.

24. BAC, vol. 2, f. 10. Texte daté du 23 septembre 1937.

25. Denis Lessard, «Un homme d'influence», *La Presse*, mardi 10 février 2004.

26. BAC, vol. 2, f. 10. Texte daté du 5 octobre 1937.

27. Robert Lahaise, *Histoire du Québec par sa littérature : 1914-1939*, Montréal, Guérin, 1998, p. 16.

28. Gérard Bessette, Lucien Geslin et Charley Parent, *Histoire de la littérature canadienne-française*, Montréal, Centre éducatif et culturel, 1968, p. 414.

29. William Johnson, *Anglophobie made in Quebec*, Montréal, Stanké, 1991, p. 123-125.

30. Jean-Louis Roux, « Lettre à Félix-Antoine Savard », *Le Quartier Latin*, 28 janvier 1944.

31. André Laurendeau, « Nos écoles enseignent-elles la haine de l'Anglais ? », *L'Action nationale*, vol. XVIII, oct. 1941, p. 104-123.

32. BAC, vol. 2, f. 10. Cahier commençant le 12 octobre 1937.

33. François Hertel, *Le Beau Risque*, Montréal, les éditions Bernard Valiquette et les éditions A.C.F., 1939, 139 p.

34. Jacques Monet, dans John English, *et al.*, *The Hidden Pierre Elliott Trudeau*, *op. cit.*

35. Esther Delisle, *Essais sur l'imprégnation fasciste au Québec*, Montréal, Les Éditions Varia, 2002, p. 38.

36. François Hertel, *op. cit.*, p. 75.

37. Voir *Essais sur l'imprégnation fasciste au Québec*.

38. François Hertel, *Leur inquiétude*, Montréal, Éditions Jeunesse ACJC/Éditions Albert Lévesque, 1936.

39. *Ibid.*, p. 134.

40. *Ibid.*, p. 93.

41. « Canadiens français d'abord ! », *Brébeuf*, 3 décembre 1938.

42. BAC, vol. 4, f. 5.

43. Alexis Carrel, *L'Homme, cet inconnu*, Paris, Plon, 1935, p. 179.

44. *Ibid.*, p. 22.

45. *Ibid.*, p. 151.

46. *Ibid.*, p. 327.

47. *Ibid.*, p. 323.

48. *Ibid.*, p. 385.

49. *Ibid.*, p. 361.

50. *Ibid.*, p. 328.

51. *Ibid.*, p. 165.

52. *Ibid.*, p. 316.

53. *Ibid.*, p. 23.

54. *Ibid.*, p. 334.

55. *Ibid.*, p. 151.

56. *Ibid.*, p. 174.

57. *Ibid.*, p. 159.

58. *Ibid.*, p. 358.

59. *Ibid.*, p. 334.

60. *Ibid.*, p. 355.

61. *Ibid.*, p. 346.

62. *Ibid.*, p. 359.

63. *Ibid.*, p. 367.

64. *Ibid.*

65. *Ibid.*, p. 389.

66. *Ibid.*, p. 366.

67. *Ibid.*, p. 388.

68. *Ibid.*, p. 276.

69. *À contre-courant, op. cit.*, p. 9.

Chapitre 4
Le chef aiguise sa plume

1. Bibliothèque et Archives Canada (BAC), vol. 1, f. 29.
2. Pour la liste complète des articles de Trudeau parus dans *Brébeuf*, voir la bibliographie des ouvrages cités.
3. Jean Lacouture, *Jésuites – Une multibiographie. Les Conquérants*, vol. 1, Paris, Éditions du Seuil, 1991, p. 326.
4. *Ibid.*, p. 361.
5. Pascal, *Pensées*, 1962, texte établi et annoté par Jacques Chevalier, préface de Jean Guitton, Paris, éditions Gallimard, p. 22. Dans l'édition qu'utilise Trudeau, cette pensée porte le numéro 16. Dans celle que nous citons, elle porte le numéro 17.
6. *Brébeuf*, 8 avril 1939.
7. *À contre-courant. op. cit.*, p. 15-16.
8. BAC, vol. 5, f. 7, lettre du 8 janvier 1940.
9. *Brébeuf*, 7 octobre 1939.
10. *Brébeuf*, 11 novembre 1939.
11. BAC, vol. 4, f. 1.
12. BAC, vol. 8, f. 6.
13. En majuscules dans le texte. Rappelons que, pour des raisons de lisibilité, nous écrivons en italiques ce qui est en majuscules dans l'original.
14. Stephen Clarkson, « An Explicit Destination ? » dans John English, *et al., op. cit.*
15. *Brébeuf*, 22 février 1940.
16. David Somerville, *Trudeau Revealed – By His Actions and Words*, Richmond Hill, Ontario, BMG Publishing Ltd., 1978.
17. Esther Delisle, *Essais sur l'imprégnation fasciste au Québec*, Montréal, Les Éditions Varia, 2002.
18. François Lessard, *Messages au « Frère » Trudeau*, Pointe-Fortune, Les éditions de ma Grand-mère, 1979.
19. *Brébeuf*, 23 mars 1940.
20. Gérard Pelletier, *Les Années d'impatience : 1950-1960*, Montréal, Stanké, 1983, p. 35.
21. Voir chapitre 1, p. 18.

Chapitre 5
Le droit, un pis-aller

1. BAC, vol. 8, f. 3, *Relevé complet des notes à Brébeuf*. Lettre du 14 octobre 1944.
2. BAC, vol. 3, f. 16, *Collège Jean-de-Brébeuf, mots sur les finissants*, 1940.
3. Jacques Hébert, *Bonjour le monde!*, Montréal, Éditions Robert Davies, 1996, p. 16.
4. Pierre Elliott Trudeau, *op. cit.*, p. 44-45.
5. George Radwanski, *op. cit.*, p. 58.
6. Ces notes ne sont pas datées. Cependant, leur emplacement nous porte à croire qu'elles sont de la dernière année à Brébeuf.
7. *Mémoires, op. cit.*
8. BAC, vol. 5, f. 7, *Demande de bourse Rhodes*.
9. *Ibid.*
10. Stephen Clarkson, « An Explicit Destination? », dans John English, *et al.*, *The Hidden Pierre Trudeau, op. cit.*, p. 34.
11. BAC, vol. 5, f. 7.
12. BAC, vol. 6, f. 5. La première page de notes est datée du 10 novembre 1941, avec la mention, habituelle pour le jeune Trudeau : A.M.D.G.
13. BAC, vol. 6, f. 14. La première page de notes est datée du 18 septembre 1940, et porte la mention A.M.D.G.
14. *Brébeuf*, 3 décembre 1938. Voir notre chapitre 2.
15. Il s'agit très probablement de Pierre Rouleau, son futur mari.
16. François Lessard, *Messages au « Frère » Trudeau*, Pointe-Fortune, Les éditions de ma Grand-mère, 1979.
17. Esther Delisle, *Essais sur l'imprégnation fasciste au Québec*, Montréal, Les Éditions Varia, 2002. Delisle a consacré plusieurs études sérieuses à la démythification de courants de pensée d'extrême droite au Québec. À ce sujet, voir également *Mythes, mémoire et mensonges*, Westmount, éd. Multimédia Robert Davies, 1998.
18. David Somerville, *Trudeau Revealed – By His Actions and Words*, Richmond Hill, Ontario, BMG Publishing Ltd., 1978.
19. Entrevue avec Louis-Bernard Robitaille, « François Hertel : "On ne peut pas effacer 40 ans de vie… On peut rompre" », *La Presse*, samedi 9 juillet 1977, p. A7.
20. BAC, MG 26-04, vol. 1, f. 35.

21. *Mémoires, op. cit.*, p. 42.
22. *Mémoires, op. cit.*, p. 40.
23. *Ibid.*
24. André Laurendeau consacrera tout un livre, *La Crise de la conscription – 1942*, à cette question.
25. *Mémoires, op. cit.*, p. 40-42.
26. Bien que le terme «Québécois» ne soit entré dans le discours que des décennies plus tard, nous l'utiliserons, par économie, pour nous référer aux Canadiens français du Québec.
27. Rappelons que dans toutes les citations, les soulignés et les italiques sont dans le texte, à moins d'indication contraire.
28. Ministère des Anciens Combattants du Canada, *La bataille du golfe du Saint-Laurent 1942-1944*, http://www.vac-acc.gc.ca. On trouve sur ce site un compte rendu détaillé, et fascinant, de la bataille du Saint-Laurent.
29. *Mémoires, op. cit.*, p. 42. Bizarrement, dans le texte anglais, on trouve, entre parenthèses : «(Although I know that one Canadian ferry, the *Caribou*, was torpedoed, with heavy loss of life.)»

Chapitre 6
L'Église bénit le corporatisme

1. Rosaire Morin, « Les origines de L'Action nationale », *L'Action nationale,* avril 2000.

2. G.-Raymond Laliberté, « Dix-huit ans de corporatisme militant. L'École sociale populaire de Montréal, 1933-1950 », *Recherches sociographiques,* vol. XXI, n°s 1-2, janvier-août 1980, p. 56.

3. Joseph-Papin Archambault, s.j., *La Restauration de l'ordre social d'après les encycliques* Rerum novarum *et* Quadragesimo anno, Montréal, éditions de L'École sociale populaire, 1932, p. 5-6.

4. *Ibid.,* p. 6.

5. *Ibid.,* p. 88.

6. *Ibid.,* p. 95.

7. *Ibid.,* p. 43.

8. *Ibid.,* note n° 1, p. 94.

9. *Ibid.,* p. 91.

10. *Ibid.,* p. 95-96.

11. *Ibid.,* note n° 1, p. 96.

12. Charles Lamarche, « Circulaire au Clergé », Évêché de Chicoutimi, le 16 novembre 1931, *Mandements Lettres Pastorales et Circulaires des Évêques de Chicoutimi,* volume premier 1929-1933, Chicoutimi, 1934, p. 282.

13. *Mandements Lettres Pastorales Circulaires et autres documents publiés dans le diocèse de Montréal depuis son érection,* volume 18e, Montréal, Arbour & Dupont Imprimeurs-Éditeurs, 1940, p. 211.

14. Dans Richard Arès, s. j., *Plans d'étude sur la restauration sociale, d'après la Lettre pastorale collective de l'épiscopat de la province de Québec sur les encycliques « Rerum novarum » et « Quadragesimo anno »,* 3e édition revue et augmentée, 1941, p. 26.

15. *Mandements Lettres Pastorales Circulaires, op. cit.,* p. 208.

16. *Ibid.,* volume 14e, 1932-1935, Québec, Chancellerie de l'Archevêché, 1936, p. 42-43.

17. *Ibid.,* volume 18e, p. 326-327.

18. Louise Bienvenue, *Quand la jeunesse entre en scène. L'Action catholique avant la Révolution tranquille,* Montréal, Boréal, 2003, 291 p.

19. Collectif, « Lettre pastorale et mandement des Archevêques et Évêques des Provinces Écclésiastiques de Québec, de Montréal et d'Ottawa, à l'occasion du malaise économique des temps présents », *Mandements Lettres pastorales et circulaires des Évêques de Québec*, volume 14e, 1932-1935, Québec, Chancellerie de l'Archevêché, 1936, p. 37-48.

20. *Ibid.*, p. 44.

21. *Ibid.*, p. 42.

22. Georges-Henri Lévesque, o.p., « La "Co-operative Commonwealth Federation" », *Pour la Restauration sociale au Canada*, publication mensuelle de l'École sociale populaire, nos 232-233, avril-mai 1933.

23. *Mandements Lettres pastorales et circulaires des Évêques de Québec*, *op. cit.*, p. 195-202.

24. Richard Arès, *op. cit.*, p. 11.

25. *Mandements Lettres Pastorales Circulaires et autres documents publiés dans le diocèse de Montréal depuis son érection*, *op.cit.*, p. 331.

26. *Ibid.*, p. 357.

27. « Programme d'action sociale catholique, préparé par S. E. Monseigneur J.-M. Rodrigue Villeneuve, O.M.I., pour la séance de clôture des noces d'argent de l'*Action Sociale Catholique* », *Mandements Lettres pastorales et circulaires des Évêques de Québec*, *op. cit.*, p. 138-139.

28. *Ibid.*, p. 136-137.

29. *Ibid.*, p. 137-138.

30. *Ibid.*, p. 139.

31. Louis Chagnon, s.j., « Directives sociales catholiques », *Pour la Restauration sociale au Canada*, *op. cit*, p. 38.

32. Daniel Latouche et Diane Poliquin-Bourassa (dir.), *Le Manuel de la parole, manifestes québécois*, tome 2, 1900-1959, Les éditions du Boréal Express, 1978, p. 147-151.

33. « Lettre pastorale collective de Son Éminence le Cardinal Archevêque de Québec et de leurs Excellences les Archevêques et Évêques de la province civile de Québec sur le problème rural au regard de la doctrine sociale de l'Église », *Mandements Lettres*

pastorales et circulaires des Évêques de Québec, volume 15ᵉ, 1936-1939, Québec, Chancellerie de l'Archevêché, 1940, p. 257.

34. *Ibid.,* p. 261.

35. *Ibid.,* p. 294.

36. Joseph-Papin Archambault, *op. cit.,* p. 97.

37. *Le Devoir,* 28 février 1935.

38. Lionel Groulx, « La bourgeoisie et le national », dans Esdras Minville, Victor Barbeau et Lionel Groulx, *L'Avenir de notre bourgeoisie* (conférences prononcées au premier congrès de la Jeunesse Indépendante Catholique, Montréal, 25-27 février 1939), Montréal, Éditions Bernard Valiquette, 1939, p. 125.

39. Pour plus de détails sur les régimes fascistes, voir l'étude d'Ernst Nolte, *Three Faces of Fascism : Action Française, Italian Fascism, National Socialism,* New York, Holt Rinehart & Winston, 1966.

40. *Ibid.,* p. 218-219.

41. *Ibid.,* p. 219.

42. Cité par André-J. Bélanger dans son étude devenue classique des idéologies de cette période : *L'apolitisme des idéologies québécoises. Le grand tournant de 1934-1936,* Québec, Les presses de l'Université Laval, 1974, p. 248.

43. « Lettre pastorale collective de Son Éminence le Cardinal Archevêque de Québec et de leurs Excellences Nosseigneurs les Archevêques et Évêques de la province de Québec à l'occasion des Encycliques *Rerum novarum* et *Quadragesimo anno,* sur la restauration de l'ordre social », *Mandements Lettres pastorales et circulaires des Évêques de Québec,* volume 16ᵉ, 1940-1943, Québec, Chancellerie de l'Archevêché, 1944, p. 166.

44. *Ibid.,* p. 181.

45. *Ibid.,* p. 171.

46. *Ibid.,* p. 185-186.

47. *Ibid.,* p. 186-187.

48. *Ibid.,* p. 187.

49. Jean-Louis Roux, *op. cit.,* p. 68.

50. *Ibid.,* p. 72-74.

51. Conférence du 20 mai 1941. Citée par le père Joseph-Papin Archambault dans la préface de Richard Arès, s. j., *op. cit.,* p. 1.

52. Richard Arès, *op. cit.*, Introduction.

53. *Ibid.*, p. 8.

54. *Ibid.*, p. 10.

55. *Ibid.*, p. 12.

56. Signalons deux ouvrages que nous avons trouvés utiles. Ils ont tous les deux paru depuis que le cardinal Ratzinger – aujourd'hui pape Benoît XVI – a donné accès, en 1998, aux archives du Commissaire du Saint-Office de l'Inquisition. *Hitler's Pope : The Secret History of Pius XII* est un best-seller, écrit par John Cornwell et paru en 1999 aux éditions Viking Penguin (New York). Cet écrivain catholique avait, en fait, entrepris sa recherche pour exonérer le pape Pie XII. David I. Kertzer, l'auteur de *The Popes Against the Jews : The Vatican's Role in the Rise of Modern Anti-Semitism*, est le fils d'un rabbin à qui le Vatican a décerné une médaille de bronze pour sa contribution à une meilleure entente entre juifs et catholiques.

57. Jasper Ridley, *Mussolini*, New York, St. Martin's Press, 1997, p. 263, cité par John Cornwell, *op. cit.*, p. 175.

58. John Cornwell, *op. cit.*, p. 115.

59. Robert Krieg, « The Vatican Concordat With Hitler's Reich », *The National Catholic Weekly*, 1er septembre 2003, vol. 189, n° 5.

60. John Shelby Spong, *The Sins of Scripture, Exposing the Bible's Texts of Hate to Reveal the God of Love*, New York, HarperCollins, 2005, p. 187.

61. Richard Arès, *op. cit.*, p. 13.

62. *Ibid.*, p. 17.

63. *Ibid.*

64. *Ibid.*, p. 24.

65. *Ibid.*, p. 40.

66. *Ibid.*, p. 53. Le texte donne comme référence deux textes de Gérard Filion : *Le syndicalisme agricole*, écrit en 1941, et *L'Union Catholique des Cultivateurs*, écrit en 1938.

67. *Ibid.*, p. 49.

68. *Ibid.*, p. 58.

69. *Ibid.*, p. 55.

70. Julien Harvey, « Richard Arès », dans *L'année politique au Québec 1988-1989*, Montréal, Québec Amérique, 1989.

71. Richard Arès, *op. cit.*, p. 60.

72. *Ibid.*, p. 57.

73. *Le Devoir,* 19 avril 1937.

74. Richard Arès, *op. cit.*, p. 60.

75. *Ibid.*

76. Nous devons cette référence à l'article de Daniel Vignola, « Pie XI, le corporatisme et le fascisme », dans *Le québécois libre,* n° 135 du 20 décembre 2003, que nous avons trouvé sur le site http://www.quebecoislibre.org.

77. John Cornwell, *op. cit.*, p. 288.

78. André Laurendeau, *La Crise de la conscription – 1942,* Montréal, Éditions du Jour, 1962, p. 115.

79. Jean-Louis Roux, *op. cit.*, p. 68.

80. André Laurendeau, *op. cit.*, p. 115.

81. *Ibid.*, p. 64.

82. *Ibid.*, p. 114.

83. Éric Amyot, *Le Québec entre Pétain et de Gaulle. Vichy, la France libre et les Canadiens français 1940-1945,* Montréal, Fides, 1999, p. 100. Selon Amyot, cet ouvrage, qui paraît en février 1943, réunit une série de discours du Maréchal prononcés entre les mois de juin 1940 et d'octobre 1941.

Chapitre 7
Lire pour agir

1. Dans les citations, tous les soulignés et les italiques sont dans le texte.

2. À moins d'indication contraire, toutes les lectures et les passages cités se trouvent dans BAC, vol. 5, f. 16.

3. *Ibid.*, janvier 1941.

4. *Ibid.*, 27 septembre 1940.

5. *Ibid.*, 1ᵉʳ octobre 1940.

6. *Ibid.* Trudeau écrit 1940, sans donner d'autre précision de date.

7. Cette fonction, qui avait cours durant la IIIᵉ République, correspond de nos jours à celle de premier ministre.

8. « Une représentation indigène du métier politique à la fin de la troisième République. Le réquisitoire d'André Tardieu contre la profession parlementaire », dans Yves Poirmeur et Pierre Mazet (dir.), *Le Métier politique en représentation*, Paris, L'Harmattan, 1999.

9. Tardieu cite ici Louis Blanc.

10. Il est amusant de constater que malgré son intérêt indéniable pour tout ce qui touche à la foi chrétienne, et malgré son éducation dans un collège jésuite, à 22 ans, Trudeau ne sait toujours pas écrire sans fautes « chrétienté ».

11. BAC, décembre 1940.

12. *Ibid.*, mars 1941.

13. Toutes nos références sont tirées de Henri Bergson, *Les deux sources de la morale et de la religion*, Paris, Quadrige/Presses universitaires de France, 7ᵉ édition, 1997 (1ʳᵉ édition : 1932), 340 p.

14. *Ibid.*, p. 97.

15. *Ibid.*, p. 77.

16. *Ibid.*, p. 68.

17. *Ibid.*, p. 73.

18. *Ibid.*, p. 76.

19. *Ibid.*, p. 78.

20. *Mémoires, op. cit.*, p. 47.

21. Henri Bergson, *op. cit.*, p. 78.

22. *Ibid.*, p. 97.

23. *Ibid.*, p. 98.

24. *Ibid.*, p. 101-102.

25. BAC, septembre 1941.

26. *Ibid.*

27. Né en France, Pierre-Esprit Radisson émigre à Trois-Rivières en 1651. En 1659, lui et le mari de sa sœur, Médard Chouart des Groseilliers, lui aussi né en France, font un voyage secret à la recherche de nouvelles sources de fourrures. Ils reviennent avec plus de 100 canots bien remplis. Mais n'ayant pas obtenu au préalable les permis requis, ils se voient imposer des amendes et leurs fourrures sont confisquées. Ils décident alors de travailler pour les Anglais. En 1665, ils se rendent à Londres pour voir le roi Charles II qui accepte d'appuyer une nouvelle expédition. Celle-ci s'étant bien déroulée, le roi accorde en 1670 une charte à la Compagnie de la Baie d'Hudson.

28. *Journal JEC*, juin 1944. Cet article a été repris dans *À contre-courant*, *op. cit.*, p. 21-24.

29. Cahier de brouillon, avec indication en première page, « 89, McCullough, Outremont, U. de M. Droit IIe, sept. 1941. » Dorénavant, nous écrirons : Cahier de brouillon, U. de M. Droit IIe.

30. Alexis Carrel, *L'Homme, cet inconnu*, Paris, Plon, 1935, p. 375.

31. Alain Grandbois, *Les Voyages de Marco Polo*, Montréal, éditions Valiquette, 1941, 229 p.

32. Pierre Elliott Trudeau. « Les voyages de Marco Polo », *Amérique française*, novembre 1941, p. 45-46.

33. Cahier de brouillon, U. de M. Droit IIe.

34. *Mémoires*, *op. cit.*, p. 31.

35. Entrevue du 27 septembre 2001.

36. *Mémoires*, *op. cit.*, p. 34.

37. Cahier de brouillon, U. de M. Droit IIe.

38. *Mémoires*, *op. cit.*, p. 40.

Chapitre 8
1942 : L'année du Maréchal

1. André Laurendeau, *La Crise de la conscription – 1942*, Montréal, Éditions du Jour, 1962, p. 7.

2. « Péril des latins », *Le Quartier Latin*, 29 janvier 1943.

3. Boulanger partira à Paris en 1948 et poursuivra des études en psychiatrie, en psychologie et en neurologie. De retour au Canada en 1957, il deviendra membre de la Faculté de médecine de l'Université de Montréal, et se classera parmi les grands psychiatres du Canada.

4. Lettre à Roger Rolland. Documents personnels de Roger Rolland.

5. BAC, vol. 5, f. 16. Toutes les notes de lecture se trouvent dans ce dossier.

6. Le 30 janvier 1942.

7. *Mémoires, op. cit.*, p. 34. En fait, la mémoire de Trudeau lui fait défaut. Selon les papiers personnels de Jean-Baptiste Boulanger, ce dernier l'aurait corrigé, le 3 août 1994. Il n'a pas reçu le prix Vermeil de l'Académie française pour son livre paru en 1937, mais pour la publication du journal *Le Petit Jour* qu'il a fondé à Edmonton en 1929 – donc à l'âge de sept ans ! – et qu'il a publié pendant dix ans jusqu'à son entrée à Brébeuf. Cité par Esther Delisle dans *Essais, op. cit.*, p. 68.

8. *Mémoires, op. cit.*, p. 34.

9. Dans Esther Delisle, *op. cit.*

10. À moins d'indications contraires, les italiques ou les soulignés sont dans le texte.

11. Adolphe-Basile Routhier, dans Robert Lahaise, *Une histoire du Québec par sa littérature 1914-1939*, Montréal, Guérin, 1998, p. 162.

12. F. Paradis, cité par Robert Lahaise, *op. cit.*, p. 6.

13. Marcel de la Sablonnière, « Génie français », *Le Quartier Latin*, 19 décembre 1941.

14. *Ibid.*

15. « Le paysan français », extrait d'un discours prononcé en 1935 à l'inauguration du monument aux morts de Capoulet-Junac, alors que Pétain était ministre de la Guerre.

16. Éric Amyot, *Le Québec entre Pétain et de Gaulle. Vichy, la France libre et les Canadiens français 1940-1945*, Montréal, Fides, 1999, p. 108.

17. Jean-Baptiste Boulanger, *Charles Maurras a-t-il trahi ? De Maurras à Pétain*, Montréal, Le mot d'ordre, 1945.

18. *Ibid.*, p. 2.

19. *Ibid.*, p. 7.

20. *Ibid.*, p. 4.

21. *Ibid.*

22. *Ibid.*, p. 12.

23. *Ibid.*

24. BAC, vol. 4, Brébeuf, fiches 39-46.

25. Max et Monique Nemni, « Entretien avec Pierre Elliott Trudeau », *Cité libre*, vol. 26, n° 1, février-mars 1998, p. 109.

26. « $50 millions par terre », *Le Quartier Latin*, 29 novembre 1940.

27. « Au sujet de nos hôtes », *Le Quartier Latin*, 18 octobre 1940.

28. Il s'agit du boulevard Saint-Laurent, qui était, jusqu'à récemment, la rue cosmopolite par excellence. Depuis quelques années, cependant, cette rue a complètement changé de nature avec l'émergence d'un grand nombre de restaurants chics, de bars, de boutiques, etc.

29. André Laurendeau, *Maîtres de l'heure : l'abbé Lionel Groulx*, Montréal, Éditions de l'A.C.F, 1938, p. 4.

30. Éric Amyot, *op. cit.*, p. 73.

31. *Ibid.*, p. 74.

32. André Laurendeau, *Ces choses qui nous arrivent. Chronique des années 1961-1966*, Montréal, HMH, 1970, p. 118-119.

33. François Hertel, *Nous ferons l'avenir*, Montréal, Fides, 1945, p. 50. Bien que publié en 1945, ce livre a été écrit en 1944.

34. *Ibid.*, p. 50-51.

35. *Nous sommes tous des acteurs, op. cit.*, p. 77-78.

36. Pierre Boutang, *Maurras, la destinée et l'œuvre*, Paris, Plon, 1984, p. 708.

37. Charles Maurras, *La Seule France, chronique des jours d'épreuve*, Lyon, H. Lardanchet, 1941, p. 136.

38. *Ibid.*, p. 204.

39. *Ibid.*, p. 206.

40. *Ibid.*, p. 83.

41. *Ibid.*, p. 83-84.
42. *Ibid.*, p. 199.
43. Marc Ferro, *Pétain*, Paris, Librairie Arthème Fayard, 1987, p. 241.
44. Charles Maurras, *op. cit.*
45. *Ibid.*
46. *Ibid.*, p. 192-193.
47. *Ibid.*, p. 197.
48. Pierre Boutang, *op. cit.*, p. 283.
49. *Ibid.*, p. 281.
50. *L'Invocation à Minerve*, 1931, cité par Pierre Boutang, *op. cit.*, p. 582.
51. Charles Maurras, *Enquête sur la monarchie*, suivie d'*Une campagne royaliste au « Figaro »* et *Si le coup de force est possible*, édition définitive avec un discours préliminaire, Paris, Nouvelle librairie nationale, 1925, p. 137-138.
52. *Ibid.*, p. 77.
53. *Ibid.*, p. 458.
54. *Ibid.*, p. 452.
55. *Ibid.*, p. 278.
56. *Ibid.*, p. 105.
57. Maurras reprendra souvent cette expression dans *La Seule France*. Par exemple, p. 29 : « Portons l'effort là où il peut donner sur l'heure des fruits positifs [...] : politique d'abord. »
58. Charles Maurras, *Enquête, op. cit.*, p. 487.
59. C'est Trudeau qui souligne ces paroles de Proudhon citées par Sorel.
60. Robert Aron et Arnaud Dandieu, *La Révolution nécessaire*, Paris, Jean-Michel Place, 1993.
61. Discours prononcé par Maurice Druon, directeur de l'Académie française, à l'occasion de la mort de Robert Aron, séance du 24 avril 1975. *Institut*, 1975, n° 9, p. 41.
62. Trudeau écrit toujours « anarchie » et « anarchique » avec un trait d'union : an-archie, an-archique.
63. Robert Aron, *Histoire de Vichy : 1940-1944*, Paris, Librairie Arthème Fayard, 1954.
64. *L'Action française*, 13 août 1908, dans Pierre Boutang, *op. cit.*, p. 436.

Chapitre 9
La Révolution nationale

1. BAC, vol. 5, f. 2.
2. François Lessard, *Messages au « Frère » Trudeau,* Pointe-Fortune, Les éditions de ma Grand-mère, 1979, 291 p.
3. Cahier de brouillon, U. de M. Droit IIe.
4. Les documents relatifs au projet de révolution se présentent comme suit :

Un brouillon de 20 pages manuscrites d'un « cahier de brouillon » qui comprend :
- trois versions du manifeste, avec trois titres différents ;
- une section intitulée « Critique des Principes proposés par JBB » ;
- une section intitulée « Glose » dans laquelle Trudeau commente, en détail, chaque article du manifeste.

Un ensemble de textes dactylographiés relatifs au manifeste qui comprend :
- un document d'une demi-page que nous considérons comme la version finale du manifeste. Intitulé « Les principes », il énonce les cinq principes de la révolution ;
- un texte intitulé « Commentaires » expliquant les cinq principes ;
- un document de cinq pages « destiné, aux dirigeants, exclusivement ». Il comprend : des notes préliminaires, une section intitulée « Origines », et deux sections intitulées « Mystique », l'une traitant de la mystique de la Patrie, et l'autre de celle de la Révolution ;
- un document d'une page – probablement destiné à la propagande – intitulé « Notre raison d'être » qui répond à deux questions : Pourquoi une nouvelle formule ? Pourquoi un autre mouvement ?

Quatre petits documents, portant sur le recrutement.

Quatre feuilles manuscrites qui traitent de l'organisation de la cellule révolutionnaire.

À moins d'indications contraires, tout ce que nous analysons, et tout ce que nous citons, se trouve dans ces documents. Pour faciliter la lecture, nous ne signalerons pas chaque fois la version du document en question, ni la section. Nous ne le faisons qu'exceptionnellement, lorsque nous jugeons cette précision nécessaire à la bonne compréhension du message.

5. *Nous sommes tous des acteurs, op. cit.*, p. 74.
6. François Lessard, *op. cit.*, p. 144.
7. Dans toutes les citations, les italiques et les soulignés sont dans le texte.
8. Charles Maurras, *Enquête sur la monarchie*, Paris, Nouvelle librairie nationale, 1925, p. 448.
9. *Ibid.*, p. 51.
10. François Lessard, *op. cit.*, p. 146.
11. *Hansard,* p. 4638.
12. Louis-Bernard Robitaille, « François Hertel », *op. cit.*
13. François Lessard, *op. cit.*, p. 144.
14. *Ibid.*, p. 138.
15. *Ibid.*, p. 151.
16. BAC, vol. 5, f. 15.
17. Alexis Carrel, *L'homme, cet inconnu, op. cit.*, p. 179.
18. Jean-Jacques Rousseau, *Du contrat social*, Paris, Garnier-Flammarion, 1966, p. 44.
19. *Ibid.*, p. 67.
20. *Ibid.*, p. 129.
21. Traduction : La raison d'être de la société politique est la vie bonne et non seulement l'ordre et la sécurité. *Par conséquent, le droit absolu au pouvoir est la capacité de favoriser la vie bonne.* C'est Trudeau qui souligne.
22. Jacques Maritain, *Humanisme intégral. Problèmes temporels et spirituels d'une nouvelle chrétienté*, Paris, Aubier, éditions Montaigne, 1968, ©1936.
23. Jacques Maritain, *Le Crépuscule de la civilisation,* Montréal, Éditions de l'Arbre, 1941, p. 78-79.

24. Jacques Maritain, *À travers le désastre,* New York, Éditions de la Maison française, 1941, p. 26.

25. Jacques Maritain, *Les Droits de l'Homme,* textes présentés par René Mougel, Paris, Desclée de Brouwer, 1989.

26. *Ibid.,* p. 20.

27. Maritain utilise le terme *pérégrinal* pour indiquer un état transitoire, le fait que, pour lui, « la civilisation temporelle n'est qu'un pur moyen à l'égard de la vie éternelle ». Pour lui, la cité terrestre est « une société non pas de gens installés dans des demeures définitives, mais des gens en route ». *Humanisme intégral,* p. 143 (édition de 1968).

28. *Le Crépuscule, op. cit.,* p. 66.

29. *À travers, op. cit.,* p. 82.

30. *Ibid.,* p. 50.

31. *Le Crépuscule, op. cit.,* p. 10.

32. *À travers, op. cit.,* p. 70.

33. *Ibid.,* p. 89.

34. *Le Crépuscule, op. cit.,* p. 16.

35. André Burelle, *Pierre Elliott Trudeau, op. cit.,* p. 21.

36. *Humanisme, op. cit.,* p. 170.

37. *Ibid.,* p. 179.

38. *Ibid.,* p. 172.

39. *Ibid.,* p. 205.

Chapitre 10
Plus rien n'importe sauf la victoire

1. Lettre du père Marie-Joseph d'Anjou à François Lessard, dans Esther Delisle, *Essais, op. cit.*, p. 62-63.
2. Louis-Bernard Robitaille, « François Hertel », *op. cit.*
3. André Laurendeau, *La Crise, op. cit.*, p. 33.
4. Lettre publiée dans *L'Action nationale*, vol. XV, juin 1940, p. 435, dans Paul-André Comeau, *Le Bloc populaire: 1942-1948*, Montréal, Québec Amérique, 1982, p. 61.
5. André Laurendeau, « Chroniques », *L'Action nationale, op. cit.*, p. 434, dans Paul-André Comeau, *op. cit.*, p. 61.
6. André Laurendeau, *La Crise, op. cit.*, p. 36.
7. Journal intime de Mackenzie King, 21 août 1942. Cité par Alain Buriot et Arnaud Coignet de l'Association Jubilee. Site Web : www.mairie-dieppe.fr/canada/19aout/raid.html.
8. André Laurendeau, *op. cit.*, p. 82.
9. *Ibid.*, p. 67.
10. Ann Charney, « Pierre Trudeau : The Myth and the Reality », dans Peter Newman et Stan Fillmore (réd.), *Their Turn to Curtsy – Your Turn to Bow*, Toronto, MacLean-Hunter Ltd., 1972.
11. Jean-Louis Roux, *Nous sommes tous des acteurs, op. cit.*, p. 70-72.
12. André Laurendeau, *op. cit.*, p. 92-94.
13. *Ibid.*, p. 94.
14. Esther Delisle, *Essais, op. cit.*, p. 61.
15. Voir notre chapitre 8.
16. André Laurendeau, *La Crise, op. cit.*, p. 116.
17. *Ibid.*, p. 121.
18. Mason Wade, *The French Canadians: 1760-1967*, vol. II, Toronto, Macmillan of Canada, 1968, p. 953.
19. Selon Mason Wade, ce slogan a d'abord été utilisé par le colonel Ralston, ministre de la Défense. Mason Wade, *op. cit.*, p. 919.
20. François Lessard, *Messages, op. cit.*, p. 125-127.
21. Pour les personnes intéressées, nous recommandons la consultation du *Dictionnaire biographique du Canada* (disponible également en ligne). Elles y trouveront un exposé clair et impartial du combat du Long Sault et des motifs de Dollard.

22. François Lessard évalue la foule à quelques milliers, *op. cit.*, p. 125. Ce chiffre semble exagéré.

23. François Lessard, *op. cit.*, p. 125.

24. *Ibid.*, p. 127.

25. William Lyon Mackenzie King, *Canada and the Fight for Freedom*, Toronto, The MacMillan Company, 1944, p. 210-220.

26. *Ibid.*, p. 216.

27. BAC, vol. 5, f. 23.

28. Selon l'encyclopédie Wikipedia, cette histoire est rapportée par William Repka et Kathleen Repka dans *Dangerous Patriots : Canada's Unknown Prisoners of War*, Vancouver, New Star Books, 1982.

29. André Laurendeau, *La Crise, op. cit.*, p. 135.

30. *Ibid.*

31. Michael Behiels, « The Bloc and the Origins of French-Canadian Neo-nationalism, 1942-8 », *Canadian Historical Review*, n° 63, décembre 1982, p. 489-491. Dans Michael Behiels, *Prelude to Quebec's Quiet Revolution : Liberalism versus Neo-nationalism, 1945-1960*, Montréal, Les presses universitaires McGill-Queen's, 1986, p. 29.

32. Mason Wade, *op. cit.*, p. 955.

33. « Nos écoles enseignent-elles la haine des Anglais ? », *L'Action nationale*, vol. 18, oct. 1941, p. 104-123.

34. Dans son discours d'appui à Jean Drapeau. Dans André Laurendeau, *La Crise, op. cit.*, p. 138.

35. *Ibid.*, p. 137.

36. Paul-André Comeau, *op. cit.*, p. 303.

37. André Laurendeau, *La Crise, op. cit.*, p. 138.

38. Cahier de brouillon, U. de M. Droit IIe, septembre 1941.

39. Dans ce texte, on trouvera plusieurs exemples d'expressions canadiennes-françaises, de style souvent familier. Nous ne les signalerons pas.

40. On se souvient que dans *La Seule France*, que Trudeau a déjà lu et apprécié, Maurras attribue la défaite de la France, entre autres, aux métèques, aux juifs et aux francs-maçons.

41. Gérard Pelletier, *Les années d'impatience, op. cit.*, p. 36.

42. Louis-Bernard Robitaille, *op. cit.*

43. BAC, vol. 5, f. 10. Toutes les références et toutes les citations à propos de ce débat sont tirées de ce dossier.
44. François Lessard, *op. cit.*, p. 127. Lessard maintient, dans son livre, qu'il faisait partie, avec Trudeau, des Frères Chasseurs. Nous n'avons trouvé aucune référence à ce nom dans les notes de Trudeau. Pour nous, il s'agit ici probablement de membres des LX.
45. André Potvin, Michel Letourneux et Robert Smith, *L'anti-Trudeau*, *op. cit.*, p. 8.
46. *Ibid.*
47. George Radwanski, *Trudeau, op. cit.*, p. 60.

Chapitre 11
Le calme après la tempête

1. Michel Vastel, *op. cit.*, p. 47.

2. Cahier de brouillon, U. de M. Droit IIe.

3. Marc Ferro, *op. cit.*, p. 29.

4. *Ibid.*, p. 161.

5. *Ibid.*, p. 219.

6. *Ibid.*, p. 431.

7. On nomme parfois, à tort, «Loi du Service du travail obligatoire», le décret du 16 février 1943. En fait, il y a eu des dizaines de décrets.

8. Marc Ferro, *op. cit.*, p. 415.

9. «Pritt, Zoum, bing», *Le Quartier Latin*, 10 mars 1944.

10. BAC, vol. 7, f. 4.

11. BAC, vol. 7, f. 5.

12. George Radwanski, *Trudeau, op. cit.*, p. 65.

13. BAC, vol. 5, f. 2.

14. *À contre-courant, op. cit.*, p. 17-19.

15. Michael Behiels, «The Bloc populaire Canadien: Anatomy of a Failure, 1942-1947», *Revue d'études canadiennes / Journal of Canadian Studies*, vol. 18, n° 4 (hiver), 1983-1984, p. 45-74.

16. Lettre du 7 février 1944, de Paul Gouin, René Chaloult et Philippe Hamel à Maxime Raymond et aux dirigeants du Bloc populaire canadien. Cité par Michael Behiels, *op. cit.*, p. 62.

17. Cité par Michael Behiels, *op. cit.*, p. 70.

18. BAC, vol. 5, f. 16.

19. *Ibid.*

20. *Ibid.*

21. Cet article est repris dans *À contre-courant, op. cit.*, p. 21-24. Nous utiliserons cette version pour les références de nos citations.

22. *Ibid.*, p. 22.

23. *Ibid.*

24. *Ibid.*, p. 23.

25. *Ibid.*, p. 22-23.

26. *Ibid.*, p. 24.

27. BAC, vol. 4, f. 5.

28. *Report pursuant to resolution of the Senate to the Honourable the Speaker by the Parliamentary Counsel, relating to the enactment of the British North America Act, 1867, any lack of consonance between its terms and judicial construction of them and cognate matters.* Rapport présenté le 17 mars 1939 par William F. O'Connor, légiste et conseiller parlementaire au Sénat du Canada.

29. *Ibid.*, p. 8.

30. *Ibid.*

31. Stéphane Paquin, *L'invention d'un mythe. Le pacte entre deux peuples fondateurs*, Montréal, VLB éditeur, 1999, p. 22.

32. *Ibid.*, p. 20.

33. *Ibid.*, p. 22.

34. William F. O'Connor, *op. cit.*, annexe II, « Address to the Queen by members of the Legislature, and minute of the Executive Council thereon », p. 47.

35. BAC, vol. 4, f. 5.

36. André Laurendeau, *La Crise, op. cit.*, p. 150.

37. *Ibid.*

38. Mason Wade, *The French Canadians, op. cit.*, p. 1012.

39. Paul-André Comeau, *Le Bloc populaire, op. cit.*, p. 346.

40. *Ibid.*, p. 164.

41. Dans André-J. Bélanger, *L'apolitisme des idéologies québécoises*, p. 265.

42. Paul-André Comeau, *Le Bloc, op. cit.*, p. 346.

43. Interprétation de Mason Wade, *op. cit.*, p. 1012.

44. Interprétation de Michael Behiels, *op. cit.*

45. Cité par Paul-André Comeau, *op. cit.*, p. 365.

46. Lettre du ministère du Travail, Service sélectif national, division de la mobilisation, BAC, vol. 7, f. 5.

47. BAC, vol. 7, f. 5.

48. Mason Wade, *op. cit.*, p. 1079.

49. « Pritt, Zoum, bing », *Le Quartier Latin*, 10 mars 1944.

50. BAC, vol. 7, f. 5.

51. BAC, vol. 7, f. 4.

52. BAC, vol. 7, f. 5.

53. BAC, vol. 5, f. 16.

54. BAC, vol. 6, f. 13.

55. Adam Smith, *Recherches sur la nature et les causes de la richesse des nations*, traduction française de Germain Garnier, 1881, à partir de l'édition revue par Adolphe Blanqui en 1843, p. 110.

56. *Ibid.*, p. 25.

BIBLIOGRAPHIE

AMYOT, Éric. *Le Québec entre Pétain et de Gaulle. Vichy, la France libre et les Canadiens français 1940-1945*, Montréal, Fides, 1999, 365 p.

ARCHAMBAULT, Joseph-Papin, s.j. *La Restauration de l'ordre social d'après les encycliques* Rerum novarum *et* Quadragesimo anno, Montréal, éditions de L'École sociale populaire, 1932.

ARÈS, Richard, s. j. *Plans d'étude sur la restauration sociale*, d'après la Lettre pastorale collective de l'épiscopat de la province de Québec sur les encycliques *Rerum novarum* et *Quadragesimo anno*, 3ᵉ éd. revue et augmentée, 1941, 64 p.

ARON, Robert et Arnaud DANDIEU. *La révolution nécessaire*, Paris, Jean-Michel Place, 1993 (1ʳᵉ édition 1933), 296 p.

_____. *Histoire de Vichy : 1940 – 1944*, Paris, Librairie Arthème Fayard, 1954, 550 p.

BEHIELS, Michael et Ramsay COOK. *The Essential Laurendeau*, Toronto, Copp Clark Publ., 1976, 256 p.

_____. « The Bloc and the Origins of French-Canadian Neo-nationalism, 1942-8 », *Canadian Historical Review*, nº 63, décembre 1982.

_____. « The Bloc Populaire Canadien : Anatomy of a Failure, 1942-1947 », *La Revue d'études canadiennes*, vol. 18, nº 4 (hiver), 1983-1984.

_____. *Prelude to Quebec's Quiet Revolution : Liberalism versus Neo-nationalism, 1945-1960*, Montréal, Les presses universitaires McGill-Queen's, 1986, 366 p.

BÉLANGER, André-J. *L'Apolitisme des idéologies québécoises. Le grand tournant de 1934-1936*, Québec, Les presses de l'Université Laval, 1974, 392 p.

BERGSON, Henri. *Les deux sources de la morale et de la religion*, Paris, Quadrige/Presses universitaires de France, 7ᵉ édition, 1997, (©1932), 340 p.

BESSETTE, G., L. GESLIN et C. PARENT. *Histoire de la littérature canadienne-française*, Montréal, Centre éducatif et culturel, 1968, 704 p.

BOULANGER, Jean-Baptiste. « Péril des latins », *Le Quartier Latin,* 29 janvier 1943.

_____. *Charles Maurras a-t-il trahi ? De Maurras à Pétain,* Le mot d'ordre, 1945, 16 p.

BOUTANG, Pierre. *Maurras, la destinée et l'œuvre,* Paris, Plon, 1984, 710 p.

BURELLE, André. *Pierre Elliott Trudeau : l'intellectuel et le politique,* Montréal, Fides, 2005, 477 p.

BURIOT, Alain et Arnaud COIGNET. « Le raid du 19 août 1942 », www.mairie-dieppe.fr/canada/19aout/raid.html.

CAIRNS, Alan. *Reconfigurations, Canadian Citizenship and Constitutional Change, Selected Essays by Alan Cairns,* Douglas E. Williams (réd.), Toronto, McClelland & Stewart Inc., 1995, 431 p.

CARREL, Alexis. *L'Homme, cet inconnu,* Paris, Plon, 1935, 400 p.

CHARTRAND, Michel. « $50 millions par terre », *Le Quartier Latin,* 29 novembre 1940.

CLARKSON, Stephen et Christina MCCALL. *Trudeau and Our Times. The Magnificent Obsession,* vol. I, Toronto, McClelland & Stewart Inc., 1991, (©1990), 502 p.

COHEN, Andrew et J. L. GRANASTEIN (dir.), *Trudeau's Shadow : The Life and Legacy of Pierre Elliott Trudeau,* Toronto, Random House of Canada, 1998, 408 p.

COMEAU, Paul-André. *Le Bloc populaire : 1942-1948,* Montréal, Québec Amérique, 1982, 478 p.

COMPAYRÉ, Gabriel. *Histoire critique des doctrines de l'éducation en France depuis le XVIe siècle,* Paris, Hachette et Cie, tome I, 1883 (4e édition). Dans *Encyclopédie de l'Agora,* http://www.agora.qc.ca/reftext.nsf/Documents/Jesuites.

CORNWELL, John. *Hitler's Pope : The Secret History of Pius XII,* New York, Viking, 1999, 430 p.

CORTES, Juan Donoso. *Œuvres,* vol. I, Paris, Librairie d'Auguste Vaton, 1858.

DELISLE, Esther. *Essais sur l'imprégnation fasciste au Québec,* Montréal, Les éditions Varia, 2002, 258 p.

_____. *Mythes, mensonges et mémoire – l'intelligentsia du Québec devant la tentation fasciste – 1939-1960,* Montréal, Éditions Multimédia Robert Davies inc., 1998, 197 p.

DION, Léon. *Québec 1945-2000. Les Intellectuels et le temps de Duplessis,* tome II, Sainte-Foy, Les Presses de l'Université Laval, 1993.

Discours prononcé en séance privée à l'Académie française pour la réception de M. Robert Aron, le jeudi 17 avril 1975. Institut de France, Académie française, 1975, n° 9, 42 p.

Discours prononcé par M. Maurice Druon, directeur de l'Académie, à l'occasion de la mort de M. Robert Aron, séance du 24 avril 1975. Institut de France, Académie française, 1975, n° 9, 42 p.

DRAPEAU, Jean. « Au sujet de nos hôtes », *Le Quartier Latin*, 18 octobre 1940.

ENGLISH, John, Richard GWYN et P. Whitney LACKENBAUER (réd.). *The Hidden Pierre Elliott Trudeau : The Faith Behind the Politics*, Ottawa, Novalis, Université Saint-Paul, 2004, 219 p.

FERGUSON, Will. *Bastards & Boneheads : Canada's Glorious Leaders Past and Present*, Vancouver/Toronto, Douglas & McIntyre, 1999, 326 p.

FERRO, Marc. *Pétain*, Paris, Librairie Arthème Fayard, 1987, 789 p.

Fonds du très honorable Pierre Elliott Trudeau. Bibliothèque et Archives Canada (BAC), MG 26 série 02, *Documents antérieurs à la carrière politique*.

FRASER, Graham. « As Quebec Premier, Charest is a Man of Firsts », *Toronto Star*, 20 avril 2003.

FRASER, Sylvia. « The Private Trudeau », *Star Weekly*, 29 juin 1968.

GÉRIN-LAJOIE, Paul. « Canadiens français d'abord ! », *Brébeuf*, 3 décembre 1938.

GRANDBOIS, Alain. *Les Voyages de Marco Polo*, éditions Valiquette, 1941, 229 p.

GROULX, Lionel. *L'Appel de la race*, 5e édition, 1956, 18e mille, avec une introduction de Bruno Lafleur, Montréal et Paris, Fides, 1922 (1re édition écrite sous le pseudonyme Alonié de Lestres), 252 p.

_____. « Nos positions », dans *Orientations*, Éditions du Zodiaque, 1935.

GWYN, Richard. *The Northern Magus*, Toronto, McClelland and Stewart, 1980, 399 p.

GZOWSKI, Peter. « Portrait of an Intellectual in Action », *Maclean's*, 24 février 1962, p. 29-30.

HARVEY, Julien. « Richard Arès », dans *L'année politique au Québec 1988-1989*, Montréal, Québec Amérique, 1989.

HERTEL, François (Rodolphe Dubé). *Leur inquiétude*, Montréal, Éditions Jeunesse ACJC/Éditons Albert Lévesque, 1936, 244 p.

_____. *Le Beau Risque*, Montréal, Les éditions Bernard Valiquette et les éditions A.C.F., 1939, 136 p.

_____. *L'Enseignement des belles-lettres*, Montréal, Ateliers de l'entraide, 1939, 152 p.

_____. *Pour un ordre personnaliste*, Montréal, Éditions de l'Arbre, 1942, 530 p.

_____. *Nous ferons l'avenir*, Montréal, Fides, 1945, 135 p.

IGLAUER, Edith. « Prime Minister/Premier ministre », *The New Yorker*, 5 juillet 1969.

JOHNSON, William. *Anglophobie made in Quebec*, Montréal, Stanké, 1991, 477 p.

KERTZER, David I. *The Popes Against the Jews : The Vatican's Role in the Rise of Modern Anti-Semitism*, New York, Alfred A. Knopf, 2001, 355 p.

KING, W. L. MacKenzie. *Canada and the Fight for Freedom*, Toronto, The MacMillan Company of Canada, Ltd., 1944, 326 p.

KRIEG, Robert. « The Vatican Concordat With Hitler's Reich », *The National Catholic Weekly*, 1er septembre 2003, vol. 189, n° 5.

LACOUTURE, Jean. *Jésuites. Une multibiographie. Les conquérants*, vol. 1. Paris, Éditions du Seuil, 1991, 510 p.

LAFOREST, Guy. *Trudeau et la fin d'un rêve canadien*, Québec, Les éditions du Septentrion, 1992, 266 p.

LAHAISE, Robert. *Une histoire du Québec par sa littérature 1914-1939*, Montréal, Guérin, 1998, 767 p.

LALIBERTÉ, G.-Raymond. « Dix-huit ans de corporatisme militant. L'École sociale populaire de Montréal, 1933-1950 », *Recherches sociographiques*, vol. XXI, n°s 1-2, janvier-août 1980, p. 56-96.

LATOUCHE, Daniel et Diane POLIQUIN BOURASSA (dirs.). *Le Manuel de la parole, manifestes québécois*, Tome 2, 1900-1959, Montréal, Les éditions du Boréal Express, 1978. Pour le manifeste de 1934 de l'Action libérale nationale (ALN), voir p. 147-151.

LATOURELLE, René. *Quel avenir pour le christianisme ?*, Montréal, Guérin, 2000.

LAURENDEAU, André. *Maîtres de l'heure : l'abbé Lionel Groulx*, Montréal, Éditions de l'A.C.F., 1938, 66 p.

_____. « Nos écoles enseignent-elles la haine de l'Anglais ? », *L'Action nationale*, vol. XVIII, octobre 1941, p. 104-123.

_____. *La Crise de la conscription – 1942*, Montréal, Éditions du Jour, 1962, 158 p.

_____. *Ces choses qui nous arrivent : chronique des années 1961-1966*, Montréal, éditions HMH ltée, 1970, 343 p.

Le Devoir, « Finie la flèche du conquérant, vive le drapeau de la liberté ! », 26 novembre 1942.

LENIHAN, Donald G., Gordon ROBERTSON et Roger TASSÉ. *Reclaiming the Middle Ground*, Montréal, Institut de recherche en politiques publiques, 1994, 161 p.

LESSARD, François. *Messages au « Frère » Trudeau*, Les éditions de ma Grand-mère, 1979, 291 p.

LÉVESQUE, Georges-Henri, o.p. « La "Co-operative Commonwealth Federation" », *Pour la Restauration sociale au Canada*, publication mensuelle de l'École sociale populaire, n°s 232-233, avril-mai 1933.

Mandements Lettres Pastorales Circulaires et autres documents publiés dans le diocèse de Montréal depuis son érection, volume 18e, Montréal, Arbour & Dupont Imprimeurs-Éditeurs, 1940.

Mandements Lettres Pastorales et Circulaires des Évêques de Chicoutimi, volume premier, 1929-1933, Chicoutimi, 1934.

Mandements Lettres pastorales et circulaires des Évêques de Québec, volume 14e, 1932-1935, Québec, Chancellerie de l'Archevêché, 1936.

Mandements Lettres pastorales et circulaires des Évêques de Québec, « Lettre pastorale collective de Son Éminence le Cardinal Archevêque de Québec et de leurs Excellences les Archevêques et Évêques de la province civile de Québec sur le problème rural au regard de la doctrine sociale de l'Église », volume 15e, 1936-1939, Québec, Chancellerie de l'Archevêché, 1940.

MARITAIN, Jacques. *Humanisme intégral. Problèmes temporels et spirituels d'une nouvelle chrétienté*, Paris, Aubier, éditions Montaigne, 1968 (1re édition 1936), 317 p.

_____. *Le Crépuscule de la civilisation*, Montréal, Éditions de l'Arbre, 1941, 92 p.

_____. *À travers le désastre*, New York, Éditions de la Maison française, 1941, 150 p.

_____. *Les Droits de l'homme*, textes présentés par René Mougel, Paris, Desclée de Brouwer, 1989 (1re édition 1942).

MAURRAS, Charles. *La Seule France, chronique des jours d'épreuve*, Lyon, H. Lardanchet, 1941, 329 p.

_____. *Enquête sur la monarchie*, suivie de *Une campagne royaliste au « Figaro »* et *Si le coup de force est possible*, édition définitive avec un discours préliminaire, Paris, Nouvelle librairie nationale, 1925, 615 p.

MCROBERTS, Kenneth. *Quebec, Social Change and Political Crisis*, Toronto, Oxford University Press, 1993 (3e édition avec postface), 556 p.

_____, *Misconceiving Canada : The Struggle for National Unity*, Toronto, Oxford University Press, 1997, 385 p.

MINISTÈRE DES ANCIENS COMBATTANTS DU CANADA. *La Bataille du golfe du Saint-Laurent 1942-1944*, http://www.vac-acc.gc.ca.

MINVILLE, Esdras, Victor BARBEAU et Lionel GROULX. *L'Avenir de notre bourgeoisie*, (conférences prononcées au premier congrès de la Jeunesse Indépendante Catholique, Montréal, 25-27 février 1939), Montréal, Éditions Bernard Valiquette, 1939.

MORIN, Rosaire. « Les origines de L'Action nationale », *L'Action nationale*, avril 2000.

MOUNIER, Emmanuel. *Manifeste au service du personnalisme*, Paris, Aubier, éditions Montaigne, 1936, 242 p.

NEMNI, Max et Monique NEMNI. « Entretien avec Pierre Elliott Trudeau », *Cité libre*, vol. 26, n° 1, février-mars 1998, p. 98-123.

NEWMAN, Peter et Stan FILLMORE (réd.). *Their Turn to Curtsy – Your Turn to Bow*, Toronto, MacLean-Hunter Ltd., 1972, 160 p.

NOLTE, Ernst. *Three Faces of Fascism : Action Française, Italian Fascism, National Socialism*, (traduit de l'allemand), New York, Holt, Rinehart & Winston, 1966, 561 p.

O'CONNOR, William F. *Report pursuant to resolution of the Senate to the Honourable the Speaker by the Parliamentary Counsel, relating to the enactment of the British North America Act, 1867, any lack of consonance between its terms and judicial construction of them and cognate matters.* Rapport présenté le 17 mars 1939 par William F. O'Connor, légiste et conseiller parlementaire au Sénat du Canada.

PAQUIN, Stéphane. *L'Invention d'un mythe. Le pacte entre deux peuples fondateurs,* Montréal, VLB éditeur, 1999, 174 p.

PASCAL. *Pensées,* texte établi et annoté par Jacques Chevalier, préface de Jean Guitton, Paris, éditions Gallimard, 1962.

PELLERIN, Jean. *Le Phénomène Trudeau,* Paris, Seghers, 1972, 234 p.

PELLETIER, Gérard. *Les Années d'impatience: 1950-1960,* Montréal, Stanké, 1983, 320 p.

PÉTAIN, Philippe. «Le paysan français», *Le Quartier Latin,* 20 décembre 1940. Extrait d'un discours prononcé à l'inauguration du monument aux morts de Capoulet-Junac.

POIRMEUR, Yves et P. MAZET (dir.). *Le métier politique en représentation,* Paris, l'Harmattan, 1999.

POMEYROLS, Catherine. *Les Intellectuels québécois: formation et engagements, 1919-1939,* Paris et Montréal, l'Harmattan, 1996, 537 p.

POTVIN, André, Michel LETOURNEUX et Robert SMITH. *L'Anti-Trudeau. Choix de textes,* Montréal, Éditions Parti Pris, 1972, 273 p.

Pour la Restauration sociale au Canada, École sociale populaire, Montréal, nos 232-233, avril-mai 1933.

RADWANSKI, George. *Trudeau,* Toronto, The Macmillan Company of Canada Ltd., 1978, 372 p.

REPKA, William et Kathleen REPKA. *Dangerous Patriots: Canada's Unknown Prisoners of War,* Vancouver, New Star Books, 1982, 249 p.

ROBITAILLE, Louis-Bernard. «François Hertel: "On ne peut pas effacer 40 ans de vie... On peut rompre"», *La Presse,* samedi 9 juillet 1977.

ROUSSEAU, Jean-Jacques. *Du contrat social,* Paris, Garnier-Flammarion, 1966, 189 p.

ROUX, Jean-Louis, *Nous sommes tous des acteurs,* Montréal, Éditions Lescop, 1998, 505 p.

_____. «Lettre à Félix-Antoine Savard», *Le Quartier Latin,* 28 janvier 1944.

SABLONNIÈRE (de la), Marcel. «Génie français», *Le Quartier Latin,* 19 décembre 1941.

SMITH, Adam. *Recherches sur la nature et les causes de la richesse des nations,* 1776, traduction française de Germain Garnier de 1881, à partir de l'édition revue par Adolphe Blanqui en 1843.

SOMERVILLE, David. *Trudeau Revealed by His Actions and Words*, Richmond Hill, BMG Publishing Ltd., 1978, 225 p.

SOUTHAM, Nancy (réd.). *Pierre*, Toronto, McClelland & Stewart, 2005, 388 p.

SPONG, John Shelby. *The Sins of Scriptures, Exposing the Bible's Texts of Hate to Reveal the God of Love*, New York, Harper Collins, 2005, 315 p.

TREMBLAY, Arthur (président). *Rapport de la Commission royale d'enquête sur les problèmes constitutionnels*. Commission créée par la loi 1-2 Elizabeth II, chapitre 4, Sanctionnée le 12 février 1953. Province de Québec, 1956, 4 volumes. Communément appelé, *Rapport Tremblay*.

TRUDEAU, Pierre Elliott. Articles dans *Brébeuf*:
«Le ronfleur et... le nouveau pensionnaire», vol. 5, nos 7-8-9, 12 février 1938.
«Brève louange à tous», vol. 6, n° 2, 5 novembre 1938.
«Pour réhabiliter Pascal», vol. 6, n° 5, 24 février 1939.
«Utopie relative», vol. 6, n° 7, 8 avril 1939, reproduit dans *À contre-courant*.
«Vers la Haute mer», vol. 6, n° 9, 27 mai 1939.
«Entre autres, sur le don de parole», vol. 7, n° 1, 7 octobre 1939.
«De cette autorité», vol. 7, n° 2, 11 novembre 1939.
«Bonne et Heureuse Année à tous nos lecteurs», vol. 7, nos 3-4, 23 décembre 1939.
«Mer! Noël!», vol. 7, nos 3-4, 23 décembre 1939.
«Sur les pompiers», vol. 7, n° 5, 22 février 1940.
«À propos de style», vol. 7, n° 6, 23 mars 1940.
«Ceci est l'éditorial», vol. 7, nos 8-9, 12 juin 1940.
_____. Articles dans *Le Quartier Latin*:
«Perçant dialogue persan», signé PITRE, 19 mars 1943.
«Massons Clément», 12 novembre 1943.
«Mon cher Clément», 12 novembre 1943.
«Ça vient d'où un sauvage?», 12 novembre 1943, reproduit dans *À contre-courant*, p. 17-19.
«Pritt Zoum Bing», 10 mars 1944.
_____. «L'ascétisme en canot», dans *Journal JEC*, juin 1944. Cet article a été repris dans P. Trudeau, *À contre-courant*, p. 21-24.
_____. *Mémoires politiques*, Montréal, Le Jour, éditeur, 1993, 347 p.
_____. *À contre-courant: textes choisis 1939-1996*, Choix et présentation: Gérard Pelletier, Montréal, Stanké, 1996, 335 p.

Pierre Elliott Trudeau: Portrait intime, Montréal, Télé-Métropole / Les Éditions internationales Alain Stanké Ltée, 1977, 175 p.

Trudeau: The Life, Times and Passing of Pierre Elliott Trudeau, Toronto, Key Porter Books, 2000.

VASTEL, Michel. *Trudeau le Québécois… mais la colombe avait des griffes de faucon*, Montréal, Éditions de l'Homme, 2000, (c1989), 315 p.

_____. *The Outsider: The Life of Pierre Elliott Trudeau*, Toronto, Macmillan of Canada, 1990.

VIGNOLA, Daniel. «Pie XI, le corporatisme et le fascisme», dans *Le Québécois libre*, n° 135, 20 décembre 2003, site http://www.quebecoislibre.org.

WADE, Mason. *The French Canadians: 1760-1967*, vol. II: 1911-1967, (édition revue), Toronto, Macmillan of Canada, 1968, 1128 p. (pour les deux volumes).

INDEX

TABLE DES MATIÈRES

Achevé d'imprimer au Canada
sur les presses des Imprimeries Transcontinental Inc.